International Addresses

Register Now!

Please return your registration card to the Corel address nearest you. Write the appropriate address on the registration card.

U.S.A.

Corel Corporation
P.O. Box 3595
Salinas, California
93912-3595
U.S.A.

United Kingdom

Corel Corporation
YYZ YOW 700046 M01
P.O. Box 66
Hounslow, TW5 9RT
United Kingdom

Deutschland

Corel Corporation
YYZ YOW 700045 M01
Postfach 1862
6090 Rüsselsheim
Deutschland

France

Corel Corporation
YYZ YOW 700044 M01
Boite Postale 28
93601 Aulnay-S-Bois Cedex
France

España

Corel Corporation
YYZ YOW 700050
Apartado 514 F D/28080
28080 Madrid
España

Italia

Corel Corporation
YYZ YOW 700049 M01
Casella Postale 292
20092 Cinisello Ballsamo
Milan, Italia

Nederland

Corel Corporation
YYZ YOW 700051 M01
Postbus 616
2130 AP Hoofddorp
Nederland

Worldwide

Corel Corporation
1600 Carling Avenue
Ottawa, Ontario
K1Z 8R7
Canada

REGISTRIERSKARTE

Füllen Sie dieses Formular aus, wenn Sie folgende Vorteile nutzen wollen:

▶ Anrecht auf unseren Hotline-Service
▶ Informationen zum Upgrade auf künftige Software-Versionen
▶ Informationen über neue Produkte und Sonderangebote

Füllen Sie bitte die folgenden Felder aus oder legen Sie Ihre Karte bei.

Vorname

Nachname

Name des Unternehmens (sofern zutreffend)

Position

Adresse

Stadt | Staat/Bundesland

Land | Postleitzahl

Telefonnummer mit Vorwahl | Faxnummer mit Vorwahl

▶ Ich hàbe die folgende Corel GALLERY Version gekauft:
- ❏ Windows ❏ Macintosh

▶ Welche Programme werden Sie hauptsächlich zusammen mit Corel GALLERY benutzen?
1. __________
2. __________
3. __________

▶ Wo haben Sie Corel GALLERY gekauft?
- ❏ Computerhandel ❏ Buchhandel ❏ Direkt von Corel
- ❏ Weder Computer-noch Buchhandel ❏ Versandhandel ❏ Im Bundle mit dem Produkt eines anderen Hersteller

▶ Wo arbeiten Sie?
- ❏ Kleine Firma (bis zu 100 Mitarb.) ❏ Großunternehmen (über 500 Mitarb.) ❏ Bildungseinrichtung oder Trainingsinstitut
- ❏ Mittelgroßes Unternehmen (bis zu 500 Mitarb.) ❏ Zuhause ❏ Behörde

▶ Welche Hauptfaktoren haben Sie bei Ihrer Kaufentscheidung für Corel GALLERY beeinfl
- ❏ Freund/Kollege ❏ Software-Kompatibilität ❏ Firmenstandard ❏ Produktvorstellung in einer Zeitschrift
- ❏ Produktqualität ❏ Händlerempfehlung ❏ Herstellername ❏ Werbeanzeige
- ❏ Berater ❏ Messevorführung ❏ Marketingmaterial/Demo-Diskette
- ❏ Preis- Leistungsverhältnis ❏ Gruppenvorführung ❏ Andere __________

BITTE
FREIMACHEN

CARTE D'ENREGISTREMENT

Vous devez être enregistré pour:

- ▶ Appeler notre ligne de Support technique
- ▶ Bénéficier de mises à jour pour les futures versions
- ▶ Être informé de produits et d'offres spéciales

Merci d'Indiquer les renseignements suivants

Prénom

Nom

Société (le cas échéant)

Titre

Adresse

Ville

Pays | Code Postal

Téléphone | Fax

▶ J'ai acheté Corel GALLERY pour:

❑ Windows ❑ Macintosh

▶ J'utiliserai probablement les logiciel suivants avec Corel GALLERY:

1. ____________________
2. ____________________
3. ____________________

▶ J'ai acheté Corel GALLERY?

❑ Chez un revendeur ❑ Dans une librairie ❑ Auprès de Corel

❑ Autre magasin ❑ Par correspondance ❑ Associé à un autre produit/matériel

▶ A quelle catégorie appartient l'entreprise où vous travaillez?

❑ Petite entreprise (<100 sal.) ❑ Grand entreprise (500+) ❑ Enseignement/Formation

❑ Moyenne entreprise (100-500) ❑ Artisan/Travail à domocile ❑ Services publics

▶ Quel sont les facteurs qui vous ont décidé à acheter Corel GALLERY?

❑ Ami/Collègue ❑ Démo Groupe utilisateurs ❑ Article dans magazine ❑ Choix de l'entreprise

❑ Qualité du produit ❑ Conseil d'un revendeur ❑ Nom de la marque ❑ Publicité

❑ Consultant ❑ Brochure/Disquette démo ❑ Démo salon

❑ Qualité/Prix ❑ Compatibilité du logiciel ❑ Autres ____________

TARJETA DE INSCRIPCIÓN

Inscríbase de inmediato para aprovechar estas ventajas:

- ▶ Acceso a nuestra línea telefónica directa de asistencia técnica
- ▶ Recibir información sobre la futuras actualizaciones de software
- ▶ Recibir información sobre nuevos productos Corel y ofertas especiales

Complete la siguiente información, o bien fije aquí su tarjeta de visita con cinta adhesiva

Nombre

Apellido

Nombre de la empresa (de ser aplicable)

Cargo

Dirección

Ciudad | Estado/Provincia

País | Código postal

Número de teléfono con código internacional | Número de fax con prefijo

▶ Compré Corel GALLERY para:

❑ Windows ❑ Macintosh

▶ Estos son los productos de software que pienso utilizar con Corel GALLERY:

1. ____________________
2. ____________________
3. ____________________

▶ He adquirido Corel GALLERY:

❑ En un establecimiento de informática ❑ En una librería ❑ Directamente a Corel

❑ En otro establecimiento (no de informática ni una librería) ❑ Por correo ❑ Incluido con el producto de otro fabricante

▶ ¿Cómo clasificaría el lugar en el que trabaja?

❑ Pequeña empresa (hasta 100 empleados) ❑ Gran empresa (más de 500 empleados) ❑ Educación/formación

❑ Mediana empresa (100-500 empleados) ❑ Trabaja en casa ❑ Administación pública

▶ ¿Qué factor o factores clave influyeron sobre su decisión de comprar Corel GALLERY?

❑ Amigo/compañero de trabajo ❑ Demostración para grupo de usuarios ❑ Reseña sobre el producto en una revista ❑ Norma de la empresa

❑ Calidad del producto ❑ Recommendación del distribuidor ❑ Nombre de la marca ❑ Anuncio

❑ Consultor ❑ Material de ventas/disco de demostración ❑ Demostración en feria de muestras

❑ Relación precio/prestaciones ❑ Compatillidad de software ❑ Otro ____________

INCLUYA
FRANQUEO
CORRECTO

A
AFFRANCHIR
S.V.P.

100
80
60
40
20
0
1 2 3 4 5 6
CENT
1965
b

Corel GALLERY Clipart Catalog - Version 1.0 (First printing)

3G Graphics, Inc. 206-774-3518

Archive Arts 619-723-2119

Cartesia Software 609-397-1611

Image Club Graphics, Inc., Calgary Alberta 403-262-8008

One Mile Up, Inc. 703-642-1177

TechPool Studios 216-382-1234

Totem Graphics Inc. 206-352-1811

Use of Clipart Images

The CorelDraw! Software contains numerous clipart images which are either owned by Corel Corporation or licensed through a clipart vendor. CorelDraw! Software owners are free to use, modify and publish the Corel or Artright clipart images as they wish subject to the following exceptions. CorelDraw! Software owners may not;

» resell or market the clipart, with or without modifications for further use;

» create scandalous, obscene or immoral works using the clipart images included with the CorelDraw! Software;

» publish or distribute the clipart images, sound files or fonts included with the CorelDraw! Software as computer images, sound files or fonts;

» use the clipart images related to identifiable individuals or entities in a manner which suggests their association with or endorsement of any product or service

Sources of the individual clipart images can be determined by examining the Keywords associated with each file. This is easily done by using the Edit...Keywords command in CorelMOSAIC or by clicking on the Options button while opening or importing a file within the CorelDraw! Software.

If Corel clipart is incorporated into a publication or product with intended widespread distribution, then the source of the clipart should be acknowledged.

Third party clipart has been licensed to Corel Corporation for use in the CorelDraw! Software. This means that it may only be modified and used by CorelDraw! Software owners. Each vendor places various restrictions on the use of their clipart and Corel Corporation advises that CorelDraw! Software owners contact the listed vendors directly to obtain the consent for the use of third party clipart.

Corel and Corel's licensors make no warranties, express or implied, including without limitation the implied warranties of merchantability and fitness for a particular purpose, regarding the software. Corel and Corel's licensors do not warrant, guarantee or make any representations regarding the use or the results of the use of the software in terms of its correctness, accuracy, reliability, currentness or otherwise. The entire risk as to the results and performance of the software is assumed by you.
The exclusion of implied warranties is not permitted by some jurisdictions. The above exclusion may not apply to you.

In no event will Corel and Corel's licensors and their directors, officers, employees or agents
(collectively Corel's licensor) be liable to you for any consequential, incidental or indirect damages
(including damages for loss of business profits, business interruption, loss of business information, and the like) arising out of the use or inability to use the software even if Corel and Corel's licensor has been advised of the possibility of such damages. Because some jurisdictions do not allow the
exclusion or limitation of liability for consequential or incidental damages, the above limit

Apple Computer, Inc. makes no warranties whatsoever, either express or implied, regarding this product, including warranties with respect to its merchantability or its fitness for any particular purpose.

The MacApp software is proprietary to Apple Computer, Inc. and is licensed to Corel Corporation for distribution only for use in combination with the Corel Gallery for Macintosh.

"Macintosh" and "MacApp" are trademarks of Apple Computer, Inc.

Phone: 613-728-8200
Fax: 613-728-9790

Printed In Canada
Q046-GAL

Path =Clipart\Category\vendor\sub-category

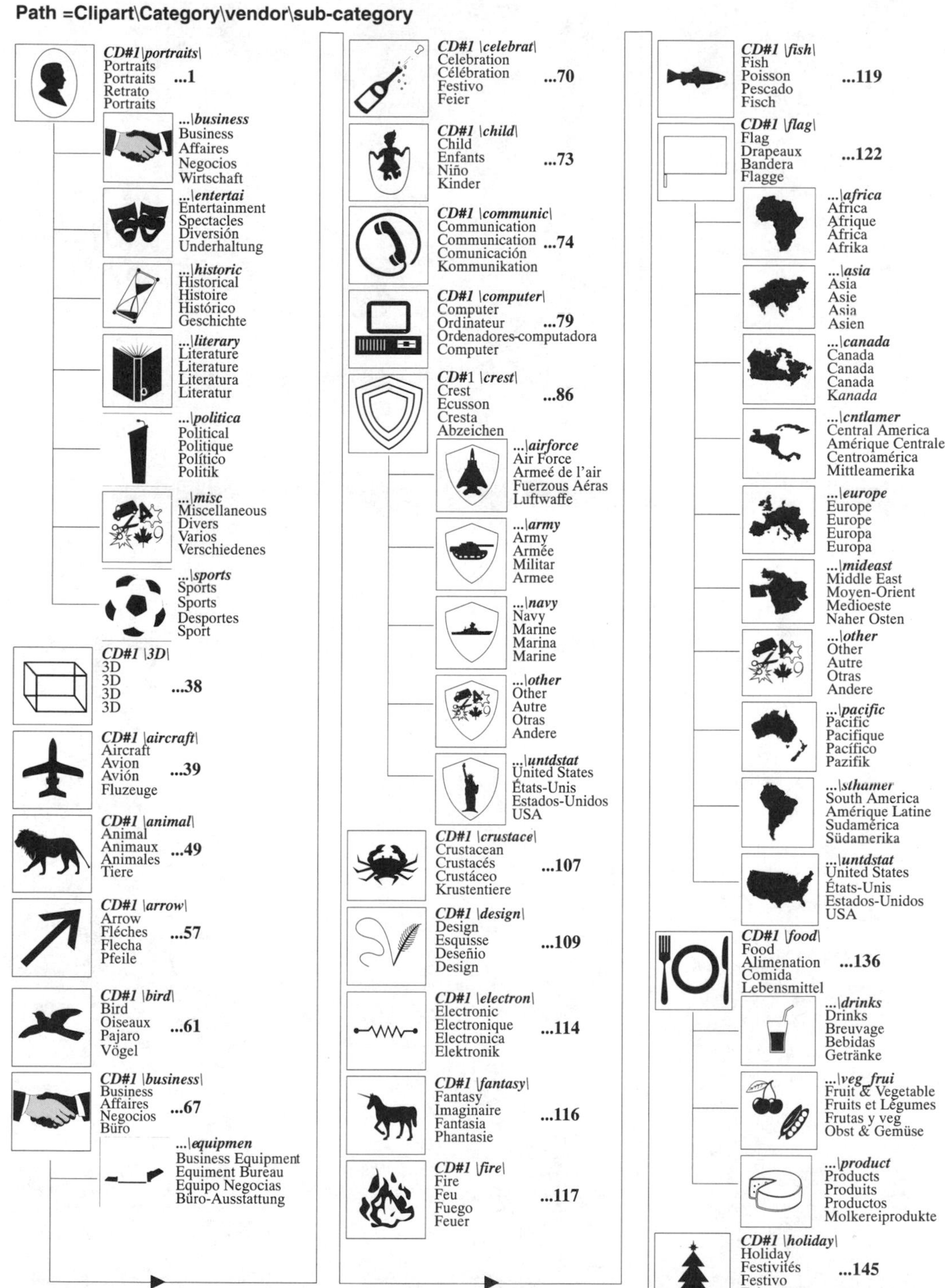

CD#1 \home\ Home Domicile Edificios Zuhause ...149

CD#1 \insect\ Insect Insecte Insecto Insekten ...153

CD#1 \insignia\ Insignia Insignes Insignias Abzeichen ...157

CD#1 \justice\ Justice Justice Justicia Justiz ...164

CD#1 \landmark\ Landmark Monuments Paisajes Wahrzeichen ...166

CD#1 \leisure\ Leisure Loisirs Ocio Freizeit ...169

CD#1 \man\ Man Homme Hombres Mann ...172

- ...\business Business Affaires Negocios Wirtschaft
- ...\entertai Entertainment Spectacles Diversión Underhaltung
- ...\historic Historical Histoire Histórico Geschichte
- ...\humor Humor Humor Humorismo Humor
- ...\icon Icon Icône Icono Symbole
- ...\misc Miscellaneous Divers Varios Verschiedenes
- ...\politica Political Politique Político Politik
- ...\sports Sports Sports Desportes Sport

CD#1 \map\ Map Cartographie Mapa Landkarte ...204

- ...\africa Africa Afrique Africa Afrika
- ...\asia Asia Asie Asia Asien
- ...\canada Canada Canada Canada Kanada
- ...\cntlamer Central America Amérique Centrale Centroamérica Mittleamerika
- ...\europe Europe Europe Europa Europa
- ...\mideast Middle East Moyen-Orient Medioeste Naher Osten
- ...\nthamer North America Amérique du Nord Norte América Nordamerika
- ...\other Other Autre Otras Andere
- ...\pacific Pacific Pacifique Pacífico Pazifik
- ...\sthamer South America Amérique Latine Sudamérica Südamerika
- ...\untdstat United States États-Unis Estados-Unidos USA

CD#1 \medical\ Medical Médecine Médico Medizin ...215

- ...\anatomy Anatomy Anatomie Anatomia Anatomie
- ...\dental Dental Dentaire Odontologia Zahneilkunde
- ...\equipmen Medical Equipment Equip Médical Equipo Médico Medizinisches Gerät
- ...\emergenc Emergency Urgence Urgencia Notfall
- ...\misc Miscellaneous Divers Varios Verschiedenes
- ...\organ Organ Organes Organo Organ

CD#1 \misc\ Miscellaneous Divers Varios Verschiedenes ...232

CD#1 \money\ Money Monnaies Dinerios Geld ...240

CD#1 \music\ Music Musique Música Musik ...243

CD#1 \people\ People Gens Gente Leute ...245

- ...\business Business Affaires Negocios Wirtschaft
- ...\humor Humor Humor Humorismo Humor
- ...\icon Icon Icônes Icono Sinnbilder
- ...\misc Miscellaneous Divers Varios Verschiedenes

CD#1 \plant\ Plant Botanique Plantas Pflanze ...252

CD#1 \reptile\ Reptile Reptile Reptil Reptilie ...257

CD#1 \ship\ Ship Bateau Barco Schiff ...259

CD#1 \sign\ Sign Panneau Signos Schild ...265

- ...\icon Icon Icônes Icono Sinnbilder
- ...\misc Miscellaneous Divers Varios Verschiedenes
- ...\traffic Traffic Signalisation Traffico Verkher
- ...\warnings Warnings Avertissement Aviso Warnungen

CD#1 \simple_b\ Simple Border Cadres Simples Marcos Simples Enfacher Rahmen ...282

CD#1 \space\ Space Espace Espacio Weltall ...294

CD#1 \sports\ Sports Sports Desportes Sport ...295

CD#1 \theme_bo\ Theme Border Cadres Thématiques Marcos Thematische Rahmen ...300

- ...\animal Animal Animaux Animales Tiere

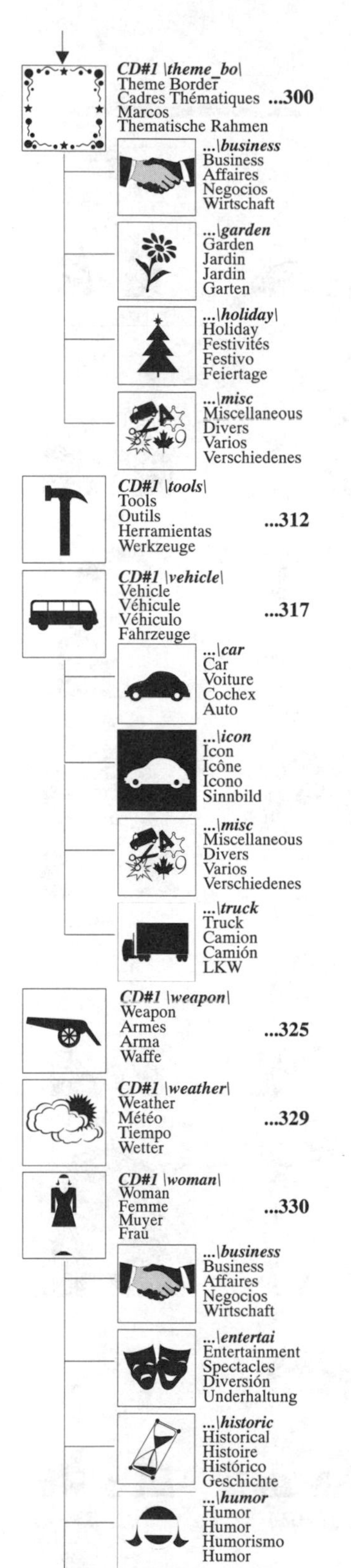
CD#1 \theme_bo\
Theme Border
Cadres Thématiques ...300
Marcos
Thematische Rahmen
...\business
Business
Affaires
Negocios
Wirtschaft
...\garden
Garden
Jardin
Jardin
Garten
...\holiday\
Holiday
Festivités
Festivo
Feiertage
...\misc
Miscellaneous
Divers
Varios
Verschiedenes
CD#1 \tools\
Tools
Outils ...312
Herramientas
Werkzeuge
CD#1 \vehicle\
Vehicle
Véhicule ...317
Véhiculo
Fahrzeuge
...\car
Car
Voiture
Cochex
Auto
...\icon
Icon
Icône
Icono
Sinnbild
...\misc
Miscellaneous
Divers
Varios
Verschiedenes
...\truck
Truck
Camion
Camión
LKW
CD#1 \weapon\
Weapon
Armes ...325
Arma
Waffe
CD#1 \weather\
Weather
Météo ...329
Tiempo
Wetter
CD#1 \woman\
Woman
Femme ...330
Muyer
Frau
...\business
Business
Affaires
Negocios
Wirtschaft
...\entertai
Entertainment
Spectacles
Diversión
Underhaltung
...\historic
Historical
Histoire
Histórico
Geschichte
...\humor
Humor
Humor
Humorismo
Humor

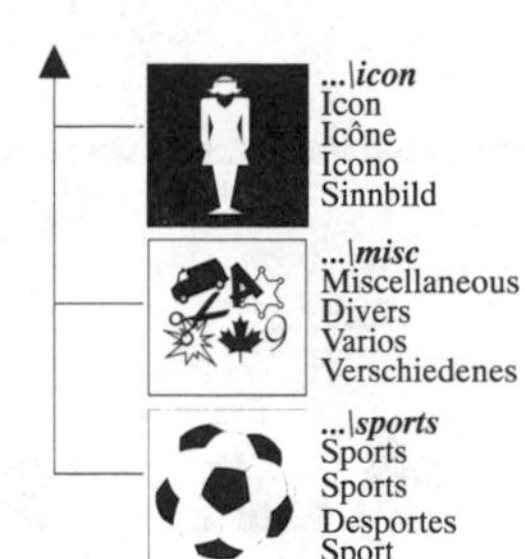
...\icon
Icon
Icône
Icono
Sinnbild
...\misc
Miscellaneous
Divers
Varios
Verschiedenes
...\sports
Sports
Sports
Desportes
Sport

Portraits
Portraits
Retrato
Portraits

Business
Affaires
Negocios
Wirtschaft

01A001

01A002

01A003

01A004

01A005

01A006

01A007

01A008

01A009

01A010

01A011

01A012

01A013

01A014

01A015

01A016

01A017

01A018

01A019

01A020

01A021

01A022

01A023

01A024

01A025

01A026

01A027

01A028

01A029

01A030

01A031

01A032

01A033

01A034

01A035

Portraits
Portraits
Retrato
Portraits

Business
Affaires
Negocios
Wirtschaft

01A036

01A037

01A038

01A039

01A040

01A041

01A042

01A043

01A044

01A045

01A046

01A047

01A048

01A049

01A050

01A051

01A052

01A053

01A054

01A055

01A056

01A057

01A058

01A059

01A060

01A061

01A062

01A063

01A064

01A065

01A066

01A067

01A068

01A069

01A070

Portraits
Portraits
Retrato
Portraits

Business
Affaires
Negocios
Wirtschaft

01A071

01A072

01A073

01A074

01A075

01A076

01A077

01A078

01A079

01A080

01A081

01A084

01A082

01A083

01A085

01A086

01A087

01A088

01A089

01A090

01A091

01A092

01A093

01A094

01A095

01A096

01A097

01A098

01A099

01A100

01A101

01A102

01A103

01A104

01A105

Portraits
Portraits
Retrato
Portraits

Business
Affaires
Negocios
Wirtschaft

01A106

01A107

01A108

01A109

01A110

01A111

01A112

01A113

01A114

01A115

01A116

01A117

01A118

01A119

01A120

01A121

01A122

01A123

01A124

01A125

01A126

01A127

01A128

01A129

01A130

01A131

01A132

01A133

01A134

01A135

01A136

01A137

01A138

01A139

01A140

01A141

01A142

01A143

01A144

01A145

01A146

01A147

01A148

01A149

01A150

01A151

01A152

01A153

01A154

01A155

01A156

01A157

01A158

01A159

01A160

01A161

01A162

01A163

01A164

01A165

01A166

01A167

01A168

01A169

01A170

01A171

01A172

01A173

01A174

01A175

Portraits
Portraits
Retrato
Portraits

Business
Affaires
Negocios
Wirtschaft

01A176

01A177

01A178

01A179

01A180

01A181

01A182

01A183

01A184

01A185

01A186

01A187

01A188

01A189

01A190

01A191

01A192

01A193

01A194

01A195

01A196

01A197

01A198

01A199

01A200

01A201

01A202

01A203

01A204

01A205

01A206

01A207

01A208

01A209

01A210

Portraits
Portraits
Retrato
Portraits

Business
Affaires
Negocios
Wirtschaft

01A211

01A212

01A213

01A214

01A215

01A216

01A217

01A218

01A219

01A220

01A221

01A222

01A223

01A224

01A225

01A226

01A227

01A228

01A229

01A230

01A231

01A232

01A233

01A234

01A235

01A236

01A237

01A238

01A239

01A240

01A241

01A242

01A243

01A244

01A245

Portraits
Portraits
Retrato
Portraits

01A246

01A247

01A248

01A249

01A250

01A251

01A252

01A253

01A254

01A255

01A256

01A257

01A258

01A259

01A260

01A261

01A262

01A263

01A264

01A265

01A266

01A267

01A268

01A269

01A270

01A271

01B001

01B002

01B003

01B004

01B005

01B006

01B007

01B008

01B009

01B010

01B011

01B012

01B013

01B014

01B015

01B016

01B017

01B018

01B019

01B020

01B021

01B022

01B023

01B024

01B025

01B026

01B027

01B028

01B029

01B030

01B032

01B033

01B034

01B035

01B036

01B037

01B038

01B039

01B040

01B041

01B042

01B043

01B044

01B045

01B046

01B047

01B048

01B049

01B050

01B051

01B052

01B053

01B054

01B055

01B056

01B057

01B058

01B059

01B060

01B061

01B062

01B063

01B064

01B065

01B066

01B067

01B068

01B069

01B070

01B071

01B072

01B073

01B074

01B075

01B076

01B077

01B078

01B079

01B080

01B081

01B083

01B084

01B085

01B086

01B087

01B088

01B089

01B090

01B091

01B092

01B093

01B094

01B095

01B096

01B097

01B098

01B099

01B100

01B101

01B102

01B103

01B104

01B105

Portraits
Portraits
Retrato
Portraits

Entertainment
Spectacles
Diversión
Underhaltung

01B106

01B107

01B108

01B109

01B111

01B112

01B114

01B113

01B115

01B116

01B117

01B118

01B119

01B120

01B121

01B122

01B123

01B124

01B125

01B126

01B127

01B128

01B129

01B130

01B131

01B132

01B133

01B134

01B135

01B136

01B137

01B138

01B139

01B140

01B141

01B142

01B143

01B144

01B145

01B146

01B147

01B148

01B149

01B150

01B151

01B152

01B153

01B154

01B155

01B156

01B157

01B159

01B158

01B160

01B161

01B162

01B163

01B165

01B166

01B167

01B168

01B169

01B170

01B171

01B172

01B173

01B174

01B175

01B176

01B177

01B178

01B179

01B180

01B181

01B182

01B183

01B184

01B185

01B186

01B187

01B188

01B189

01B190

01B191

01B192

01B193

01B194

01B195

01B196

01B197

01B198

01B199

01B200

01B201

01B202

01B203

01B204

01B205

01B206

01B207

01B208

01B209

01B210

Portraits
Portraits
Retrato
Portraits

Entertainment
Spectacles
Diversión
Underhaltung

01B211

01B212

01B213

01B214

01B215

01B216

01B217

01B218

01B219

01B220

01B221

01B222

01B223

01B224

01B225

01B226

01B227

01B228

01B229

01B230

01B231

01B234

01B232

01B233

01B235

01B236

01B237

01B238

01B239

01B240

01B241

01B242

01B243

01B244

01B245

01B246

01B247

01B248

01B249

01B250

01B251

01B252

01B253

01B254

01B255

01B256

01B257

01B258

01B259

01B260

01B261

01B262

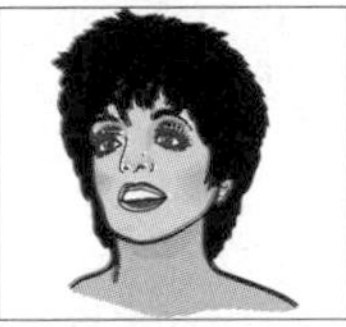
01B263

01B264

01B265

01B266

01B267

01B268

01B269

01B270

01B271

01B272

01B273

01B274

01B275

01B276

01B277

01B278

01B279

01B280

01B281

01B282

01B283

01B284

01B285

01B287

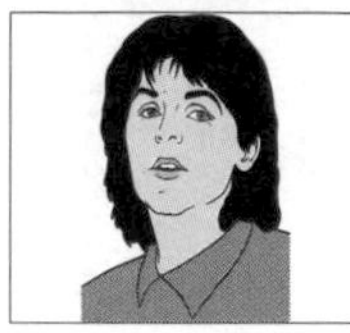
01B288

01B289

01B290

01B291

01B292

01B293

01B294

01B295

01B297

01B298

01B299

01B300

01B301

01B303

01B302

01B304

01B305

01B306

01B307

01B308

01B309

01B310

01B311

01B312

01B313

01B314

01B315

Portraits
Portraits
Retrato
Portraits

Entertainment
Spectacles
Diversión
Underhaltung

01B316

01B317

01B318

01B319

01B320

01B321

01B322

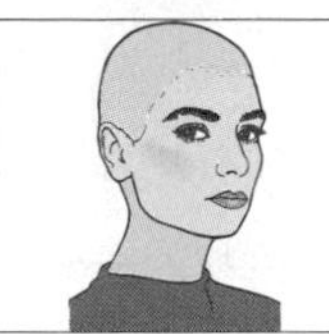
01B323

01B324

01B325

01B326

01B327

01B328

01B329

01B330

01B331

01B332

01B333

01B334

01B335

01B336

01B337

01B338

01B339

01B340

01B341

01B342

01B343

01B344

01B345

01B346

01B347

01B348

01B349

01B350

 01B351	 01B352	 01B376	 01B353	 01B354
 01B355	 01B356	 01B357	 01B358	 01B359
 01B360	 01B361	 01B362	 01B363	 01B364
 01B365	 01B366	 01B367	 01B368	 01B369
 01B370	 01B371	 01B372	 01B373	 01B374
 01B375	 01B377	 01B378	 01B379	 01B380
 01B381	 01B382	 01B383	 01B384	 01B385

Portraits
Portraits
Retrato
Portraits

Entertainment
Spectacles
Diversión
Underhaltung

01B386

01B387

01B388

01B389

01B390

01B391

01B392

01B393

01B394

01B395

01B396

01B397

01B398

01B399

01B400

01B401

01B402

01B403

01B404

01B405

01B406

01B407

01B408

01B409

01B410

01B411

01B412

01B413

01B414

01B417

01B415

01B416

01B418

01B419

01B420

Portraits
Portraits
Retrato
Portraits

Entertainment
Spectacles
Diversión
Underhaltung

01B421

01B422

01B423

01B424

01B425

01B426

01B427

01B428

01B429

01B430

01B431

01B432

01B433

01B434

01B435

01B436

01B437

01B438

01B439

01B440

01B441

01B443

01B444

01B445

01B446

01B447

01B448

01B449

01B450

01B451

01B452

01B453

01B454

01B455

 01B456	 01B457	 01B458	 01B459	 01B460
 01B461	 01B462	 01B463	 01B464	 01B465
 01B466	 01B467	 01B468	 01B469	 01B470
 01B471	 01B472	 01B473	 01B474	 01B475
 01B476	 01B477	 01B478	 01B479	 01B480
 01B481	 01B482	 01B483	 01B484	 01B485
 01B486	 01B487	 01B488	 01B489	 01B490

01B491

01B492

01B493

01B494

01B496

01B497

01B499

01B500

01B501

01B502

01B503

01B504

01B505

01B506

01B507

01B508

01B509

01B510

01B511

01B512

01B513

01B514

01B515

01B516

01B517

01B518

01B519

01B520

01B521

01B522

01C001

01C002

01C003

01C004

01C005

01C006

01C007

01C008

01C009

01C010

01C011

01C013

01C014

01C015

01C016

01C017

01C018

01C019

01C020

01C021

01C022

01C023

01C024

01C025

01C026

01C027

01C028

01C029

01C030

01C031

01C032

01C033

01C034

01C035

Portraits
Portraits
Retrato
Portraits

Historical
Histoire
Histórico
Geschichte

01C036

01C037

01C038

01C039

01C040

01C041

01C042

01C043

01C044

01C046

01C047

01C048

01C049

01C050

01C051

01C052

01C053

01C054

01C055

01C056

01C057

01C058

01C059

01C060

01C061

01C062

01C063

01C064

01C065

01C066

01C067

01C068

01C069

01C070

01C071

01C072

01C073

01C074

01C076

01C077

01C078

01C079

01C080

01C081

01C082

01C083

01C084

01C085

01C086

01C087

01C088

01C089

01C090

01C092

01C093

01C094

01C095

01C096

01C097

01C098

01C099

01C100

01C101

01C102

01C103

01C104

01C105

Portraits
Portraits
Retrato
Portraits

Historical
Histoire
Histórico
Geschichte

01C106

01C107

01C108

01C109

Portraits
Portraits
Retrato
Portraits

Literature
Literature
Literatura
Literatur

01D001

01D002

01D003

01D004

01D005

01D006

01D007

01D008

01D009

01D010

01D011

01D012

01D013

01D014

01D015

01D016

01D017

01D018

01F001

01F002

01F003

01F004

01F005

01F006

01F007

01F008

01F009

01F010

01F011

01F012

01F013

01F014

01F015

01F016

01F017

01F018

01F019

01F020

01F021

01F022

01F023

01F024

01F025

01F026

01F027

01F028

01F029

01F030

01F031

01F032

01F033

01F034

01F036

01F037

01F038

01F039

01F040

01F041

01F042

01F043

01F044

01F045

01F046

01F048

01F049

01F050

01F051

01F052

01F053

01F054

01F055

01F056

01F057

01F058

01F059

01F060

01F061

01F062

01F063

01F064

01F065

01F066

01F067

01F068

01F069

01F070

01F071

01F072

01F073

01F074

01F075

01F076

01F077

01F078

01F079

01F080

01F081

01F082

01F083

01F084

01F085

01F086

01F087

01F088

01F089

01F090

01F091

01F092

01F093

01F094

01F095

01F096

01F097

01F098

01F099

01F100

01F101

01F102

01F103

01F104

01F105

01F106

01F107

 01F108	 01F109	 01F110	 01F111	 01F112
 01F113	 01F114	 01F115	 01F116	 01F117
 01F118	 01F119	 01F120	 01F121	 01F122
 01F123	 01F124	 01F125	 01F126	 01F127
 01F128	 01F129	 01F130	 01F131	 01F132
 01F133	 01F134	 01F136	 01F137	 01F138
 01F139	 01F140	 01F141	 01F142	 01F143

 01F144	 01F145	 01F146	 01F147	 01F148
 01F149	 01F150	 01F151	 01F152	 01F153
 01F154	 01F155	 01F156	 01F157	 01F158
 01F159	 01F160	 01F161	 01F162	 01F163
 01F164	 01F165	 01F166	 01F167	 01F168
 01F169	 01F170	 01F171	 01F172	 01F173
 01F174	 01F175	 01F176	 01F177	 01F178

01F179

01F180

01F181

01F182

01F183

01F184

01F185

01F186

01F187

01F188

01F189

01F190

01F191

01F192

01F193

01F194

01F195

01F196

01F197

01F198

01F199

01F200

01F201

01F202

01F203

01F204

01F205

01F206

01F207

01F208

01F209

01F210

01F211

01F212

01F213

Portraits
Portraits
Retrato
Portraits

Political
Politique
Político
Politik

01F214

01F215

01F216

01F217

01F218

01F219

01F220

01F221

01F222

01F223

01F224

01F225

01F226

Portraits
Portraits
Retrato
Portraits

Sports
Sports
Desportes
Sport

01G001

01G002

01G003

01G004

01G005

01G006

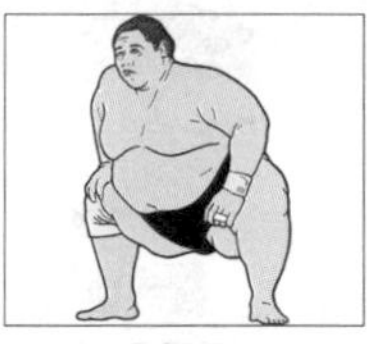
01G007

01G008

01G009

01G010

01G011

01G012

01G013

01G014

01G015

01G016

01G017

01G018

01G019

01G020

01G021

01G022

01G023

01G024

01G025

01G026

01G027

01G028

01G029

01G030

01G031

01G032

01G033

01G034

01G035

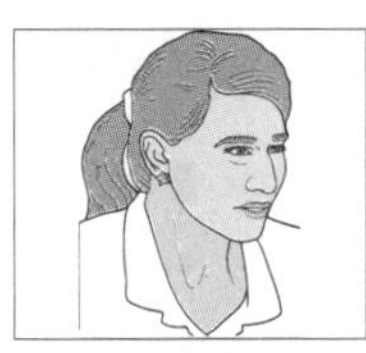
01G036

01G037

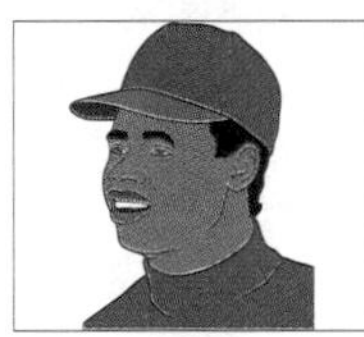
01G038

01G039

01G040

01G041

01G042

01G043

01G044

01G045

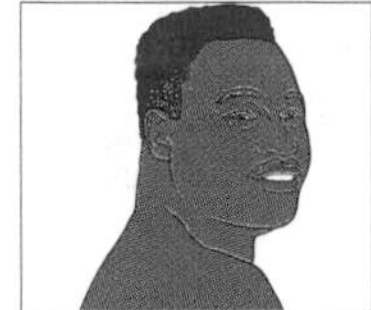
01G046

01G047

01G048

01G049

01G050

01G051

01G052

01G053

01G054

01G055

01G056

01G057

01G058

01G059

01G060

01G061

01G062

01G063

01G064

01G065

01G066

01G067

01G068

01G069

01G070

01G071

01G072

01G073

01G074

01G075

01G076

01G077

01G078

01G079

01G080

01G081

01G082

01G083

01G084

01G085

01G086

01G087

01G088

01G089

01G090

01G091

01G092

01G093

01G094

01G095

01G096

01G097

01G098

01G099

01G100

01G101

01G102

01G103

01G104

01G105

01G106

01G107

01G108

01G109

01G110

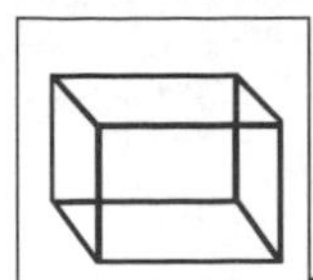

3D
3D
3D
3D

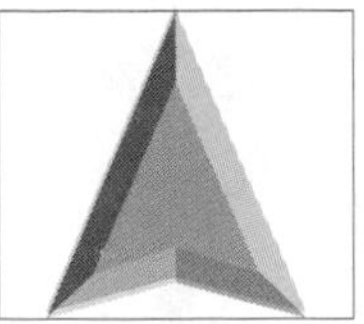
02A001

02A002

02A003

02A004

02A005

02A006

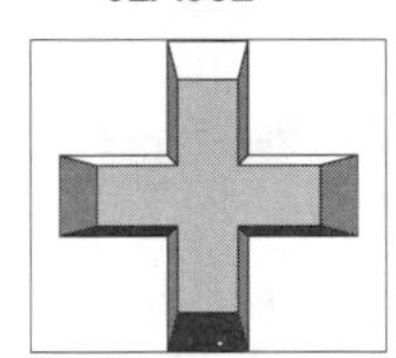
02A007

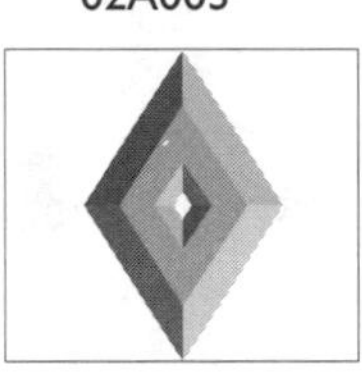
02A008

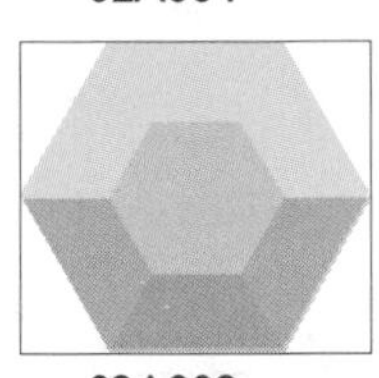
02A009

02A010

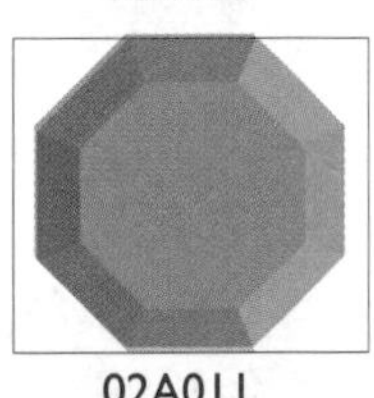
02A011

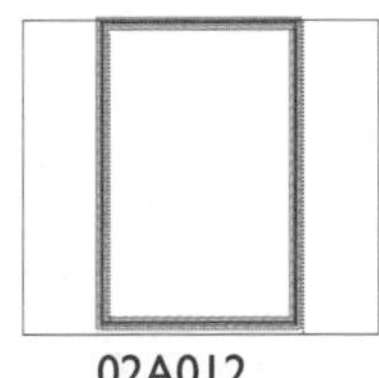
02A012

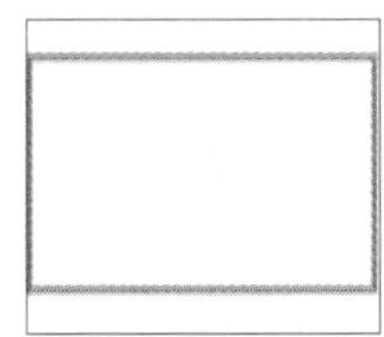
02A013

02A014

02A015

02A016

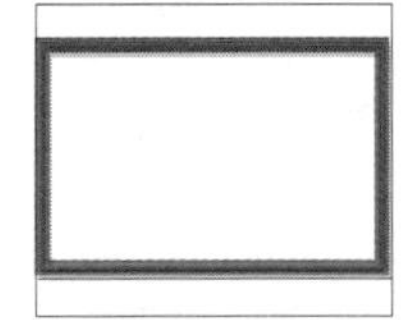
02A017

02A018

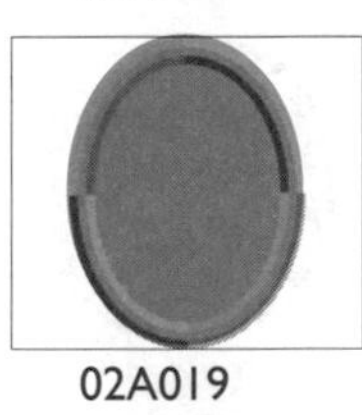
02A019

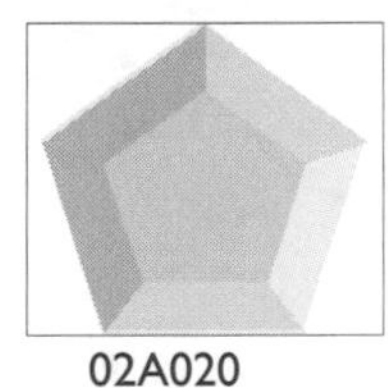
02A020

02A021

02A022

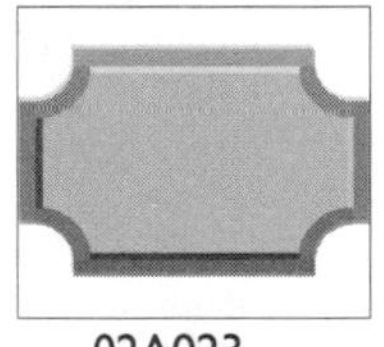
02A023

02A024

02A025

02A026

02A027

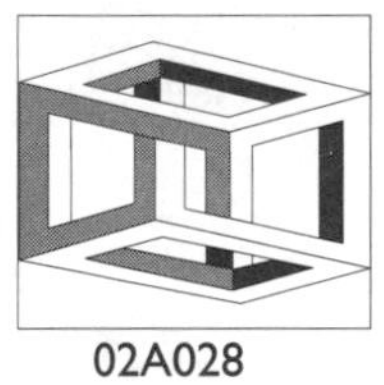
02A028

02A029

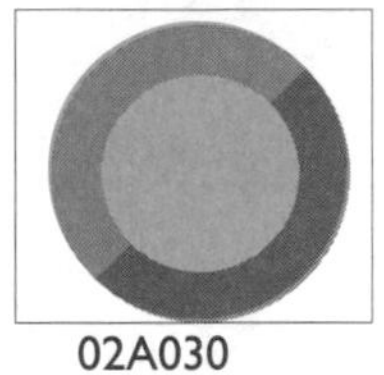
02A030

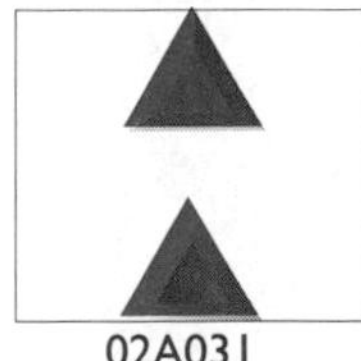
02A031

02A032

Aircraft
Avion
Avión
Fluzeuge

03A001	 03A002	03A003	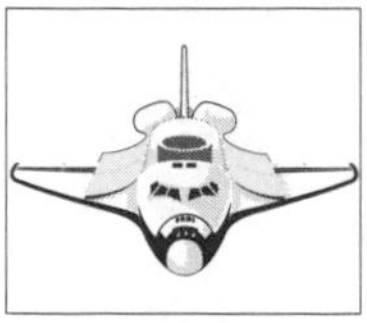 03A004	 03A005
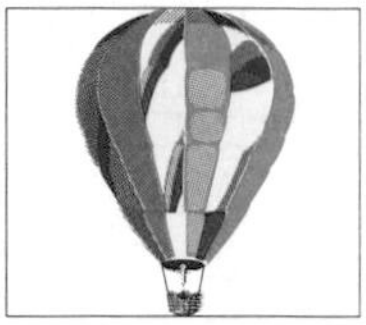 03A006	 03A007	 03A008	 03A009	 03A010
 03A011	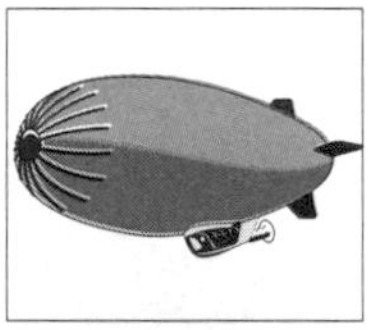 03A012	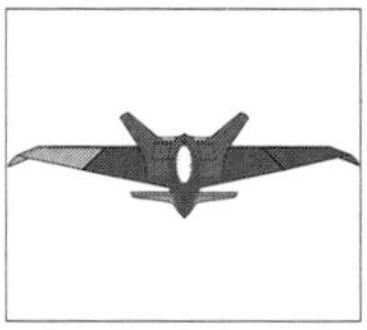 03A013	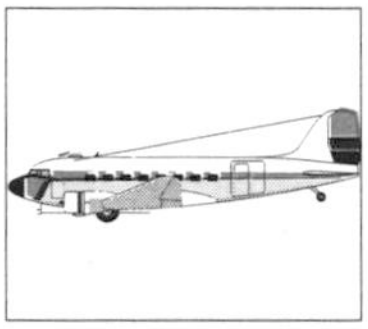 03A014	 03A015
 03A016	03A017	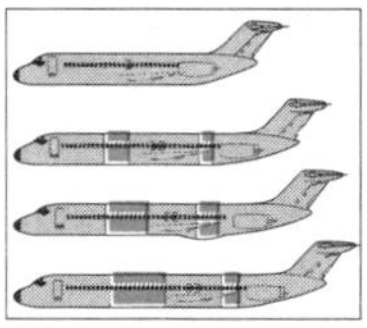 03A018	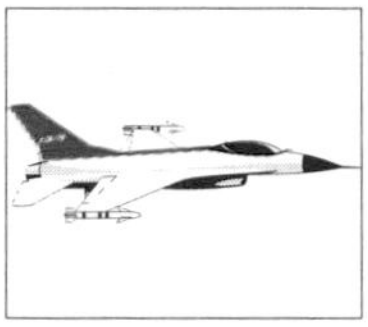 03A019	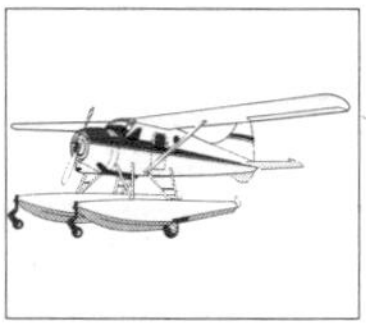 03A020
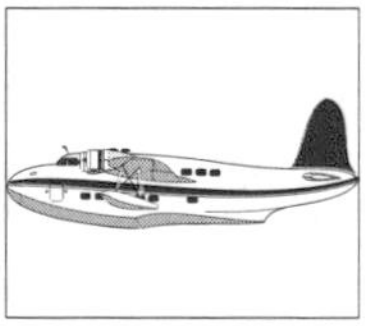 03A021	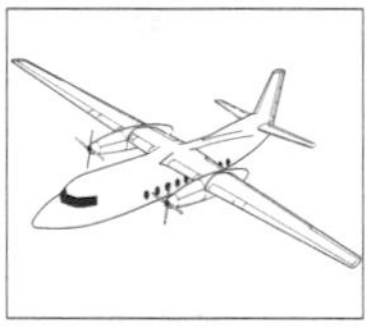 03A022	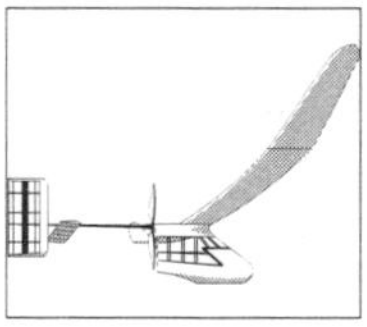 03A023	 03A024	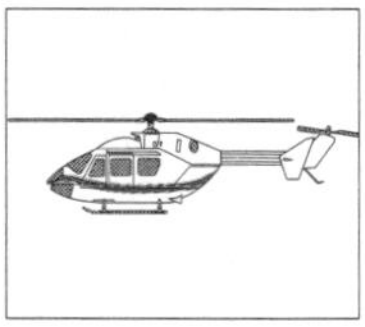 03A025
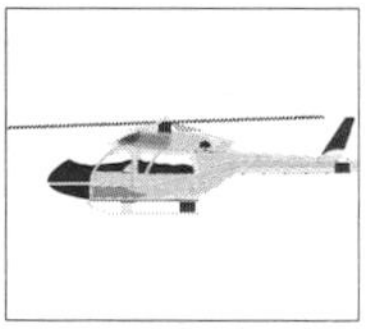 03A026	 03A027	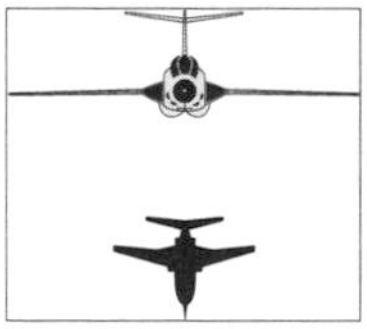 03A028	 03A029	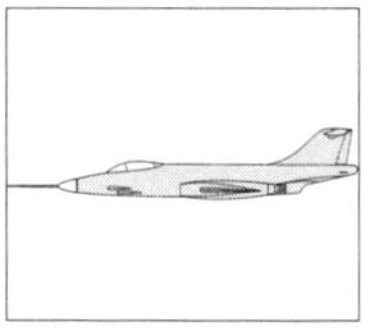 03A030
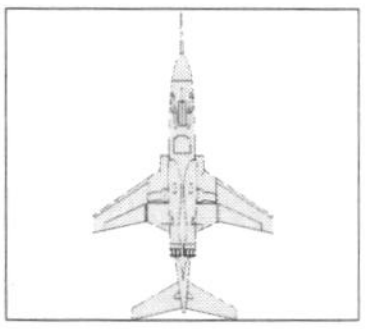 03A031	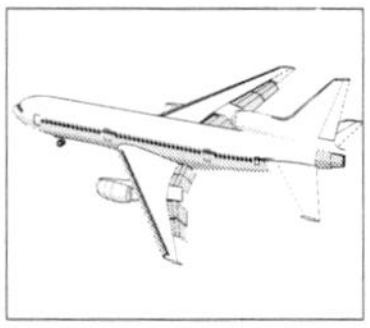 03A032	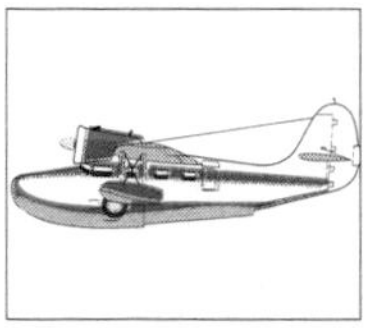 03A033	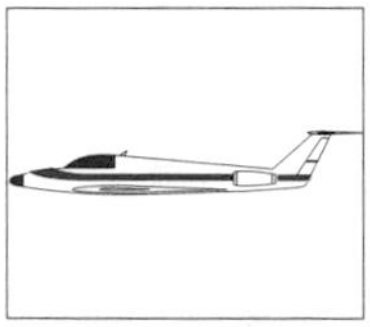 03A034	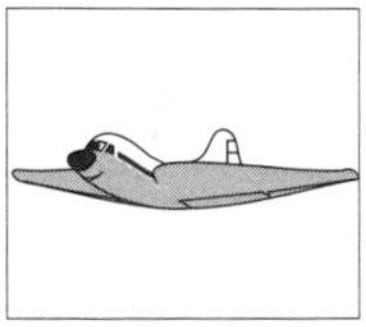 03A035

Aircraft
Avion
Avión
Fluzeuge

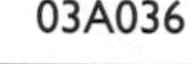

03A036

03A037

03A038

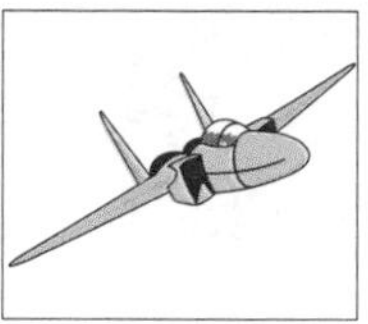

03A039

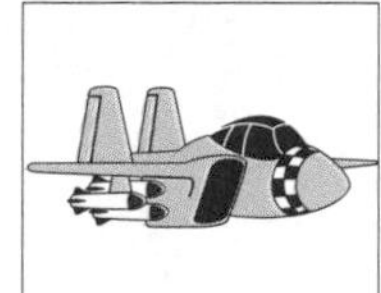

03A040

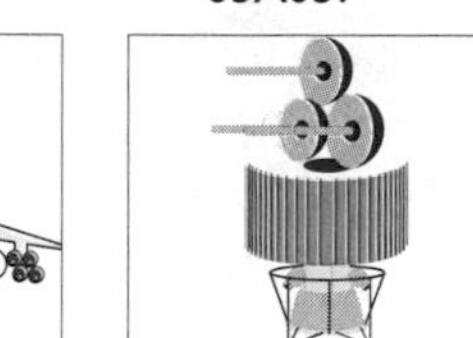

03A041

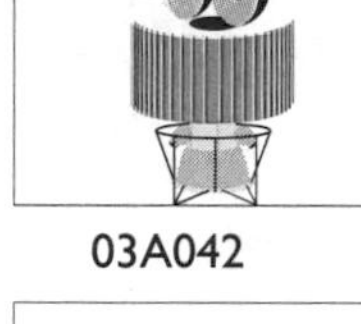

03A042

03A043

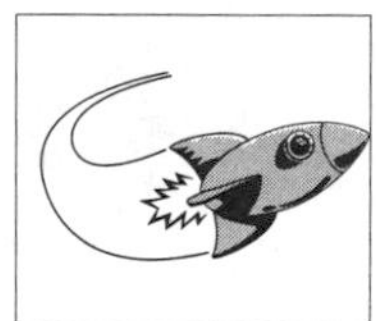

03A044

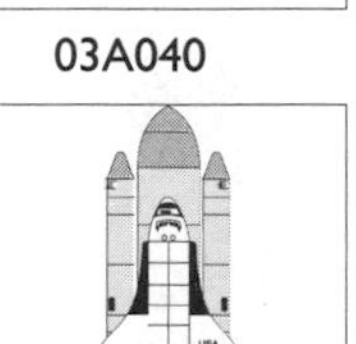

03A045

03A046

03A047

03A048

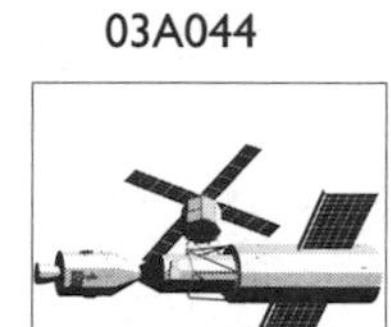
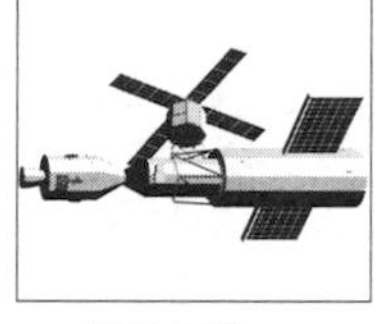

03A049

03A050

03A051

03A052

03A053

03A054

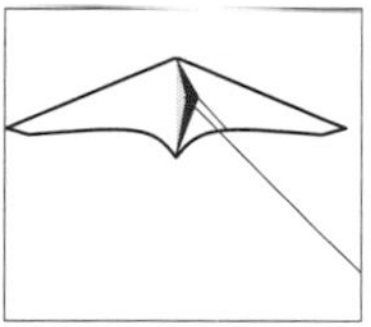

03A055

03A056

03A057

03A058

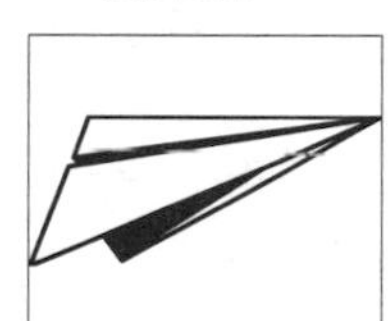

03A059

03A060

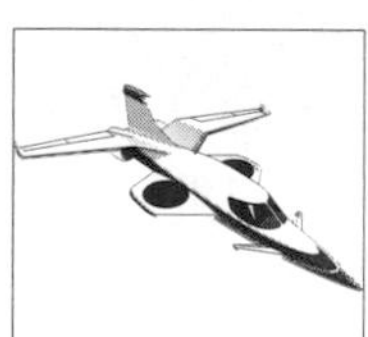

03A061

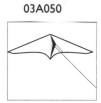

Aircraft
Avion
Avión
Fluzeuge

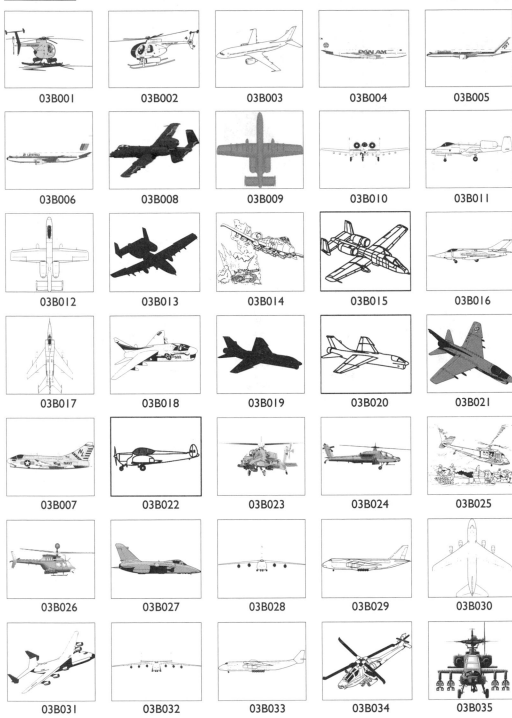

03B001	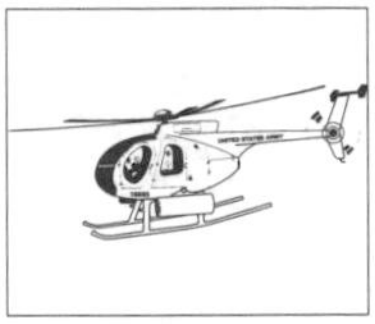 03B002	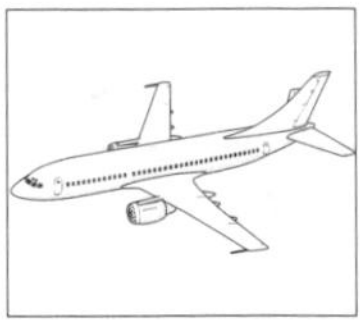 03B003	03B004	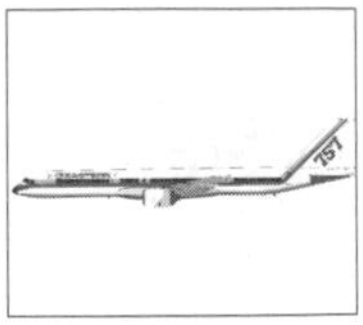 03B005
03B006	 03B008	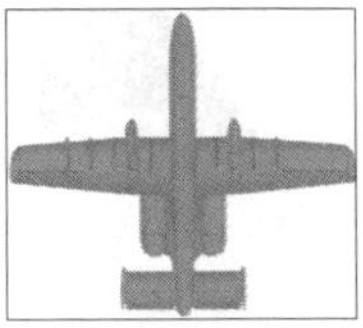 03B009	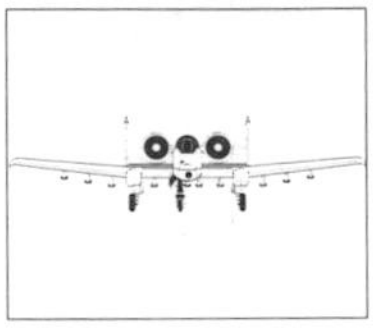 03B010	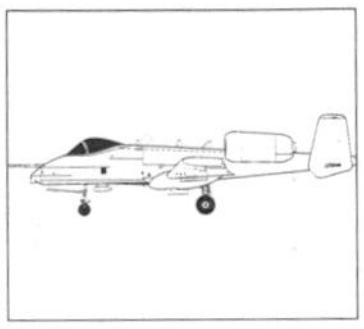 03B011
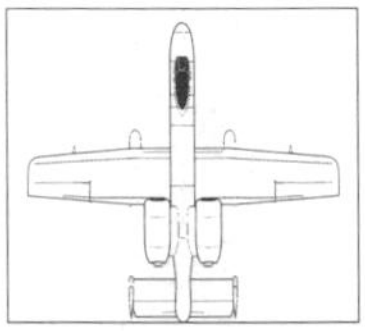 03B012	 03B013	 03B014	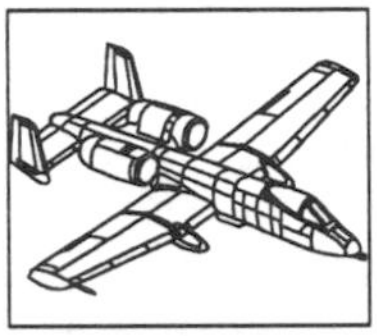 03B015	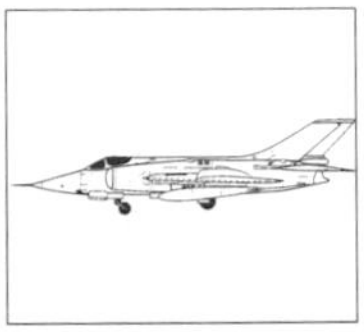 03B016
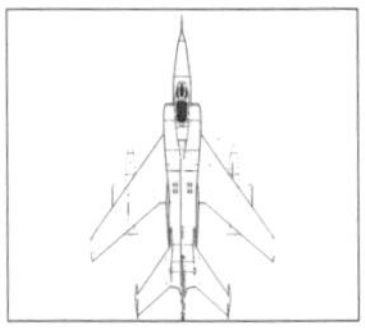 03B017	03B018	 03B019	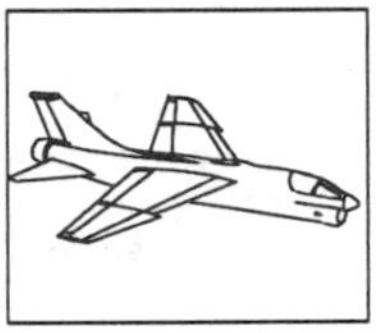 03B020	 03B021
03B007	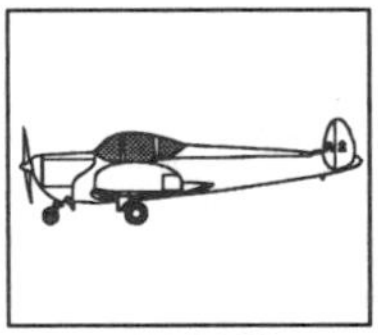 03B022	 03B023	 03B024	 03B025
 03B026	 03B027	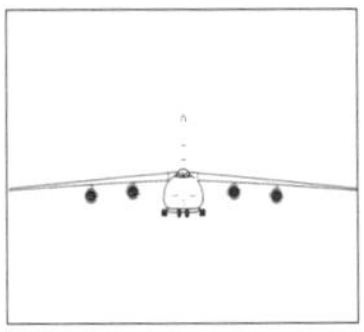 03B028	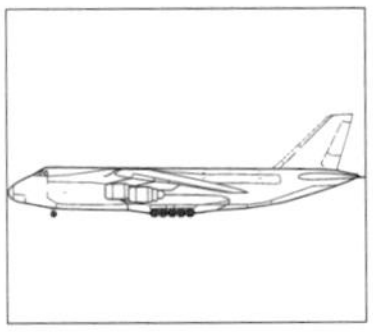 03B029	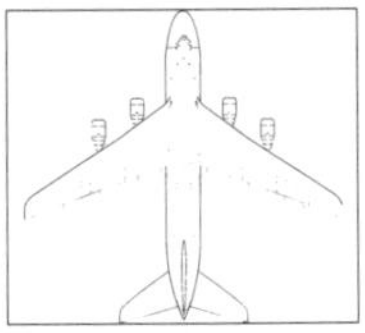 03B030
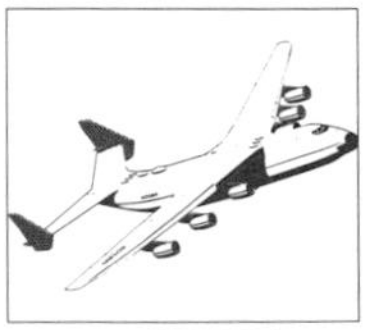 03B031	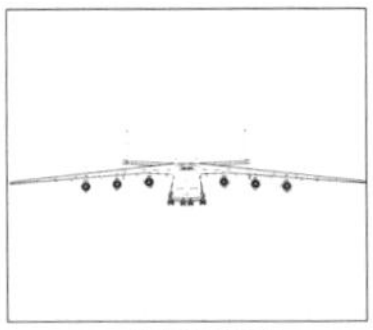 03B032	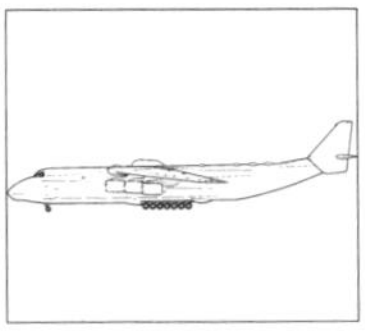 03B033	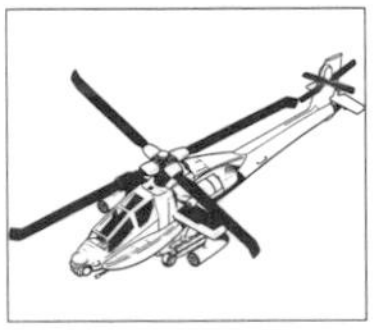 03B034	 03B035

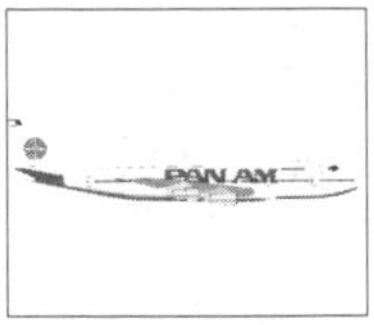

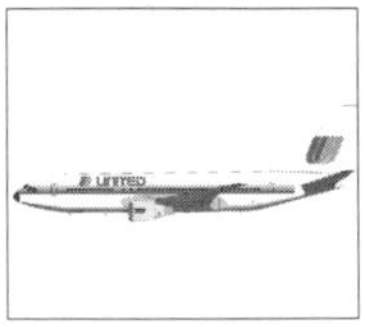

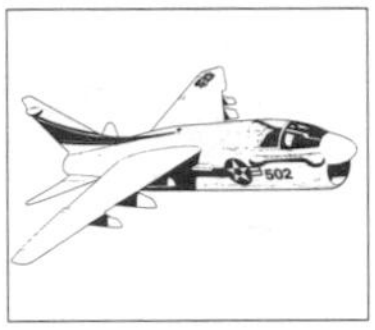

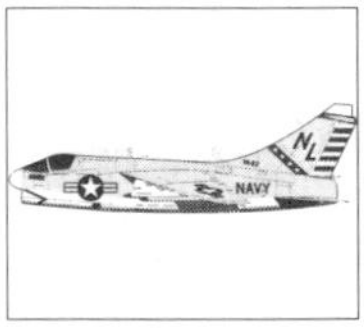

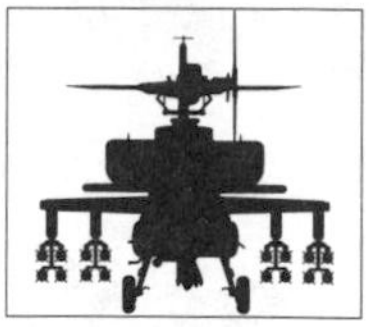

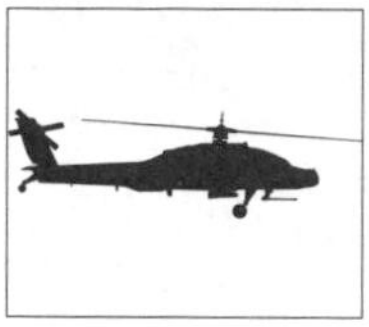

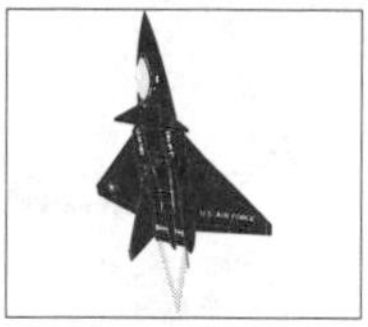

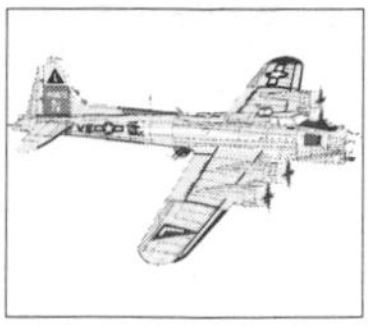

Aircraft
Avion
Avión
Fluzeuge

03B036

03B037

03B038

03B039

03B040

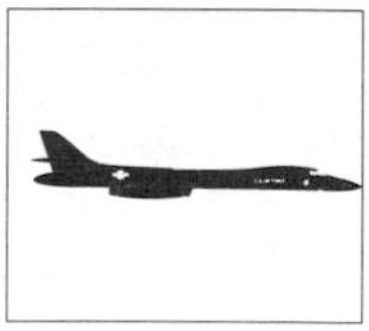

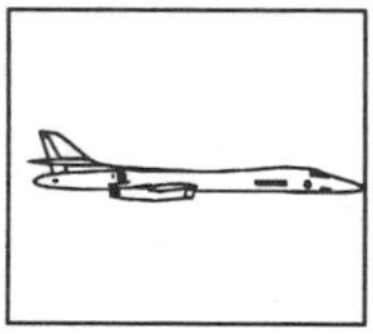

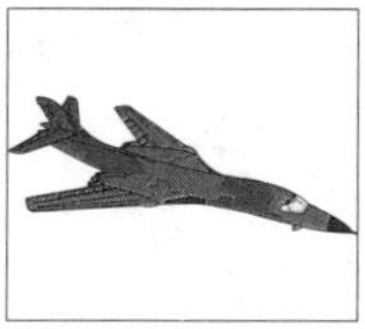

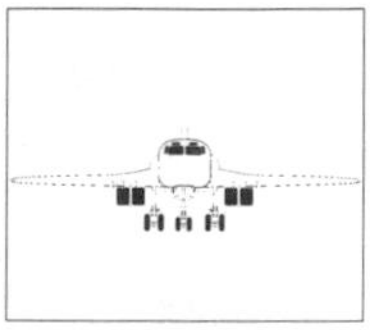

03B041

03B042

03B043

03B044

03B045

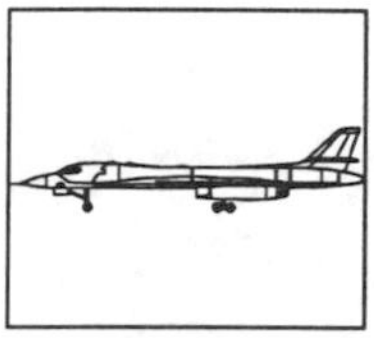

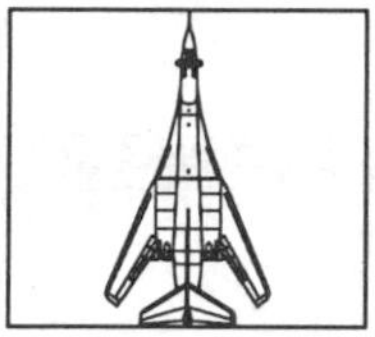

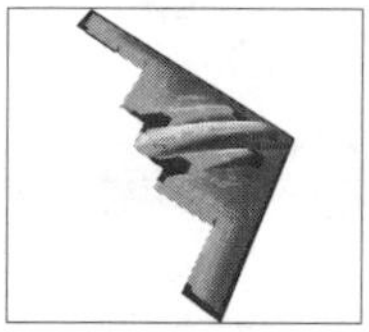

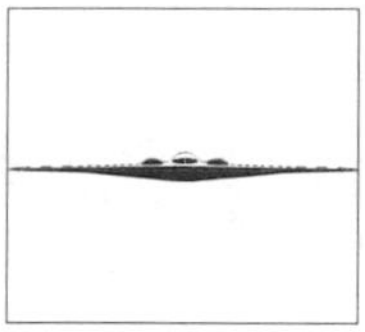

03B046

03B047

03B048

03B049

03B050

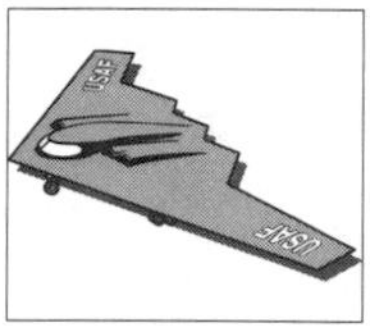

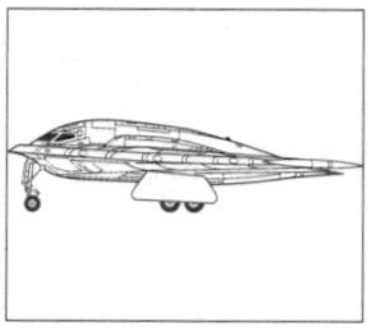

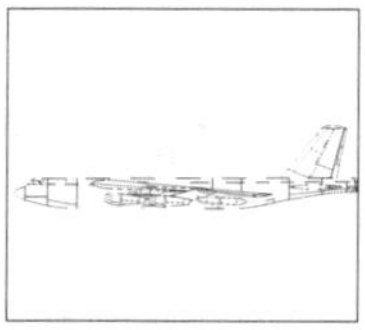

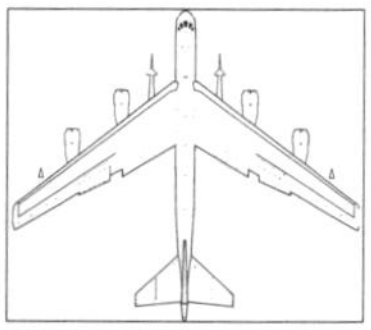

03B051

03B052

03B053

03B054

03B055

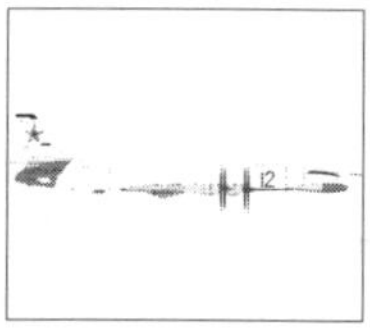

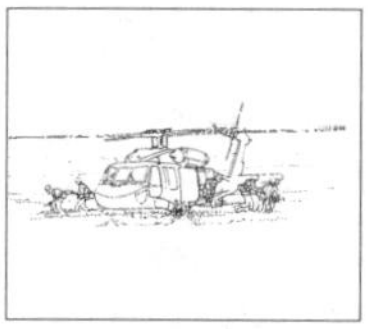

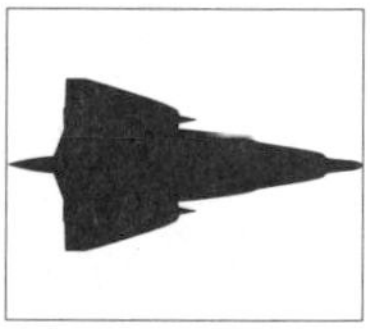

03B056

03B057

03B058

03B059

03B060

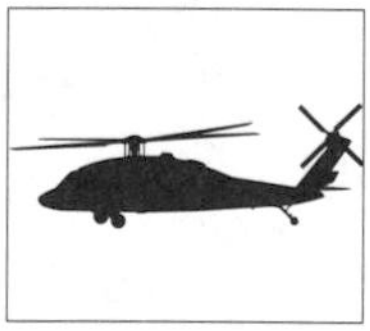

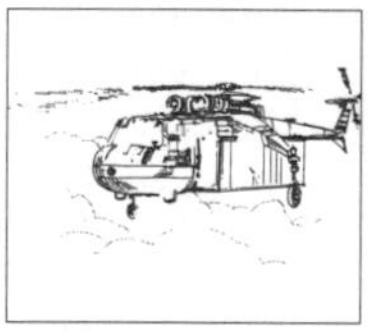

03B061

03B062

03B063

03B064

03B065

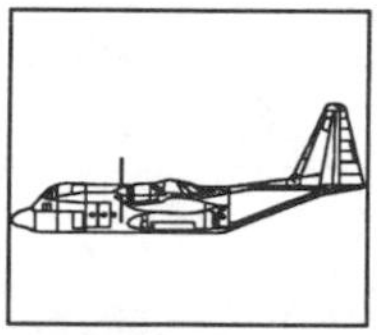

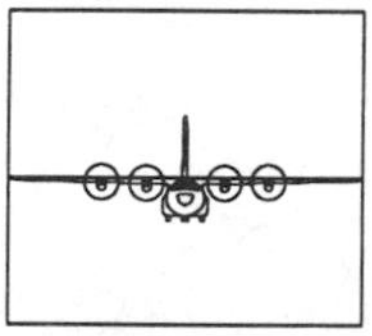

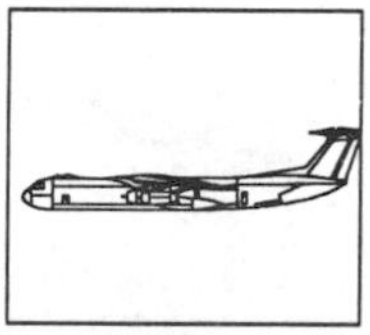

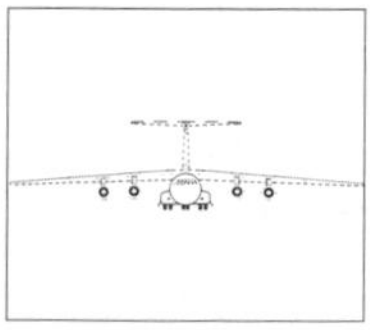

03B066

03B067

03B068

03B069

03B070

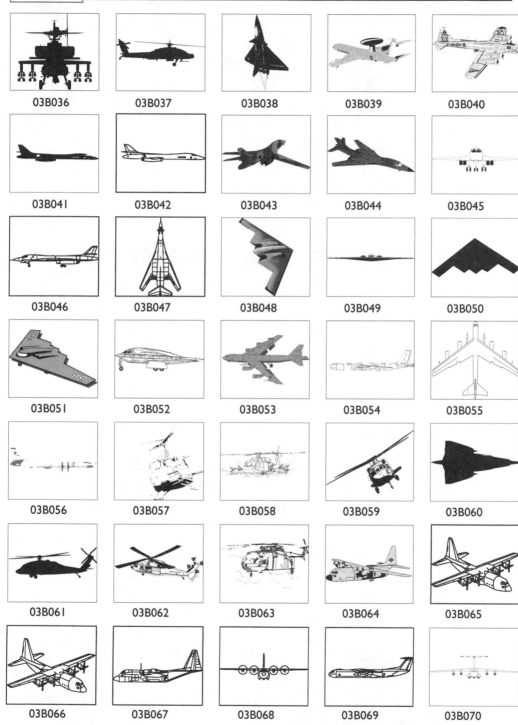

Aircraft
Avion
Avión
Fluzeuge

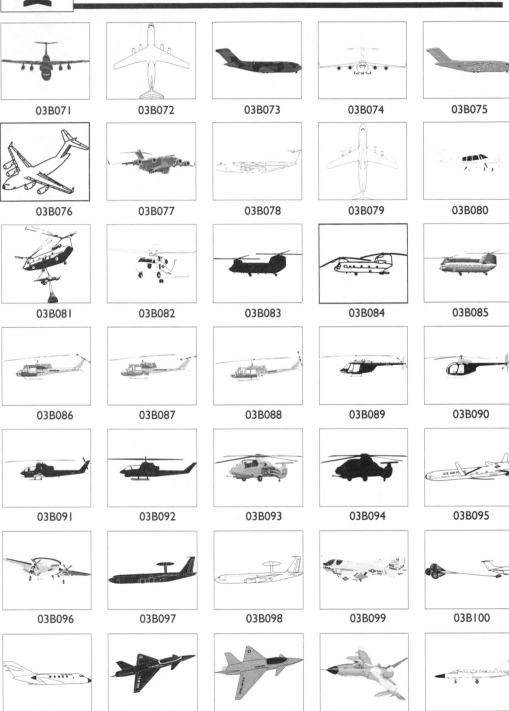

03B071	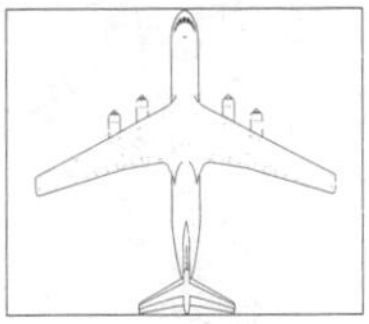 03B072	 03B073	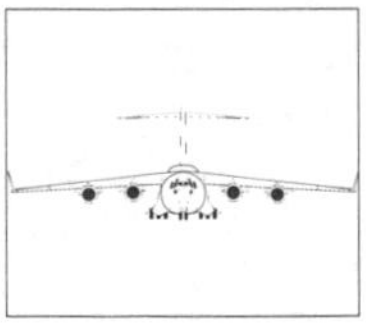 03B074	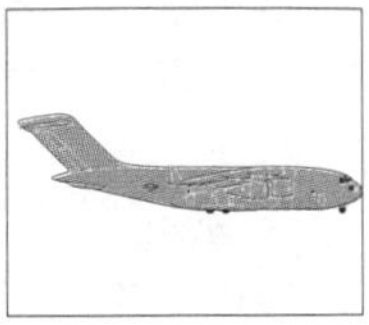 03B075
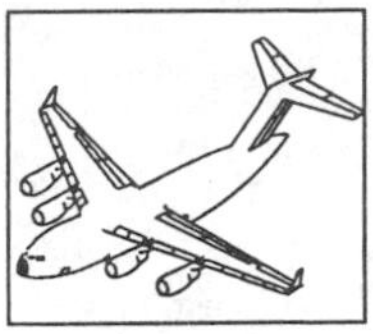 03B076	 03B077	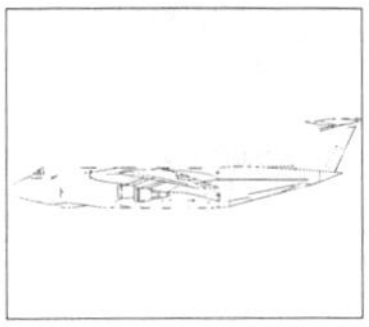 03B078	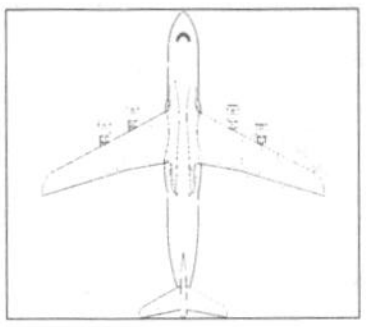 03B079	 03B080
 03B081	 03B082	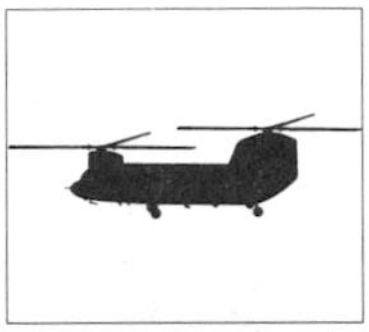 03B083	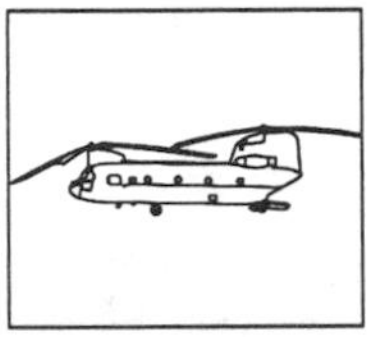 03B084	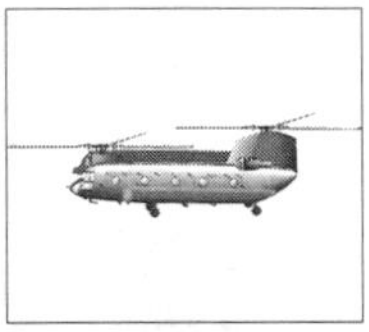 03B085
 03B086	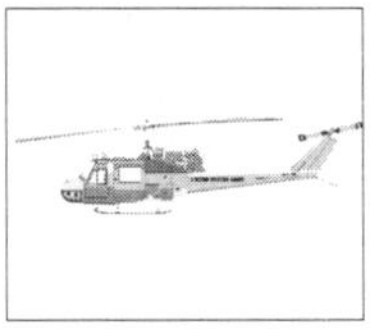 03B087	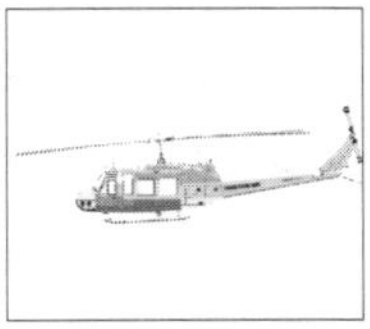 03B088	 03B089	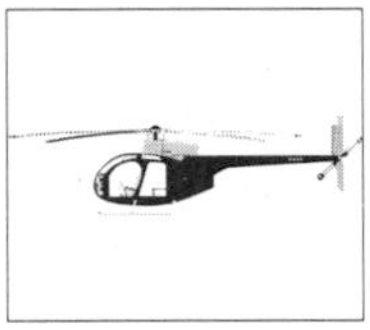 03B090
 03B091	 03B092	 03B093	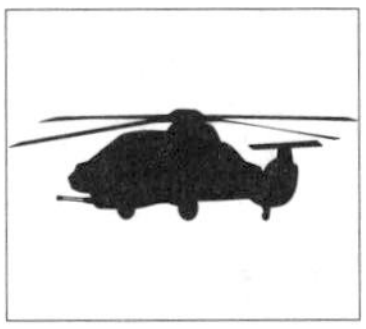 03B094	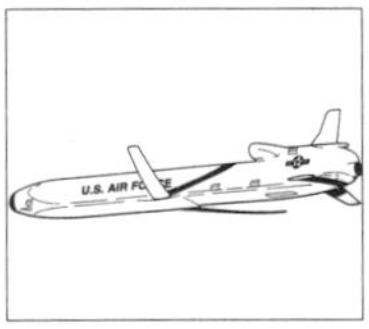 03B095
 03B096	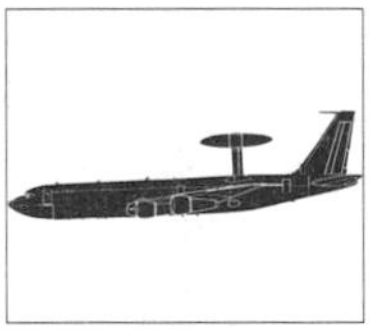 03B097	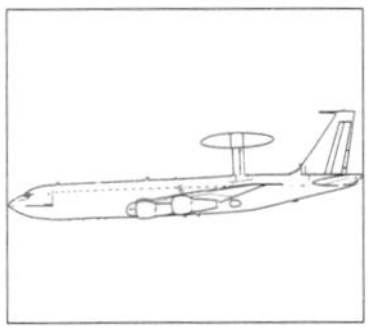 03B098	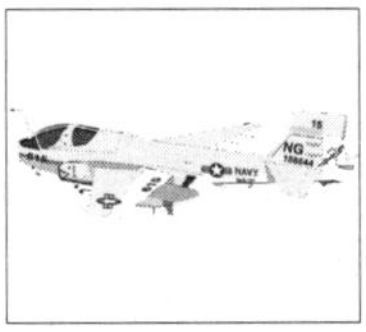 03B099	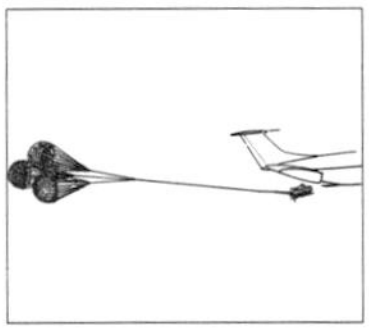 03B100
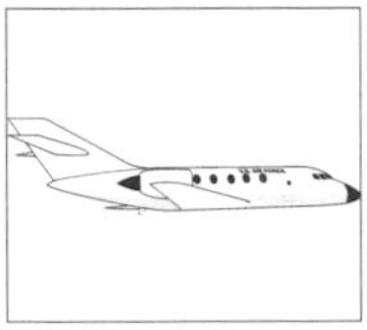 03B101	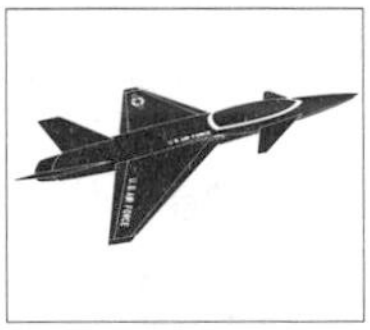 03B102	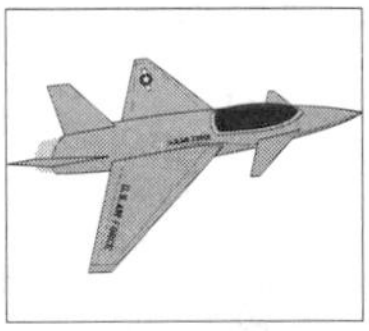 03B103	 03B112	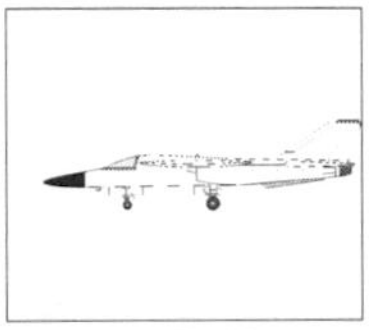 03B113

Aircraft
Avion
Avión
Fluzeuge

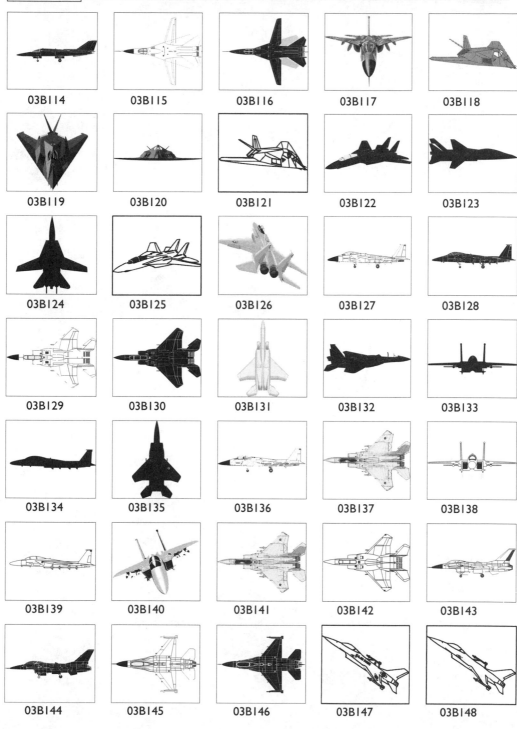

03B114	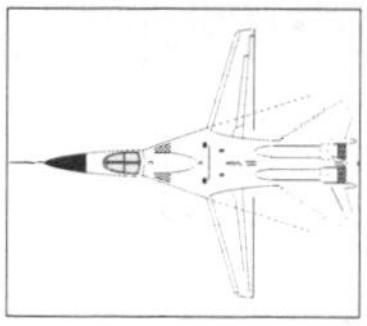 03B115	 03B116	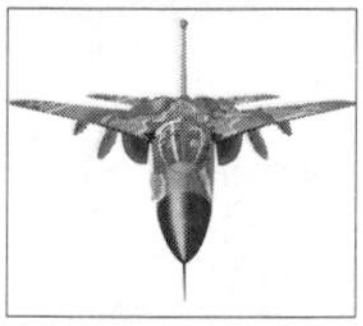 03B117	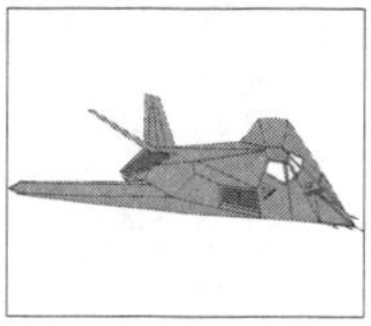 03B118
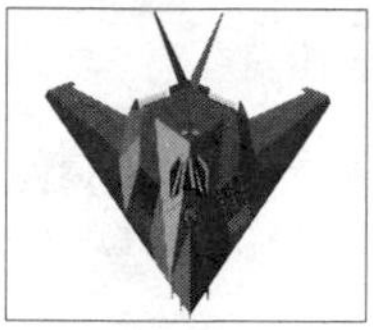 03B119	 03B120	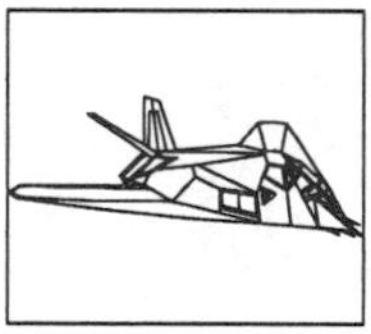 03B121	 03B122	 03B123
 03B124	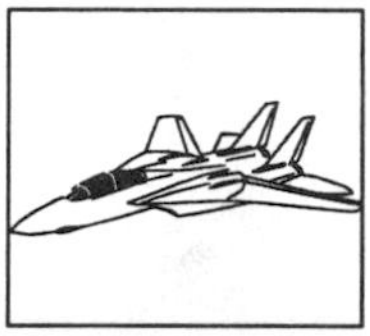 03B125	 03B126	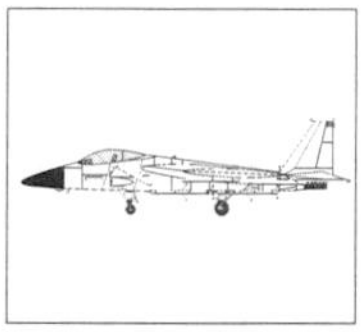 03B127	 03B128
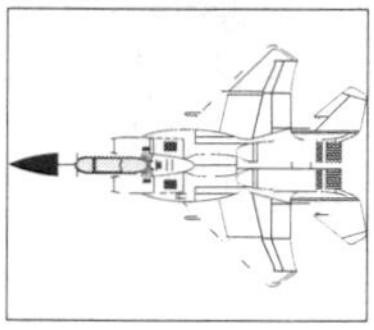 03B129	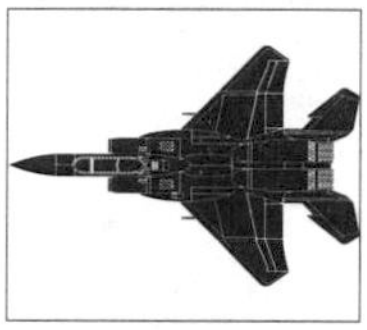 03B130	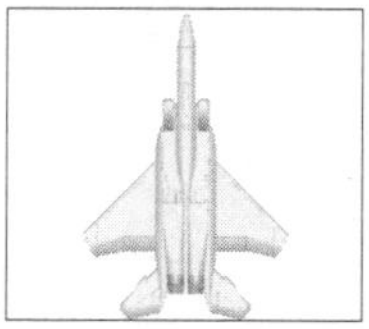 03B131	 03B132	 03B133
 03B134	 03B135	 03B136	 03B137	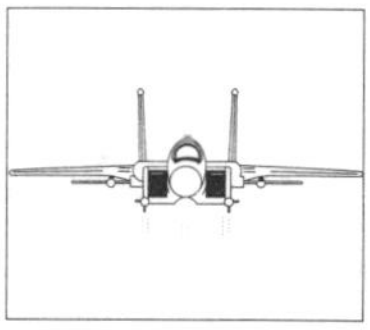 03B138
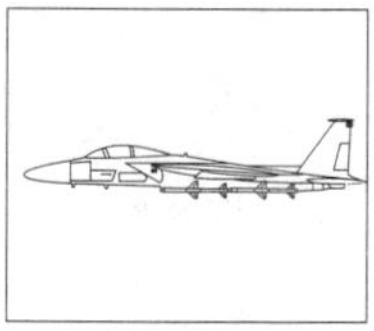 03B139	 03B140	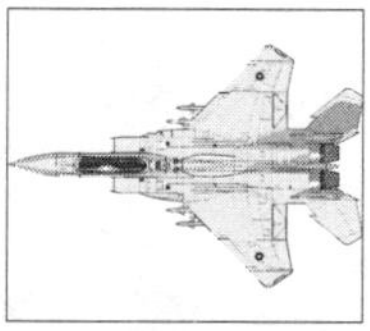 03B141	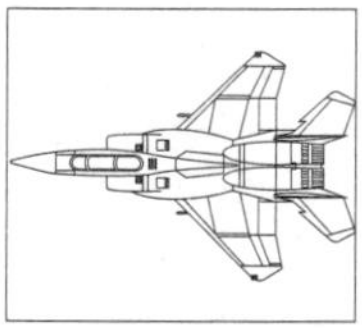 03B142	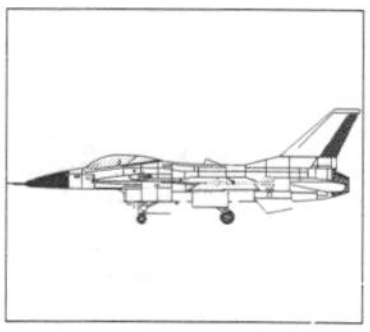 03B143
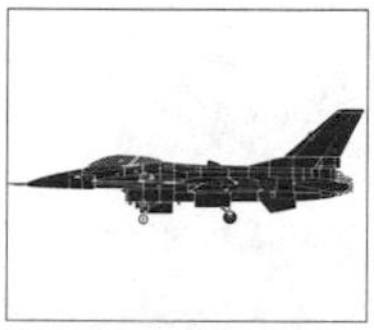 03B144	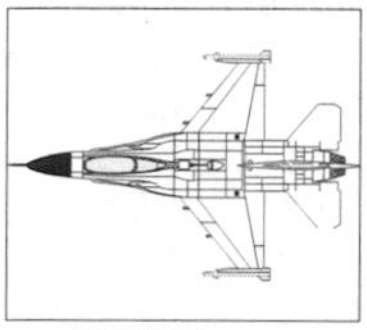 03B145	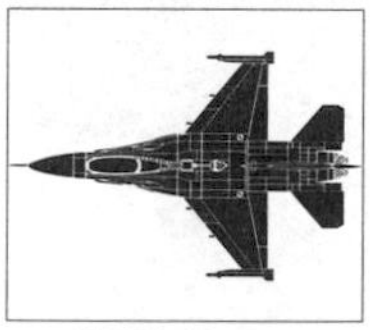 03B146	 03B147	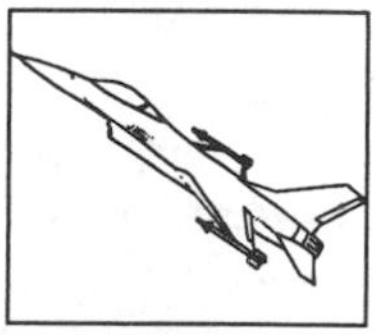 03B148

Aircraft
Avion
Avión
Fluzeuge

03B149

03B150

03B151

03B152

03B153

03B154

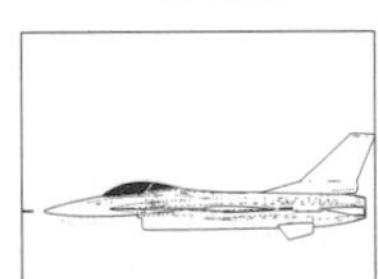
03B155

03B156

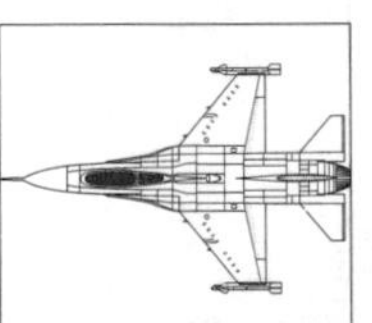
03B157

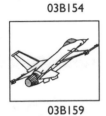

03B158

03B159

03B160

03B161

03B162

03B163

03B164

03B165

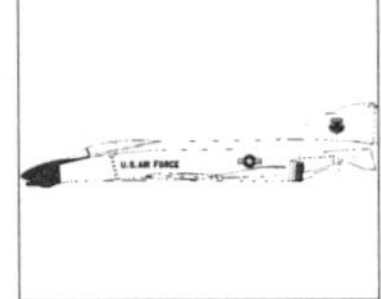
03B166

03B167

03B168

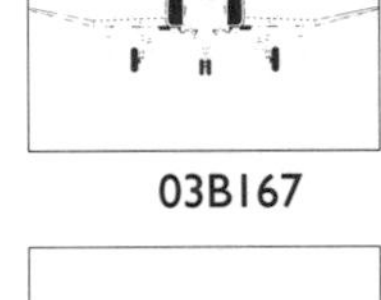

03B169

03B104

03B105

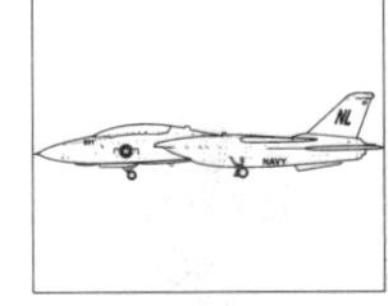
03B106

03B107

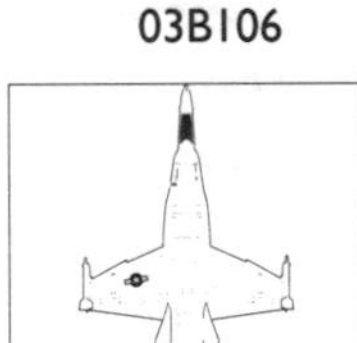

03B108

03B109

03B110

03B111

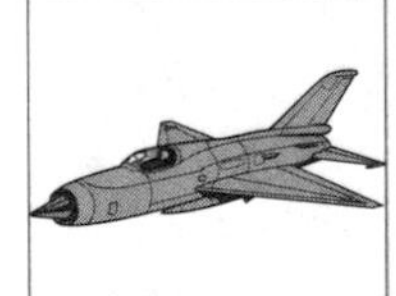
03B170

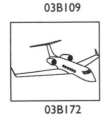

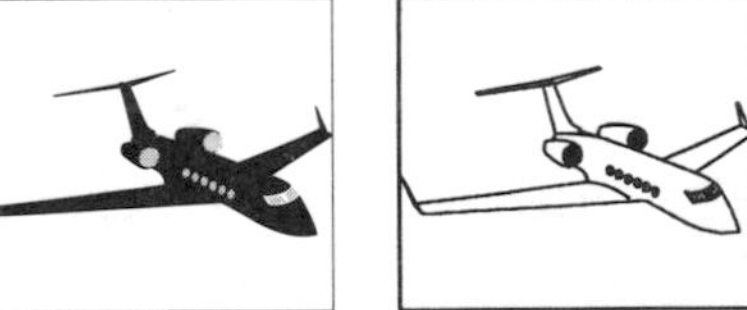
03B171

03B172

03B173

03B174

03B175

Aircraft
Avion
Avión
Fluzeuge

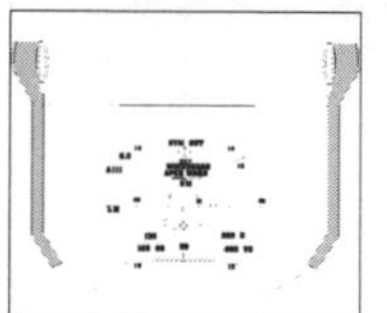
03B176

03B177

03B178

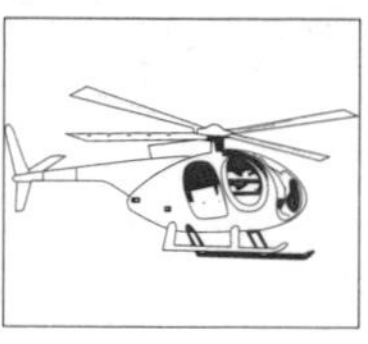
03B179

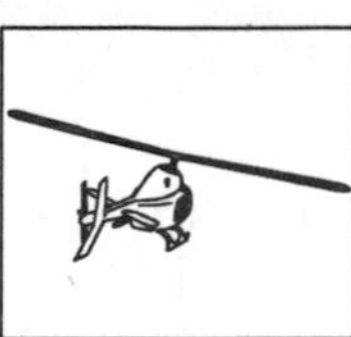
03B180

03B181

03B182

03B183

03B184

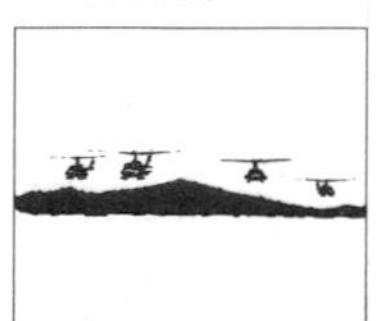
03B185

03B186

03B187

03B188

03B189

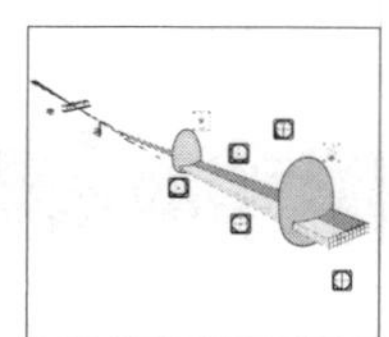
03B190

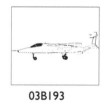

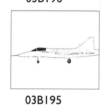

03B191

03B192

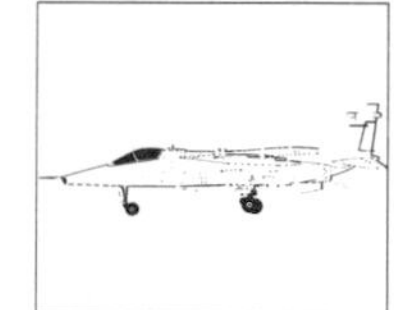
03B193

03B194

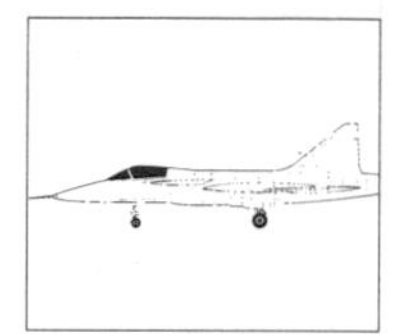
03B195

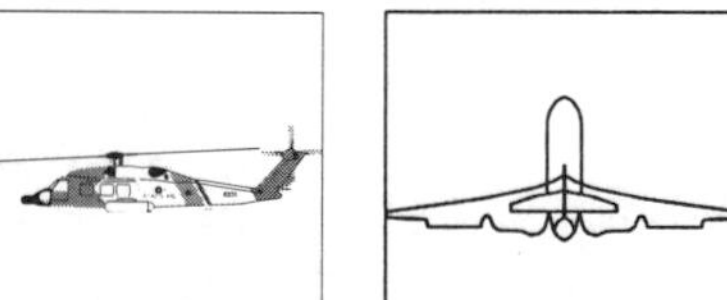
03B196

03B197

03B198

03B199

03B200

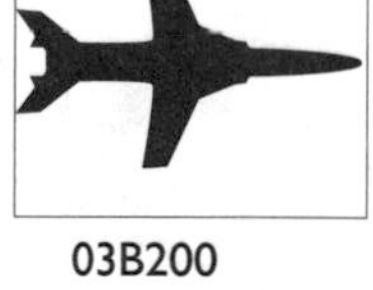

03B201

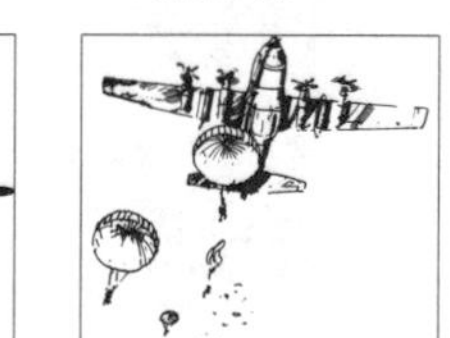
03B202

03B203

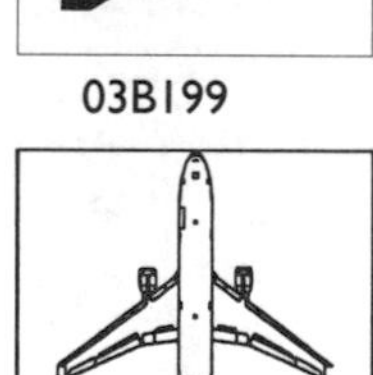
03B204

03B205

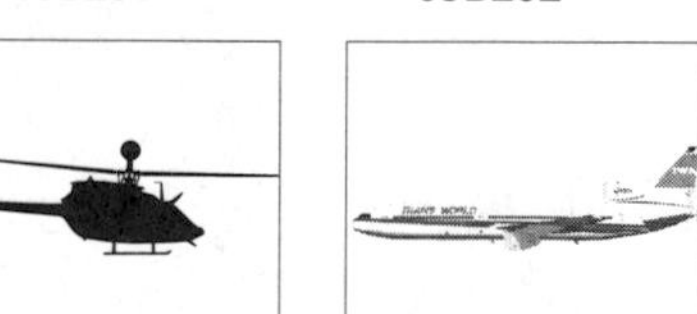
03B206

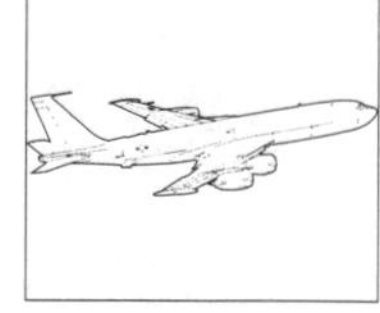

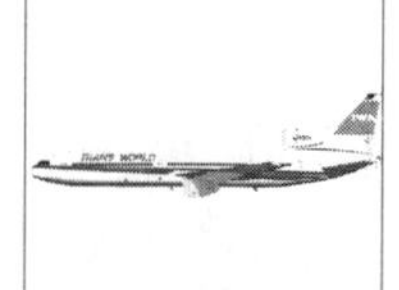
03B207

03B208

03B209

03B210

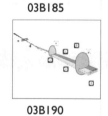

Aircraft
Avion
Avión
Fluzeuge

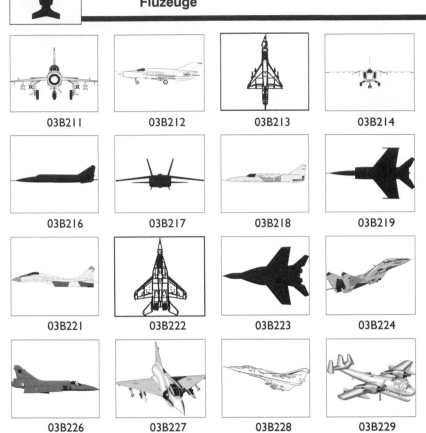

03B211	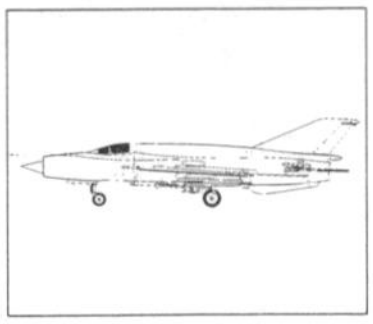 03B212	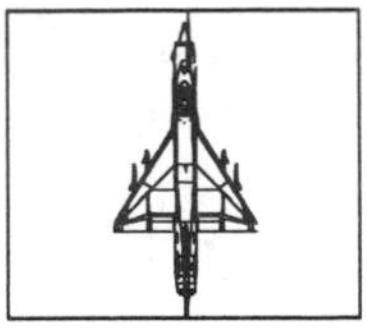 03B213	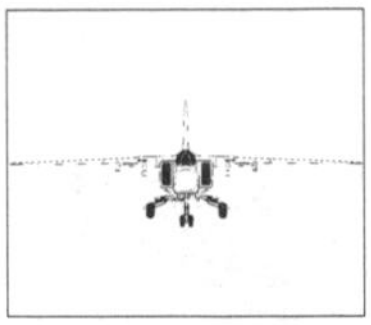 03B214	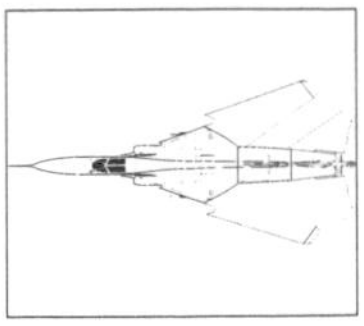 03B215
 03B216	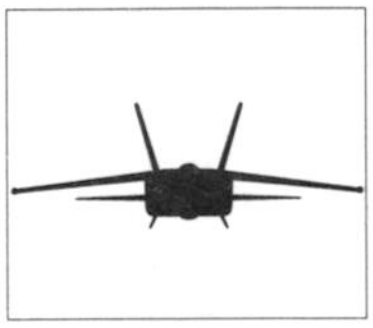 03B217	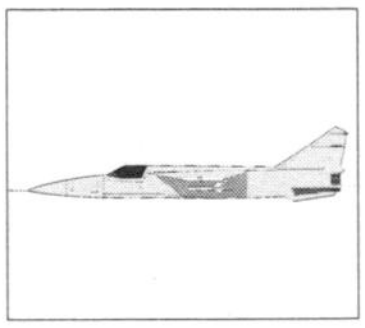 03B218	 03B219	 03B220
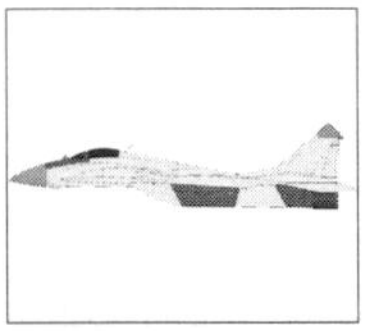 03B221	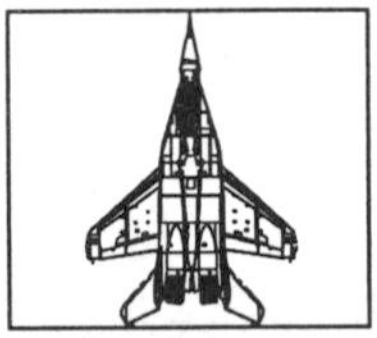 03B222	 03B223	 03B224	 03B225
 03B226	 03B227	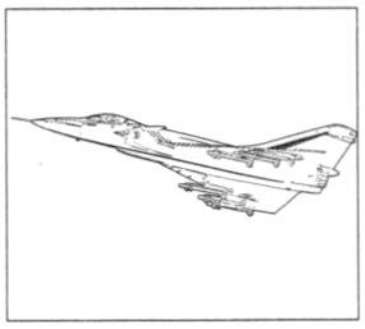 03B228	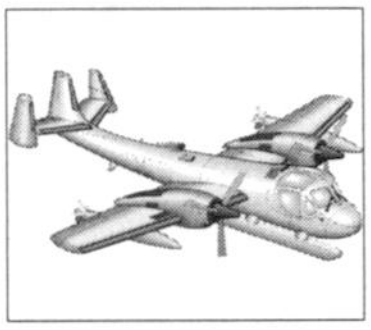 03B229	 03B230
 03B231	 03B232	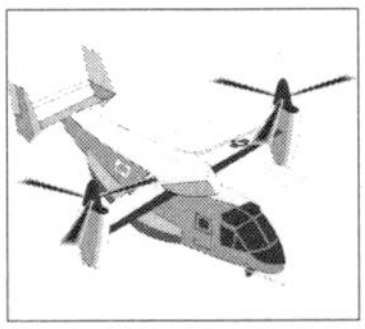 03B233	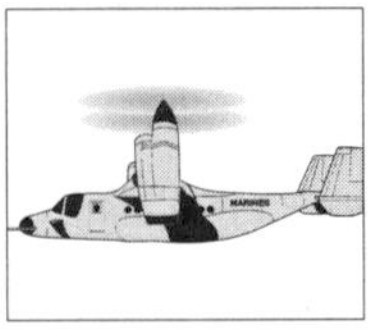 03B234	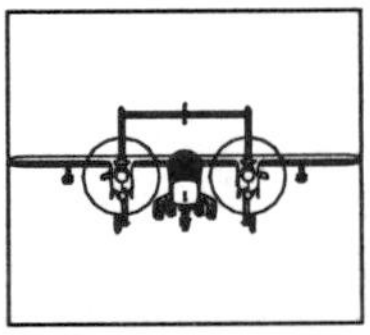 03B235
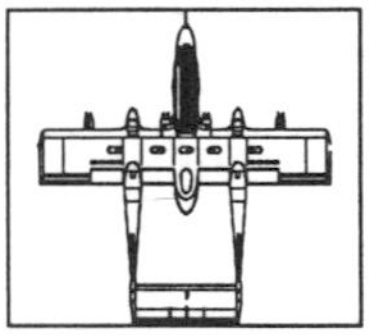 03B236	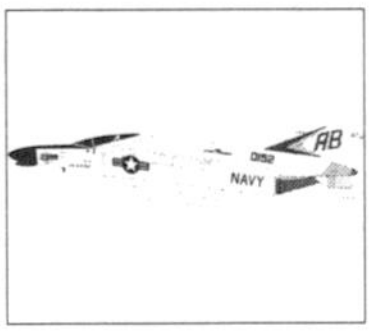 03B237	 03B238	 03B239	 03B240
 03B241	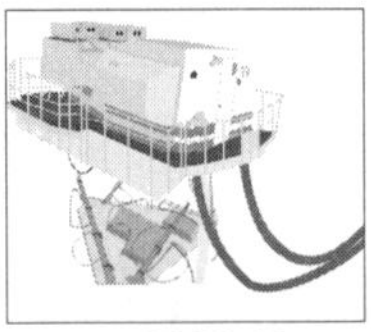 03B242	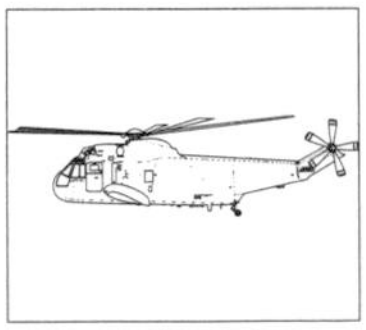 03B243	 03B244	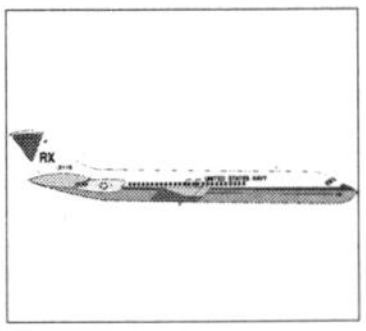 03B245

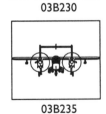

Aircraft
Avion
Avión
Fluzeuge

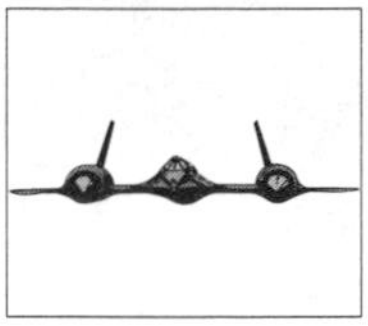

03B246	03B247	03B248	03B249	03B250
03B251	03B252	03B253	03B254	03B255
03B256	03B257	03B258	03B259	03B260
03B261	03B262	03B263	03B264	03B265
03B266	03B267	03B268	03B269	03B270
03B271	03B272	03B273	03B274	

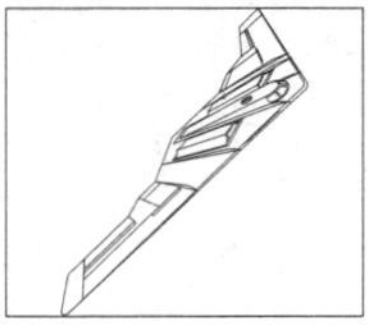

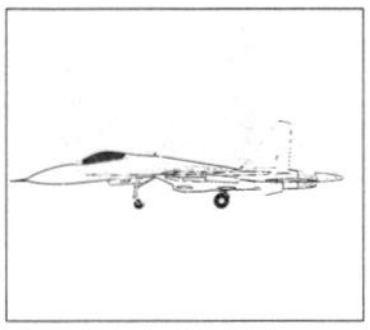

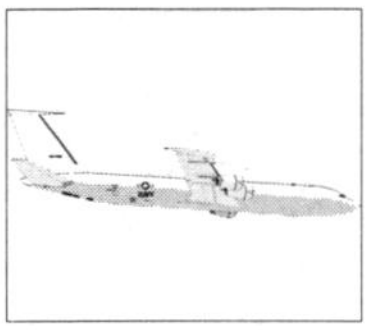

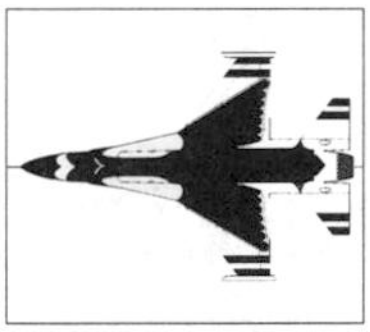

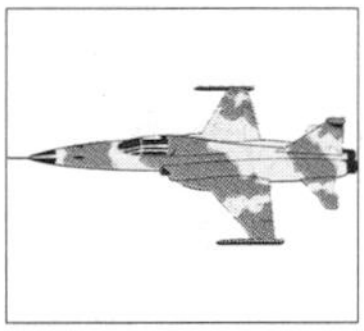

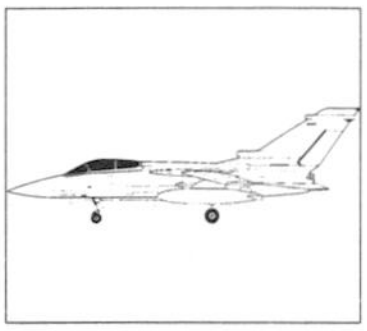

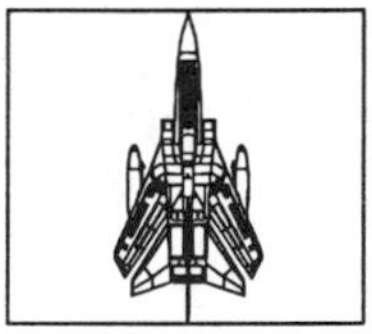

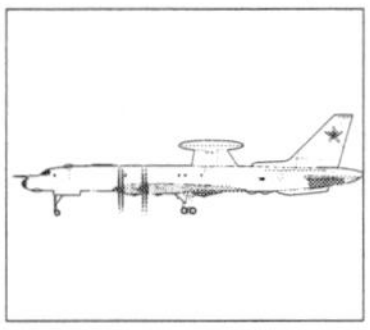

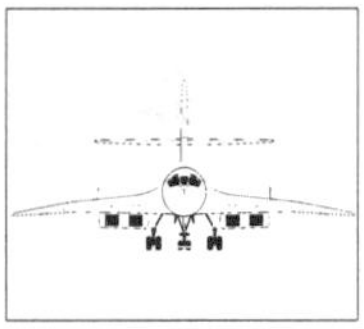

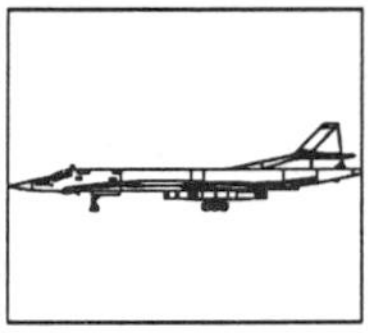

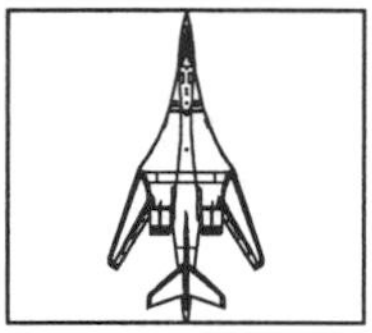

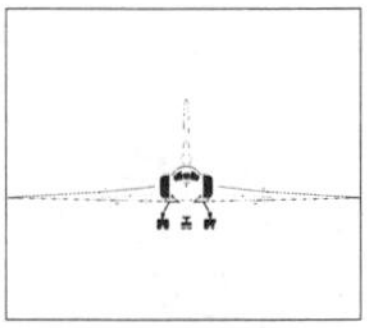

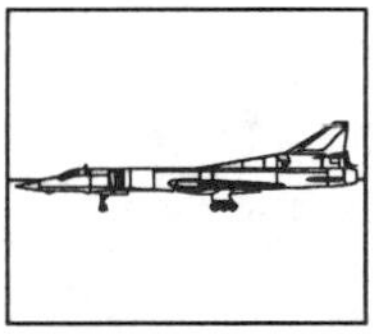

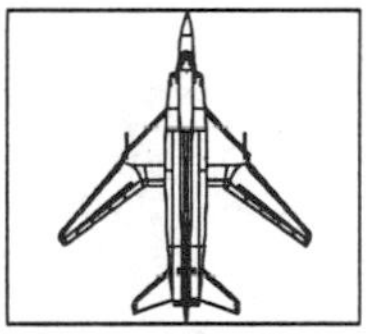

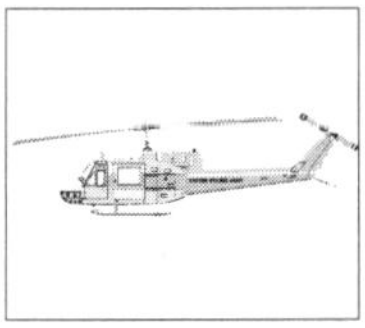

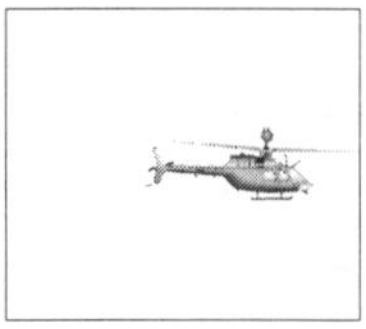

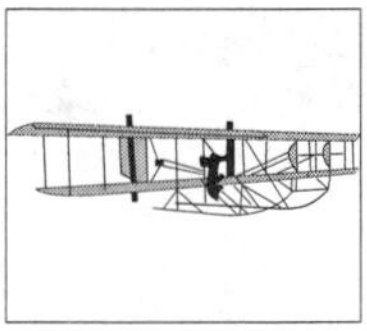

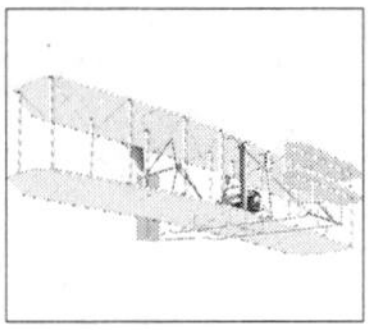

Animal
Animaux
Animales
Tiere

04A001

04A002

04A003

04A004

04A005

04A006

04A007

04A008

04A009

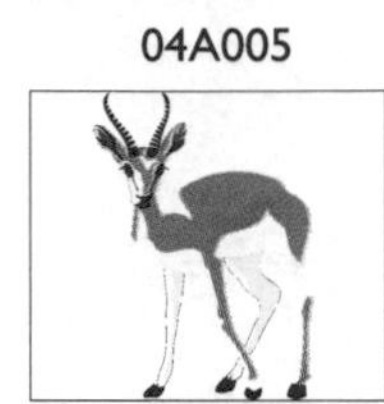
04A010

04A011

04A012

04A013

04A014

04A015

04A016

04A017

04A018

04A019

04A020

04A021

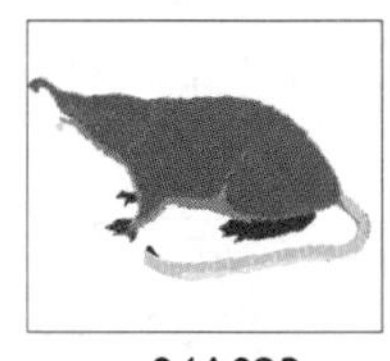
04A023

04A024

04A025

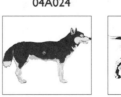

04A026

04A027

04A028

04A029

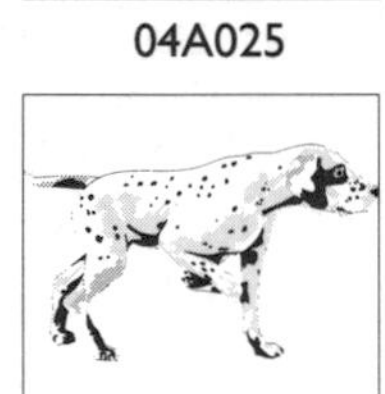
04A030

04A031

04A032

04A033

04A034

04A035

Animal
Animaux
Animales
Tiere

04A036

04A037

04A038

04A039

04A040

04A041

04A043

04A044

04A045

04A046

04A047

04A048

04A049

04A050

04A051

04A052

04A053

04A054

04A055

04A056

04A057

04A058

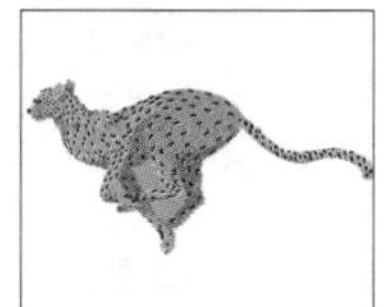
04A059

04A060

04A061

04A062

04A063

04A064

04A065

04A066

04A067

04A068

04A069

04A070

Animal
Animaux
Animales
Tiere

04A071

04A072

04A073

04A074

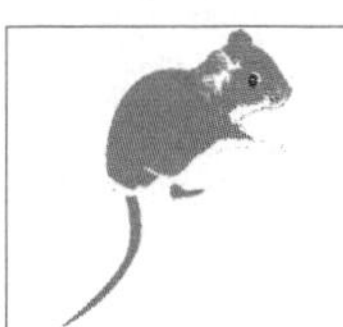
04A075

04A076

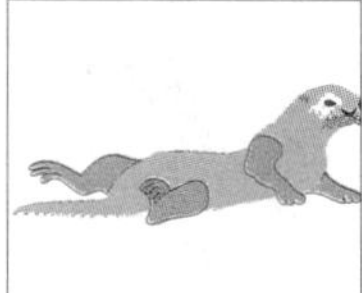
04A078

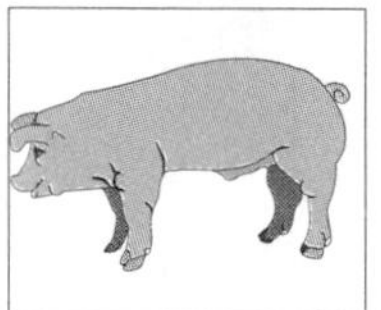
04A079

04A080

04A081

04A082

04A083

04A084

04A085

04A086

04A087

04A088

04A089

04A090

04A091

04A092

04A093

04A094

04A095

04A096

04A097

04A098

04A099

04A100

04A101

04A102

04A103

04A104

04A105

Animal
Animaux
Animales
Tiere

04A106

04A107

04A108

04A109

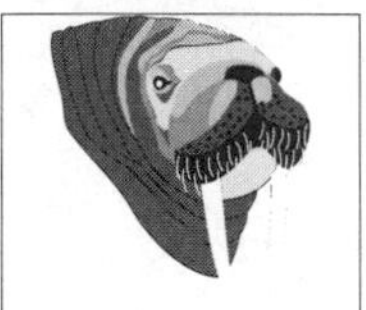
04A111

04A112

04A113

04A114

04A115

04A117

04A118

04A119

04A120

Animal
Animaux
Animales
Tiere

04B001

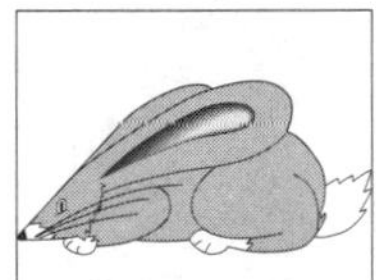
04B002

04B003

04B004

04B005

04B006

04B007

Animal
Animaux
Animales
Tiere

04C001

04C002

04C003

04C004

04C005

04C006

04C007

04C008

04C009

04C010

04C011

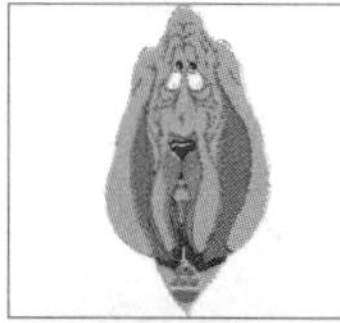
04C012

04C013

04C014

04C015

04C016

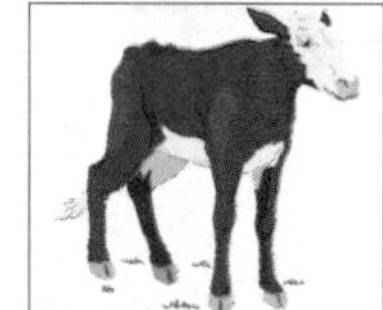
04C017

04C018

04C019

04C020

04C021

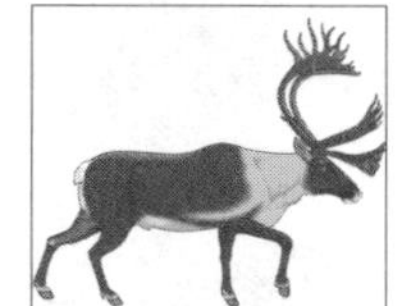
04C022

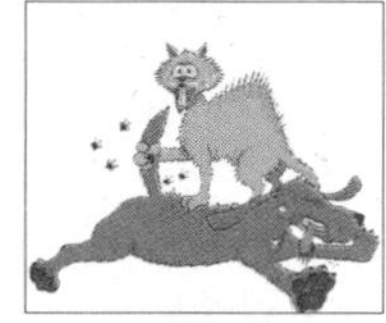
04C023

04C024

04C025

04C026

04C027

04C028

04C029

04C030

04C031

04C032

04C033

04C034

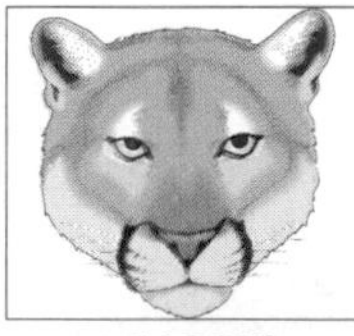
04C035

Animal
Animaux
Animales
Tiere

04C036

04C037

04C038

04C039

04C040

04C041

04C042

04C043

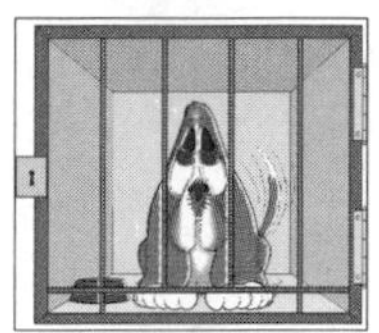
04C044

04C045

04C046

04C047

04C048

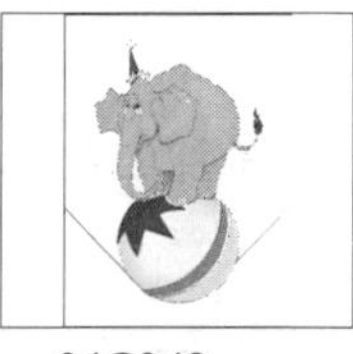
04C049

04C050

04C051

04C052

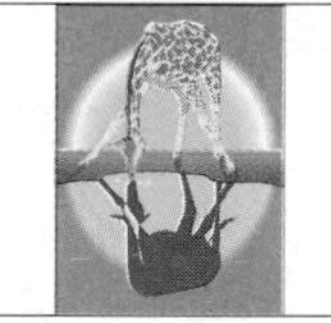
04C053

04C054

04C055

04C056

04C057

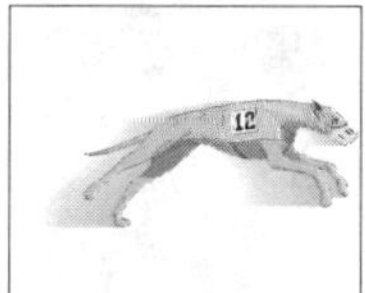

04C058

04C059

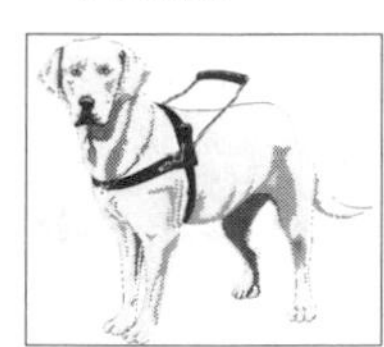
04C060

04C061

04C062

04C063

04C064

04C065

04C066

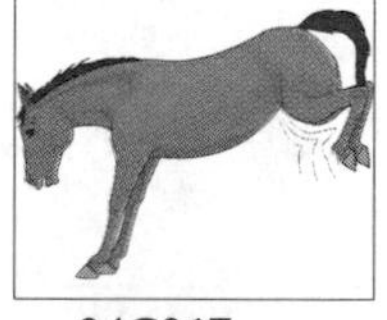
04C067

04C068

04C069

04C070

Animal
Animaux
Animales
Tiere

04C071

04C072

04C073

04C074

04C075

04C076

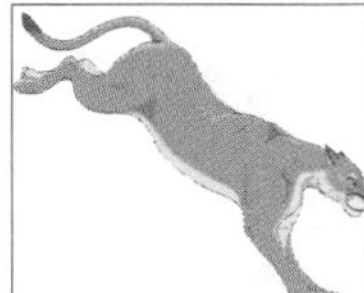
04C077

04C078

04C079

04C080

04C081

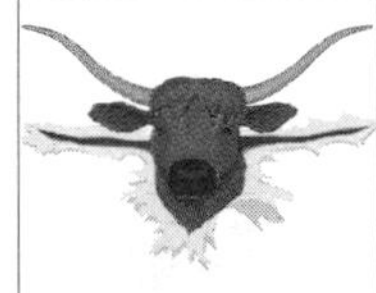
04C082

04C083

04C084

04C085

04C086

04C087

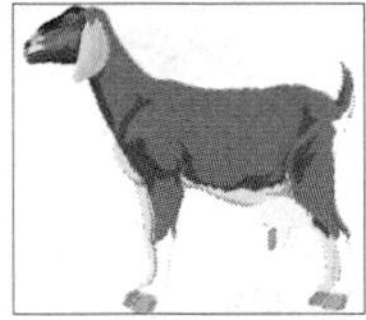
04C088

04C089

04C090

04C091

04C092

04C093

04C094

04C095

04C096

04C097

04C098

04C099

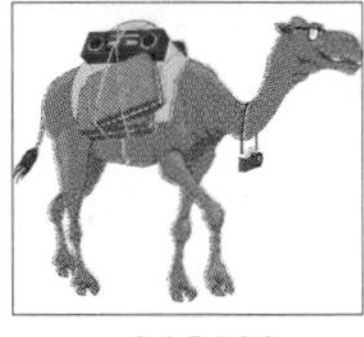
04C100

04C101

04C102

04C103

04C104

04C105

Animal
Animaux
Animales
Tiere

04C106

04C107

04C108

04C109

04C110

04C111

04C112

04C113

04C114

04C115

04C116

04C117

04C118

04C119

04C120

04C121

04C122

04C123

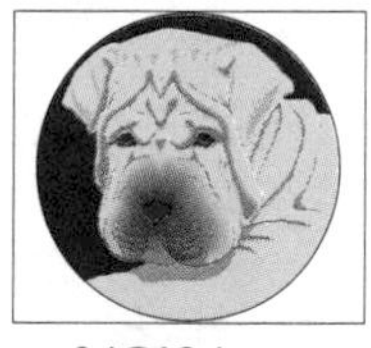
04C124

04C125

04C126

04C127

04C128

04C129

04C130

04C131

04C132

04C133

04C134

04C135

04C136

04C137

04C138

04C139

04C140

Animal
Animaux
Animales
Tiere

04C141

04C142

04C143

04C144

04C145

04C146

Arrow
Fléches
Flecha
Pfeile

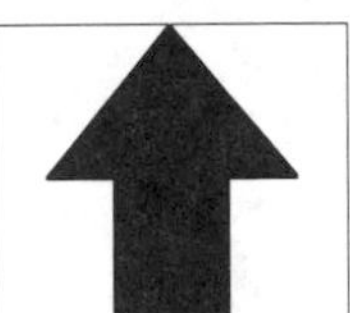

05A001

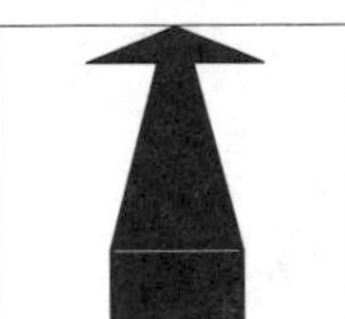

05A002

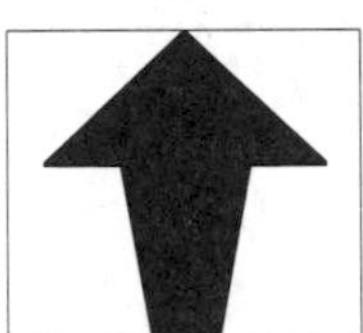

05A003

05A004

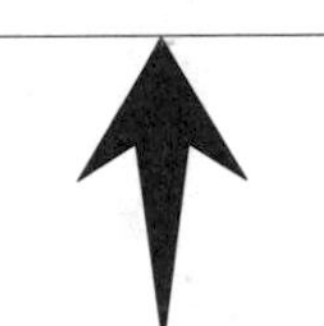

05A005

05A006

05A007

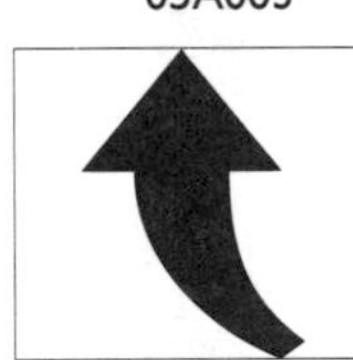

05A008

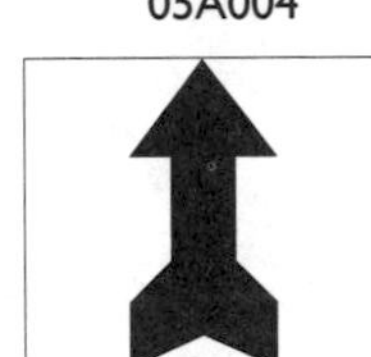

05A009

05A010

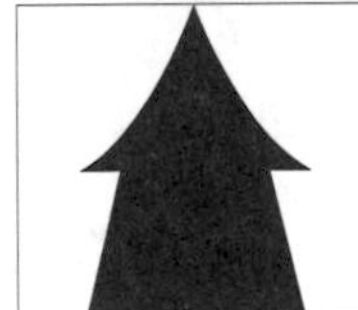

05A011

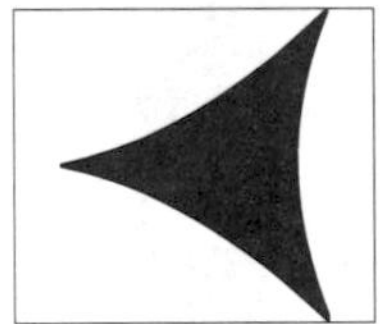

05A012

05A013

05A014

05A015

05A016

05A017

05A018

05A019

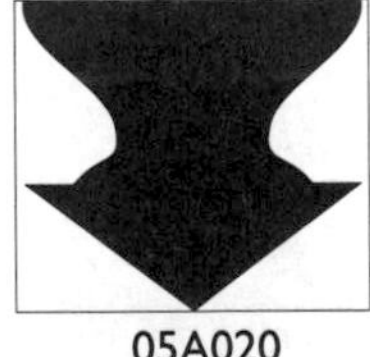

05A020

Arrow
Fléches
Flecha
Pfeile

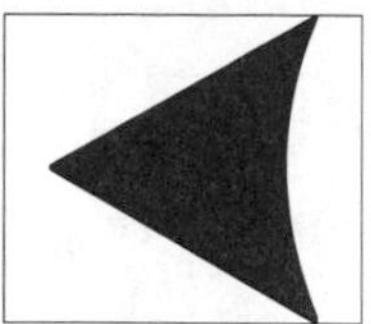
05A021

05A022

05A023

05A024

05A025

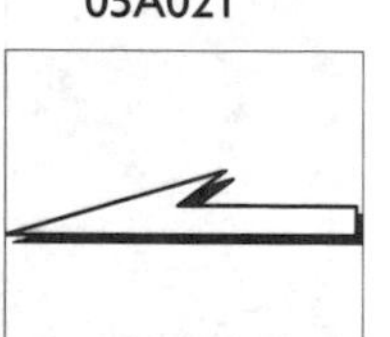
05A026

05A027

05A028

05A029

05A030

05A031

05A032

05A033

05A034

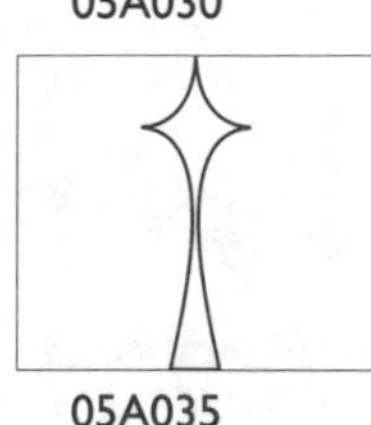
05A035

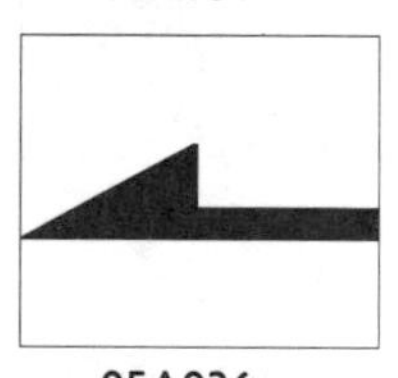
05A036

05A037

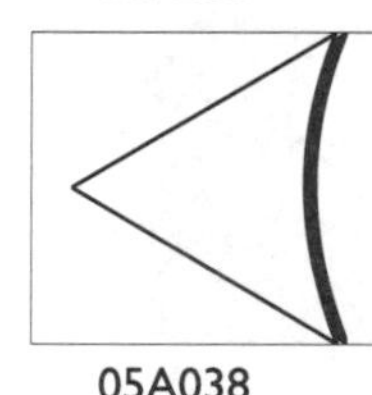
05A038

05A039

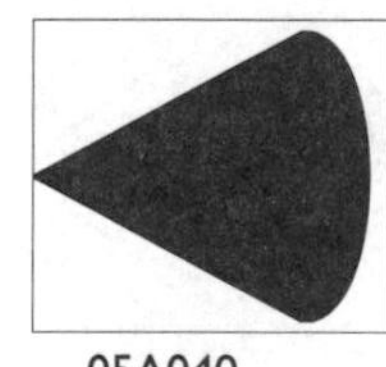
05A040

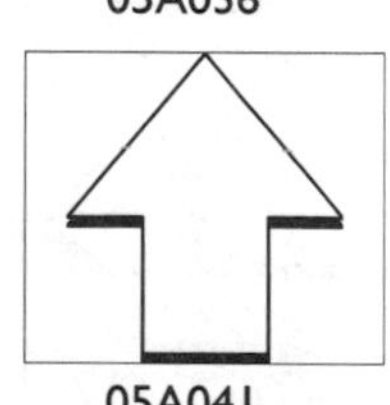
05A041

05A042

05A043

05A044

05A045

05A046

05A047

05A048

05A049

05A050

05A051

05A052

05A053

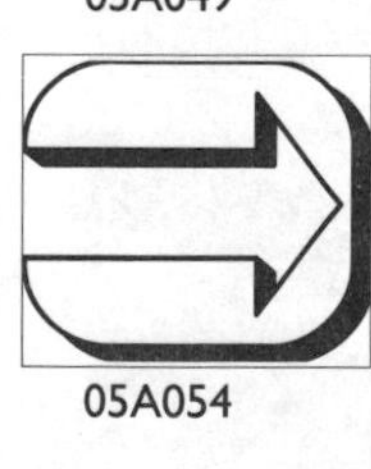
05A054

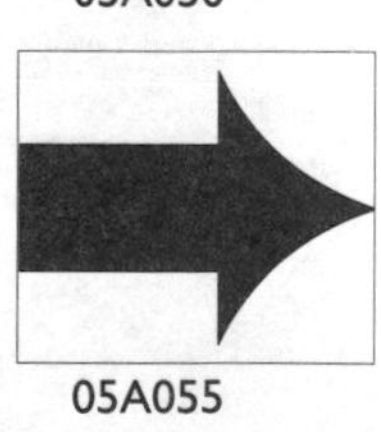
05A055

Arrow
Fléches
Flecha
Pfeile

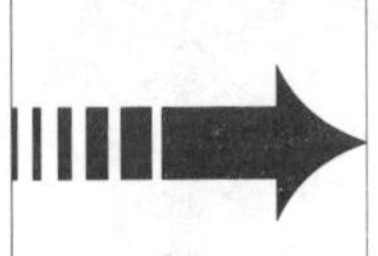
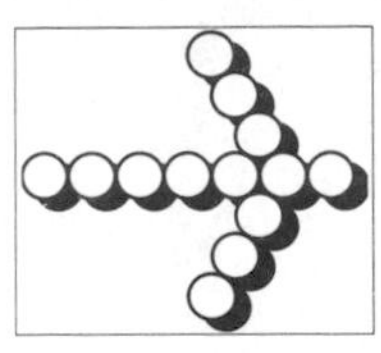

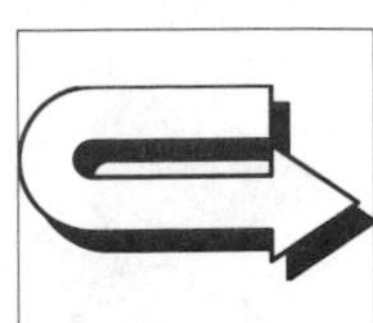
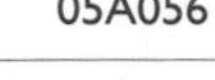

05A056 05A057 05A058 05A059 05A060

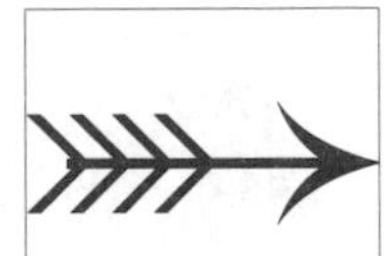
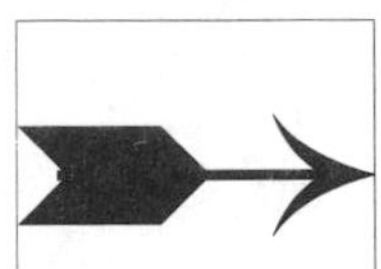

05A061 05A062 05A063 05A064 05A065

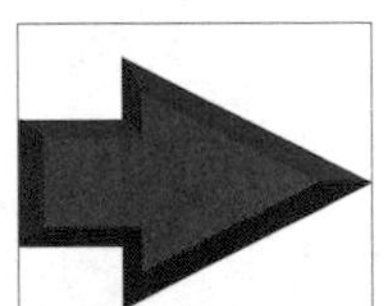
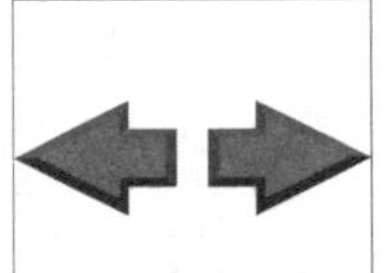

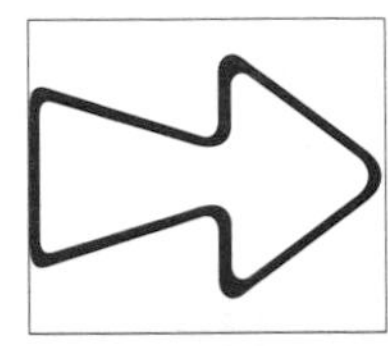

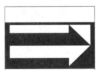

05A066 05A067 05A068 05A069 05A070

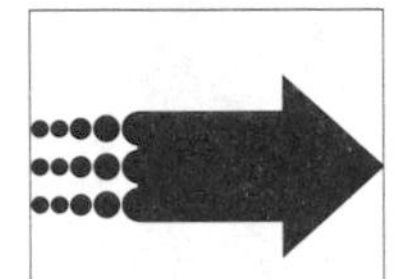
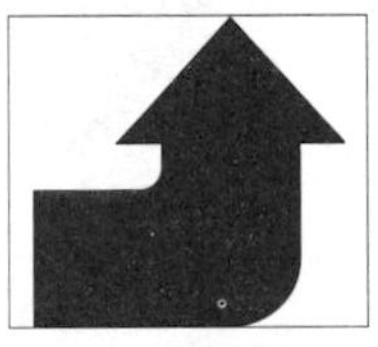
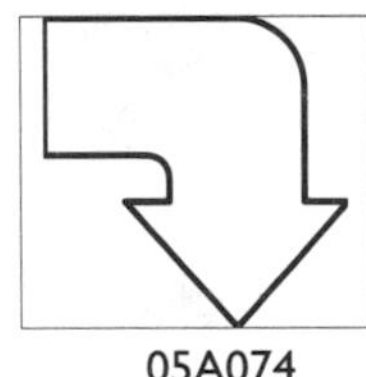
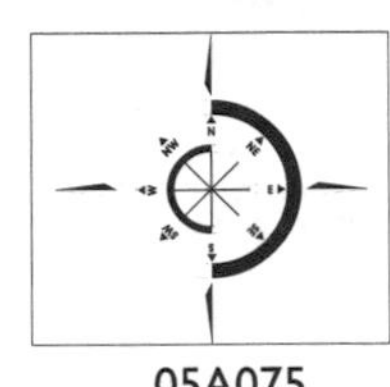

05A071 05A072 05A073 05A074 05A075

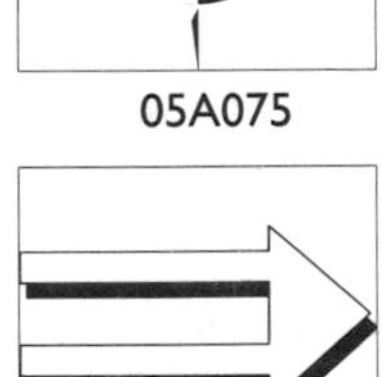

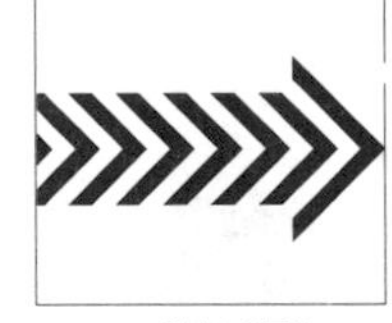
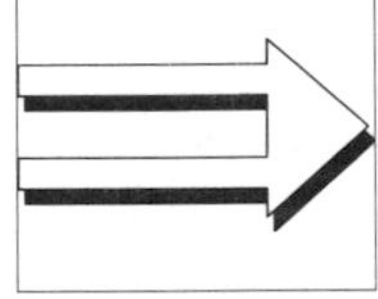

05A076 05A077 05A078 05A079 05A080

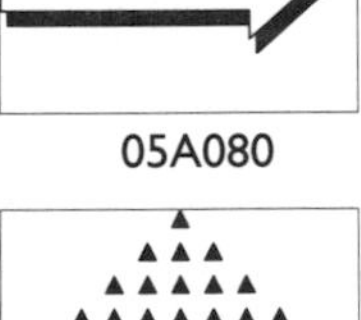

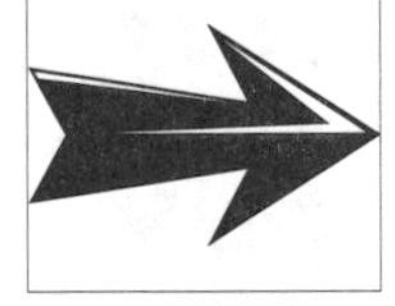

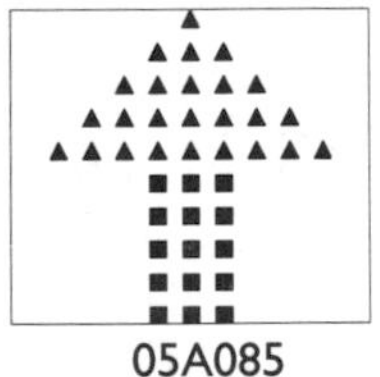

05A081 05A082 05A083 05A084 05A085

05A086 05A087 05A088 05A089 05A090

Arrow
Fléches
Flecha
Pfeile

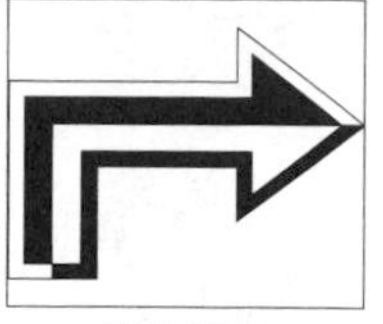
05A091

05A092

05A093

05A094

05A095

Arrows
Flèches
Flechas
Pfeile

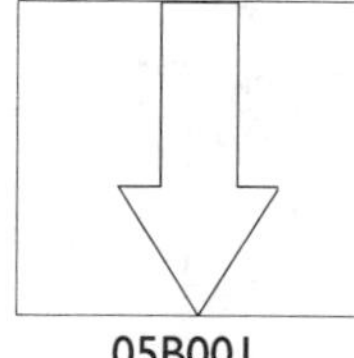
05B001

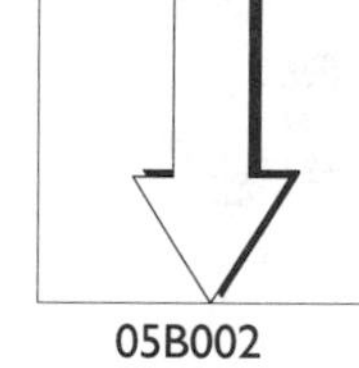
05B002

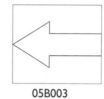

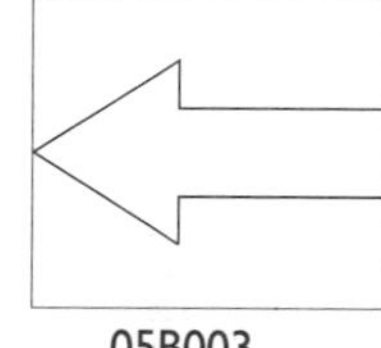
05B003

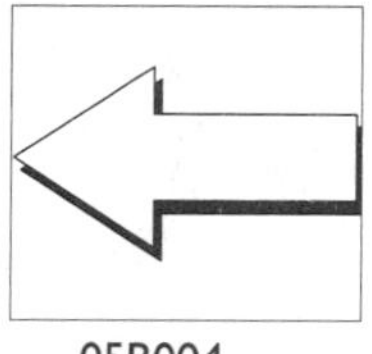
05B004

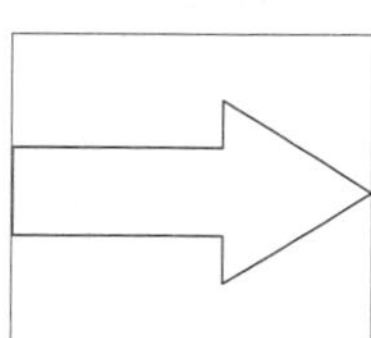
05B005

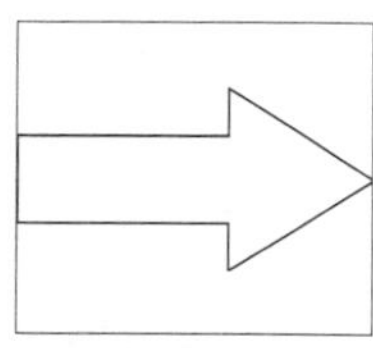
05B006

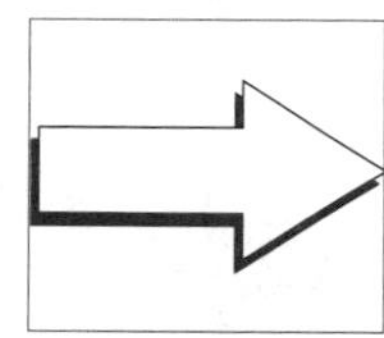
05B007

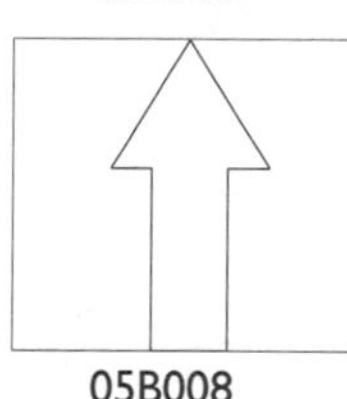
05B008

05B009

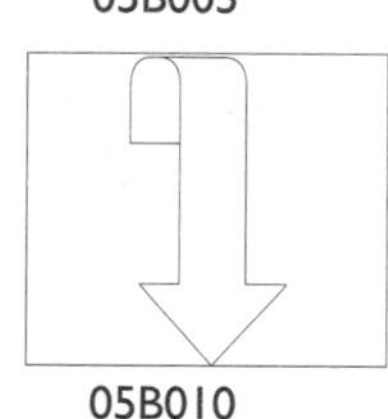
05B010

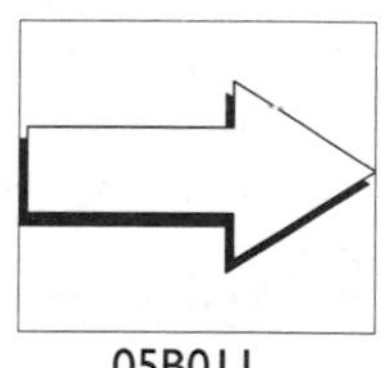
05B011

05B012

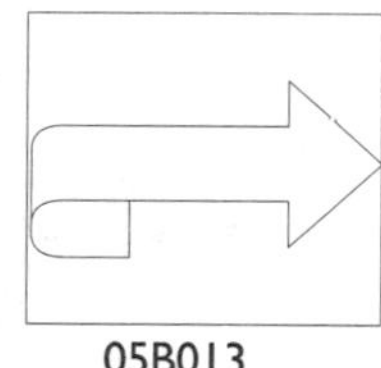
05B013

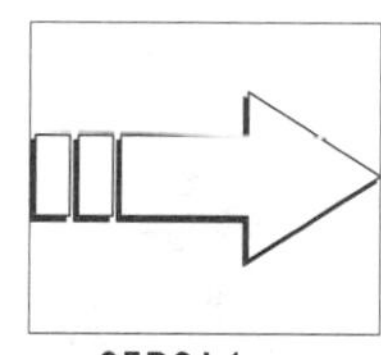
05B014

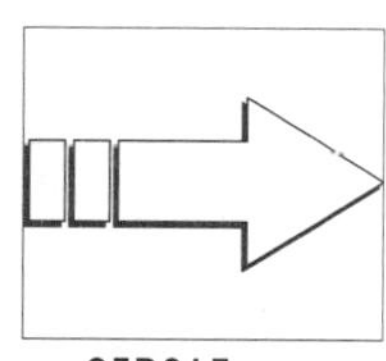
05B015

05B016

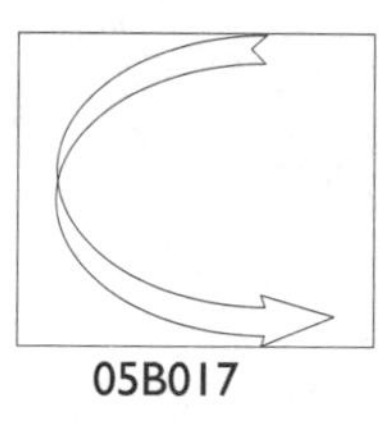
05B017

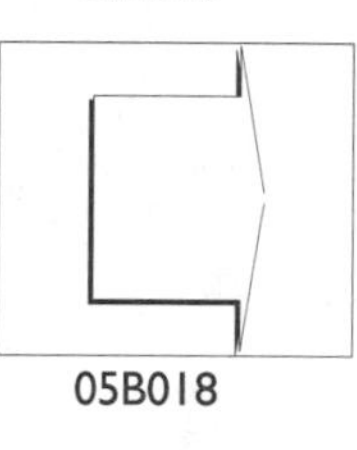
05B018

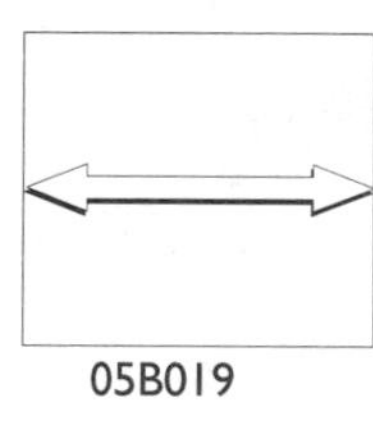
05B019

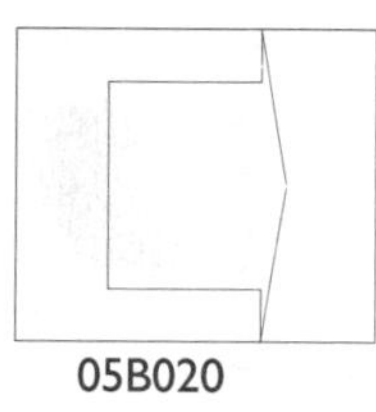
05B020

Bird
Oiseaux
Pajaro
Vögel

06A001

06A002

06A003

06A004

06A005

06A006

06A007

06A008

06A009

06A011

06A012

06A013

06A014

06A015

06A016

06A017

06A018

06A019

06A020

06A022

06A023

06A024

06A025

06A026

06A027

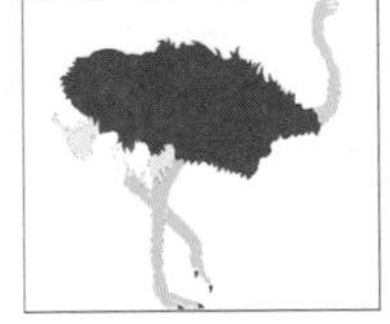
06A028

06A029

06A030

06A031

06A032

06A033

06A034

06A035

Bird
Oiseaux
Pajaro
Vögel

06A036

06A037

06A038

06A039

06A040

06A041

06A042

06A043

06A044

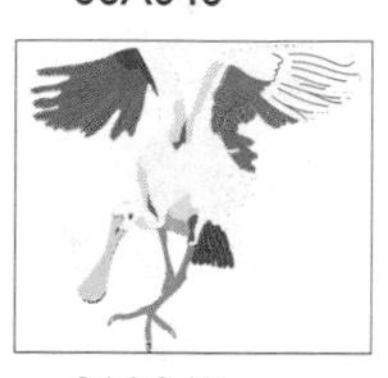
06A045

06A046

06A047

06A048

06A049

06A050

06A051

06A052

06A053

06A054

06A056

Bird
Oiseaux
Pajaro
Vögel

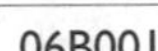

06B001

06B002

06B003

06B004

06B005

06B006

Bird
Oiseaux
Pajaro
Vögel

06C001

06C002

06C003

06C004

06C005

Bird
Oiseaux
Pajaro
Vögel

 06D001	 06D002	 06D003	 06D004	 06D005
 06D006	 06D007	 06D008	 06D009	 06D010
 06D011	 06D012	 06D013	 06D014	 06D015
 06D016	 06D017	 06D018	 06D019	 06D020
 06D021	 06D022	 06D023	 06D024	 06D025
 06D026	 06D027	 06D028	 06D029	 06D030
 06D031	 06D032	 06D033	 06D034	 06D035

Bird
Oiseaux
Pajaro
Vögel

06D036

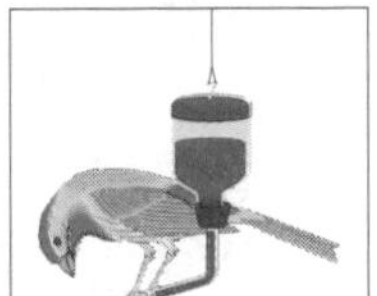
06D037

06D038

06D039

06D040

06D041

06D042

06D043

06D044

06D045

06D046

06D047

06D048

06D049

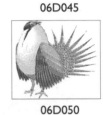

06D050

06D051

06D052

06D053

06D054

06D055

06D056

06D057

06D058

06D059

06D060

06D061

06D062

06D063

06D064

06D065

06D066

06D067

06D068

06D069

06D070

Bird
Oiseaux
Pajaro
Vögel

06D071

06D072

06D073

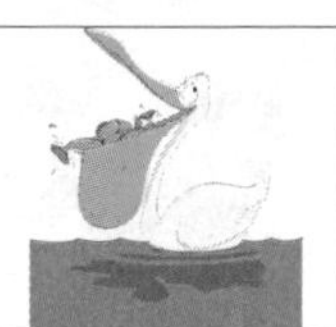
06D074

06D075

06D076

06D077

06D078

06D079

06D080

06D081

06D082

06D083

06D084

06D085

06D086

06D087

06D088

06D089

06D090

06D091

06D092

06D093

06D094

06D095

06D096

06D097

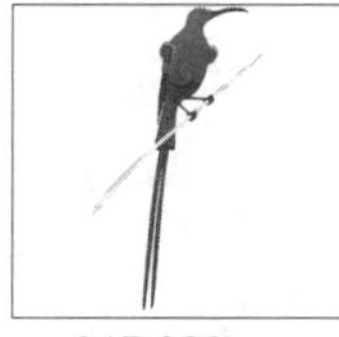
06D098

06D099

06D100

06D101

06D102

06D103

06D104

06D105

Bird
Oiseaux
Pajaro
Vögel

06D106

06D107

06D108

06D109

06D110

Business
Affaires
Negocios
Büro

07A001

07A002

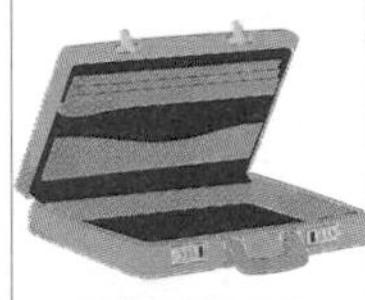
07A003

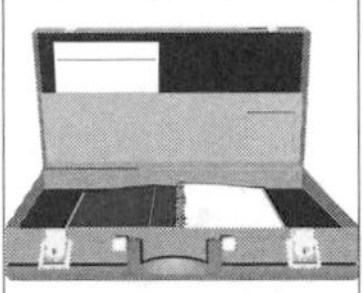
07A004

07A005

07A006

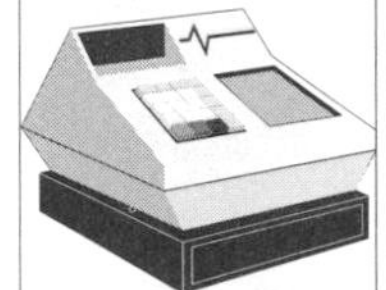
07A007

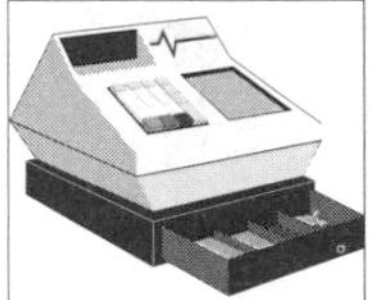
07A008

07A009

07A010

07A011

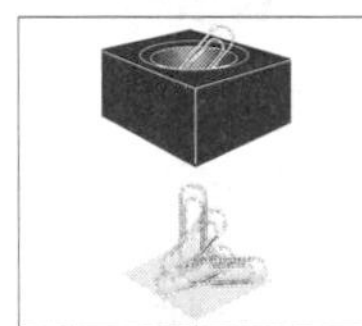
07A012

07A013

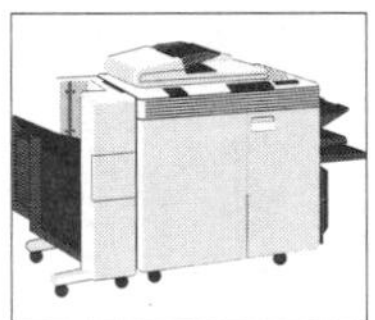
07A014

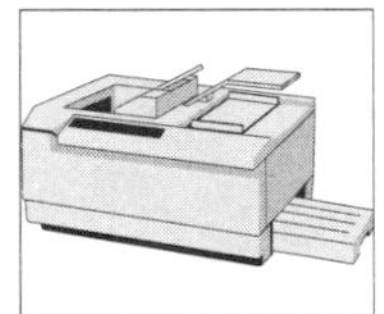
07A015

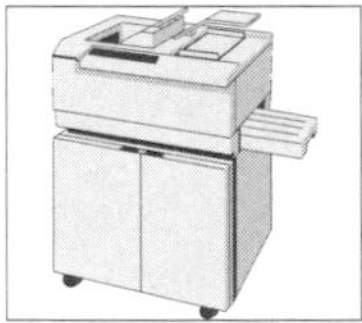
07A016

07A017

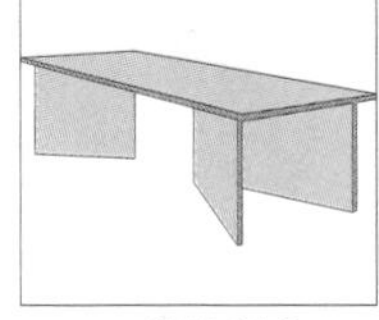
07A018

07A019

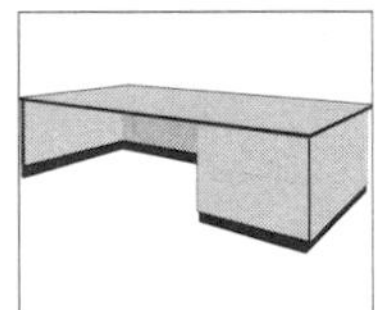
07A020

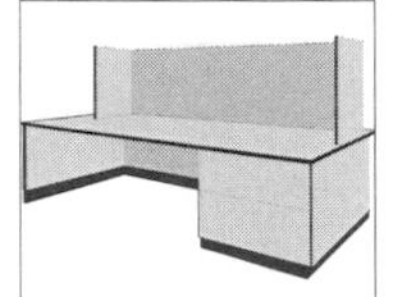
07A021

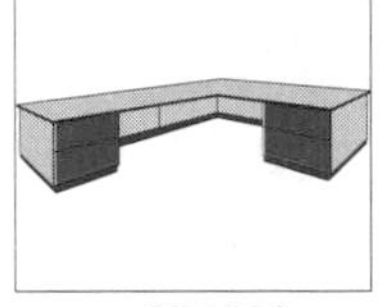
07A022

07A023

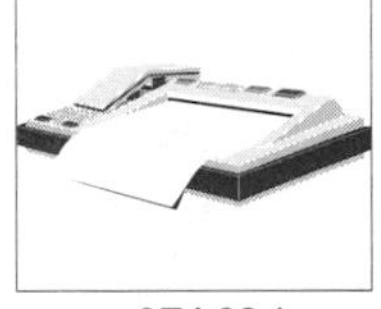
07A024

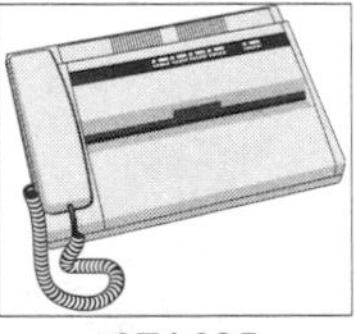
07A025

Business
Affaires
Negocios
Büro

Business Equipment
Equiment Bureau
Equipo Negocias
Büro-Ausstattung

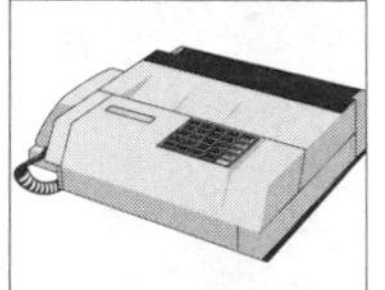
07A026

07A027

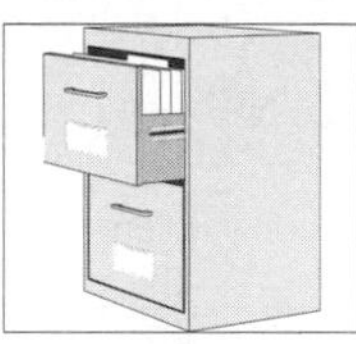
07A028

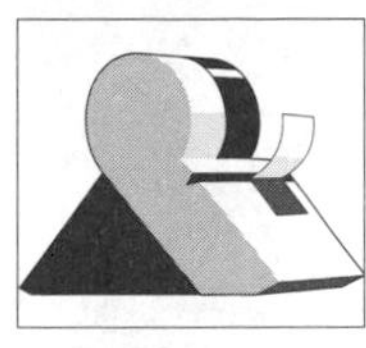
07A029

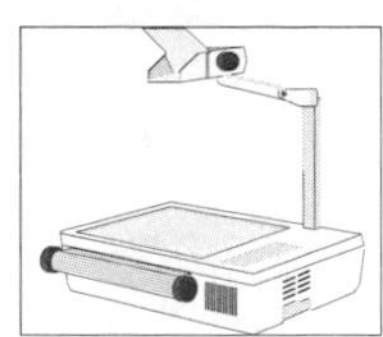
07A030

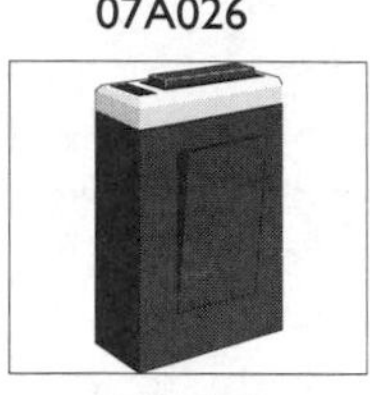
07A031

07A032

07A033

07A034

07A035

07A036

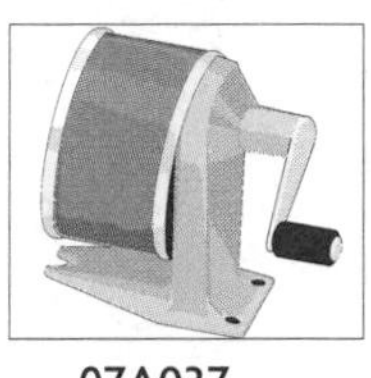
07A037

07A038

07A039

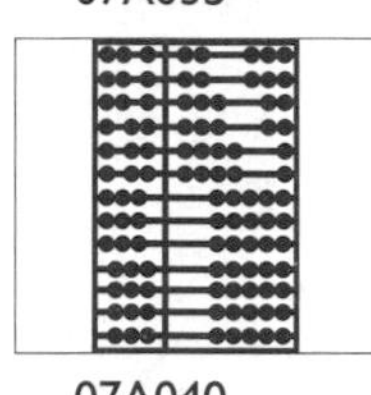
07A040

07A041

07A042

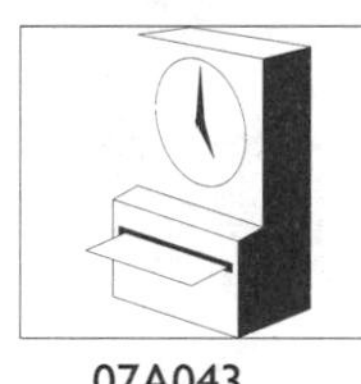
07A043

07A044

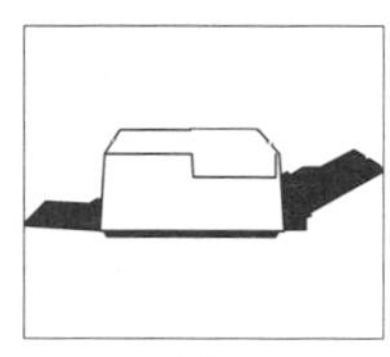
07A045

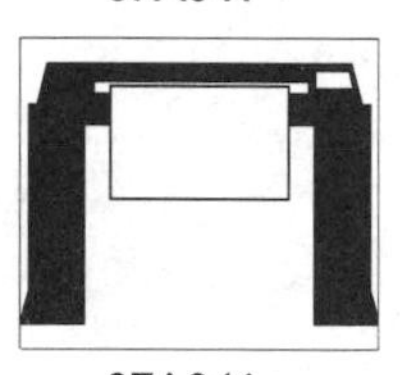
07A046

07A047

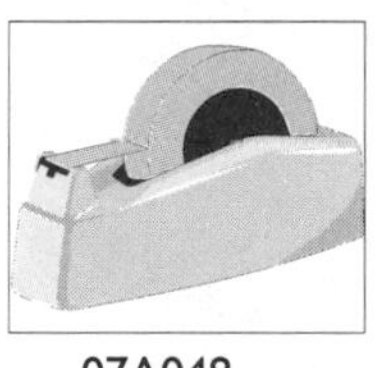
07A048

07A049

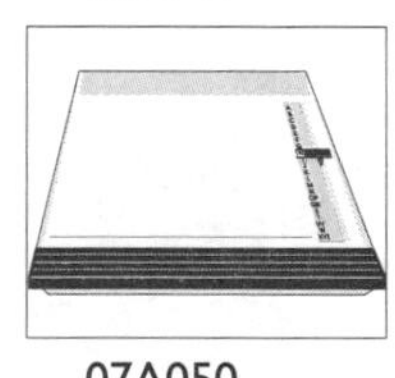
07A050

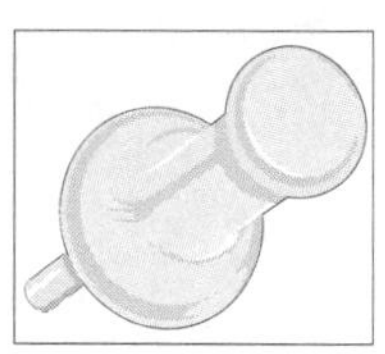
07A051

Business
Affaires
Negocios
Büro

07B005

07B006

07B007

07B001

07B002

07B008

07B009

07B010

07B011

07B012

07B013

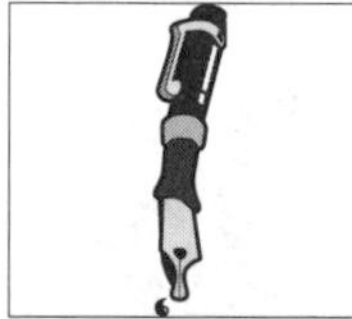
07B003

07B014

07B015

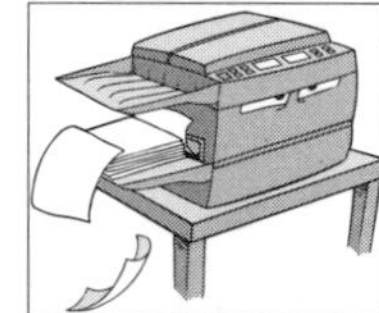
07B004

07B016

07B017

07B018

07B019

07B020

07B021

07B022

07B023

07B024

07B025

07B026

Business
Affaires
Negocios
Büro

Business Equipment
Equiment Bureau
Equipo Negocias
Büro-Ausstattung

07C001

07C002

07C003

07C004

07C005

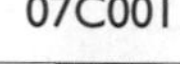

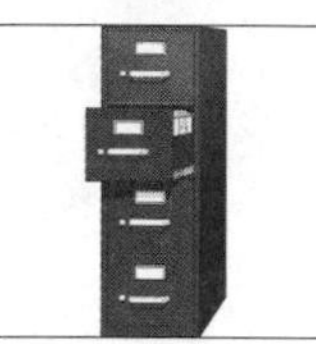
07C006

07C007

07C008

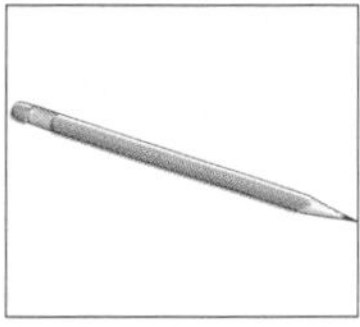
07C009

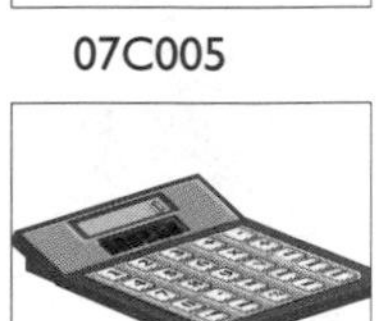
07C010

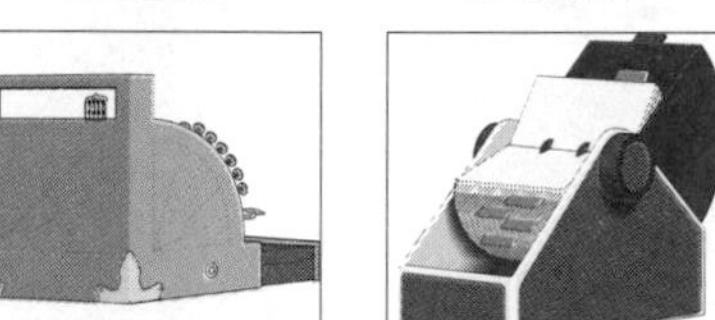
07C011

07C012 cardfile

07C013

07C014

07C015

07C016

07C017

Celebration
Célébration
Festivo
Feier

08A001

08A002

08A003

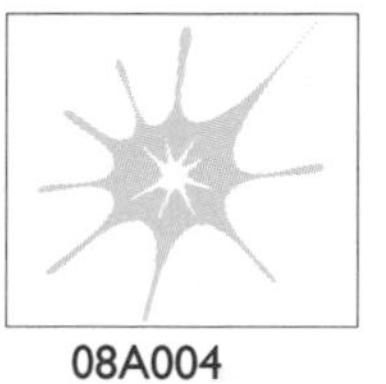
08A004

08A005

08A006

08A007

08A008

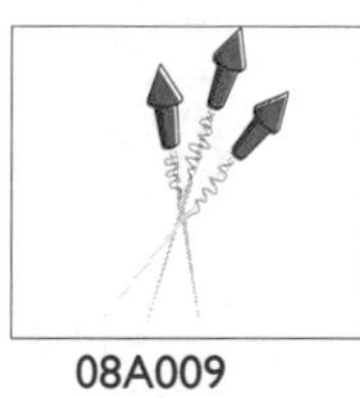
08A009

08A010

Celebration
Célébration
Festivo
Feier

08A011

08A012

08A013

08A015

08A016

Celebration
Célébration
Festivo
Feier

08B001

08B002

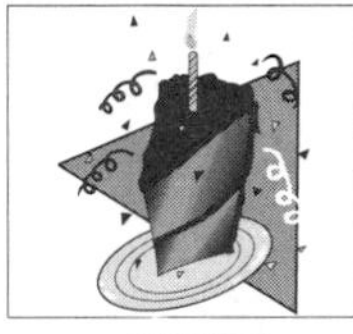

08B003

08B004

08B005

08B006

08B007

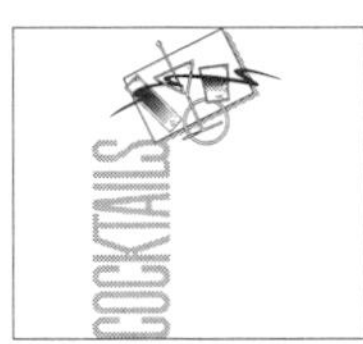

08B008

08B009

08B010

08B011

08B012

08B013

08B014

08B015

08B016

08B017

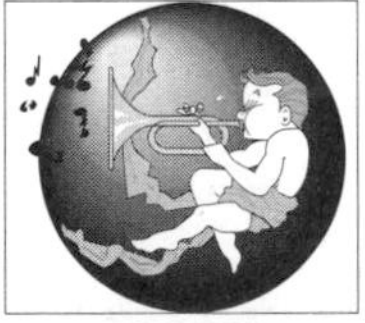

08B018

08B019

08B020

Celebration
Célébration
Festivo
Feier

08B021

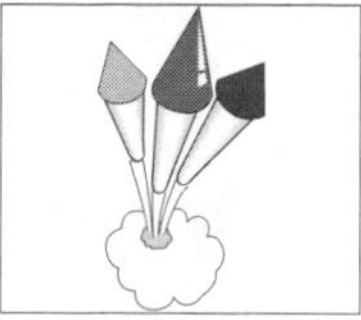

08B022

08B023

08B024

08B025

Celebration
Célébration
Festivo
Feier

08C001

08C002

08C003

08C004

08C005

08C006

08C007

08C008

08C009

08C010

08C011

08C012

08C013

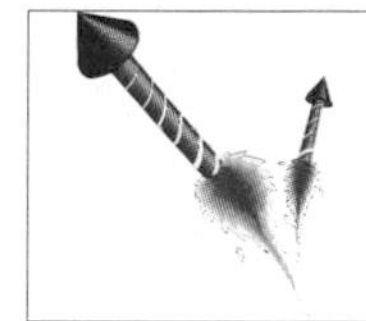

08C014

08C015

08C016

Child
Enfants
Niño
Kinder

09A001

09A002

09A003

09A004

09A005

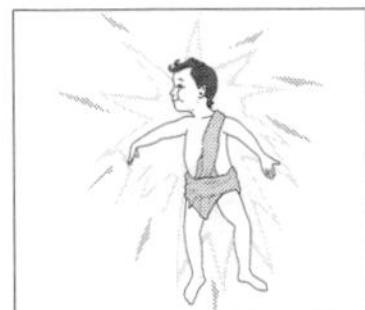
09A006

09A007

09A008

09A009

09A010

09A011

09A012

09A013

09A014

09A015

09A016

09A017

09A018

09A019

09A020

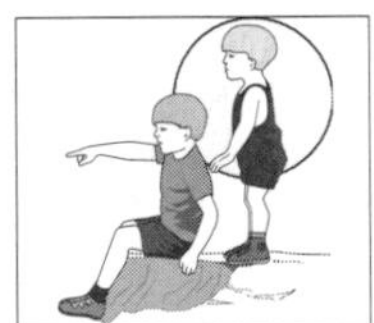
09A021

09A022

09A023

09A024

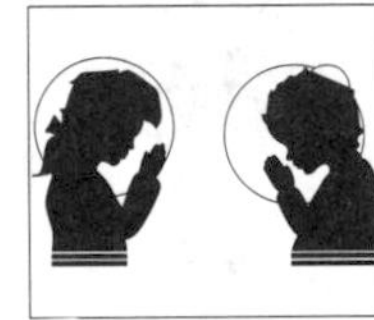
09A025

09A026

09A027

09A028

09A029

Communication

Communication
Comunicación
Kommunikation

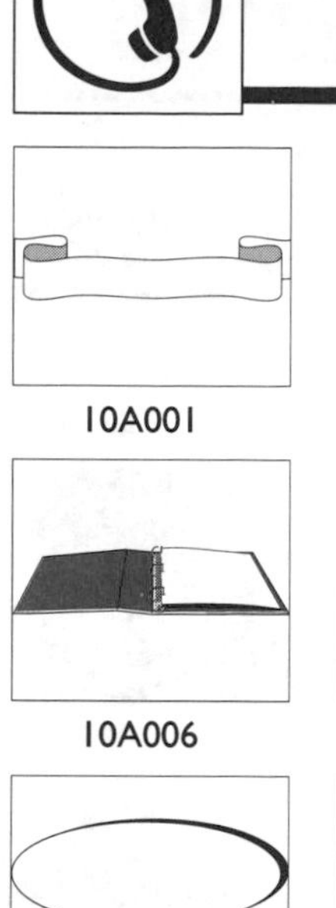

10A001

10A002

10A003

10A004

10A005

10A006

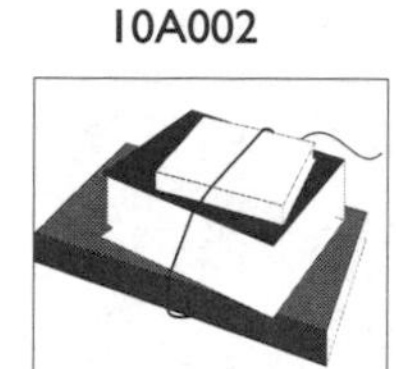

10A007

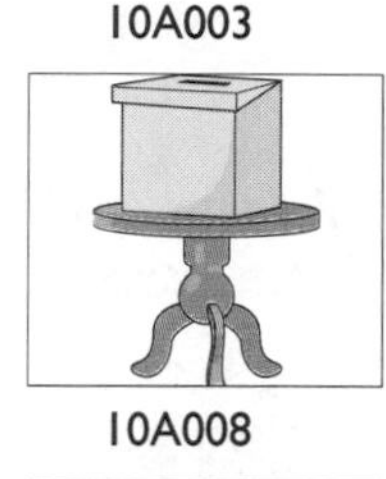

10A008

10A009

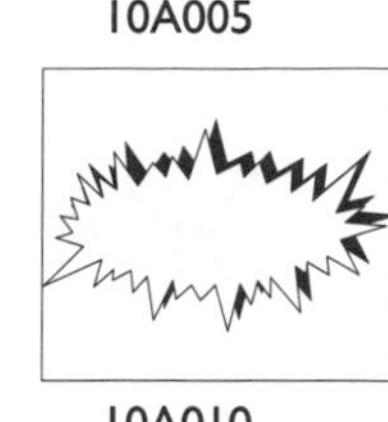

10A010

10A011

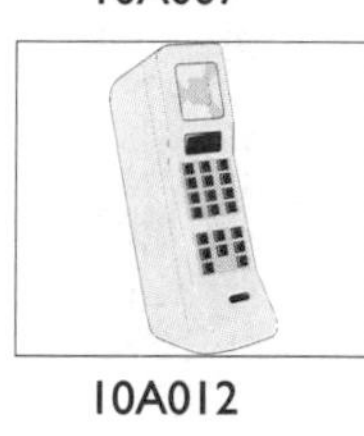

10A012

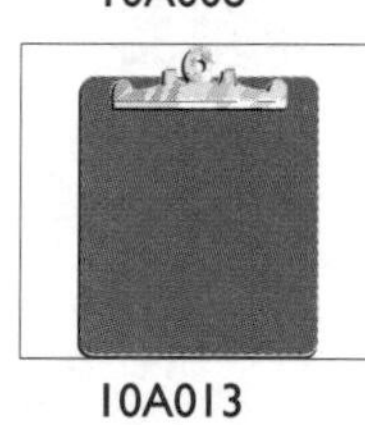

10A013

10A014

10A015

10A016

10A017

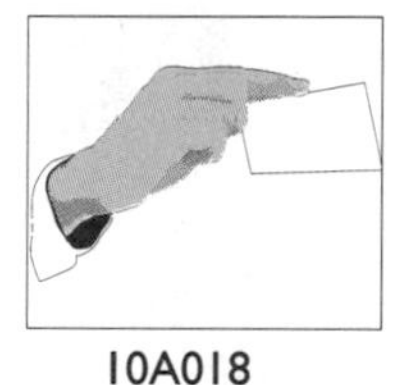

10A018

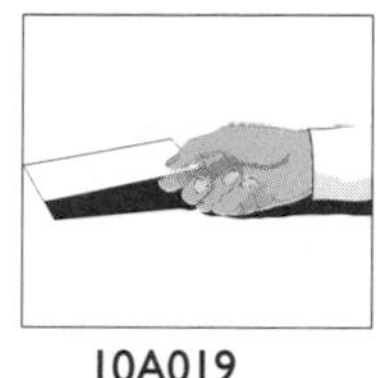

10A019

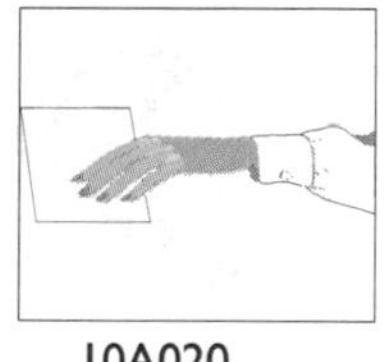

10A020

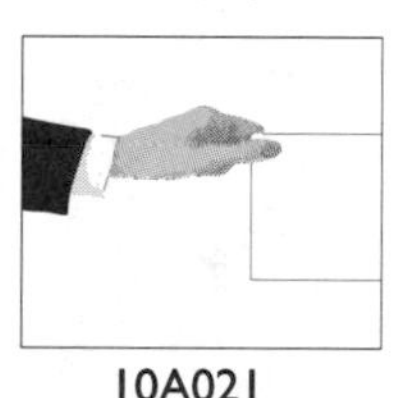

10A021

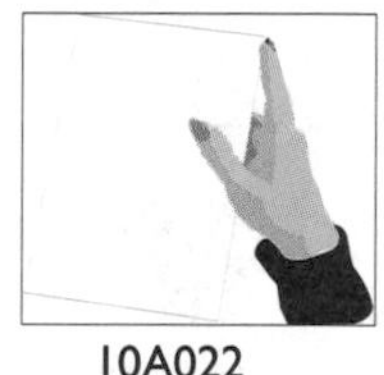

10A022

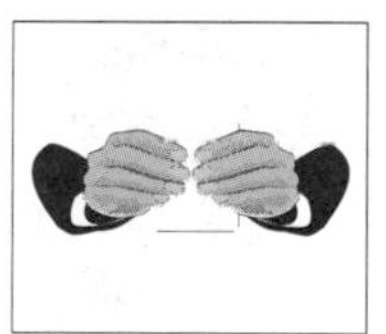

10A023

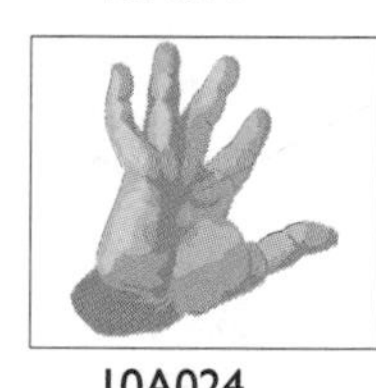

10A024

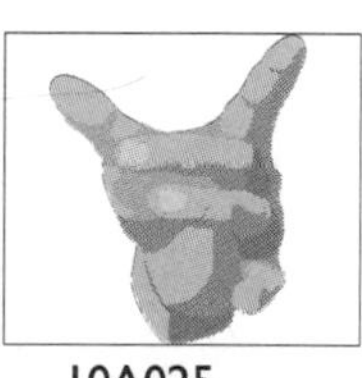

10A025

10A026

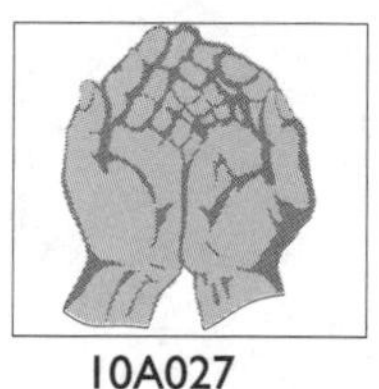

10A027

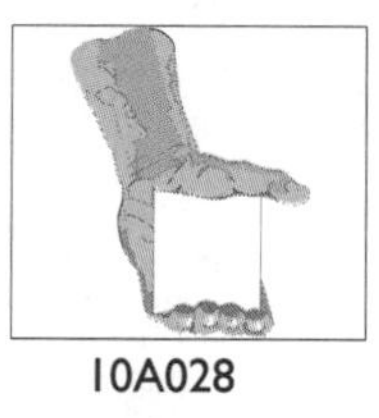

10A028

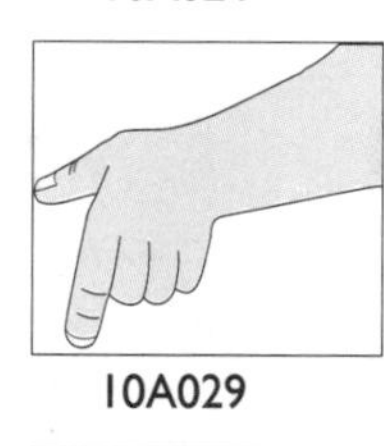

10A029

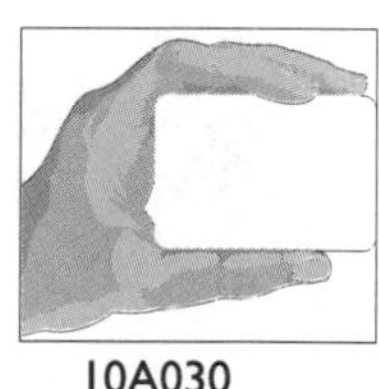

10A030

10A031

10A032

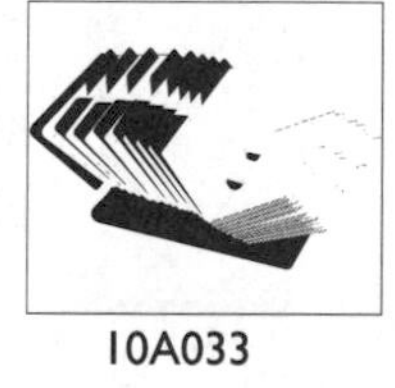

10A033

10A034

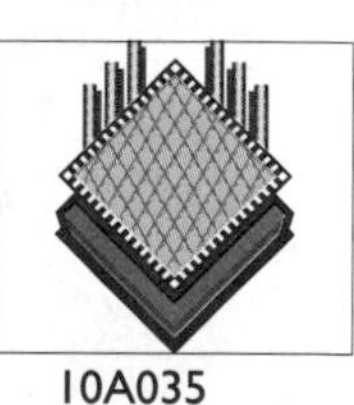

10A035

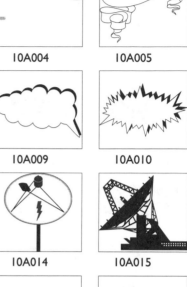

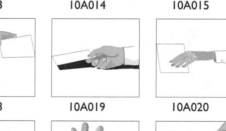

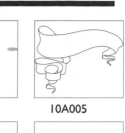

Communication
Communication
Comunicación
Kommunikation

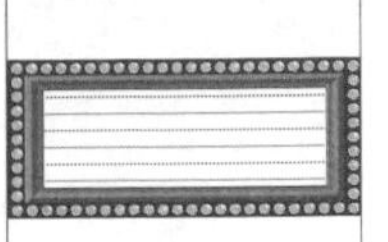 10A036	 10A037	 10A038	 10A039	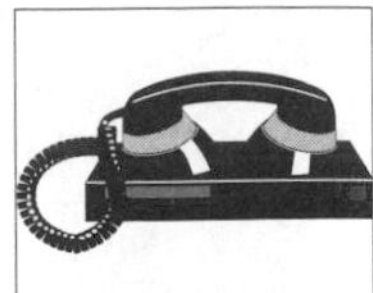 10A040
 10A041	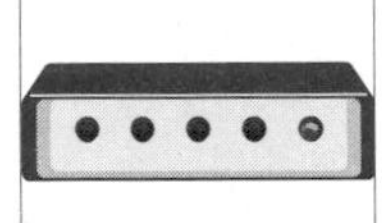 10A042	 10A043	 10A044	 10A045
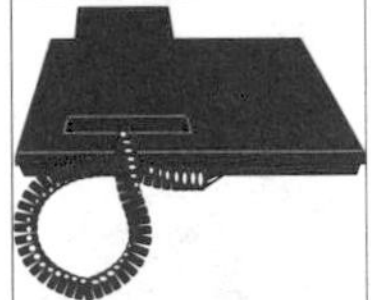 10A046	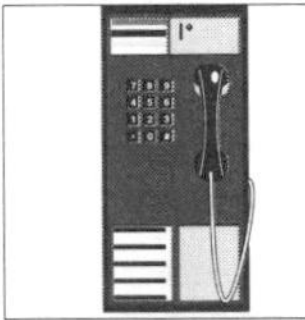 10A047	 10A048	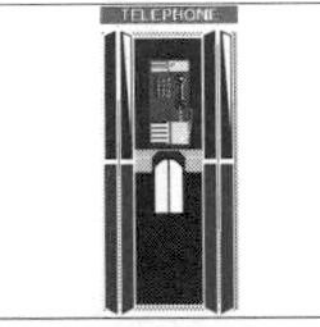 10A049	 10A050
 10A051	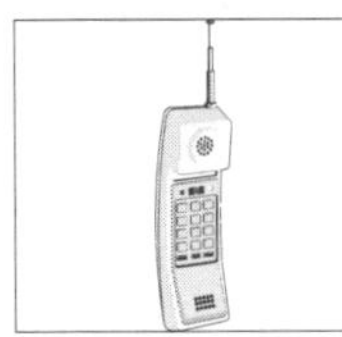 10A052	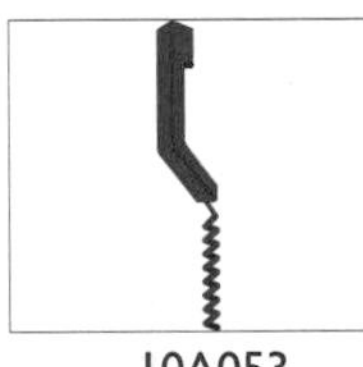 10A053	 10A054	 10A055
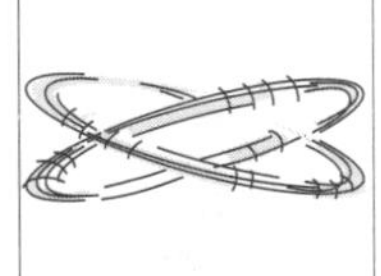 10A056	 10A057	 10A058	 10A059	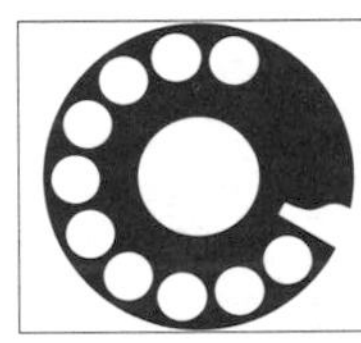 10A060
 10A061	 10A062	 10A063	 10A064	 10A065
 10A066	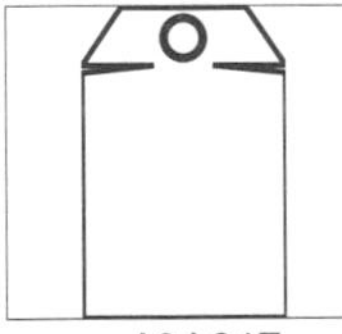 10A067	 10A068	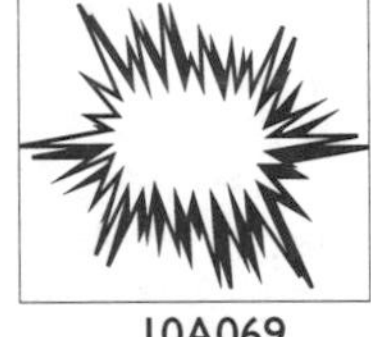 10A069	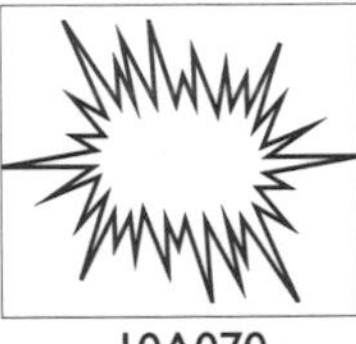 10A070

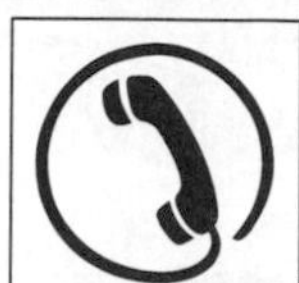

Communication
Communication
Comunicación
Kommunikation

10A071

10A072

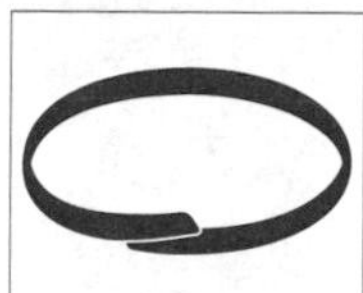
10A073

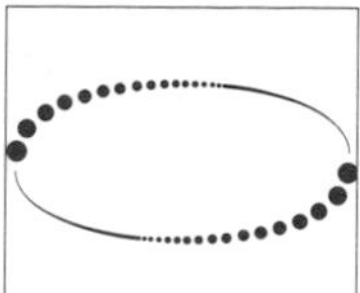
10A074

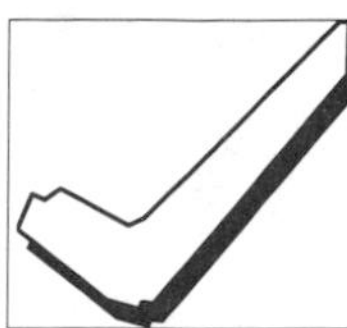
10A075

10A076

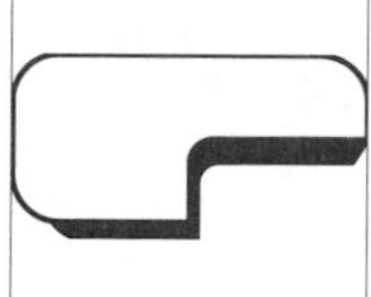
10A077

10A078

10A079

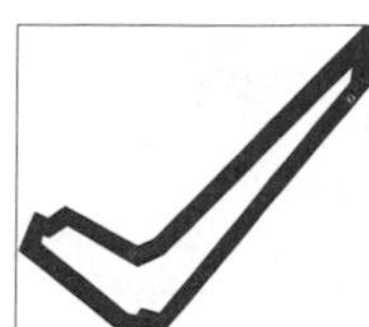
10A080

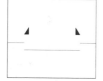

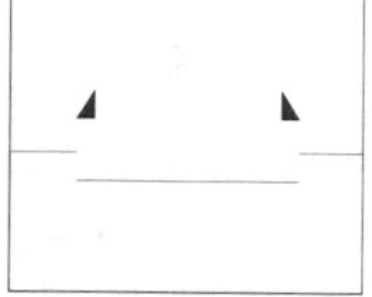
10A081

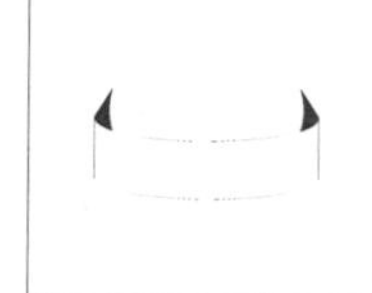
10A082

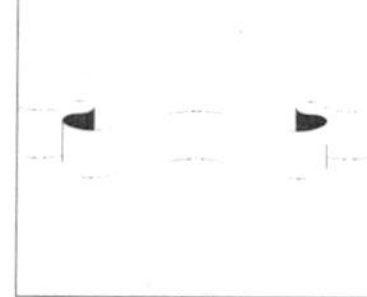
10A083

10A084

10A085

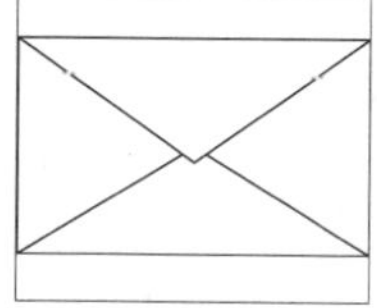
10A086

10A087

10A088

10A089

10A090

10A091

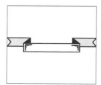

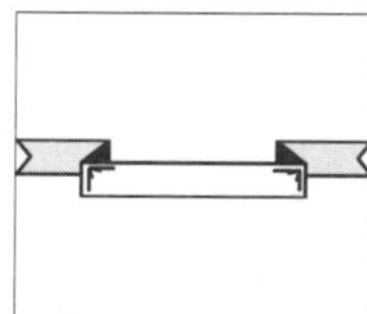
10A092

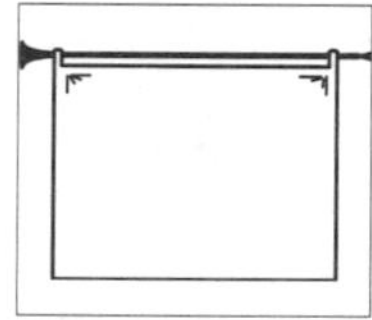
10A093

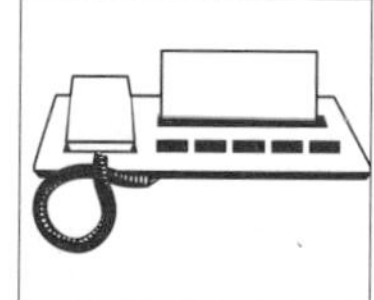
10A094

10A095

10A096

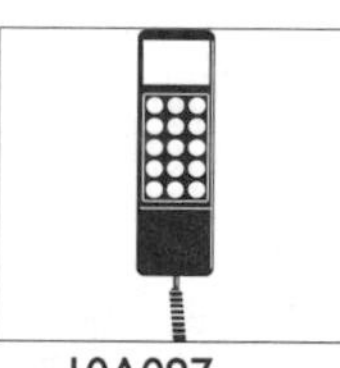
10A097

10A098

10A099

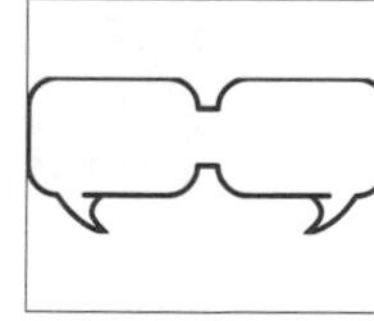
10A100

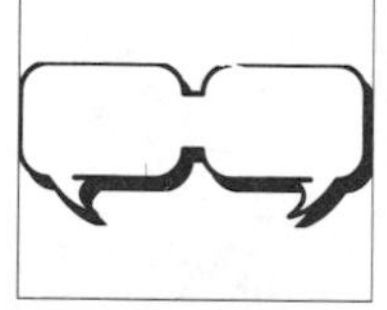
10A101

10A102

10A103

10A104

10A105

Communication
Communication
Comunicación
Kommunikation

10B001

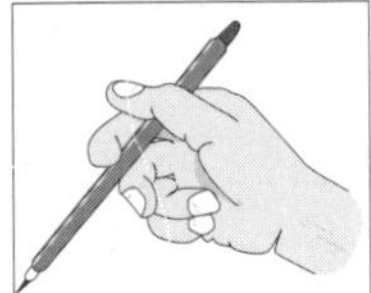
10B002

10B003

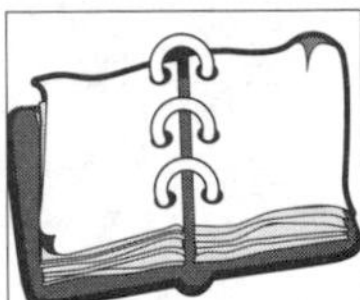
10B004

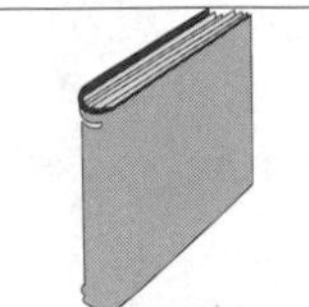
10B005

10B006

10B007

10B008

10B009

10B010

10B011

10B012

10B013

10B014

10B015

10B016

10B017

10B018

10B019

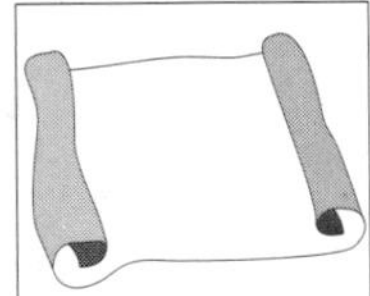
10B020

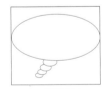

10B021

10B022

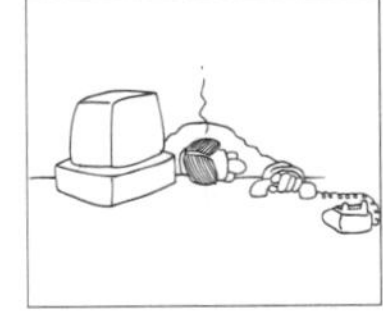
10B023

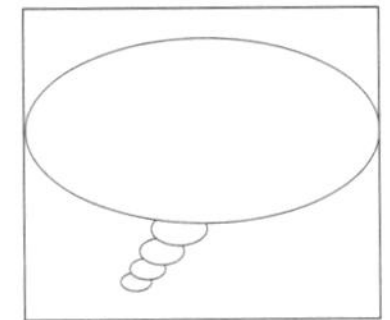
10B024

10B025

10B026

Communication
Communication
Comunicación
Kommunikation

10C001

10C002

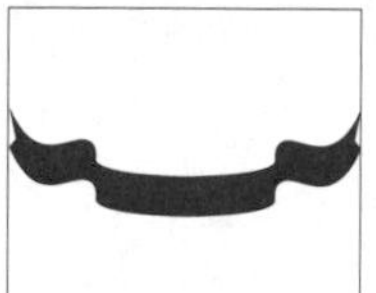
10C003

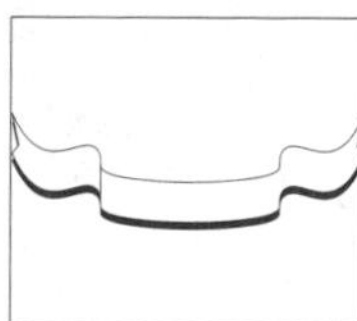
10C004

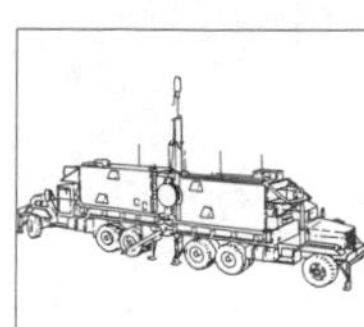
10C005

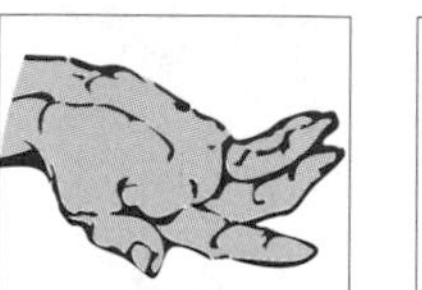
10C006

10C007

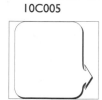

10C008

10C009

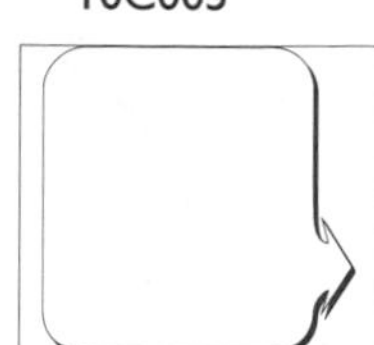
10C010

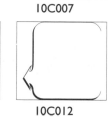

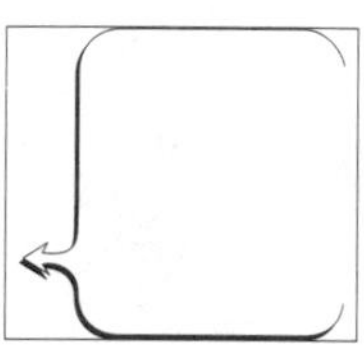
10C011

10C012

10C013

10C014

10C016

Communication
Communication
Comunicación
Kommunikation

10D001

10D002

10D003

10D004

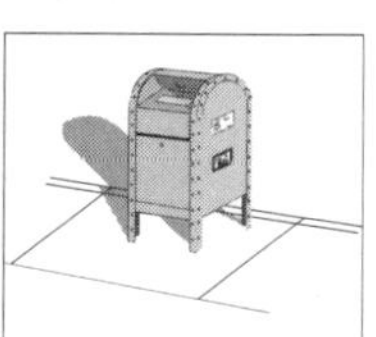
10D005

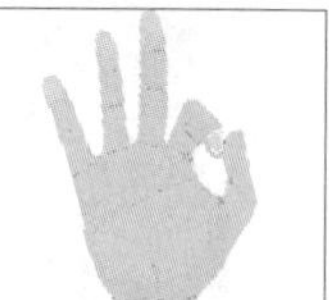
10D006

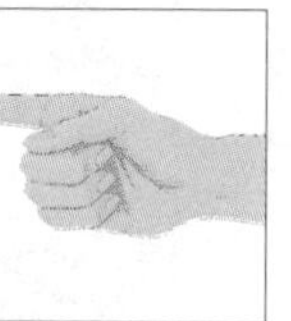
10D007

10D008

10D009

10D010

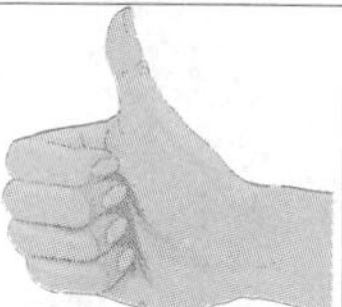
10D011

10D012

Computer
Ordinateur
Ordenadores-computadora
Computer

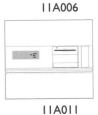

11A001

11A002

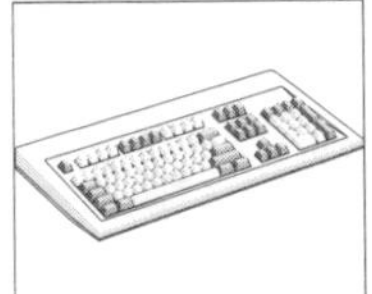
11A003

11A004

11A005

11A006

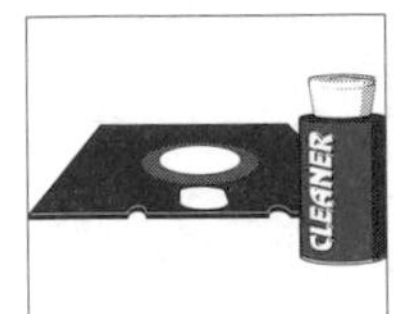

11A007

11A008

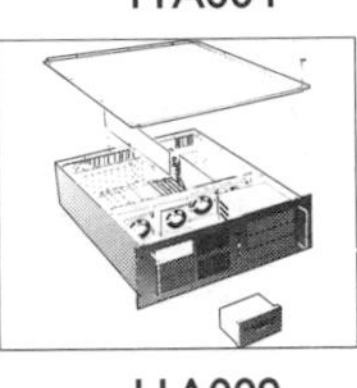
11A009

11A010

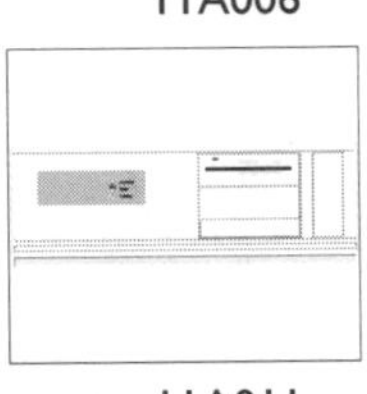
11A011

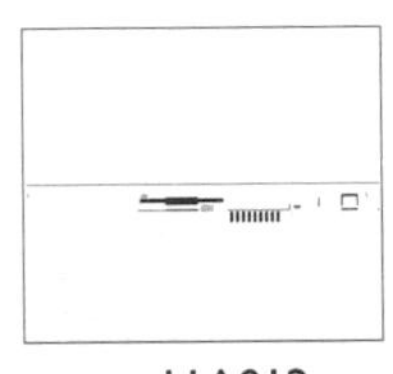
11A012

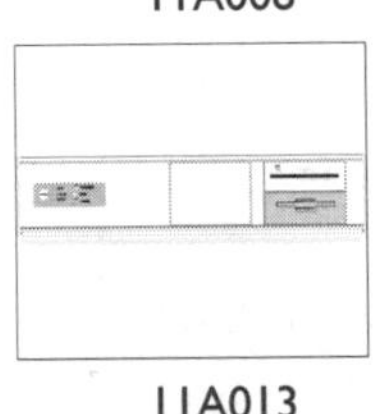
11A013

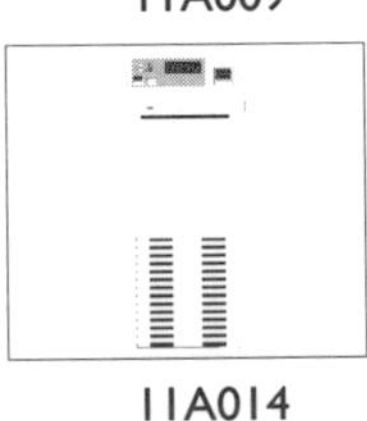
11A014

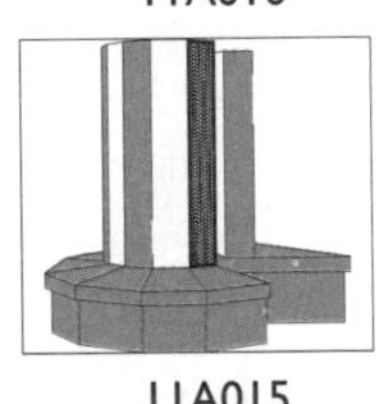
11A015

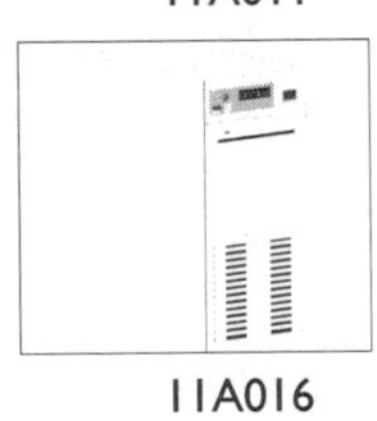
11A016

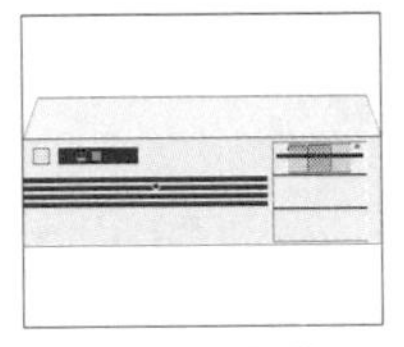
11A017

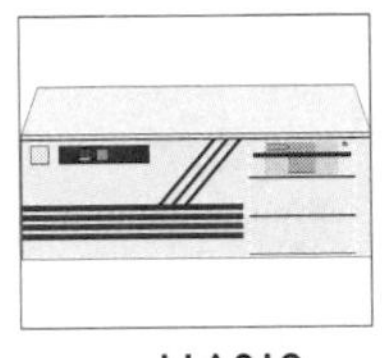
11A018

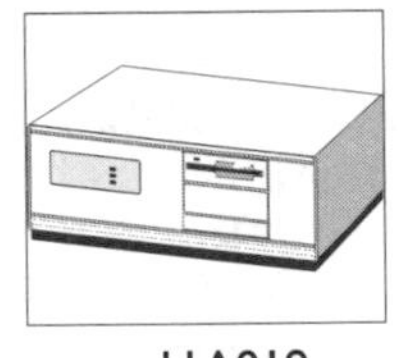
11A019

11A020

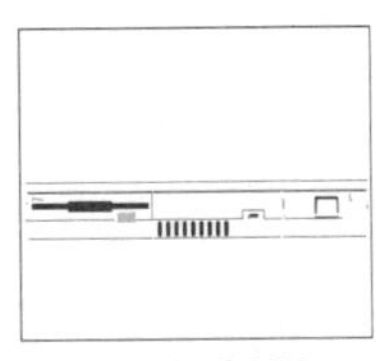
11A021

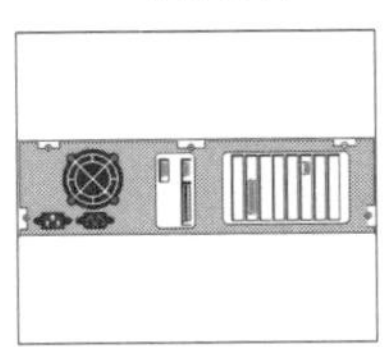
11A022

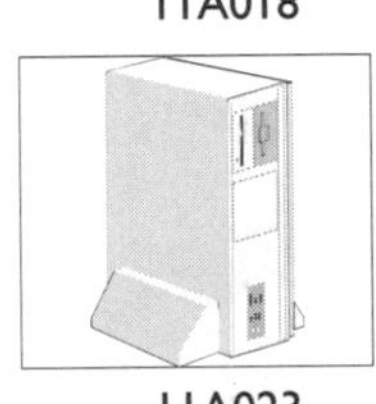
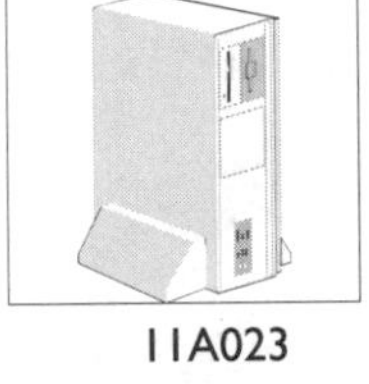
11A023

11A024

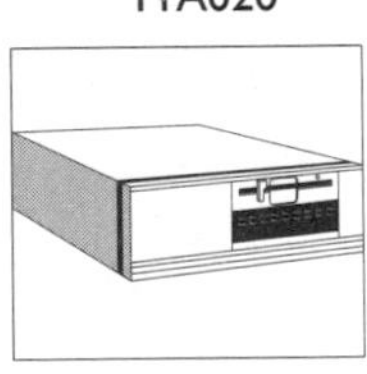
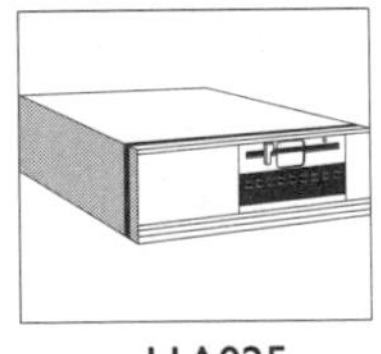
11A025

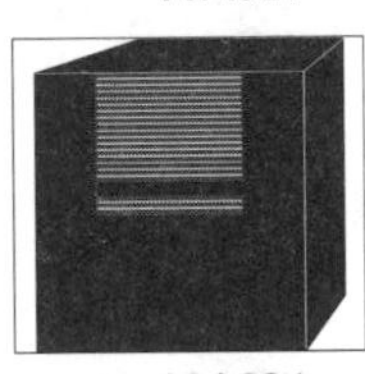

11A026

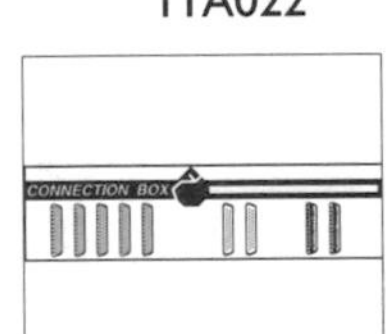
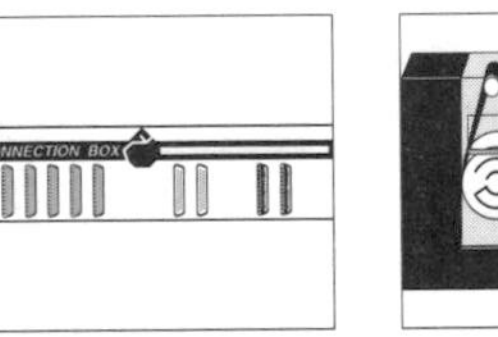

11A027

11A028

11A029

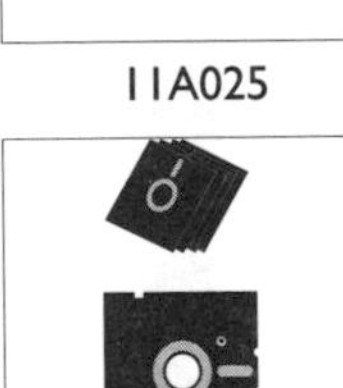
11A030

11A031

11A032

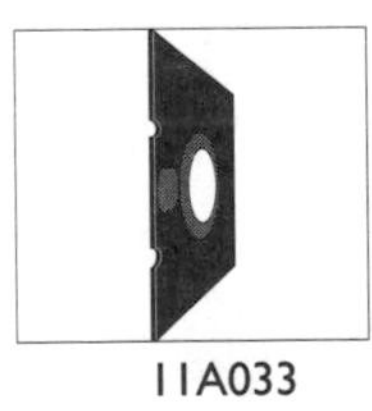
11A033

11A034

11A035

Computer
Ordinateur
Ordenadores-computadora
Computer

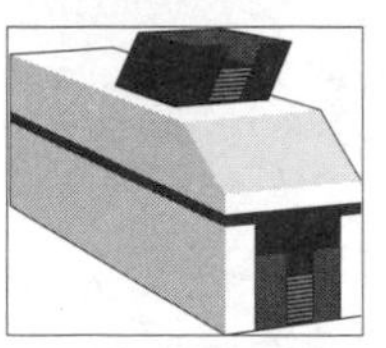
11A036

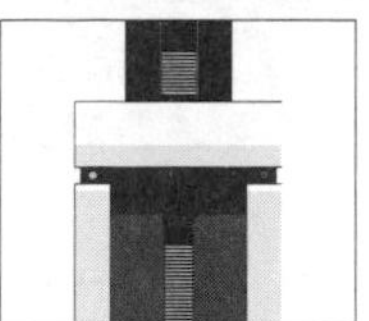
11A037

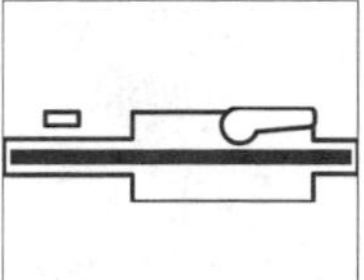
11A038

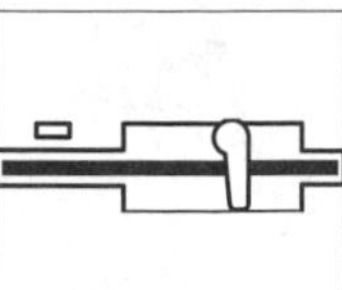
11A039

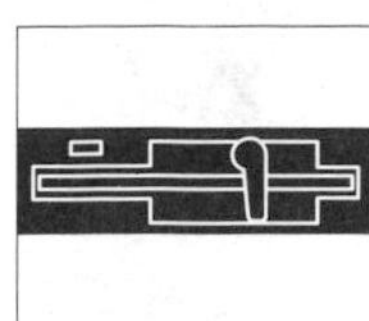
11A040

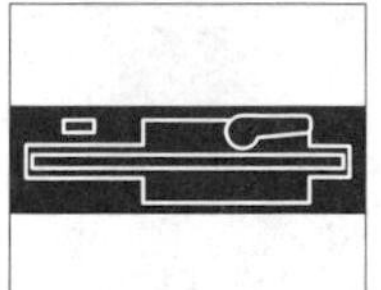
11A041

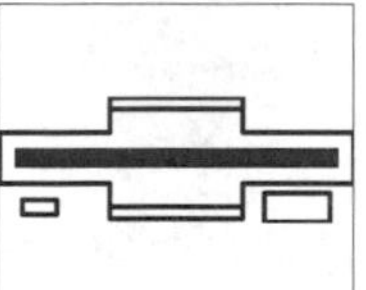
11A042

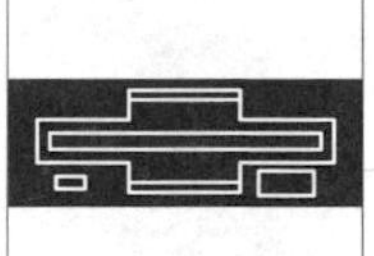
11A043

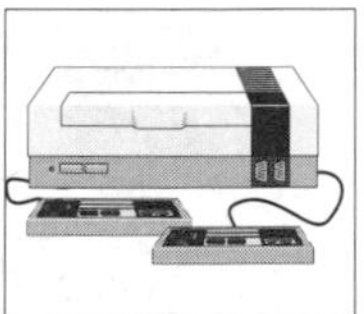
11A044

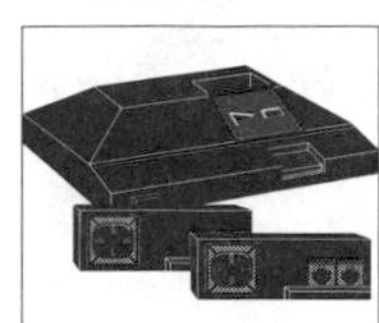
11A045

11A046

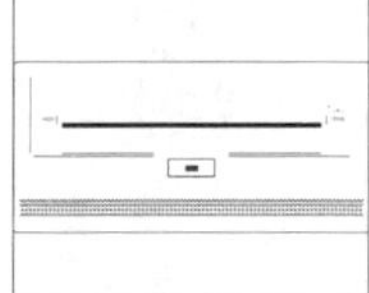
11A047

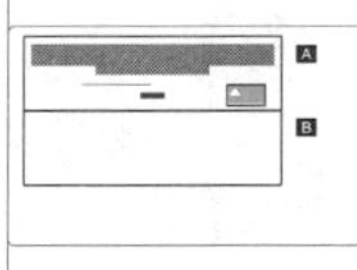

11A048

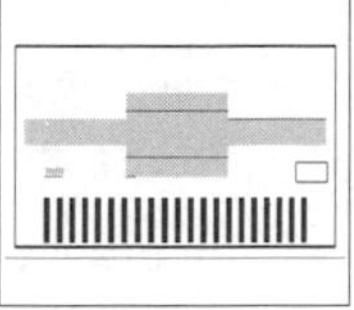
11A049

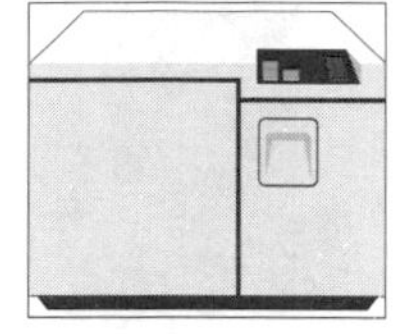
11A050

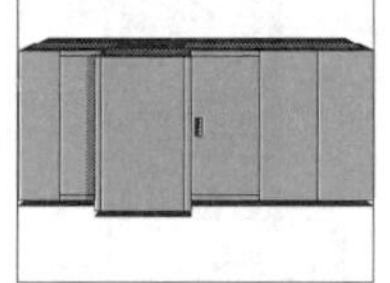
11A051

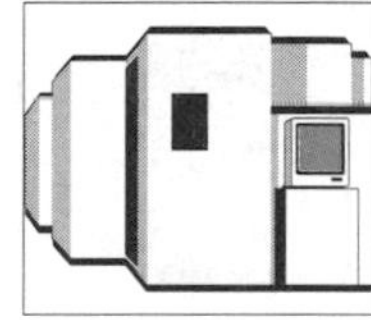
11A052

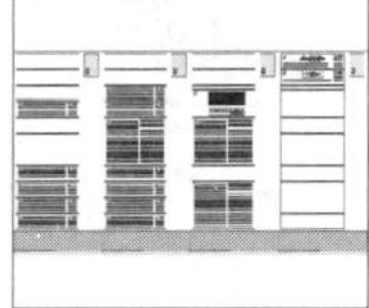
11A053

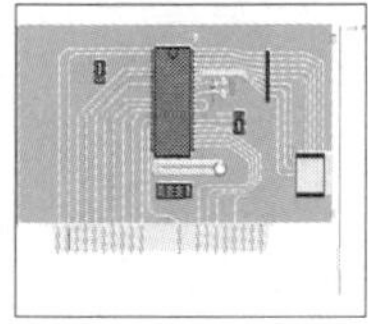
11A054

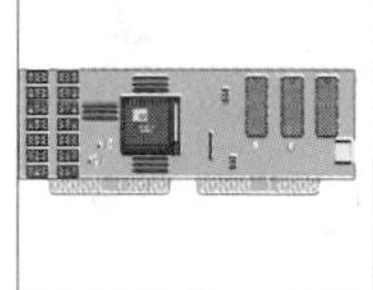
11A055

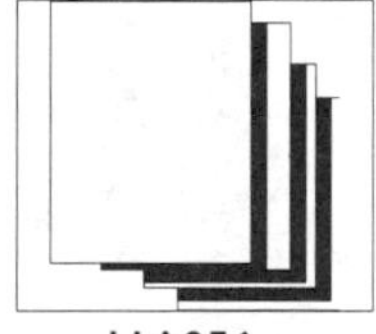
11A056

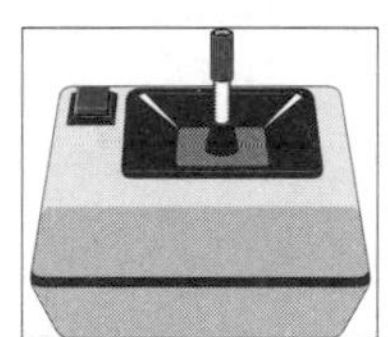
11A057

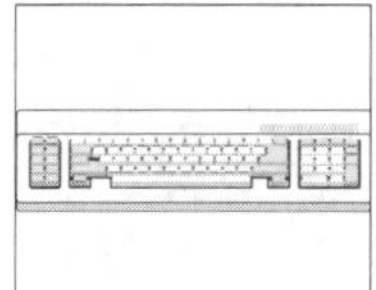
11A058

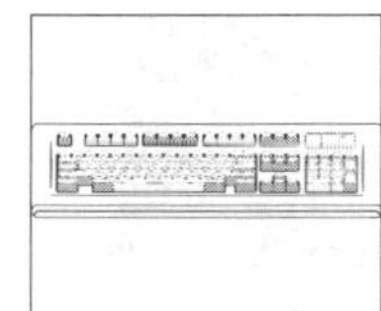
11A059

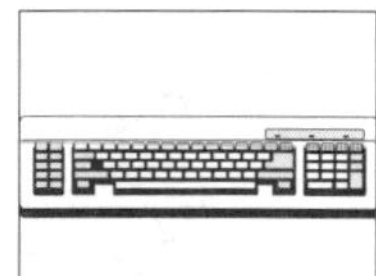
11A060

11A061

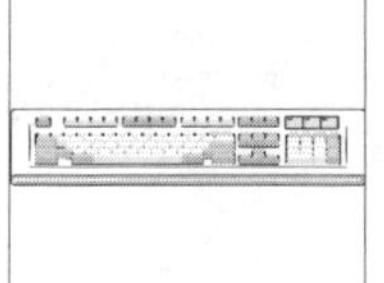
11A062

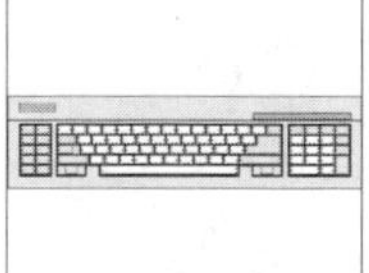
11A063

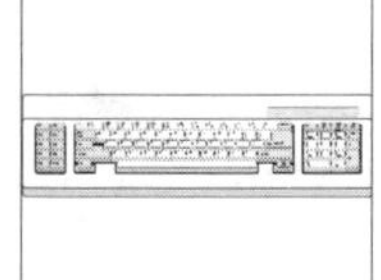
11A064

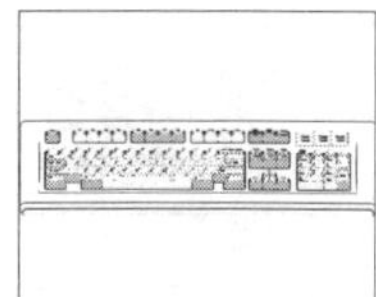
11A065

11A066

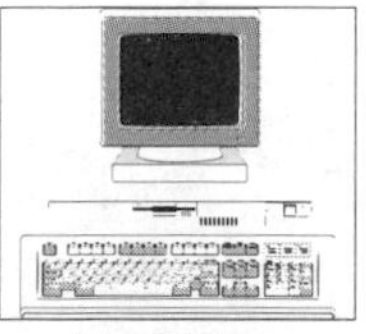
11A067

11A068

11A069

11A070

Computer
Ordinateur
Ordenadores-computadora
Computer

11A071

11A072

11A073

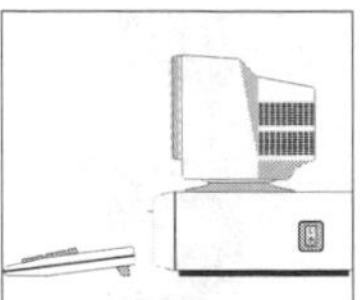
11A074

11A075

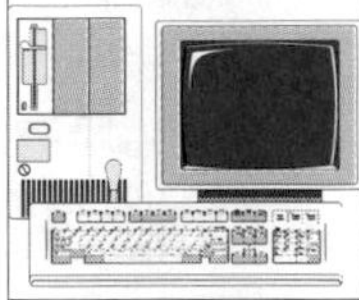
11A076

11A077

11A078

11A079

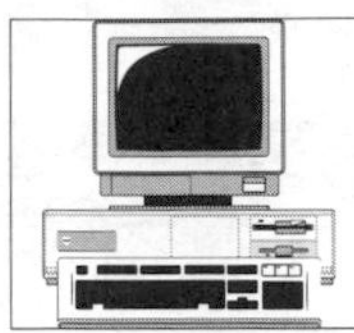
11A080

11A081

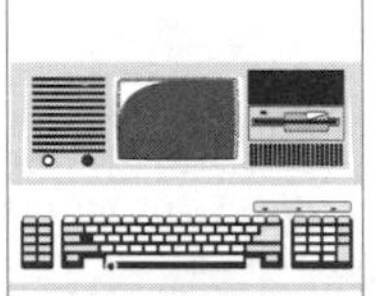
11A082

11A083

11A084

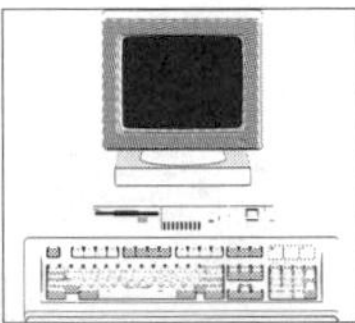
11A085

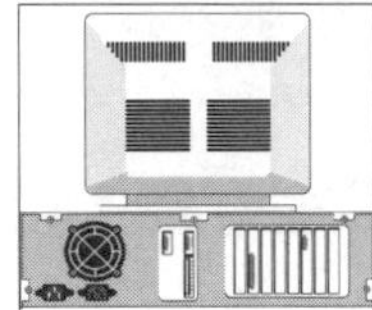
11A086

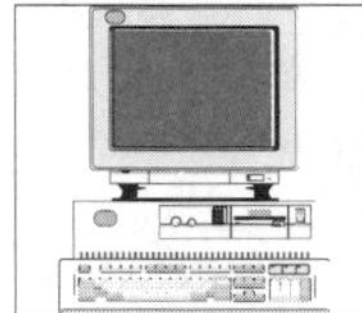
11A087

11A088

11A089

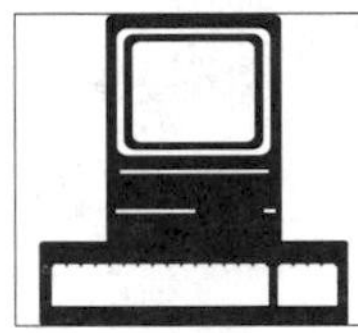
11A090

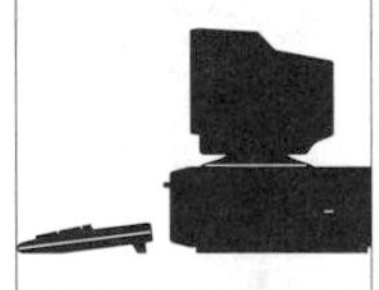
11A091

11A092

11A093

11A094

11A095

11A096

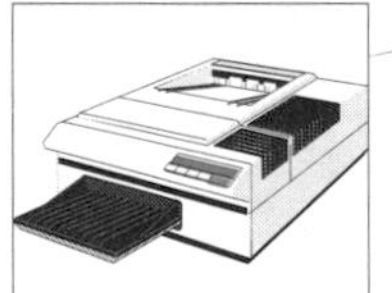
11A097

11A098

11A099

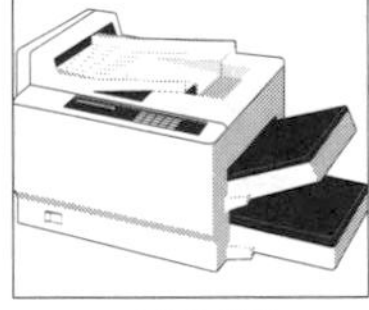
11A100

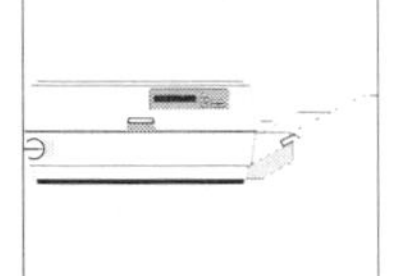
11A101

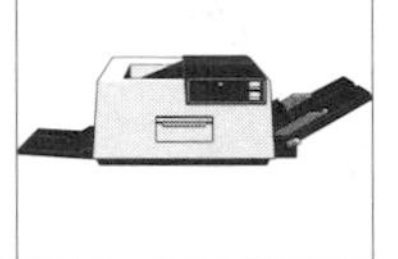
11A102

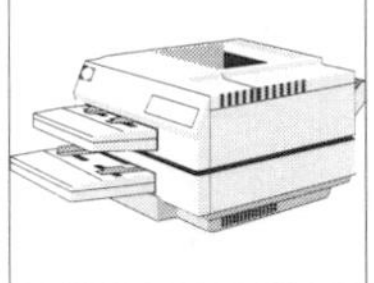
11A103

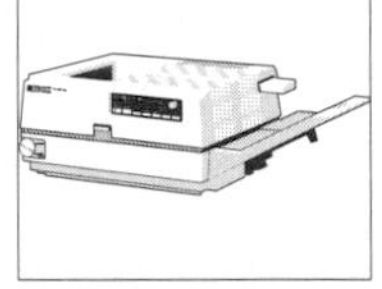
11A104

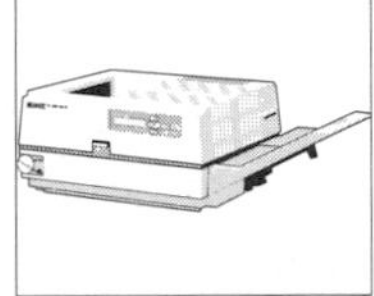
11A105

Computer
Ordinateur
Ordenadores-computadora
Computer

11A106

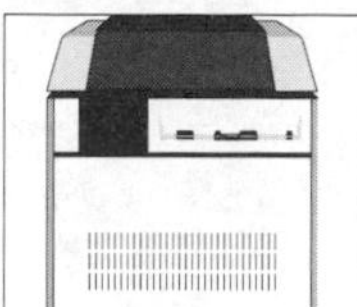
11A107

11A108

11A109

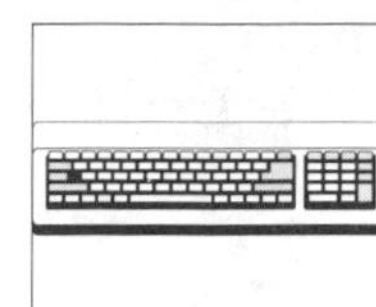
11A110

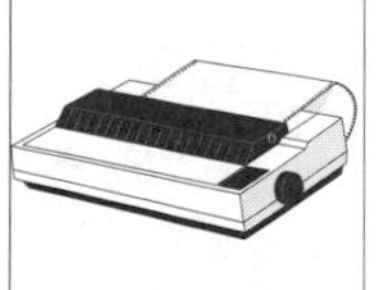
11A111

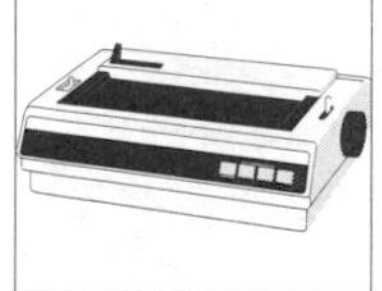
11A112

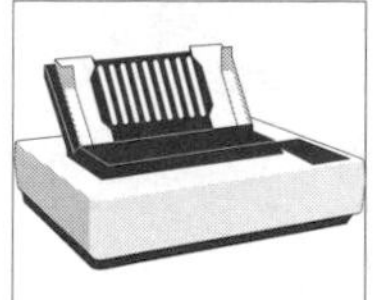
11A113

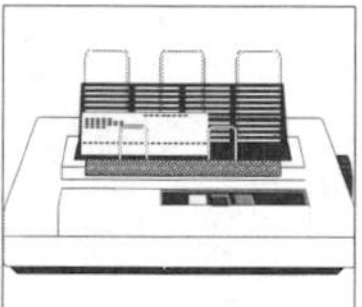
11A114

11A115

11A116

11A117

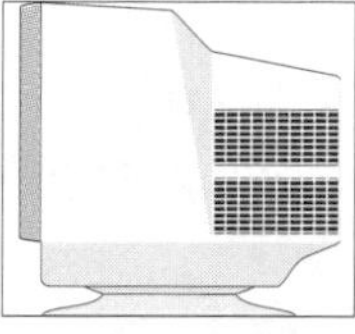
11A118

11A119

11A120

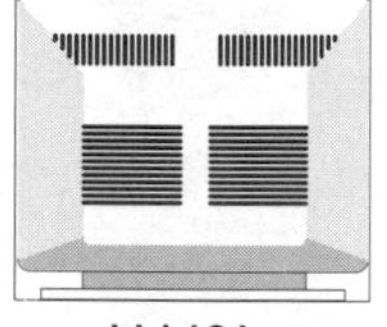
11A121

11A122

11A123

11A124

11A125

11A126

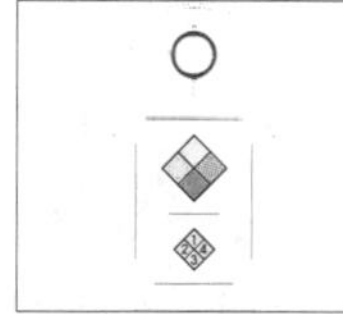
11A127

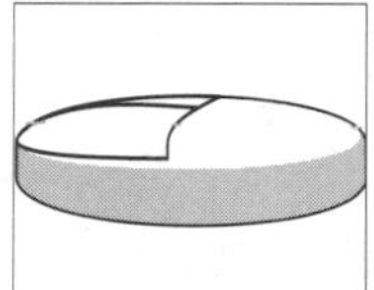
11A128

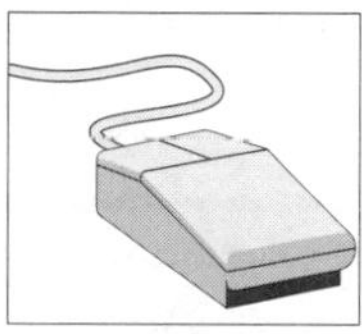
11A129

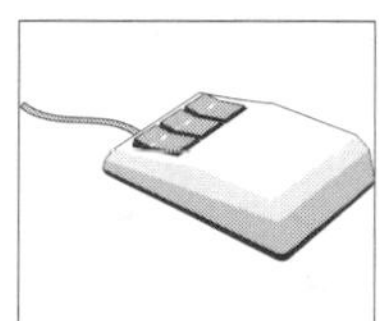
11A130

11A131

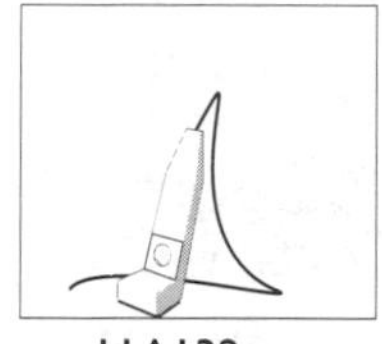
11A132

11A133

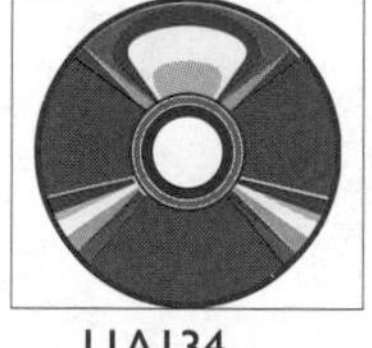
11A134

11A135

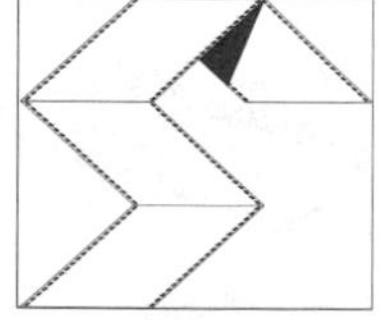
11A136

11A137

11A138

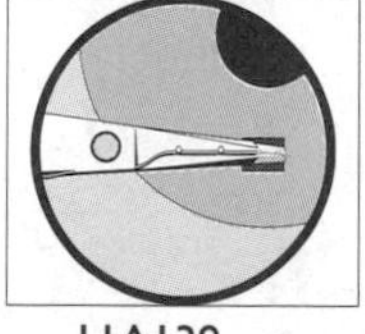
11A139

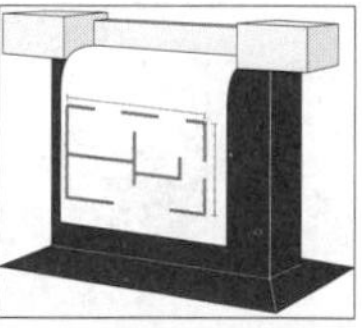
11A140

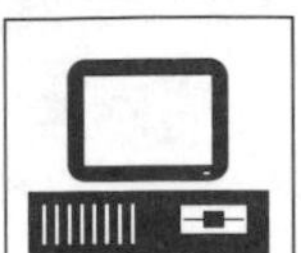

Computer
Ordinateur
Ordenadores-computadora
Computer

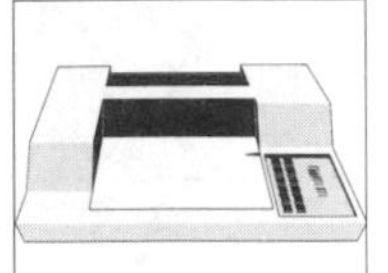

11A141

11A142

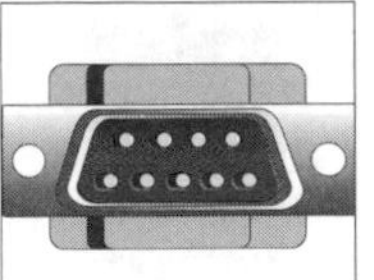
11A143

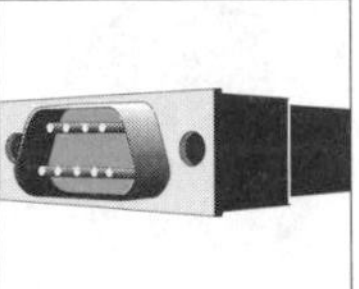
11A144

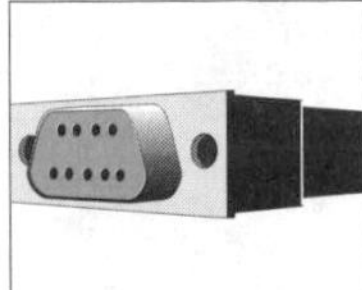
11A145

11A146

11A147

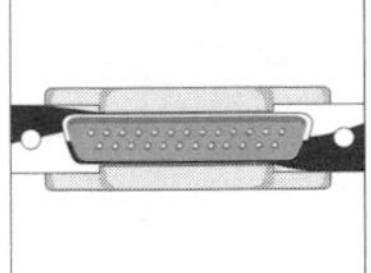
11A148

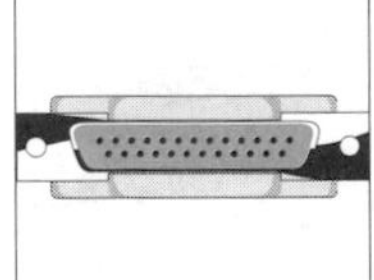
11A149

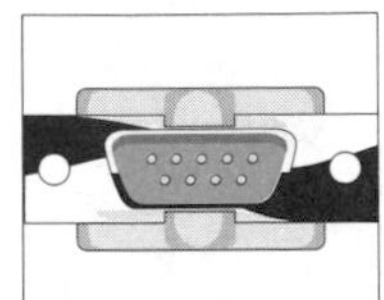
11A150

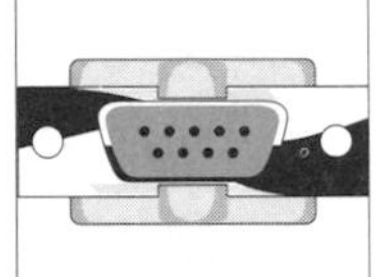
11A151

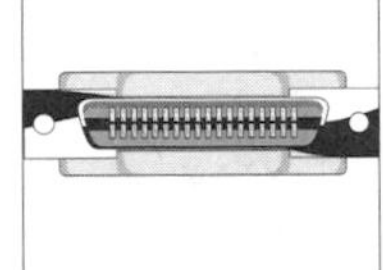
11A152

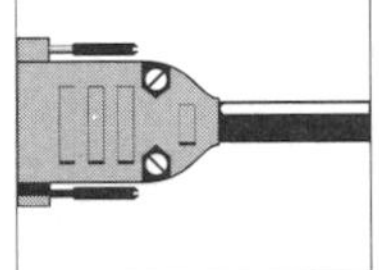
11A153

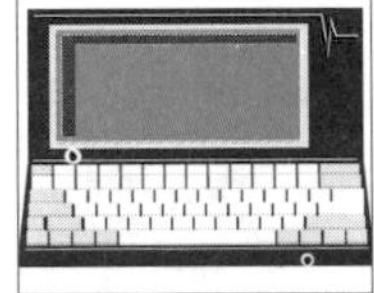
11A154

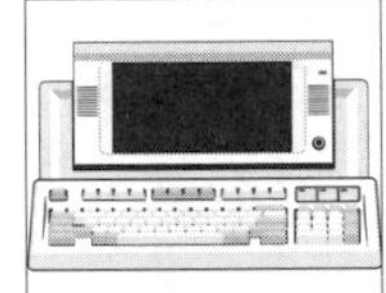
11A155

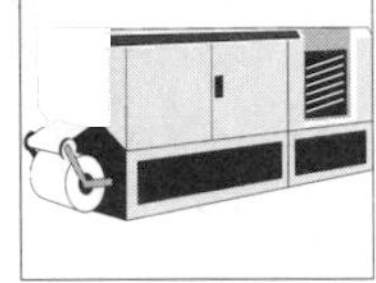
11A156

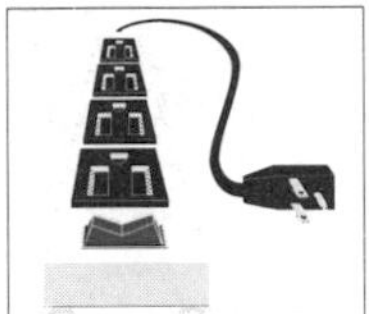
11A157

11A158

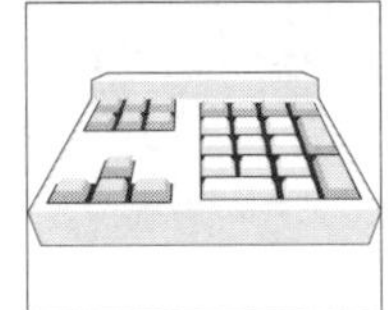
11A159

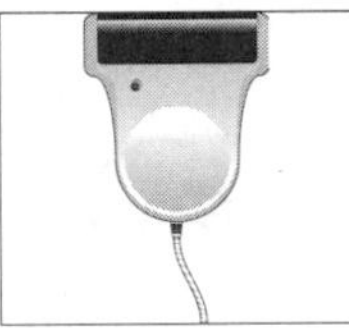
11A160

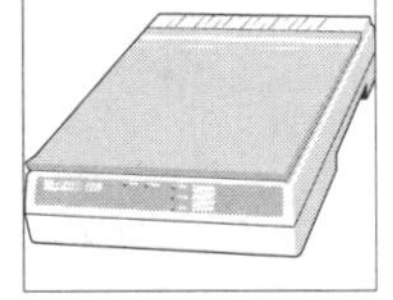
11A161

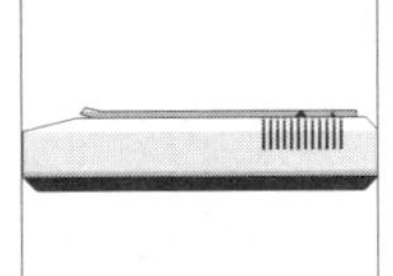
11A162

11A163

11A164

11A165

11A166

11A167

11A168

11A169

11A170

11A171

11A172

11A173

11A174

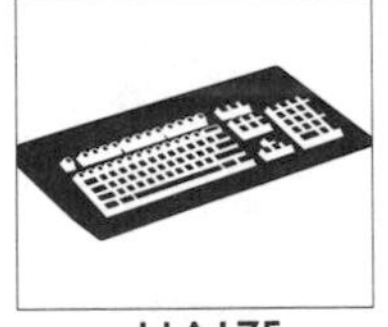
11A175

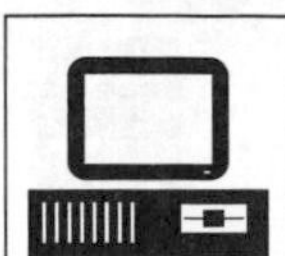

Computer
Ordinateur
Ordenadores-computadora
Computer

11A176

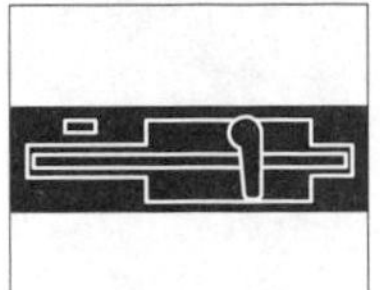
11A177

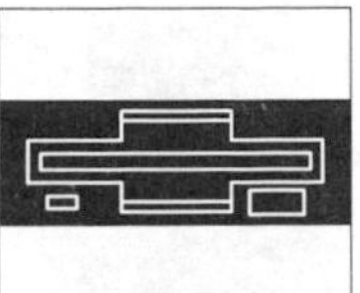
11A178

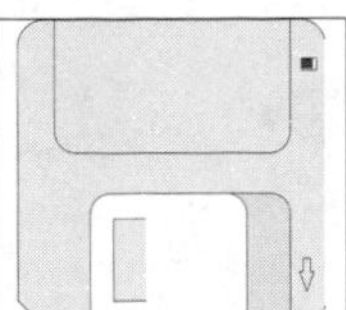
11A179

11A180

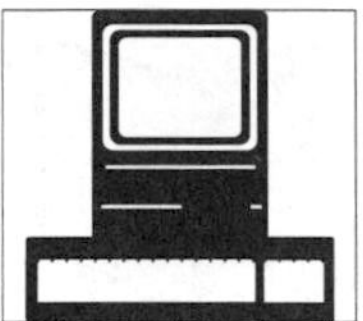
11A181

11A182

11A183

11A184

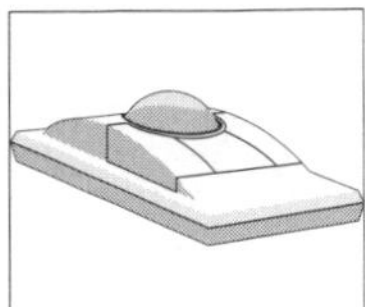
11A185

Computer
Ordinateur
Ordenadores-computadora
Communication

11B001

11B002

11B003

11B004

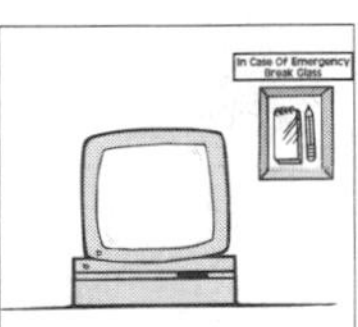

11B005

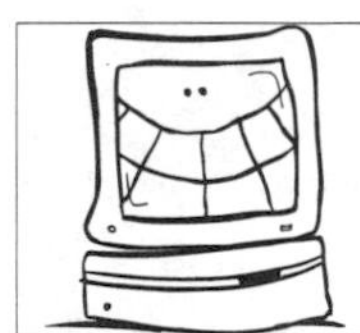
11B006

11B007

11B008

11B009

11B010

11B011

11B012

Computer
Ordinateur
Ordenadores-computadora
Computer

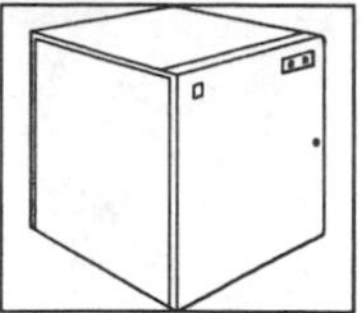
11C001

11C002

11C003

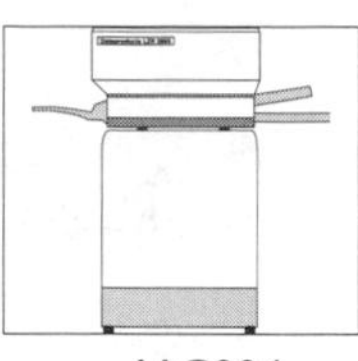
11C004

11C005

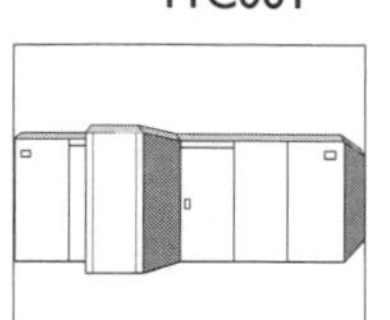
11C009

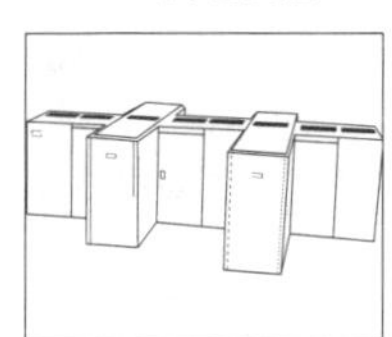
11C010

11C011

11C012

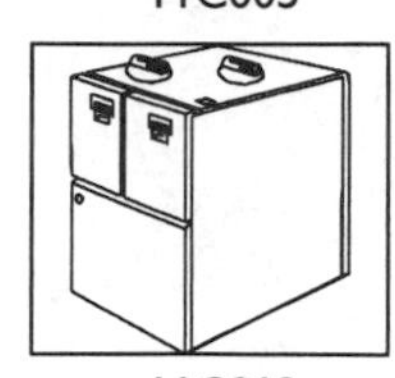
11C013

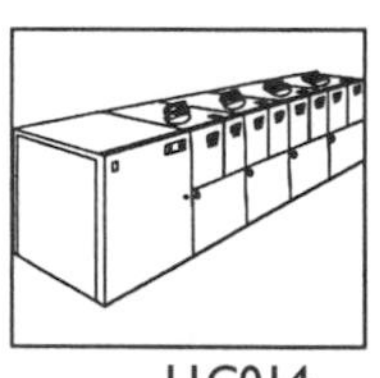
11C014

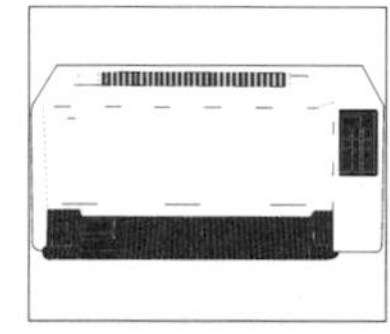
11C015

11C016

11C006

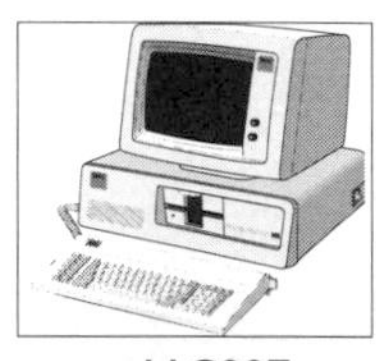
11C007

11C008

11C017

11C018

11C019

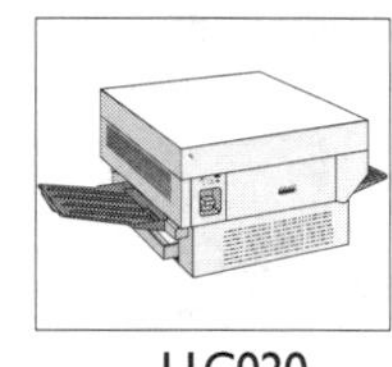
11C020

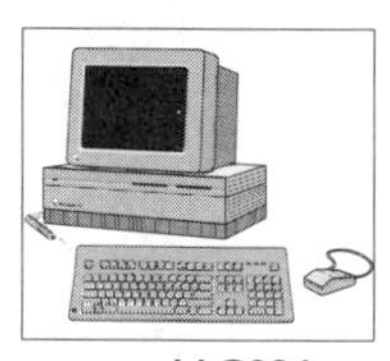
11C021

11C022

11C023

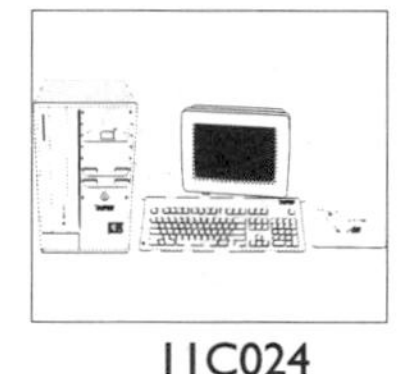
11C024

11C025

11C026

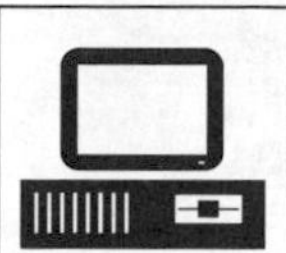

Computer
Ordinateur
Ordenadores-computadora
Computer

11D001 | 11D002 | 11D003 | 11D004 | 11D005

 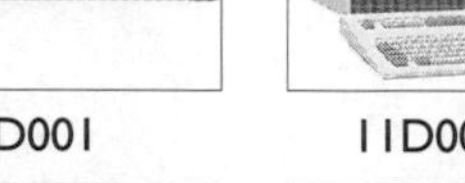

    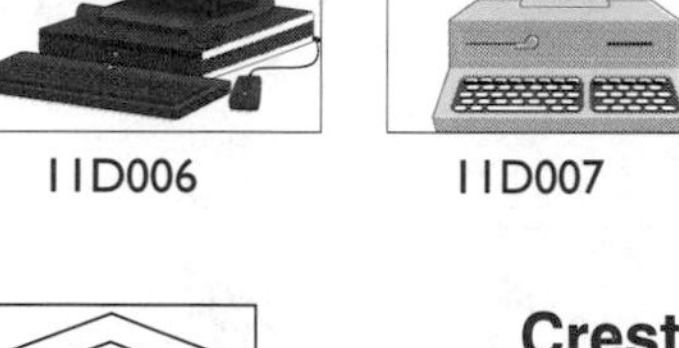

11D006 | 11D007

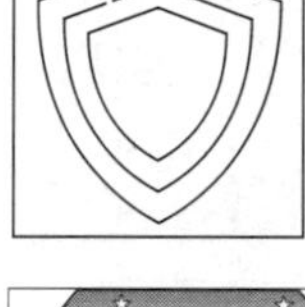

Crest
Ecusson
Cresta
Abzeichen

Air Force
Armeé de l'air
Fuerzous Aéras
Luftwaffe

12A001 | 12A002 | 12A003 | 12A004 | 12A005

12A006 | 12A007 | 12A008 | 12A009 | 12A010

12A011 | 12A012 | 12A013 | 12A014 | 12A015

12A016 | 12A017 | 12A018 | 12A019 | 12A020

Crest
Ecusson
Cresta
Abzeichen

Air Force
Armeé de l'air
Fuerzous Aéras
Luftwaffe

12A021

12A022

12A023

12A024

12A025

12A026

12A027

12A028

12A029

12A030

12A031

12A032

12A033

12A034

12A035

12A036

12A037

12A038

12A039

12A040

12A041

12A042

12A043

12A044

12A045

12A046

12A047

12A048

12A049

12B001

12B002

12B003

12B004

12B005

12B006

12B007

12B008

12B009

12B010

12B011

12B012

12B013

12B014

12B015

12B016

12B017

12B018

12B019

12B020

12B021

12B022

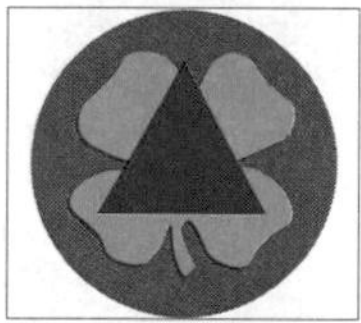
12B023

12B024

12B025

12B026

12B027

12B028

12B029

12B030

12B031

12B032

12B033

12B034

12B035

Crest
Ecusson
Cresta
Abzeichen

12B036

12B037

12B038

12B039

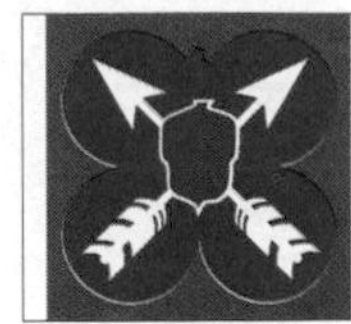

12B040

12B041

12B042

12B043

12B044

12B045

12B046

12B047

12B048

12B049

12B050

12B051

12B052

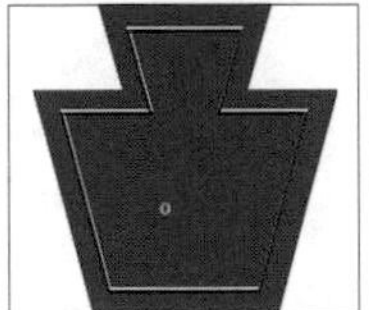

12B053

12B054

12B055

12B056

12B057

12B058

12B059

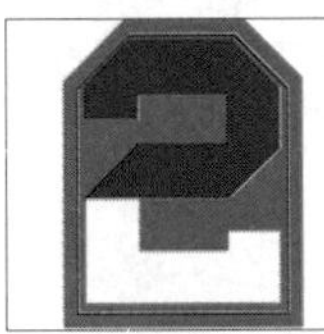

12B060

12B061

12B062

12B063

12B064

12B065

12B066

12B067

12B068

12B069

12B070

Crest
Ecusson
Cresta
Abzeichen

Army
Armée
Militar
Armee

12B071

12B072

12B073

12B074

12B075

12B076

12B077

12B078

12B079

12B080

12B081

12B082

12B083

12B084

12B085

12B086

12B087

12B088

12B089

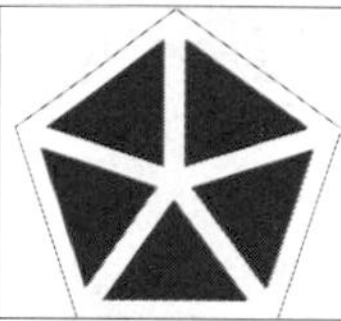
12B090

12B091

12B092

12B093

12B094

12B095

12B096

12B097

12B098

12B099

12B100

12B101

12B102

12B103

12B104

12B105

12B106

12B107

12B108

12B109

12B110

12B111

12B112

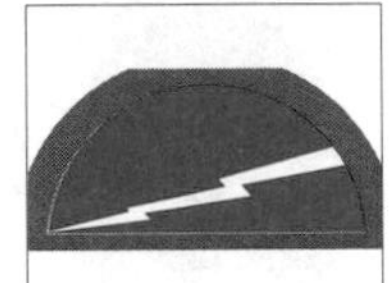
12B113

12B114

12B115

12B116

12B117

12B118

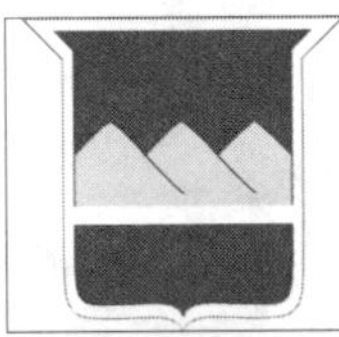
12B119

12B120

12B121

12B122

12B123

12B124

12B125

12B126

12B127

12B128

12B129

12B130

12B131

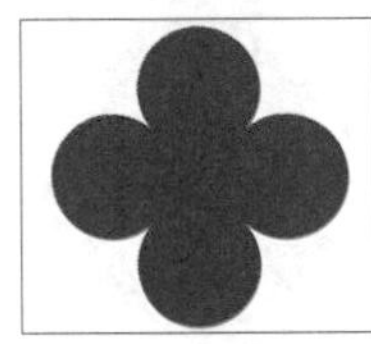
12B132

12B133

12B134

12B135

12B136

12B137

12B138

12B139

12B140

12B141

12B142

12B143

12B144

12B145

12B146

12B147

12B148

12B149

12B150

12B151

12B152

12B153

12B154

12B155

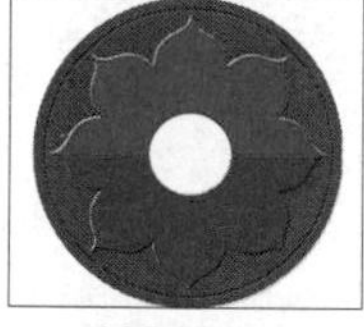
12B156

12B157

12B158

12B159

12B160

12B161

12B162

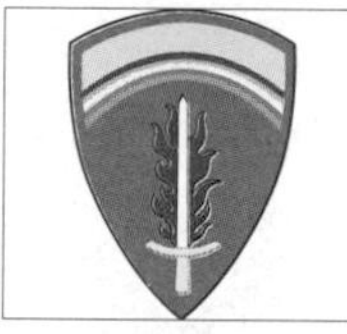
12B163

12B164

12B165

12B166

12B167

12B168

12B169

12B170

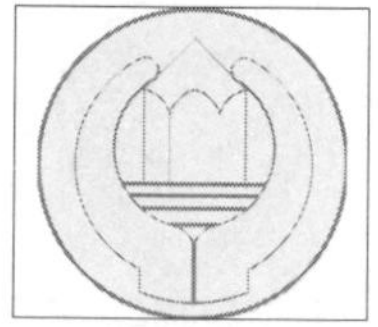
12B171

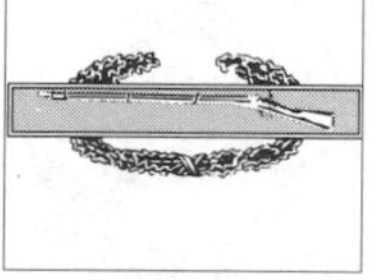
12B172

12B173

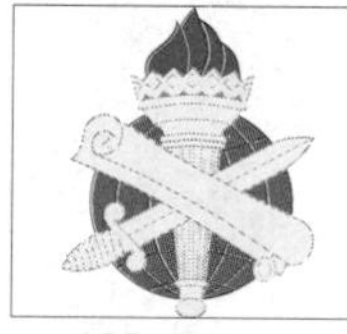
12B174

12B175

Crest
Ecusson
Cresta
Abzeichen

Army
Armée
Militar
Armee

12B176

12B177

12B178

12B179

12B180

12B181

12B182

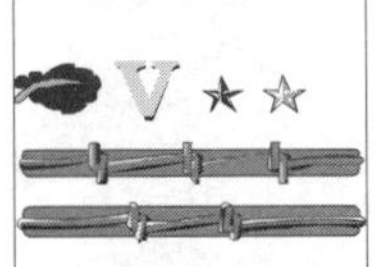

12B183

12B184

12B185

12B186

12B187

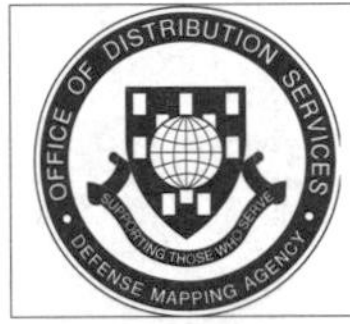

12B188

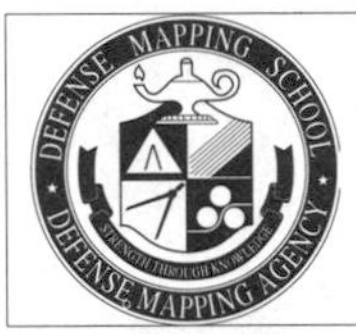

12B189

12B190

12B191

12B192

12B193

12B194

12B195

12B196

12B197

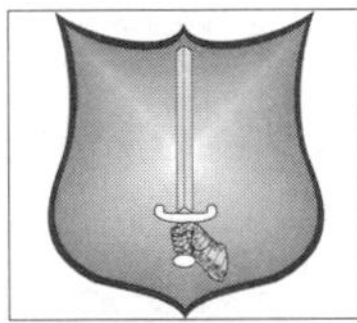

12B198

12B199

12B200

12B201

12B202

12B203

12B204

12B205

12B206

12B207

12B208

12B209

12B210

Crest
Ecusson
Cresta
Abzeichen

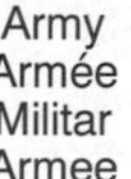

Army
Armée
Militar
Armee

12B211

12B212

12B213

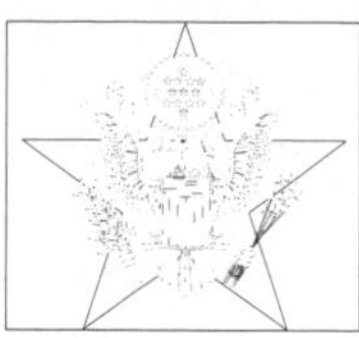
12B214

12B215

12B216

12B217

12B218

12B219

12B220

12B221

12B222

12B223

12B224

12B225

12B226

12B227

12B228

12B229

12B230

12B231

12B232

12B233

12B234

12B235

12B236

12B237

12B238

12B239

12B240

12B241

12B242

12B243

12B244

12B245

Crest
Ecusson
Cresta
Abzeichen

12B246

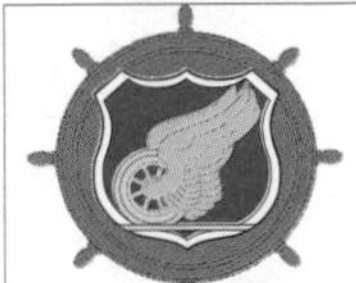

12B247

12B248

12B249

12B250

12B251

12B252

12B253

12B254

12B255

12B256

Crest
Ecusson
Cresta
Abzeichen

12C001

12C002

12C003

12C004

12C005

12C006

12C007

12C008

12C009

12C010

12C011

12C012

12C013

12C014

12C015

Crest
Ecusson
Cresta
Abzeichen

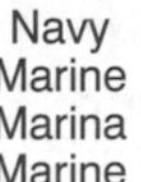

Navy
Marine
Marina
Marine

12C016

12C017

12C018

12C019

12C020

12C021

12C022

12C023

12C024

12C025

12C026

12C027

12C028

12C029

12C030

12C031

12C032

12C033

12C034

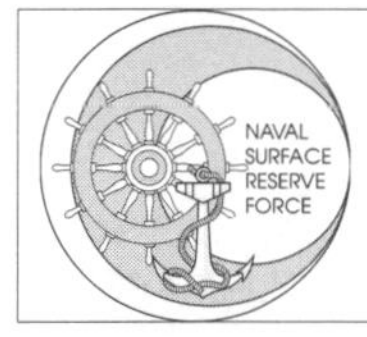

12C035

12C036

12C037

12C038

12C039

12C040

12C041

12C042

12C043

12C044

12C045

12C046

12C047

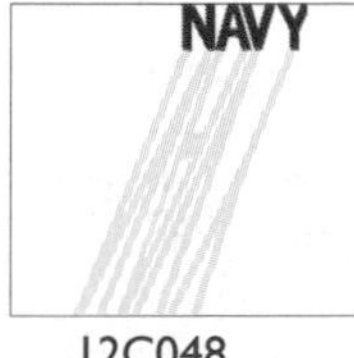

12C048

12C049

12C050

Crest
Ecusson
Cresta
Abzeichen

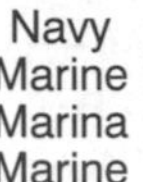

Navy
Marine
Marina
Marine

12C051

12C052

12C053

12C054

12C055

12C056

12C057

12C058

12C059

12C060

12C061

12C062

12C063

12C064

12C065

12C066

12C067

12C068

12C069

12C070

Crest
Ecusson
Cresta
Abzeichen

Other
Autre
Otras
Andere

12D001

12D002

12D003

12D004

12D005

12D006

12D007

12D008

12D009

12D010

12D011

12D012

12D013

12D014

12D015

12D016

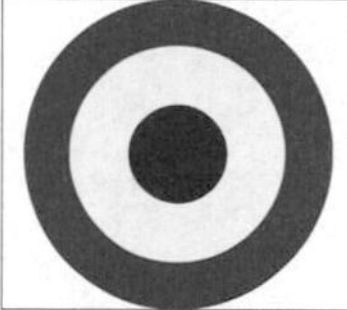
12D017

12D018

12D019

12D020

12D021

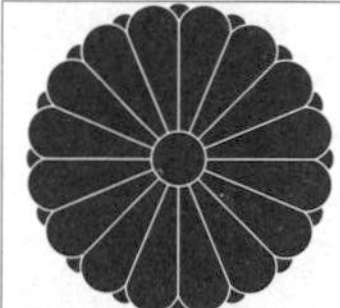
12D022

12D023

12D024

12D025

12D026

12D027

12D028

12D029

12D030

12D031

12D032

12D033

12D034

12D035

12D036

12D037

12D038

12D039

12D040

12D041

12D042

12D043

12D044

12D045

Crest
Ecusson
Cresta
Abzeichen

Other
Autre
Otras
Andere

12D046

12D047

12D048

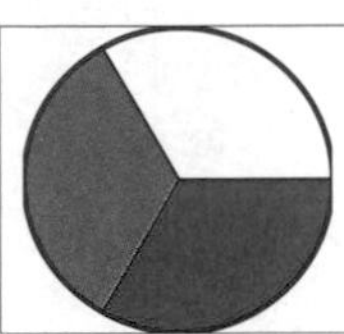
12D049

12D050

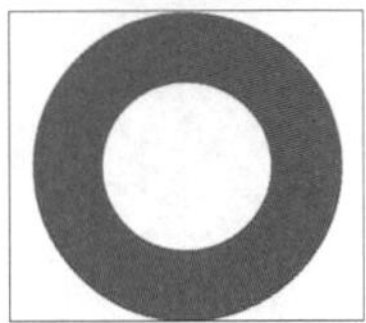
12D051

12D052

12D053

12D054

12D055

12D056

12D057

12D058

12D059

12D060

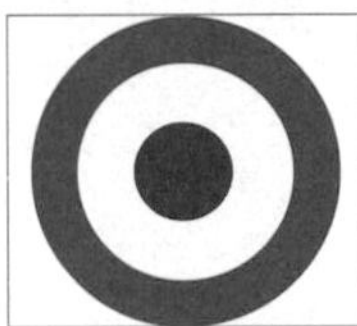
12D061

12D062

12D063

12D064

12D065

12D066

12D067

12D068

12D069

12D070

12D071

12D072

12D073

12D074

12D075

12D076

12D077

12D078

12D079

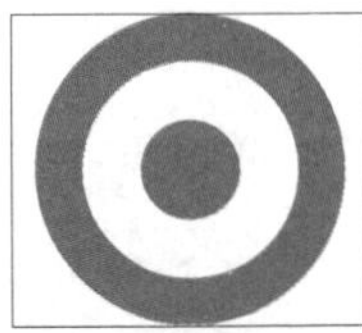
12D080

Crest
Ecusson
Cresta
Abzeichen

Other
Autre
Otras
Andere

 12D081	 12D082	 12D083	 12D084	 12D085
 12D086	 12D087	 12D088	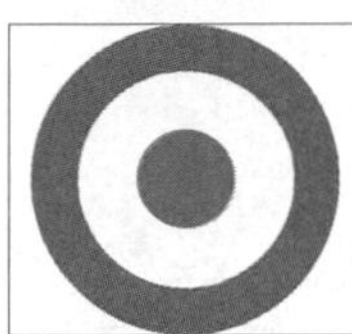 12D089	 12D090
 12D091	 12D092	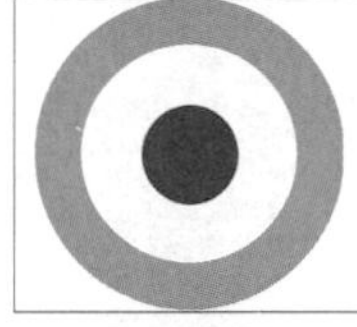 12D093	 12D094	 12D095
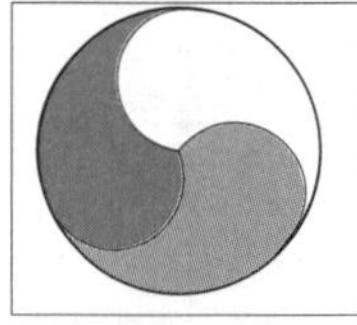 12D096	 12D097	 12D098	 12D099	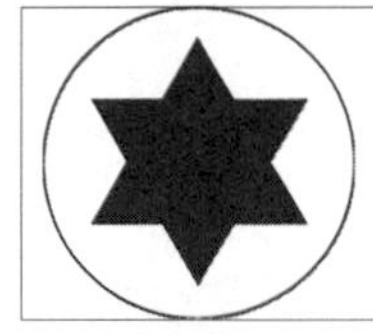 12D100
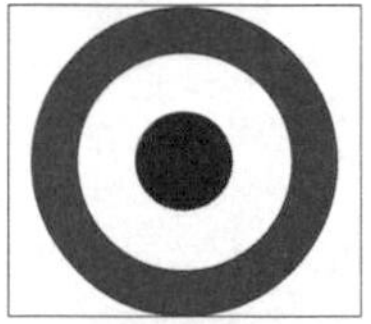 12D101	 12D102	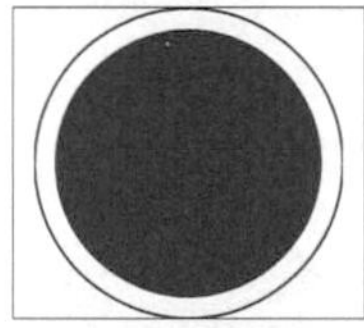 12D103	 12D104	 12D105
 12D106	 12D107	 12D108	 12D109	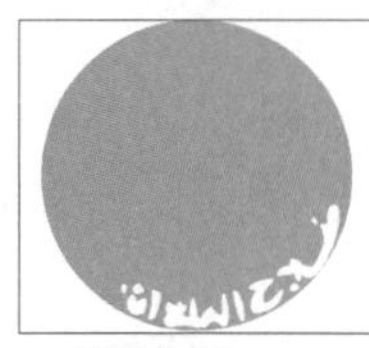 12D110
 12D111	 12D112	 12D113	 12D114	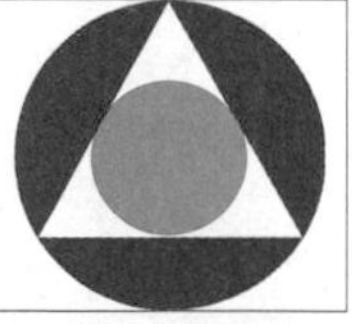 12D115

12D116

12D117

12D118

12D119

12D120

12D121

12D122

12D123

12D124

12D125

12D126

12D127

12D128

12D129

12D130

12D131

12D132

12D133

12D134

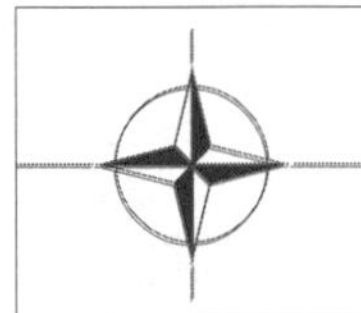
12D135

12D136

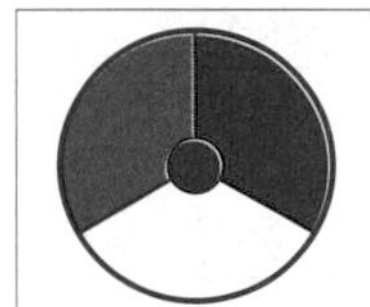
12D137

12D138

12D139

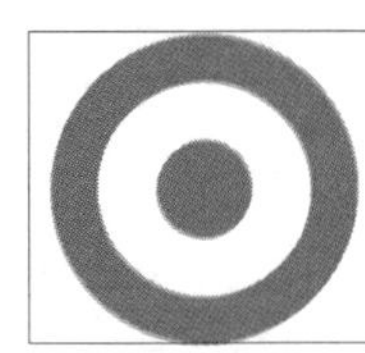
12D140

12D141

12D142

12D143

12D144

12D145

12D146

12D147

12D148

12D149

12D150

Crest
Ecusson
Cresta
Abzeichen

Other
Autre
Otras
Andere

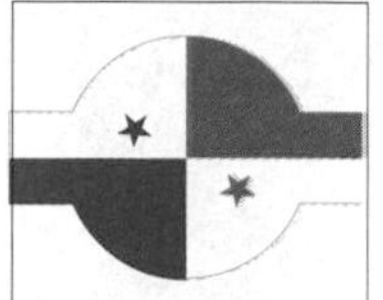

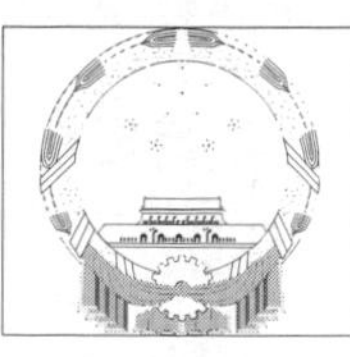

12D151 12D152 12D153 12D154 12D155

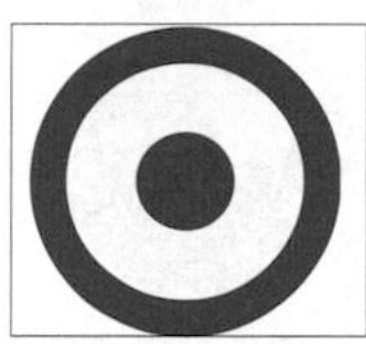

12D156 12D157 12D158 12D159 12D160

12D161 12D162 12D163 12D164 12D165

12D166 12D167 12D168 12D169 12D170

12D171 12D172 12D173 12D174 12D175

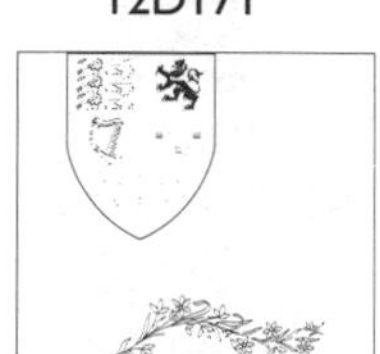

12D176 12D177 12D178 12D179 12D180

12D181 12D182 12D183 12D184 12D185

12D186

12D187

12D188

12D189

12D190

12D191

12D192

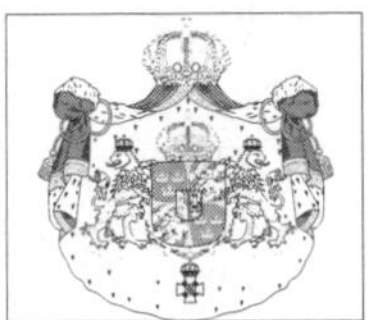

12D193

12D194

12D195

12D196

12D197

12D198

12D199

12D200

12D201

12D202

12D203

12D204

12D205

12D206

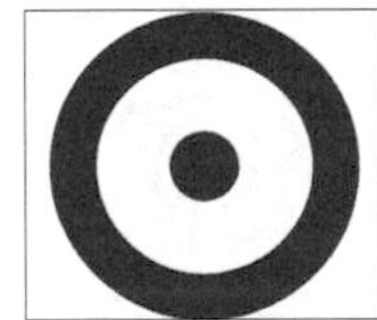

12D207

12D208

12D209

12D210

12D211

12D212

12D213

12D214

12D215

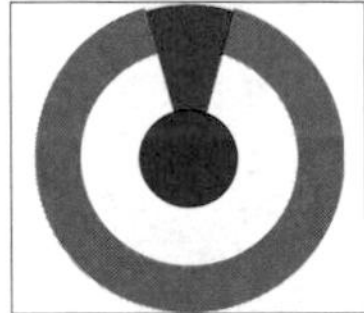

12D216

12D217

12D218

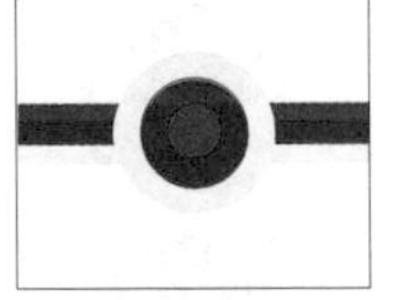

12D219

12D220

Crest
Ecusson
Cresta
Abzeichen

Other
Autre
Otras
Andere

12D221

12D222

12D223

12D224

12D225

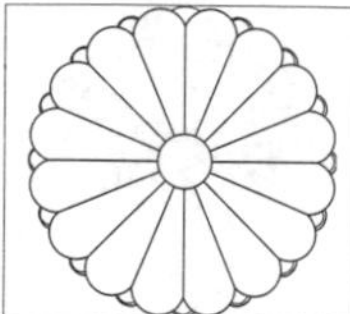
12D226

12D227

12D228

12D229

12D230

12D231

12D232

12D233

Crest
Ecusson
Cresta
Abzeichen

United States
États-Unis
Estados-Unidos
USA

12E001

12E002

12E003

12E004

12E005

12E006

12E007

12E008

12E009

12E010

12E011

12E012

12E013

12E014

12E015

Crest
Ecusson
Cresta
Abzeichen

United States
États-Unis
Estados-Unidos
USA

12E016

12E017

12E018

12E019

12E020

12E021

12E022

12E023

12E024

12E025

12E026

12E027

12E028

12E029

12E030

12E031

12E032

12E033

12E034

12E035

12E036

12E037

12E038

12E039

12E040

12E042

12E041

12E044

12E045

12E046

12E047

12E049

12E048

12E050

Crest
Ecusson
Cresta
Abzeichen

United States
États-Unis
Estados-Unidos
USA

12E051

12E052

12E053

12E054

12E055

12E056

12E057

12E058

12E059

12E060

12E061

12E062

12E063

12E064

12E065

12E066

12E067

12E068

12E069

12E070

12E071

12E072

12E073

12E074

12E075

12E076

12E077

12E078

12E079

12E080

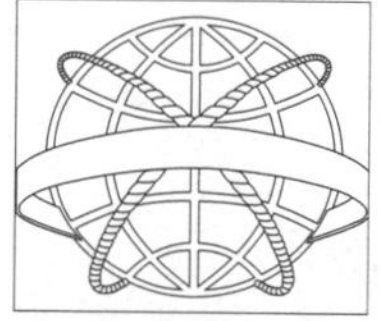

12E081

12E082

12E083

12E084

12E085

Crest
Ecusson
Cresta
Abzeichen

United States
États-Unis
Estados-Unidos
USA

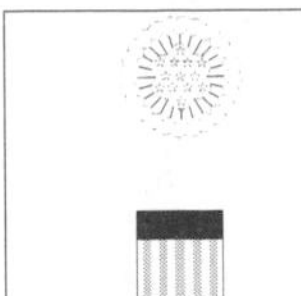
12E086

12E087

12E088

12E089

12E090

12E091

12E092

Crustacean
Crustacés
Crustáceo
Krustentiere

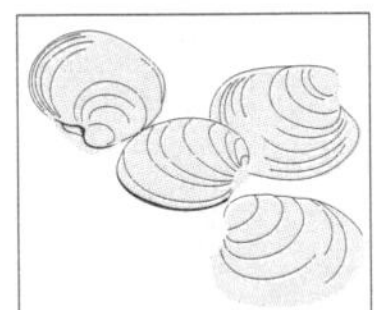
13A001

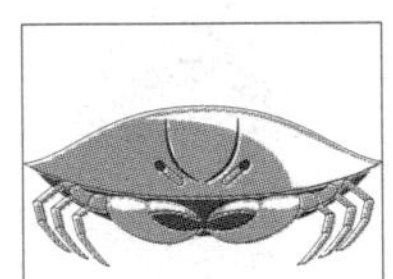
13A002

13A003

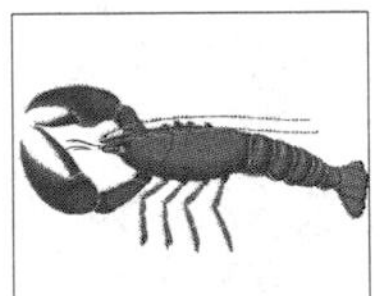
13A004

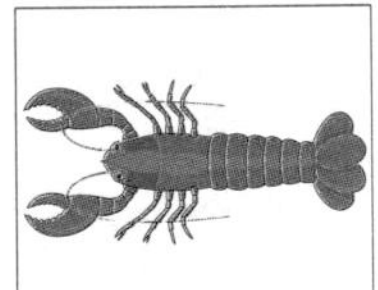
13A005

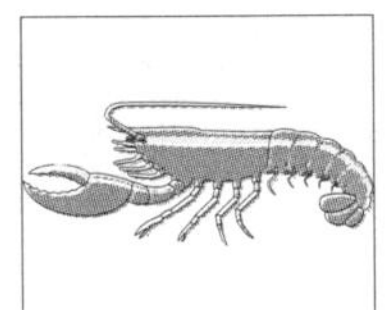
13A006

13A007

13A008

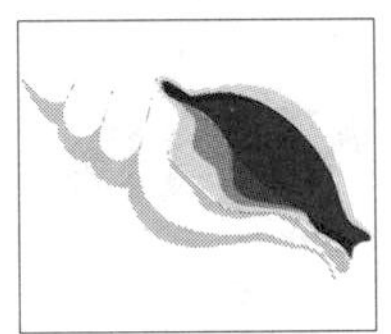
13A009

13A010

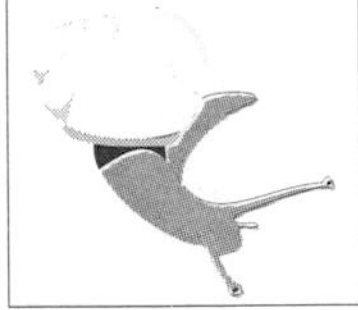
13A011

Crustacean
Crustacés
Crustáceo
Krustentiere

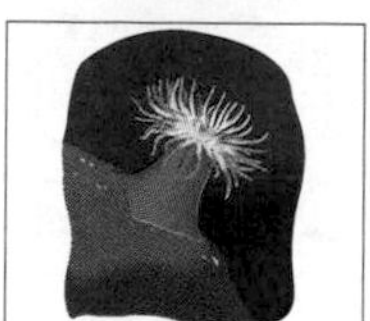
13B001

13B002

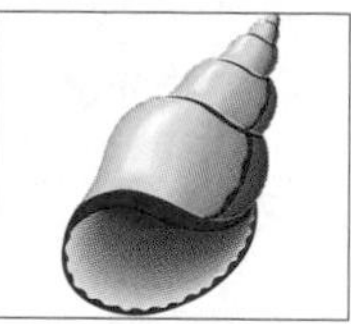
13B003

13B004

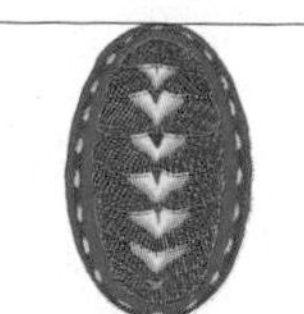
13B005

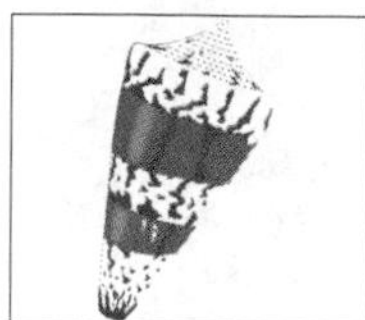
13B006

13B007

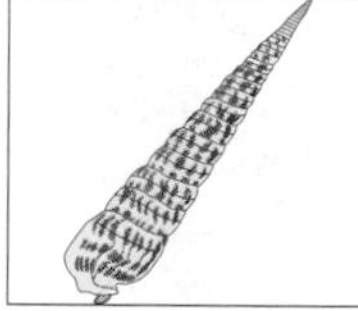
13B008

13B009

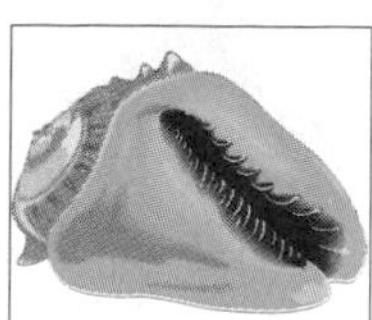
13B010

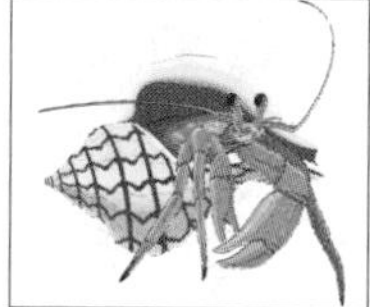
13B011

13B012

13B013

13B014

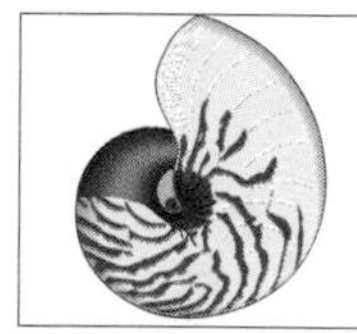
13B015

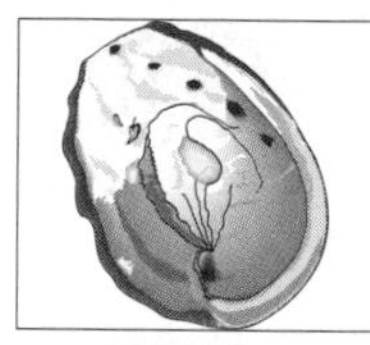
13B016

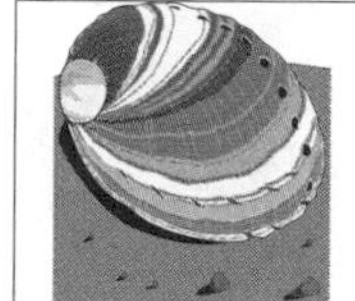
13B017

13B018

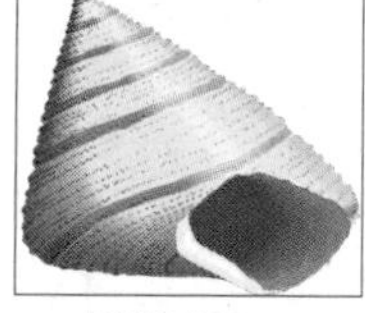
13B019

13B020

13B021

13B022

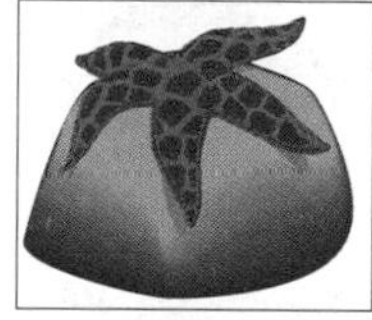
13B023

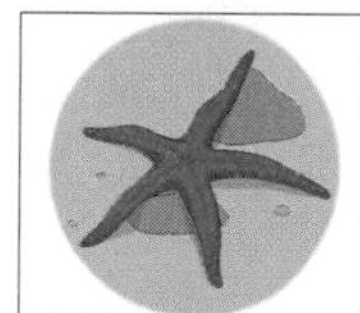
13B024

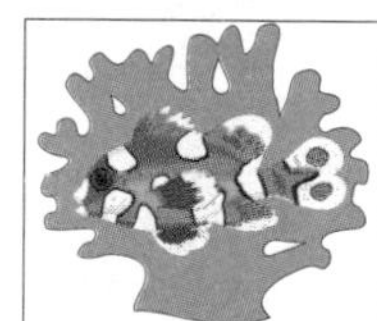
13B025

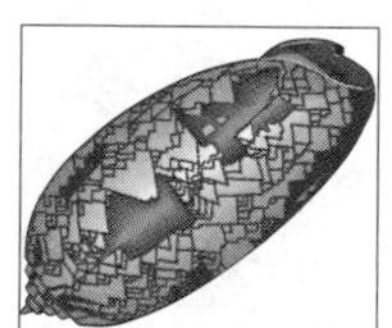
13B026

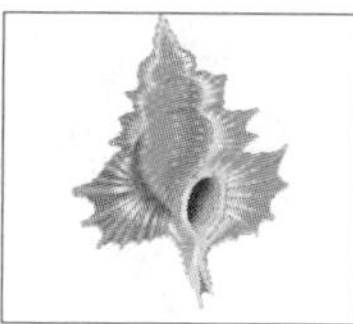
13B027

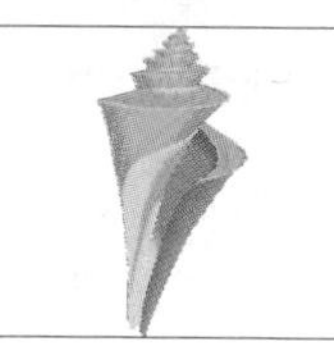
13B028

13B029

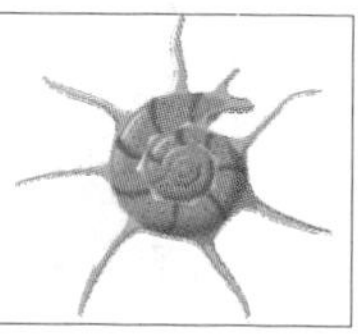
13B030

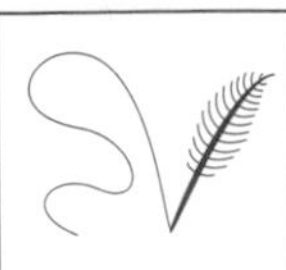

Design
Esquisse
Deseñio
Design

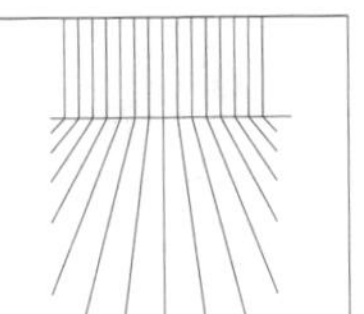
14A001

14A002

14A003

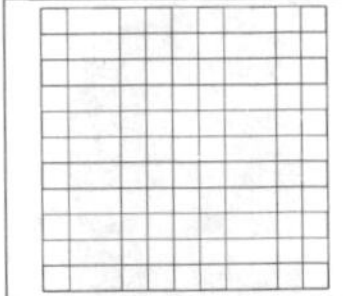
14A005

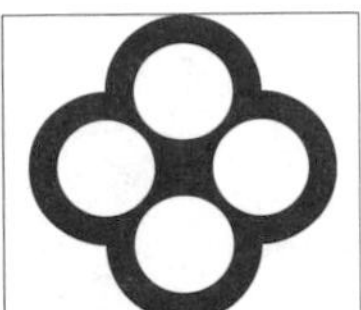
14A006

14A007

14A008

14A009

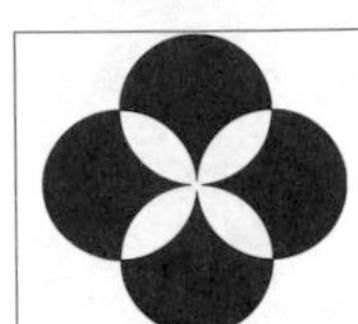
14A010

14A011

14A012

14A013

14A014

14A015

14A016

14A017

14A018

14A019

14A020

14A021

14A022

14A023

14A024

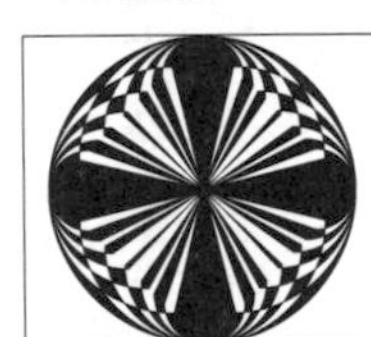
14A025

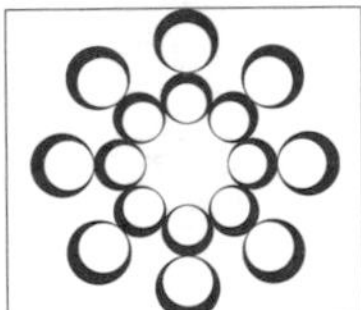
14A026

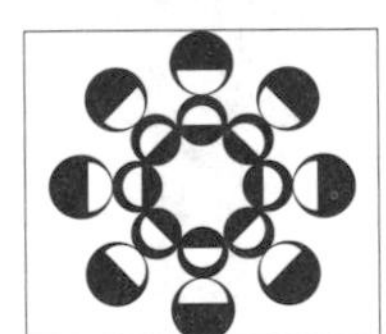
14A027

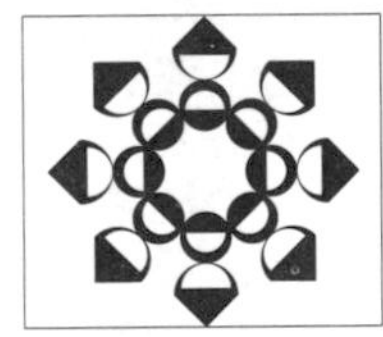
14A028

14A029

14A030

14A031

14A032

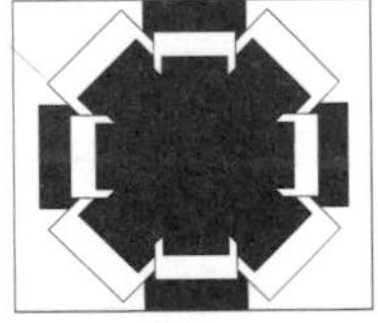
14A033

14A034

14A035

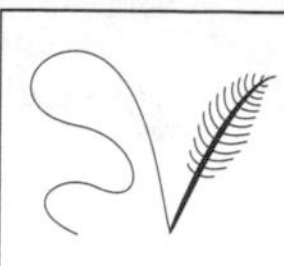

Design
Esquisse
Deseñio
Design

14A036

14A037

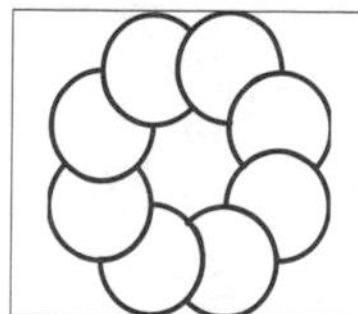
14A038

14A039

14A040

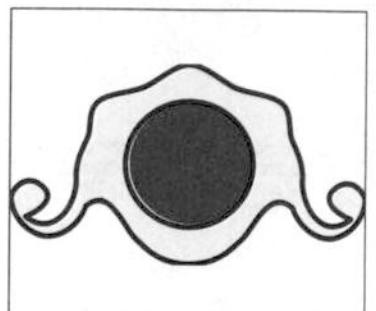
14A041

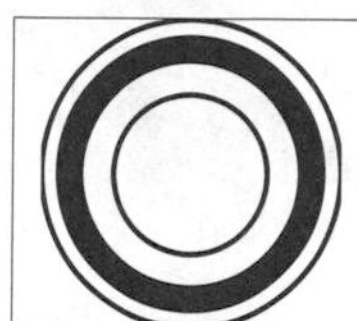
14A042

14A043

14A044

14A045

14A046

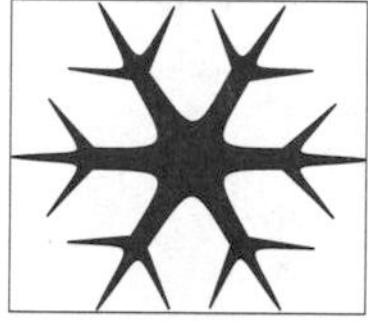
14A047

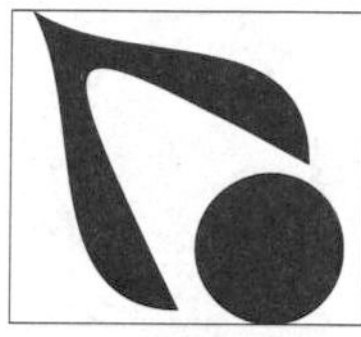
14A048

14A049

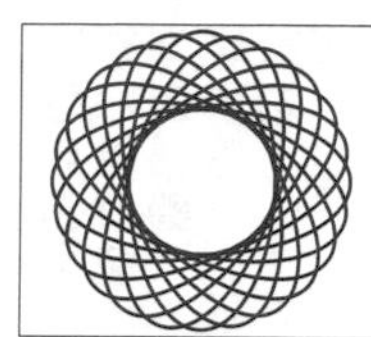
14A050

14A051

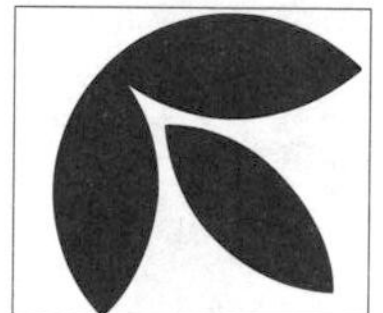
14A052

14A053

14A054

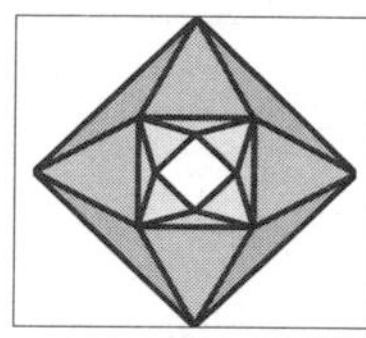
14A055

14A056

14A057

14A058

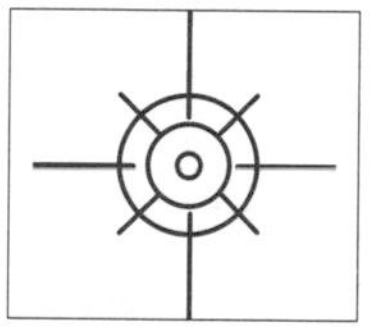
14A059

14A060

14A061

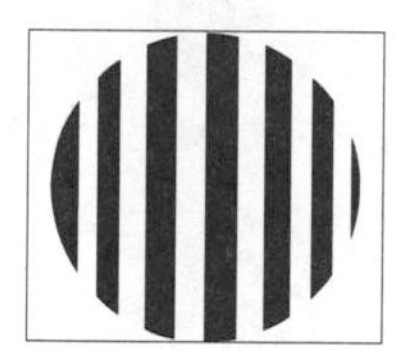
14A062

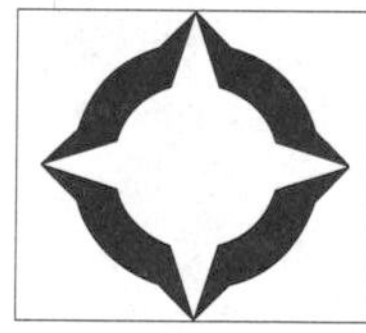
14A063

14A064

14A065

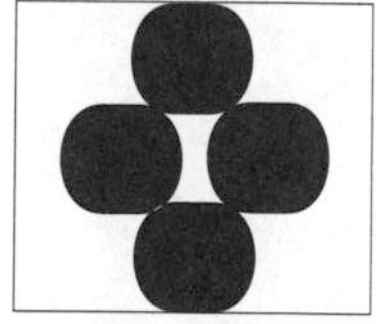
14A066

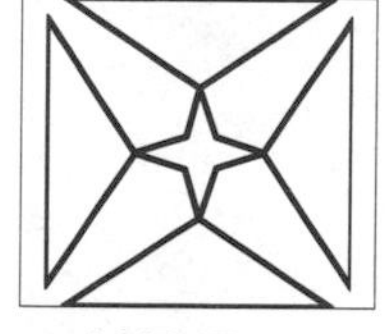
14A067

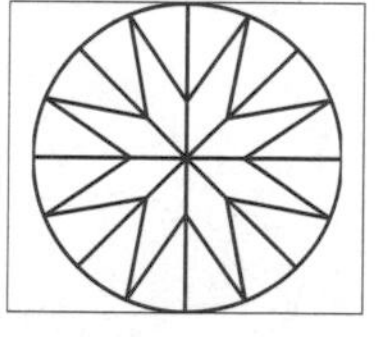
14A068

14A069

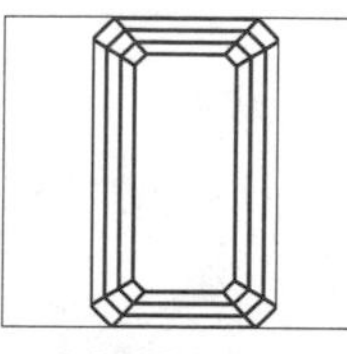
14A070

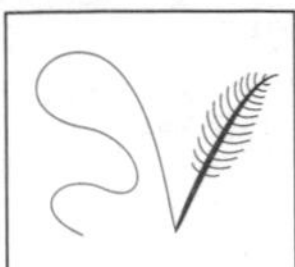

Design
Esquisse
Deseñio
Design

14A071

14A072

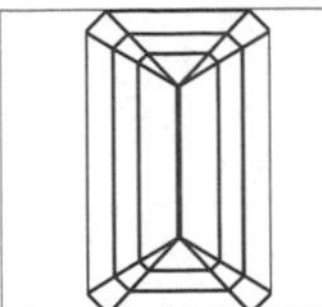
14A073

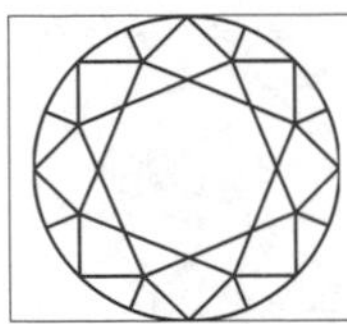
14A074

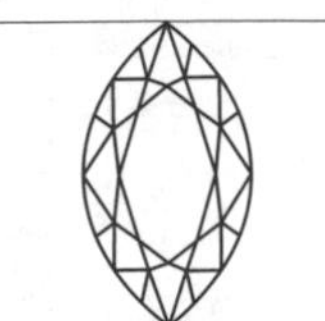
14A075

14A076

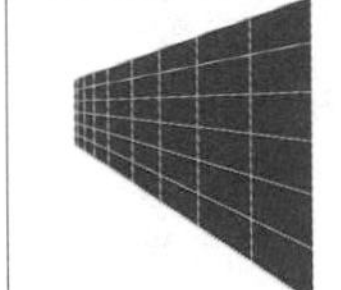
14A077

14A078

14A079

14A080

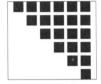

14A081

14A082

14A083

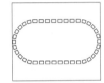

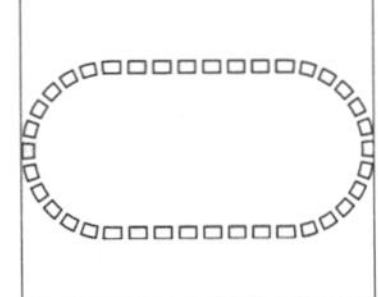
14A084

14A085

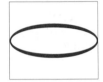

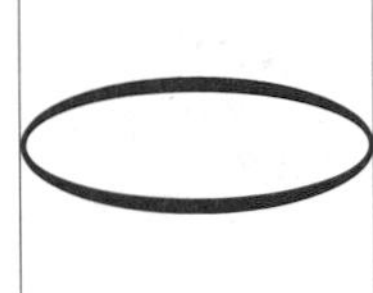
14A086

14A087

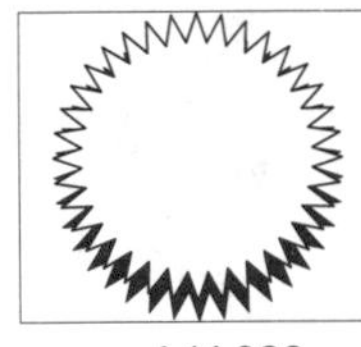
14A088

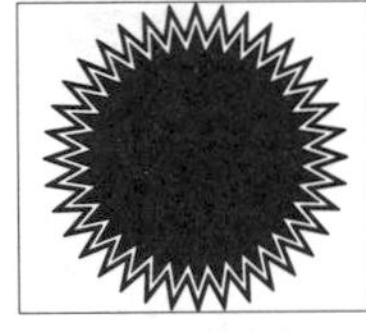
14A089

14A091

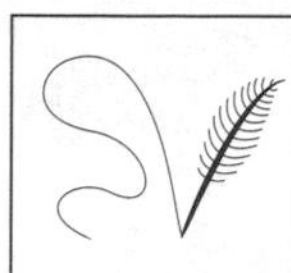

Design
Esquisse
Deseñio
Design

14B001

14B002

14B003

14B004

14B014

14B015

14B016

14B017

14B018

14B019

14B005

14B006

14B007

14B008

14B009

14B010

14B011

14B012

14B013

14B020

14B021

14B022

14B023

14B024

14B025

14B026

14B027

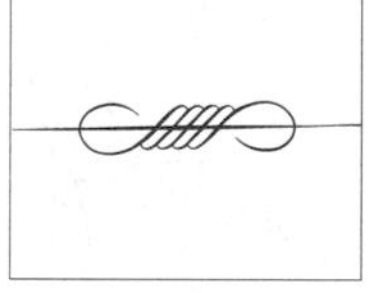
14B028

14B029

14B030

14B031

14B032

14B033

14B034

14B035

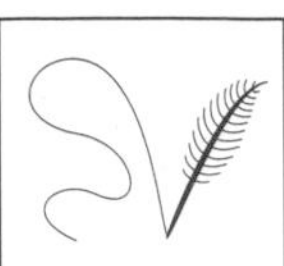

Design
Esquisse
Deseñio
Design

14B036

14B037

14B038

14B039

14B040

14B041

14B042

14B043

14B044

14B045

14B046

14B047

14B048

14B049

14B050

14B051

14B052

14B053

14B054

14B055

14B056

14B057

14B058

14B059

14B060

14B061

14B062

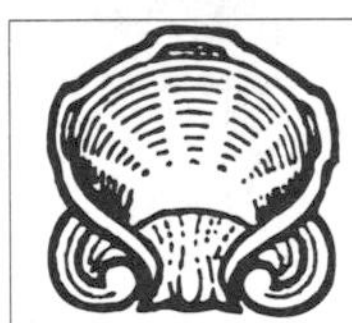
14B063

14B064

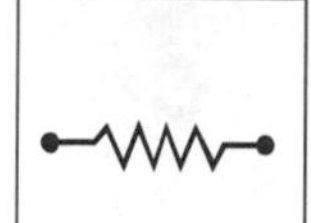

Electronic
Electronique
Electronica
Elektronik

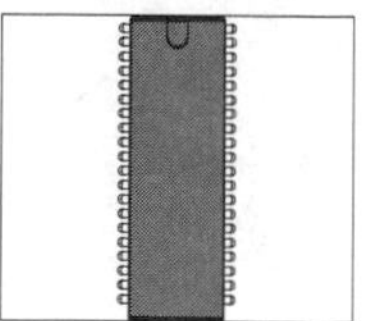
15A001

15A002

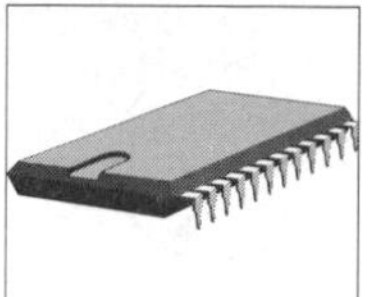
15A003

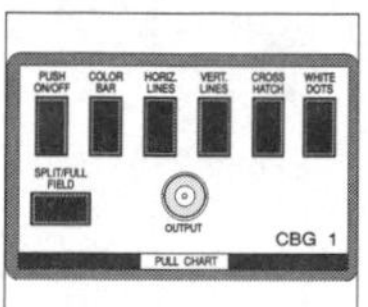

15A004

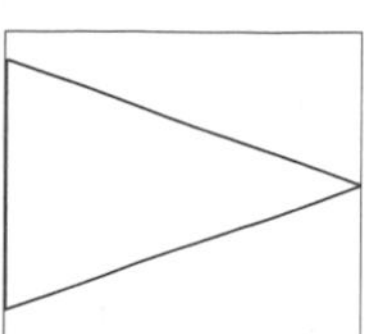
15A005

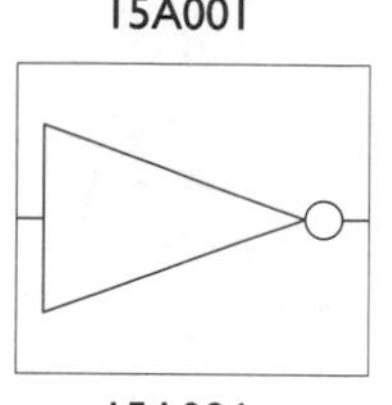
15A006

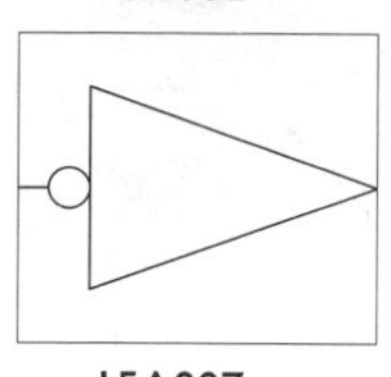
15A007

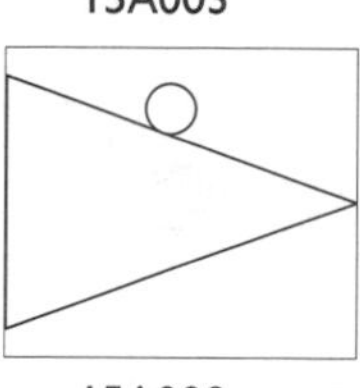
15A008

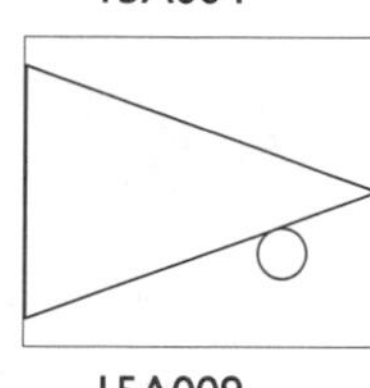
15A009

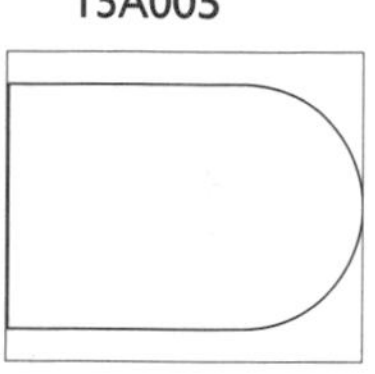
15A010

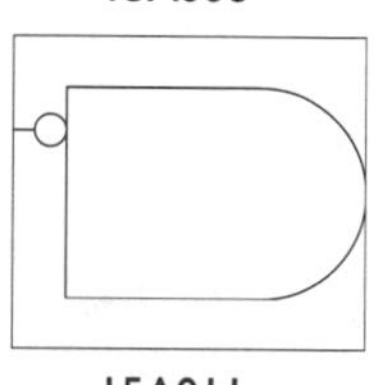
15A011

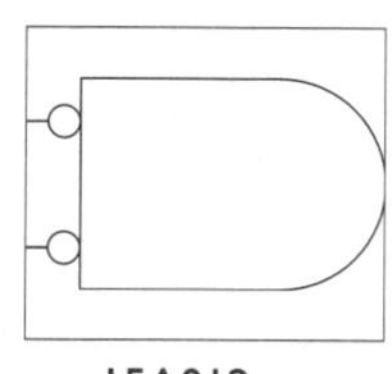
15A012

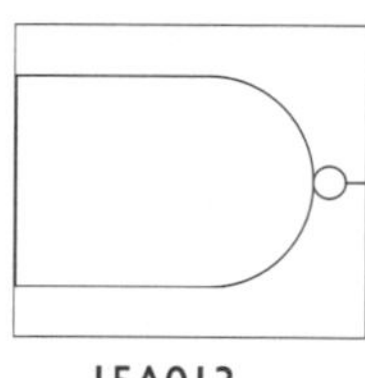
15A013

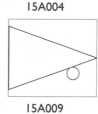

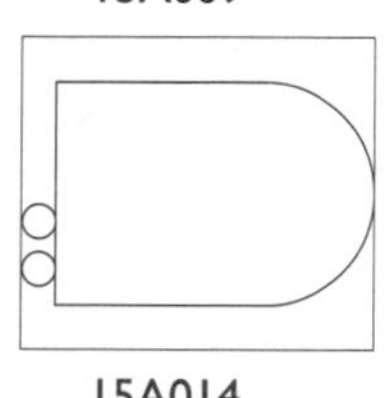
15A014

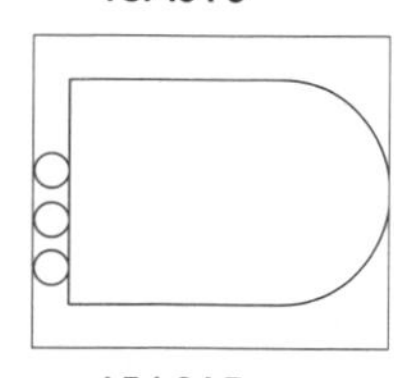
15A015

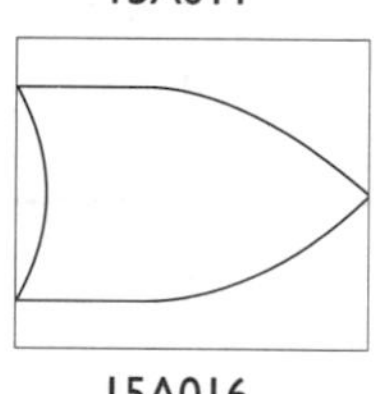
15A016

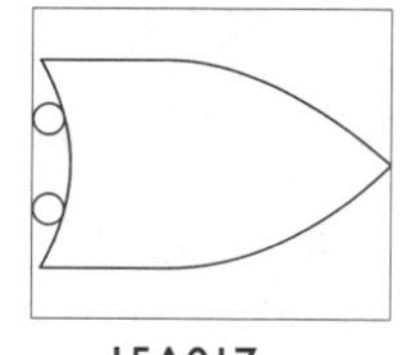
15A017

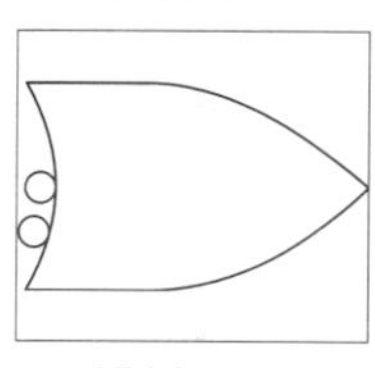
15A018

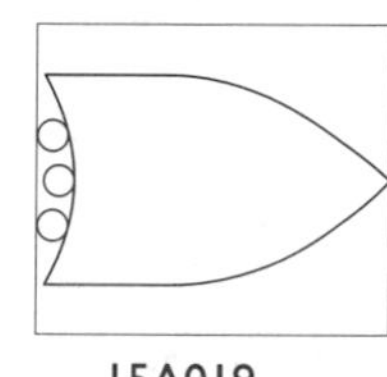
15A019

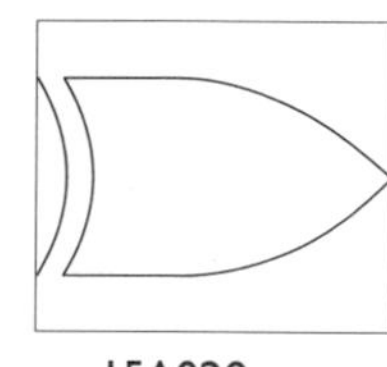
15A020

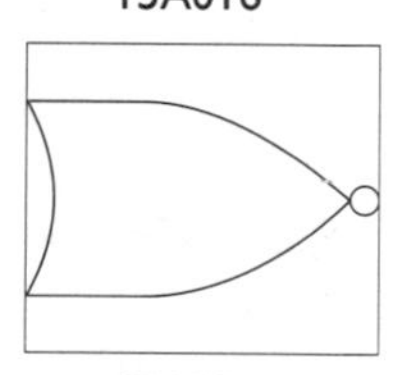
15A021

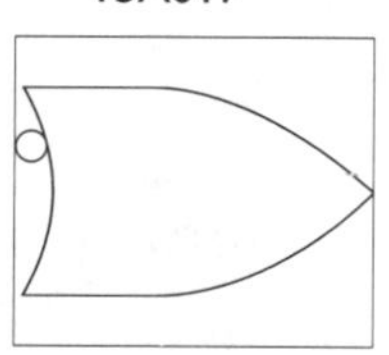
15A022

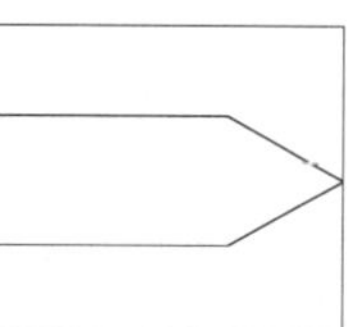
15A023

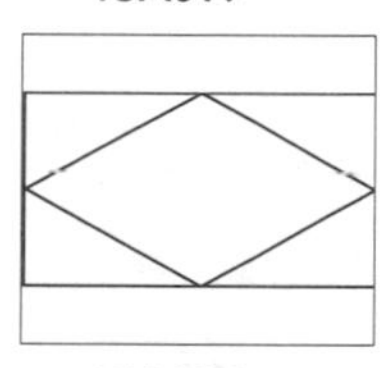
15A024

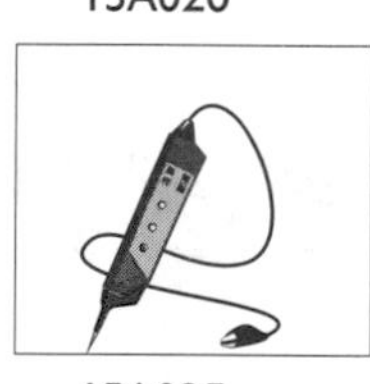
15A025

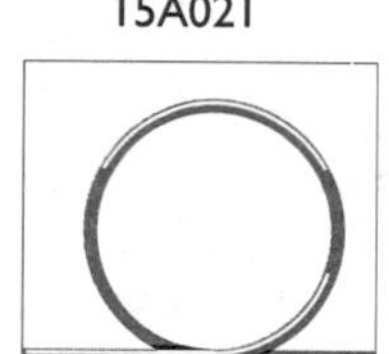
15A026

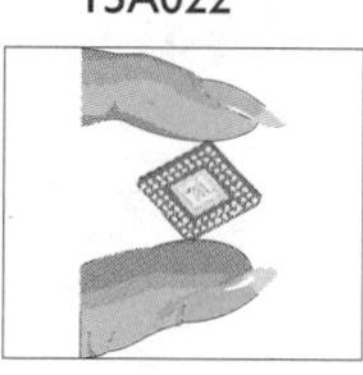
15A027

15A028

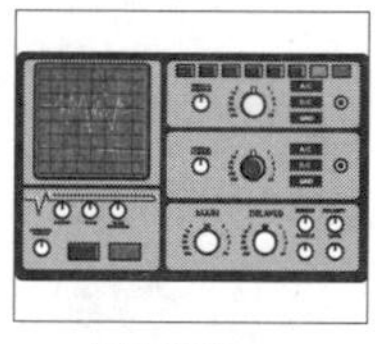
15A029

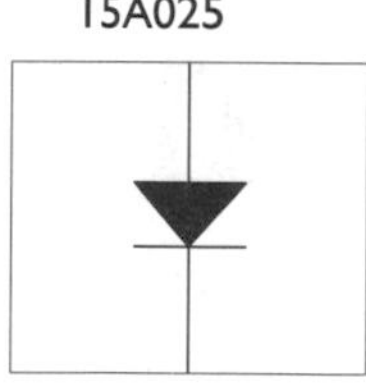
15A030

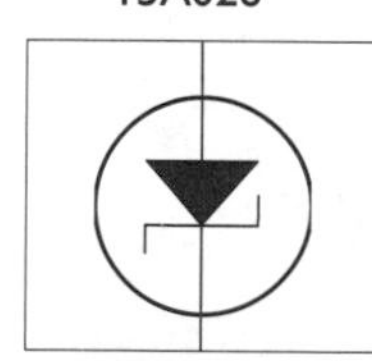
15A031

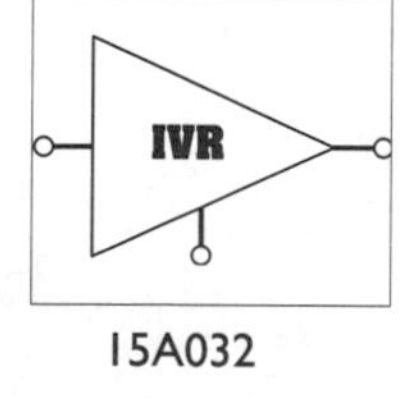

15A032

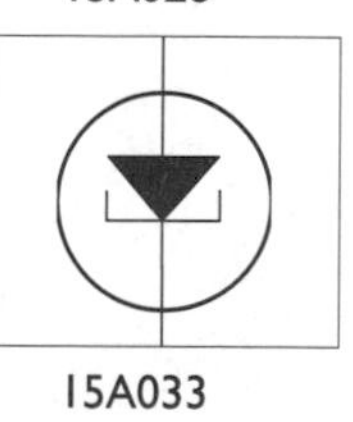
15A033

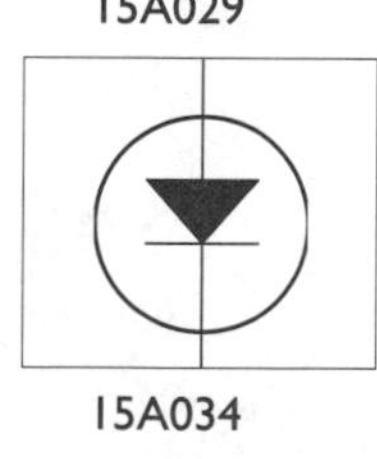
15A034

15A035

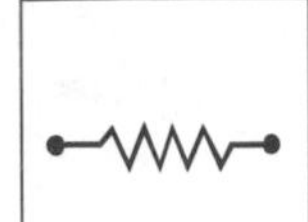

Electronic
Electronique
Electronica
Elektronik

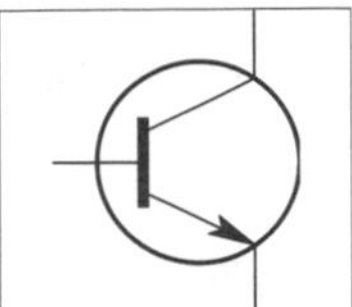
15A036

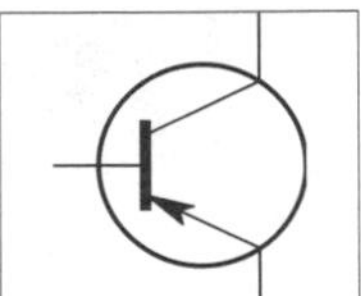
15A037

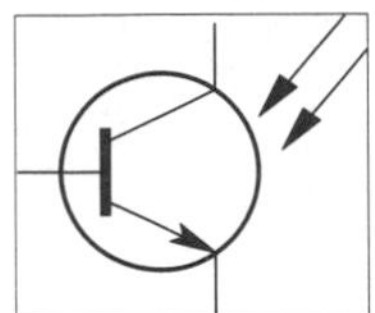
15A038

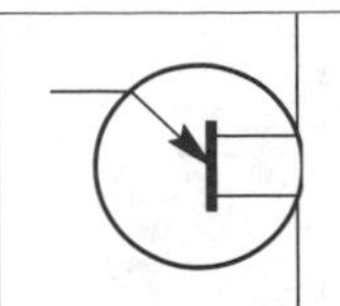
15A039

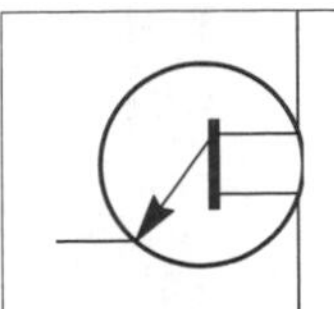
15A040

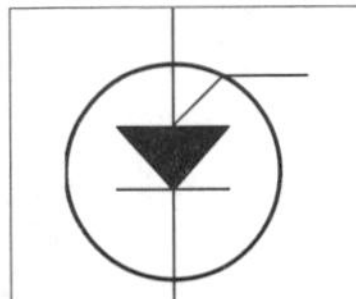
15A041

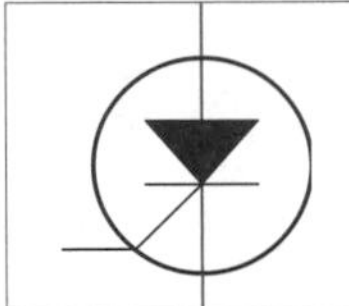
15A042

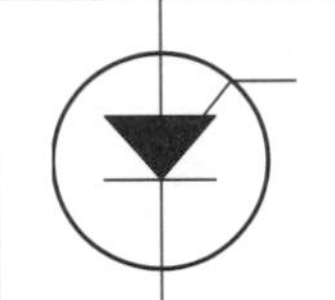
15A043

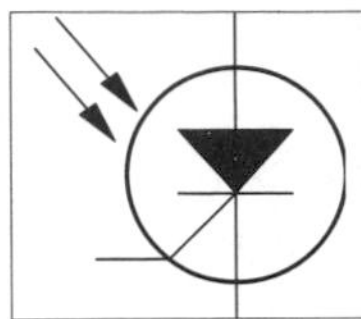
15A044

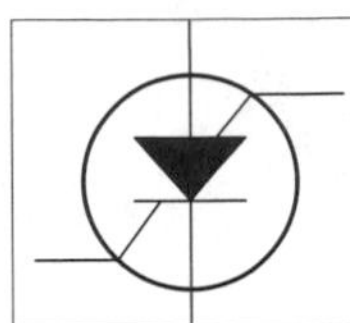
15A045

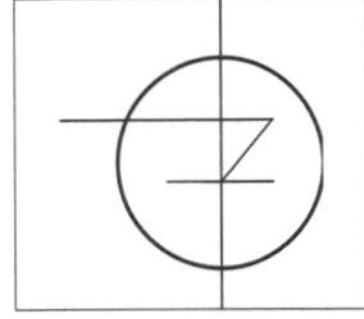
15A046

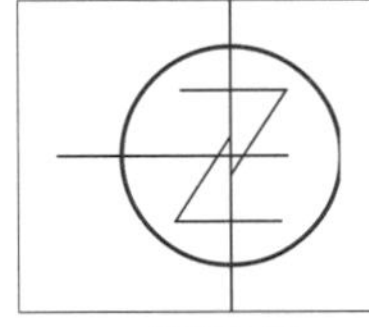
15A047

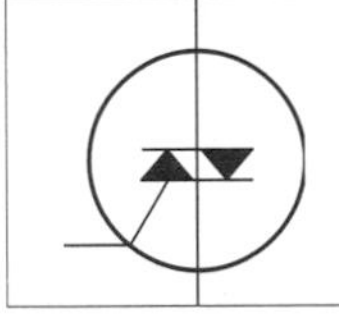
15A048

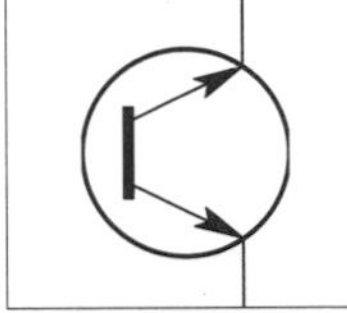
15A049

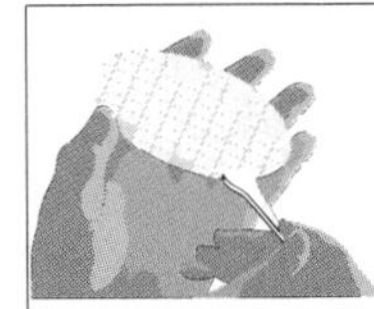
15A050

15A051

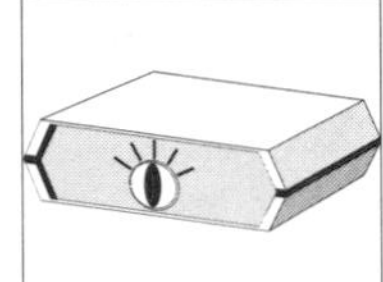
15A052

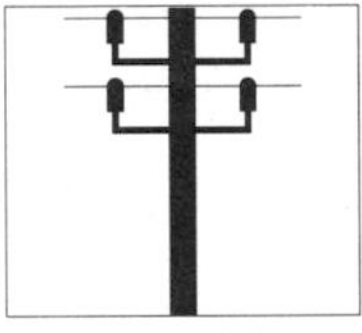
15A053

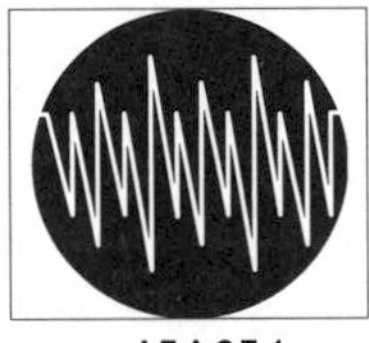
15A054

15A055

15A056

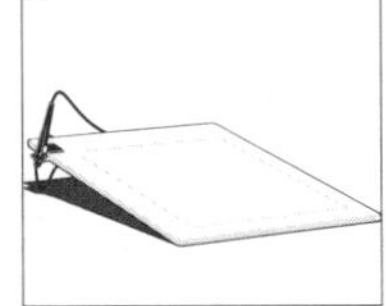
15A057

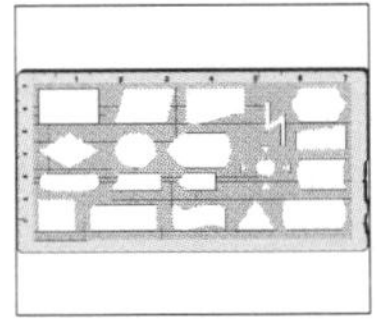
15A058

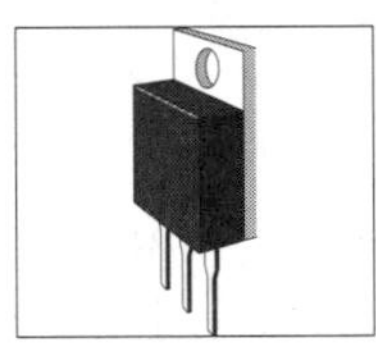
15A059

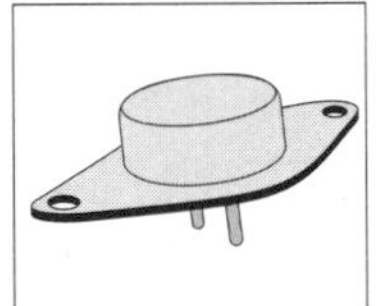
15A060

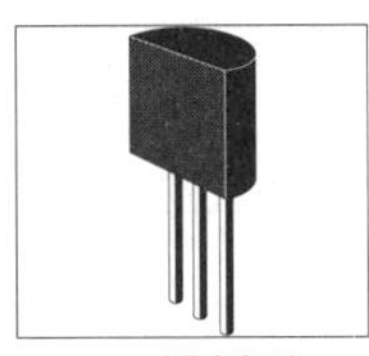
15A061

Fantasy
Imaginaire
Fantasia
Phantasie

16A001

16A002

16A003

16A004

16A005

16A006

16A007

16A008

16A009

16A010

16A011

16A012

16A013

16A015

16A016

16A017

16A018

16A019

16A021

16A022

16A023

16A024

16A025

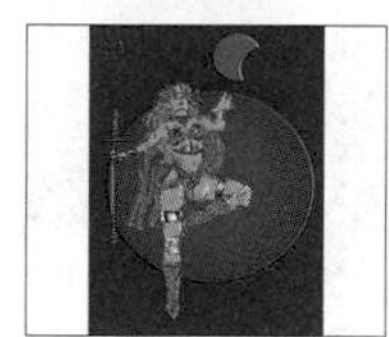
16A027

16A028

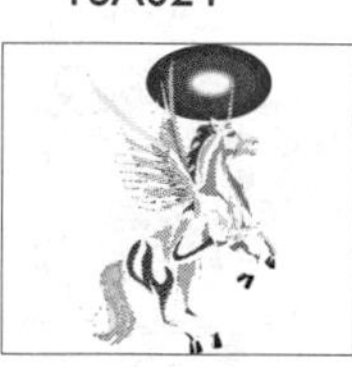
16A029

16A030

16A031

Fantasy
Imaginaire
Fantasia
Phantasie

16B001

16B002

16B003

16B004

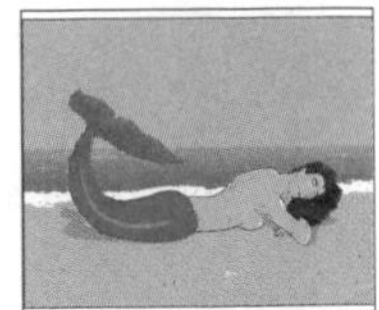
16B005

16B006

16B007

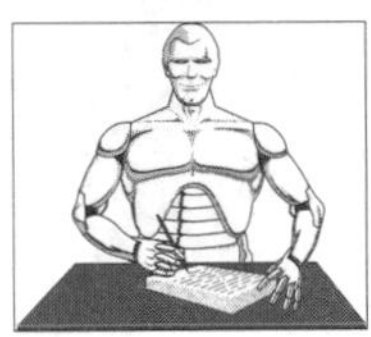
16B008

16B009

Fire
Feu
Fuego
Feuer

17A001

17A002

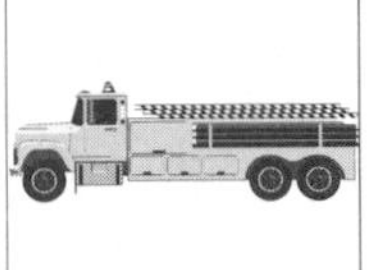
17A003

17A004

17A005

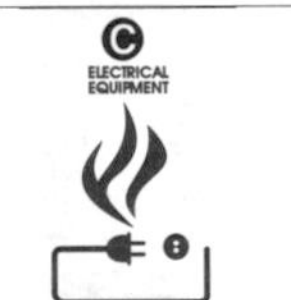

17A006

17A007

17A008

17A009

17A010

17A011

17A012

17A013

17A014

17A015

17A016

17A017

17A018

IN CASE OF
FIRE
DO NOT USE
ELEVATOR

17A019

17A020

Fire
Feu
Fuego
Feuer

17A021

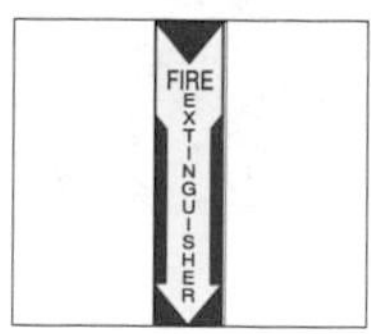

17A022

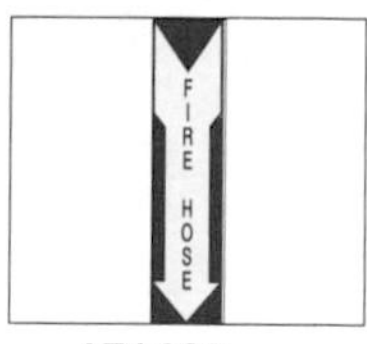

17A023

17A024

Fire
Feu
Fuego
Feuer

17B001

17B002

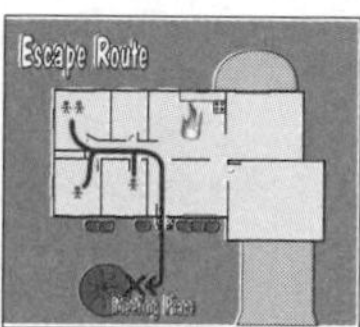

17B003

17B004

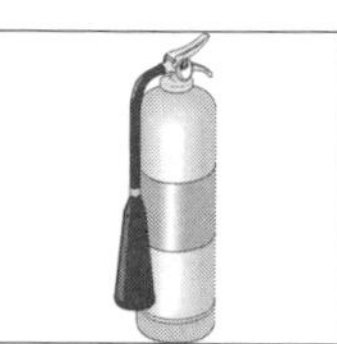
17B005

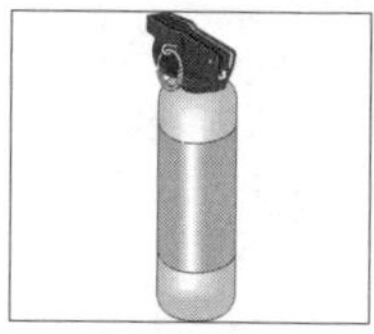
17B006

17B007

17B008

17B009

17B010

17B011

17B012

17B013

17B014

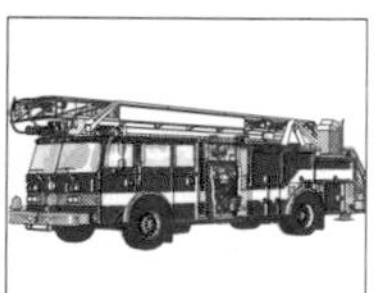
17B015

17B016

17B017

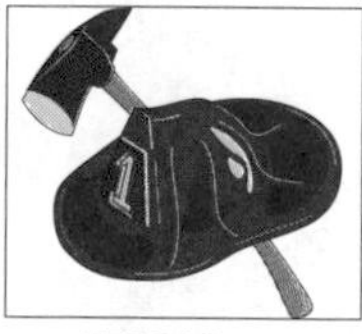
17B018

17B019

17B020

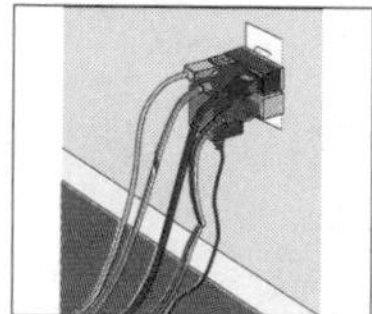
17B021

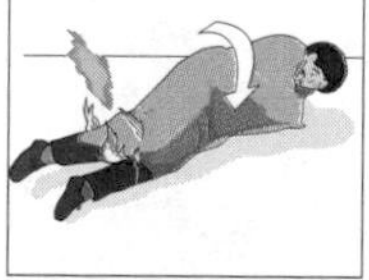
17B022

17B023

Fish
Poisson
Pescado
Fisch

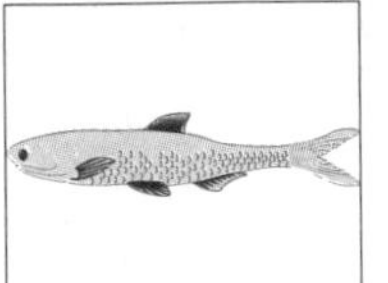

18A001

18A002

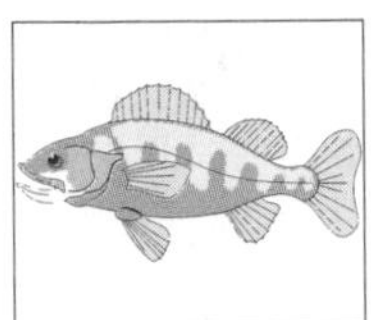

18A004

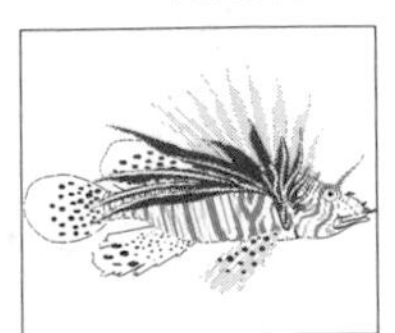

18A006

18A007

18A008

18A009

18A010

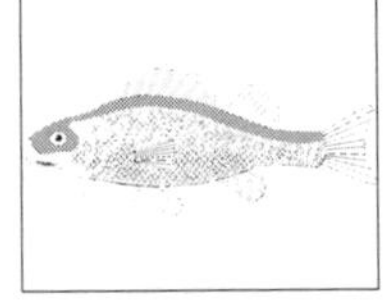

18A011

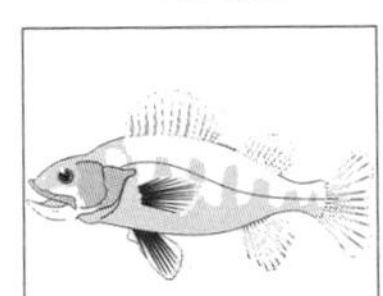
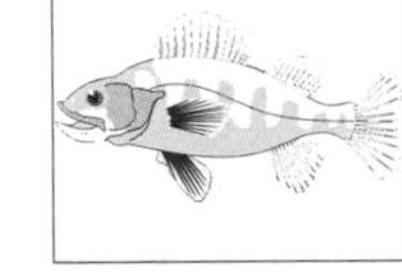

18A012

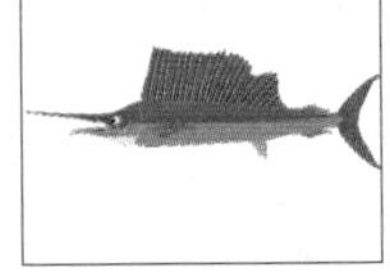

18A013

18A014

18A015

18A016

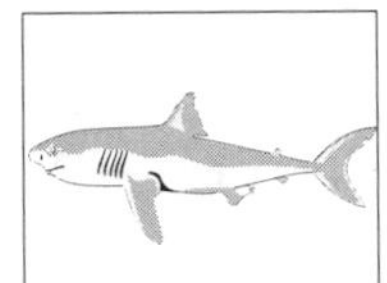

18A017

18A018

18A019

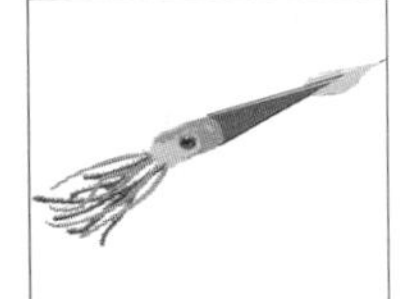

18A020

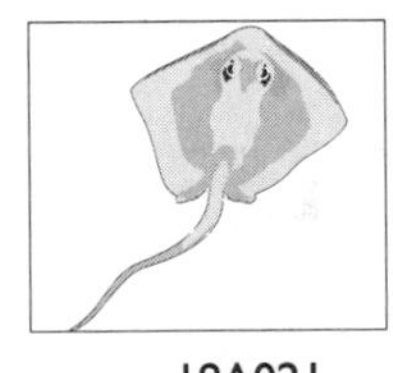

18A021

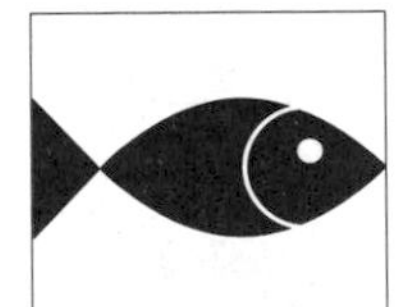
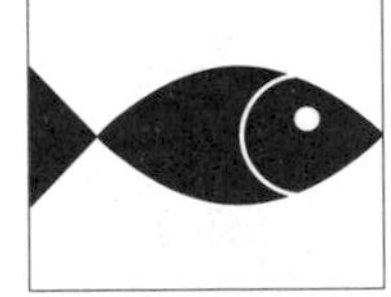

18A022

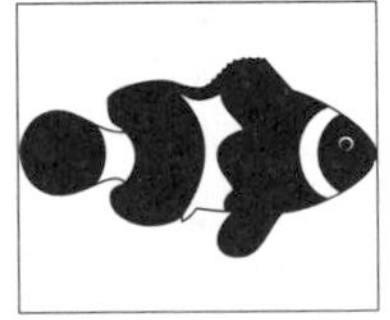

18A023

18A024

18A025

Fish
Poisson
Pescado
Fisch

18B001

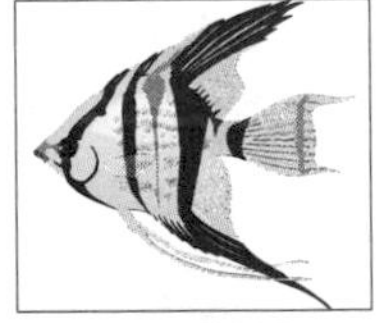

18B002

18B003

18B004

18B005

Fish
Poisson
Pescado
Fisch

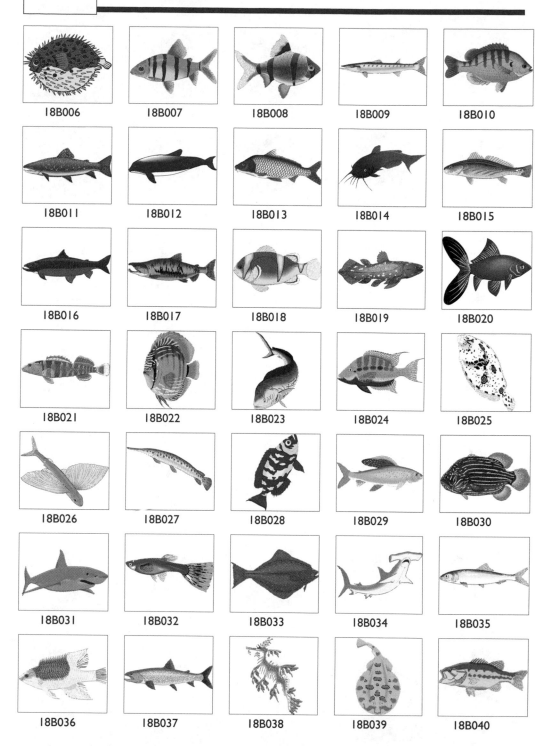

18B006	18B007	18B008	18B009	18B010
18B011	18B012	18B013	18B014	18B015
18B016	18B017	18B018	18B019	18B020
18B021	18B022	18B023	18B024	18B025
18B026	18B027	18B028	18B029	18B030
18B031	18B032	18B033	18B034	18B035
18B036	18B037	18B038	18B039	18B040

Fish
Poisson
Pescado
Fisch

18B041

18B042

18B043

18B044

18B045

18B046

18B047

18B048

18B049

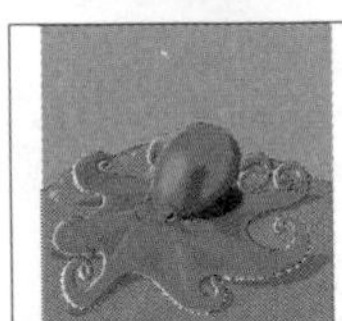
18B050

18B051

18B052

18B053

18B054

18B055

18B056

18B057

18B058

18B059

18B060

18B061

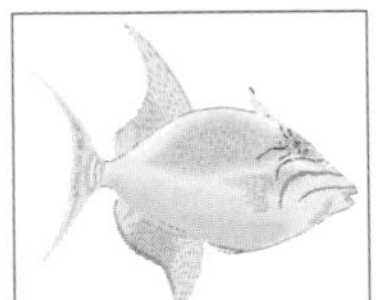
18B062

18B063

18B064

18B065

18B066

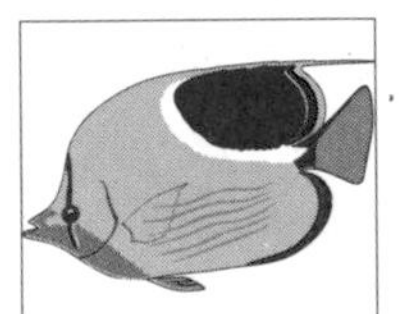
18B067

18B068

18B069

18B070

18B071

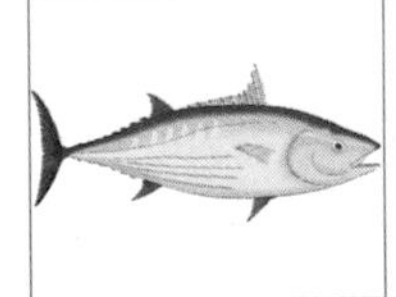
18B072

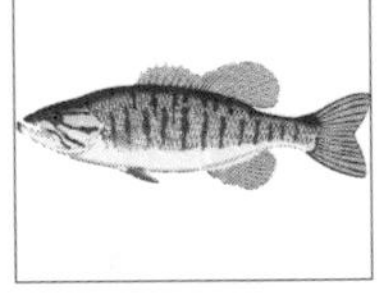
18B073

18B074

18B075

Fish
Poisson
Pescado
Fisch

18B076

18B077

18B078

18B079

18B080

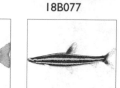

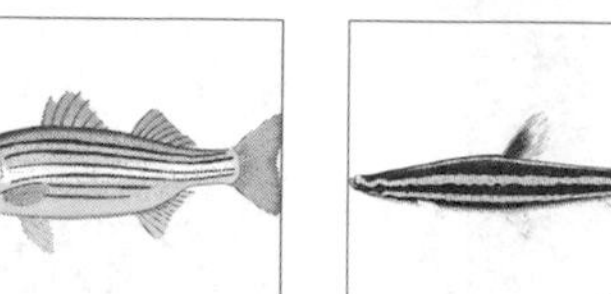
18B081

18B082

18B083

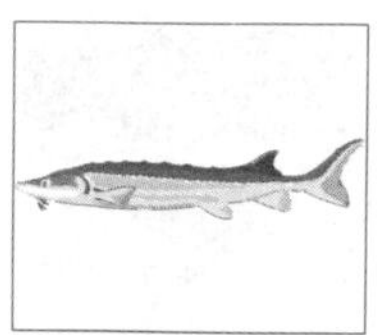
18B084

18B085

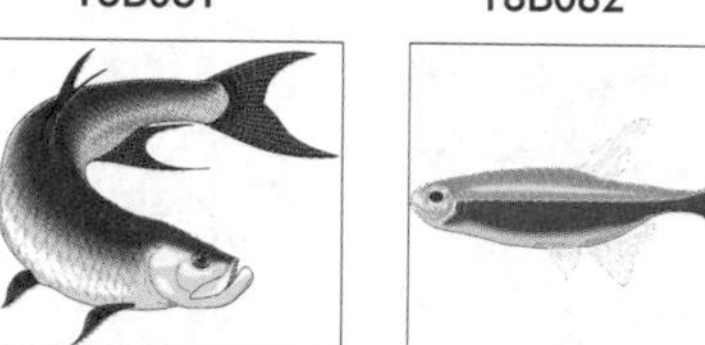
18B086

18B087

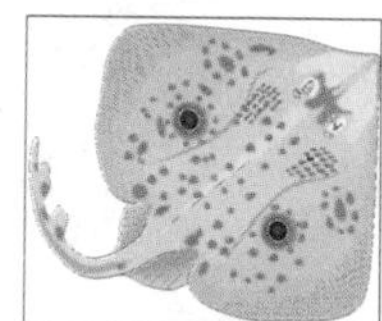
18B088

18B089

18B090

18B091

18B092

18B093

18B094

Flag
Drapeaux
Bandera
Flagge

19A008

19A002

19A003

19A001

19A004

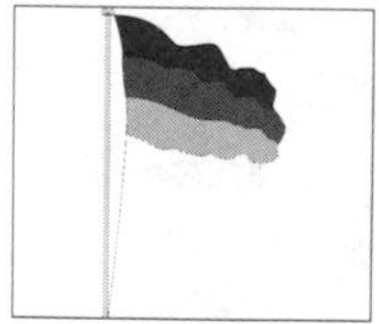
19A005

19A006

19A007

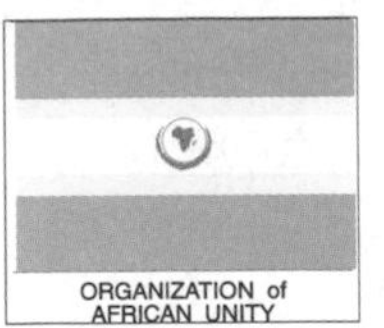
ORGANIZATION of AFRICAN UNITY
19B001

ALGERIA
19B002

ANGOLA
19B003

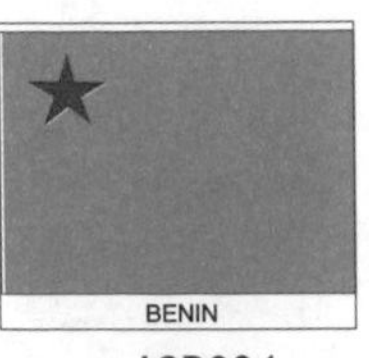
BENIN
19B004

BOPHUTHATSWANA
19B005

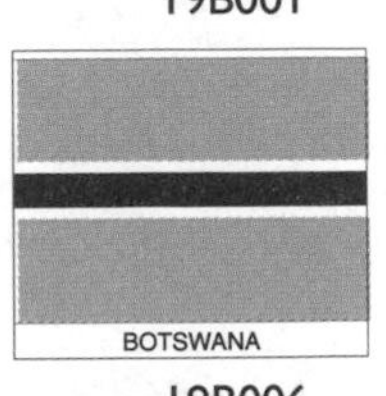
BOTSWANA
19B006

BURKINA FASO (UPPER VOLTA)
19B007

BURUNDI
19B008

CAMEROUN
19B009

CAPE VERDE
19B010

CENTRAL AFRICAN REPUBLIC
19B011

CHAD
19B012

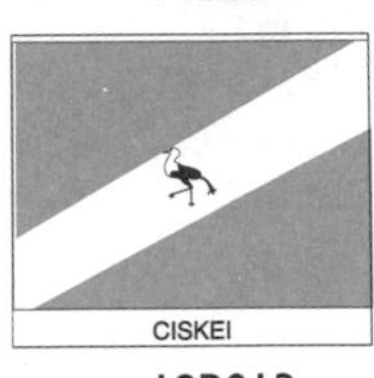
CISKEI
19B013

CONGO
19B014

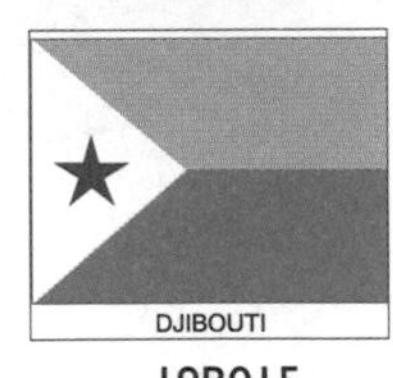
DJIBOUTI
19B015

EYGPT
19B016

EQUATORIAL GUINEA
19B017

ETHIOPIA
19B018

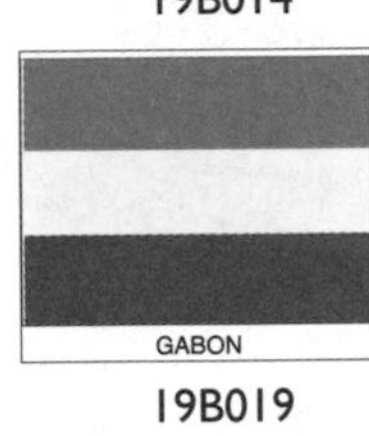
GABON
19B019

THE GAMBIA
19B020

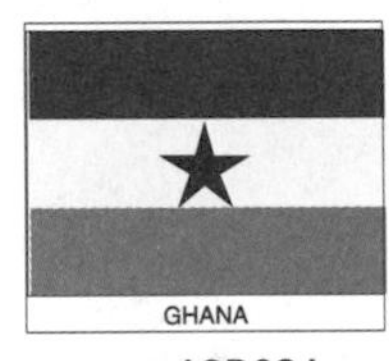
GHANA
19B021

GUINEA-BISSAU
19B022

GUINEA
19B023

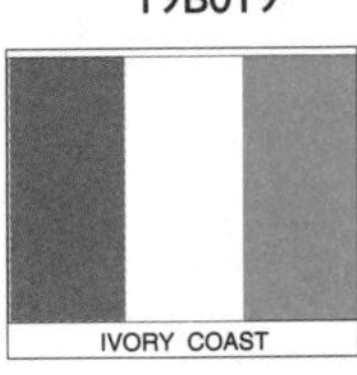
IVORY COAST
19B024

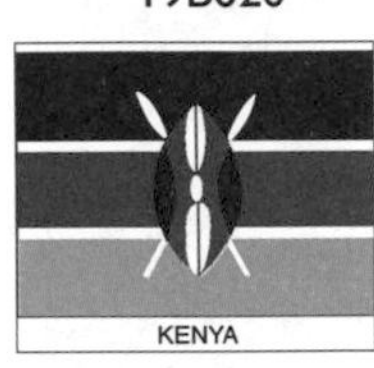
KENYA
19B025

LESOTHO
19B026

LIBERIA
19B027

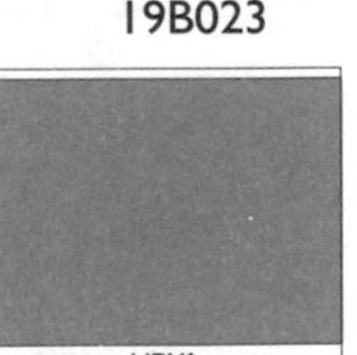
LIBYA
19B028

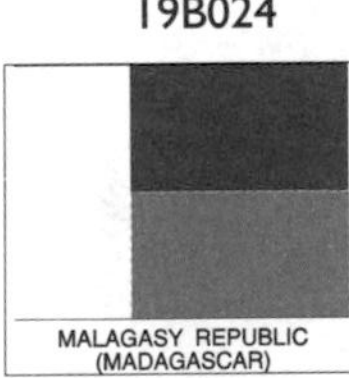
MALAGASY REPUBLIC (MADAGASCAR)
19B029

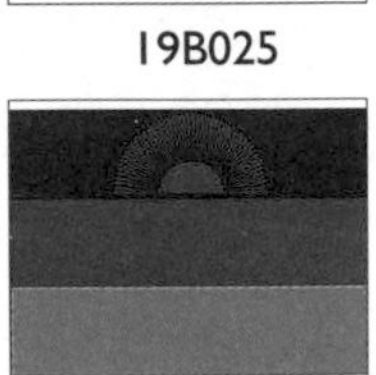
MALAWI
19B030

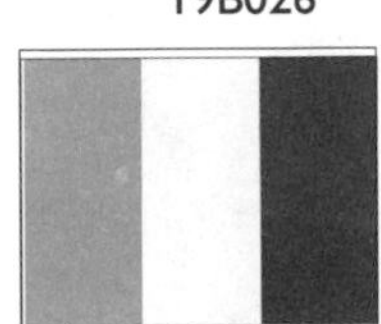
MALI
19B031

MAURITANIA
19B032

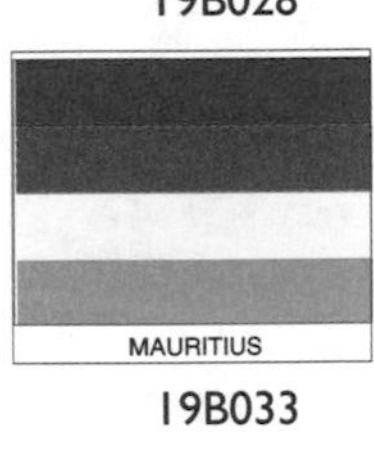
MAURITIUS
19B033

MOROCCO
19B034

MOZAMBIQUE
19B035

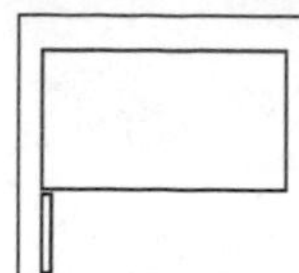

NGWANA (SWAZILAND)
19B036

NIGER
19B037

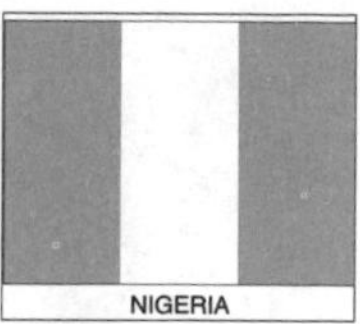
NIGERIA
19B038

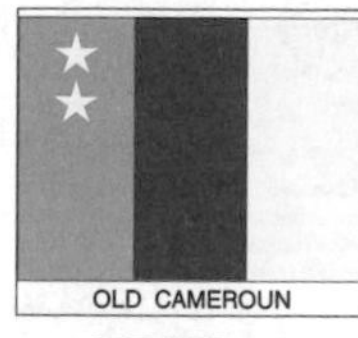
OLD CAMEROUN
19B039

OLD DAHOMEY
19B040

OLD EYGPT
19B041

OLD ETHIOPIA
19B042

OLD LIBYA
19B043

RWANDA
19B044

SÃO TOMÉ-PRINCIPE
19B045

SENEGAL
19B046

SIERRA LEONE
19B047

SOMALIA
19B048

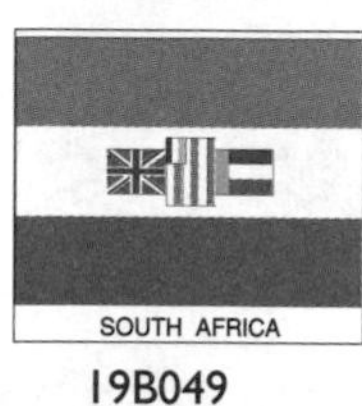
SOUTH AFRICA
19B049

ST HELENA
19B050

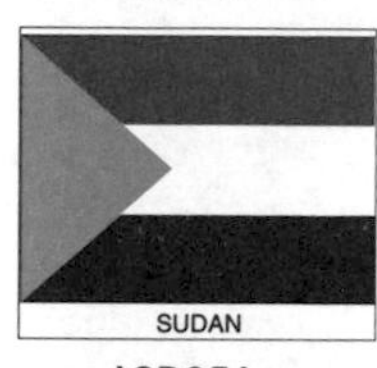
SUDAN
19B051

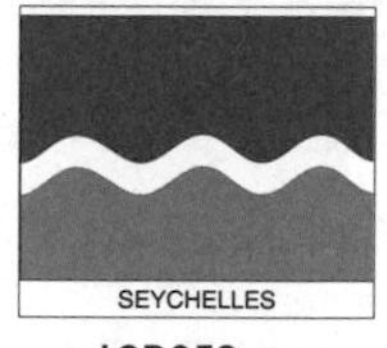
SEYCHELLES
19B052

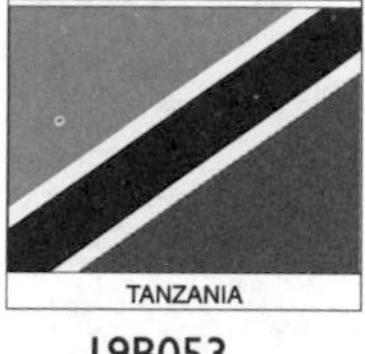
TANZANIA
19B053

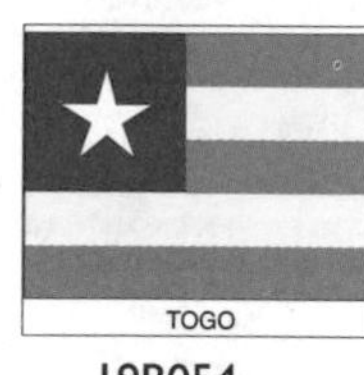
TOGO
19B054

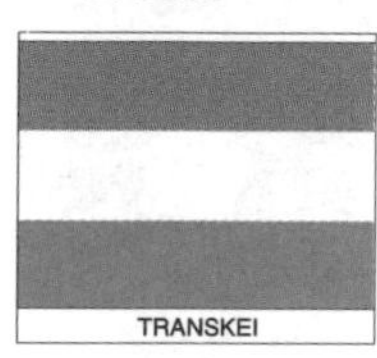
TRANSKEI
19B055

TUNISIA
19B056

UGANDA
19B057

ZAIRE
19B058

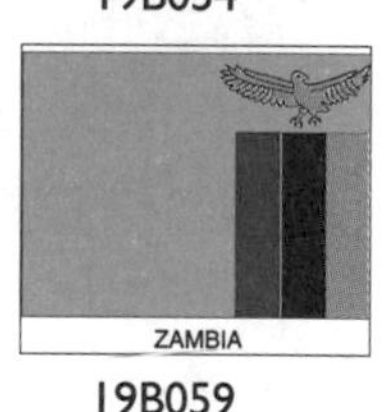
ZAMBIA
19B059

ZIMBABWE
19B060

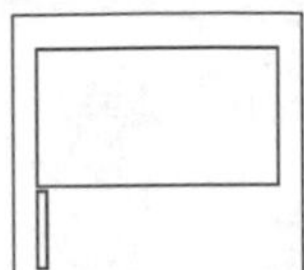

Flag
Drapeaux
Bandera
Flagge

Asia
Asie
Asia
Asien

AFGHANISTAN
19C001

AZAD KASHMIR
19C002

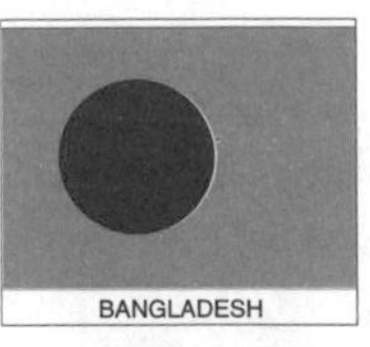
BANGLADESH
19C003

BHUTAN
19C004

BURMA
19C005

CHINA (PEOPLES REPUBLIC)
19C006

COMORO ISLANDS
19C007

HONG KONG
19C008

INDIA
19C009

INDONESIA
19C010

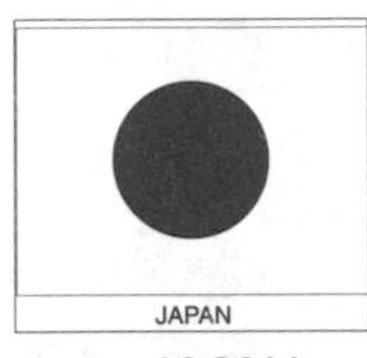
JAPAN
19C011

KAMPUCHEA
19C012

KIRIBATI
19C013

REPUBLIC OF KOREA
19C014

KOREAN PEOPLE'S DEMOCRATIC REPUBLIC
19C015

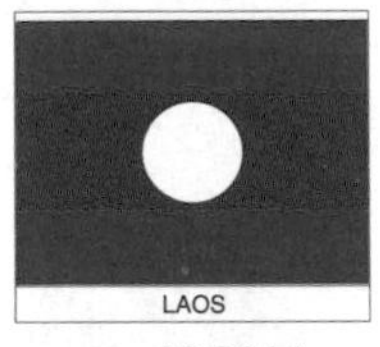
LAOS
19C016

MALAYSIA
19C017

MALDIVE ISLANDS
19C018

MONGOLIA (PEOPLE'S REPUBLIC)
19C019

NEPAL
19C020

VIETNAM (NORTH)
19C021

OLD AFGHANISTAN
19C022

OLD LAOS
19C023

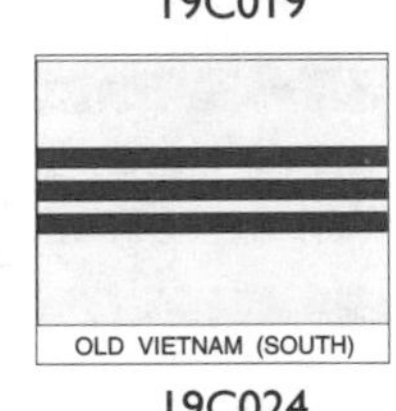
OLD VIETNAM (SOUTH)
19C024

PAKISTAN
19C025

SINGAPORE
19C026

SRI LANKA
19C027

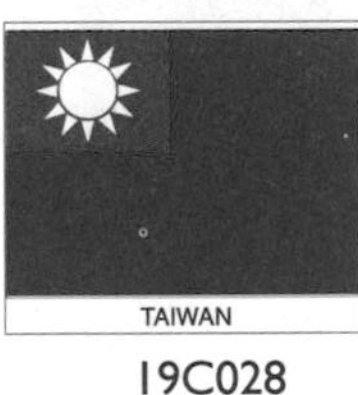
TAIWAN
19C028

THAILAND
19C029

TONGA
19C030

TURKEY
19C031

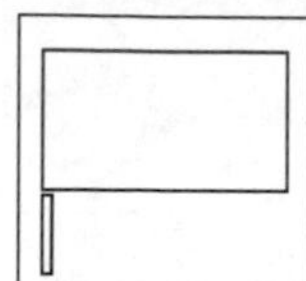

Flag
Drapeaux
Bandera
Flagge

Canada
Canada
Canada
Kanada

ALBERTA
19D001

BRITISH COLUMBIA
19D002

CANADA
19D003

19D004

MANITOBA
19D005

NEW BRUNSWICK
19D006

NEWFOUNDLAND
19D007

NOVA SCOTIA
19D008

NORTH WEST TERRITORIES
19D009

ONTARIO
19D010

PRINCE EDWARD ISLAND
19D011

QUEBEC
19D012

SASKATCHEWAN
19D013

YUKON
19D014

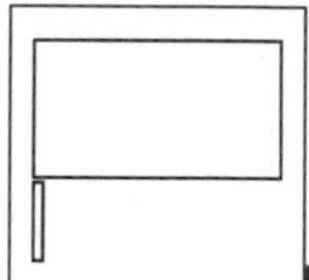

Flag
Drapeaux
Bandera
Flagge

Central America
Amérique Centrale
Centroamérica
Mittleamerika

ANGUILLA
19E001

ANTIGUA AND BARBUDA
19E002

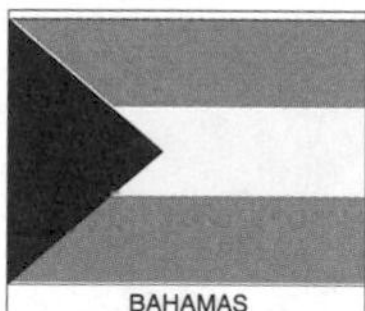
BAHAMAS
19E003

BARBADOS
19E004

BELIZE
19E005

BERMUDA
19E006

BRITISH VIRGIN ISLANDS
19E007

CAYMAN ISLANDS
19E008

COSTA RICA
19E009

CUBA
19E010

CURAÇAO
19E011

DOMINICA
19E012

DOMINICAN REPUBLIC
19E013

EL SALVADOR
19E014

GRENADA
19E015

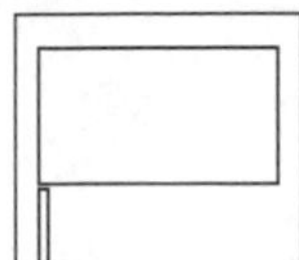

Flag
Drapeaux
Bandera
Flagge

Central America
Amérique Centrale
Centroamérica
Mittleamerika

GUATEMALA
19E016

HAITI
19E018

HONDURAS
19E019

JAMAICA
19E020

MEXICO
19E021

MONTSERRAT
19E022

NETHERLANDS ANTILLES
19E023

NICARAGUA
19E024

PANAMA
19E025

PUERTO RICO
19E026

SAINT LUCIA
19E027

ST. KITTS-NEVIS
19E028

SAINT VINCENT and the GRENADINES
19E029

TRINIDAD AND TOBAGO
19E030

TURKS AND CAICOS ISLANDS
19E031

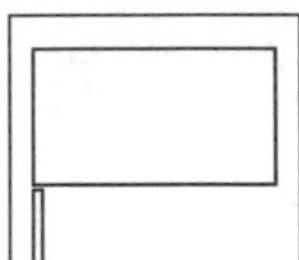

Flag
Drapeaux
Bandera
Flagge

Europe
Europe
Europa
Europa

ÅLAND ISLANDS
19F001

ALBANIA
19F002

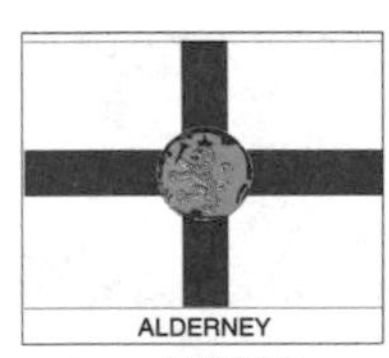
ALDERNEY
19F003

ANDORRA
19F004

AUSTRIA
19F005

BELGIUM
19F006

BULGARIA
19F007

BOSNIA-HERZEGOVINA
19F008

EUROPEAN COUNCIL
19F009

CROATIA
19F010

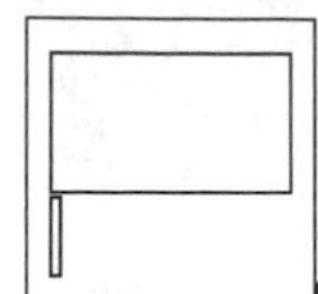

Flag
Drapeaux
Bandera
Flagge

Europe
Europe
Europa
Europa

CZECHOSLOVAKIA
19F011

DENMARK
19F012

ENGLAND: CROSS of ST GEORGE
19F013

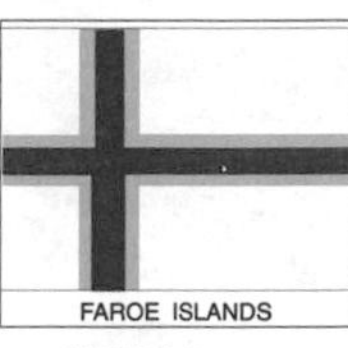
FAROE ISLANDS
19F014

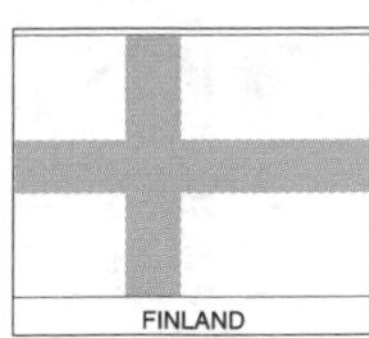
FINLAND
19F015

FRANCE
19F016

GERMAN DEMOCRATIC REPUBLIC
19F017

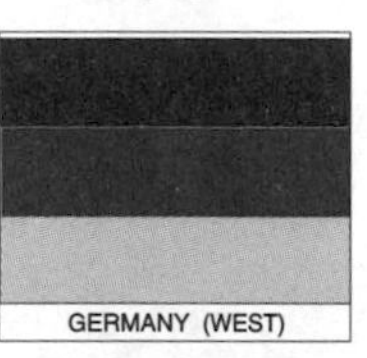
GERMANY (WEST)
19F018

GREECE
19F019

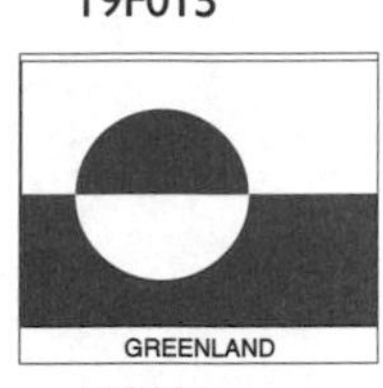
GREENLAND
19F020

GUERNSEY
19F021

HUNGARY
19F022

ICELAND
19F023

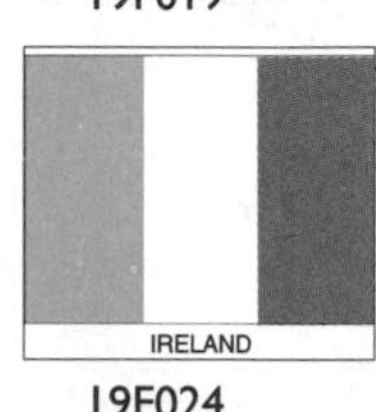
IRELAND
19F024

ISLE of MAN
19F025

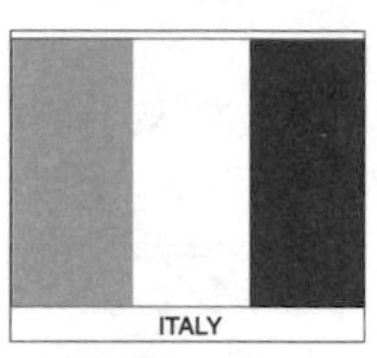
ITALY
19F026

LIECHTENSTEIN
19F027

LUXEMBOURG
19F028

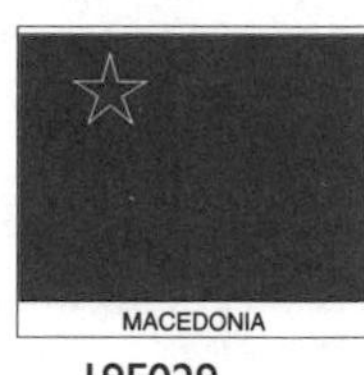
MACEDONIA
19F029

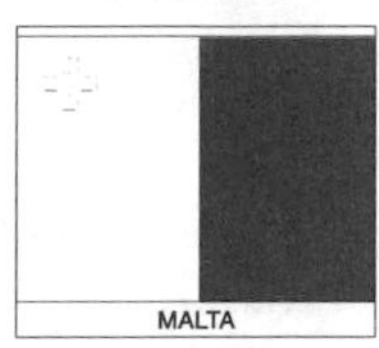
MALTA
19F030

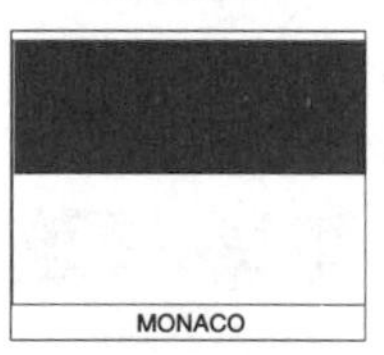
MONACO
19F031

MONTENEGRO and SERBIA
19F032

NETHERLANDS
19F033

NORTHERN IRELAND
19F034

NORWAY
19F035

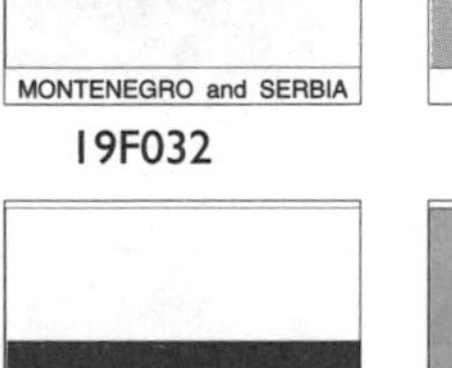

OLD AUSTRIA
19F036

POLAND
19F037

PORTUGAL
19F038

ROMANIA
19F039

SAN MARINO
19F040

SCOTLAND: CROSS of St. ANDREW
19F041

SLOVENIA
19F042

SPAIN
19F043

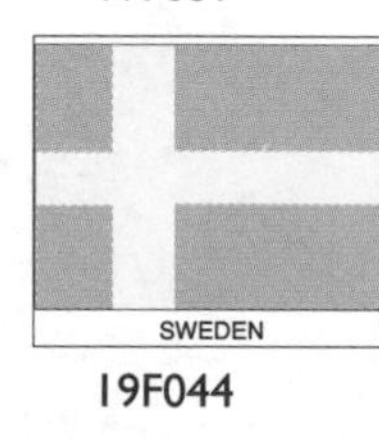
SWEDEN
19F044

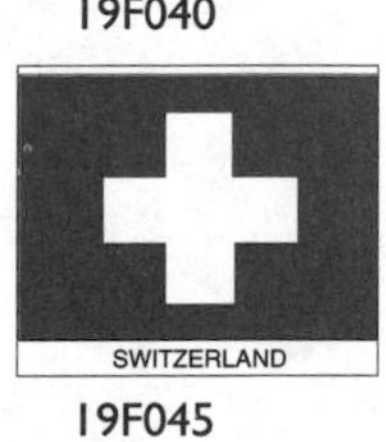
SWITZERLAND
19F045

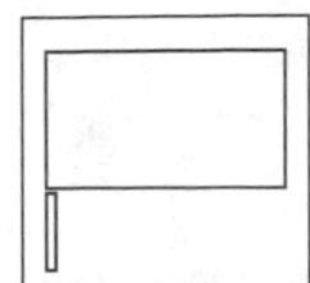

Flag
Drapeaux
Bandera
Flagge

Europe
Europe
Europa
Europa

19F046

19F047

19F048

19F049

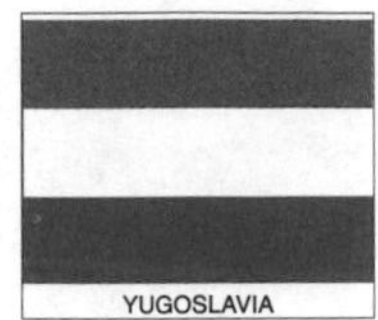

19F050

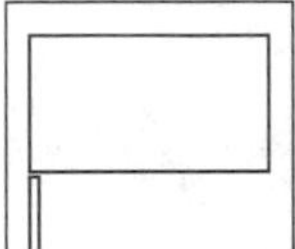

Flag
Drapeaux
Bandera
Flagge

Middle East
Moyen-Orient
Medioeste
Naher Osten

19G001

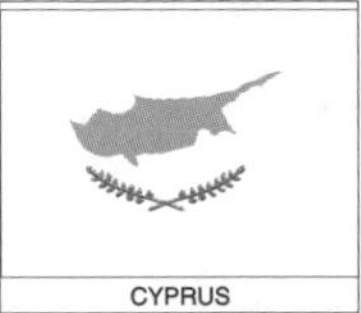

19G002

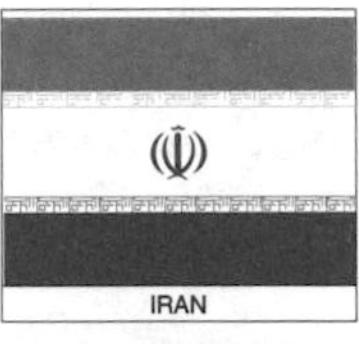

19G003

19G004

19G005

19G006

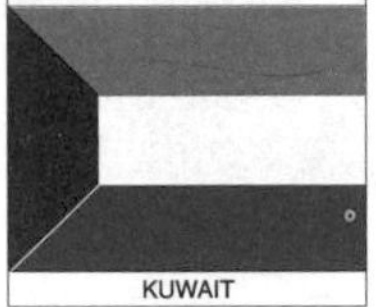

19G007

19G008

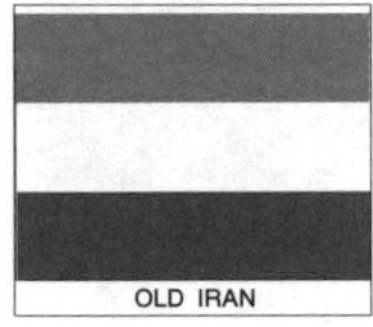

19G009

19G010

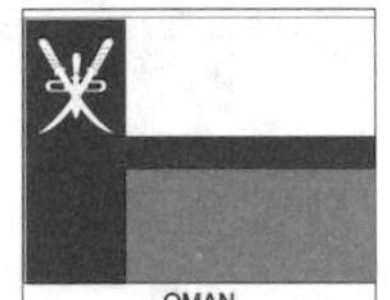

19G011

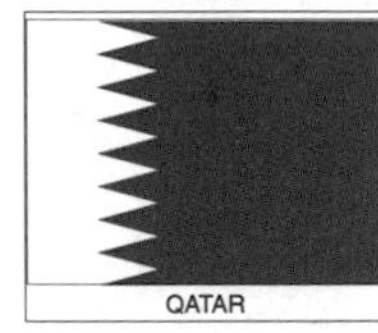

19G012

19G013

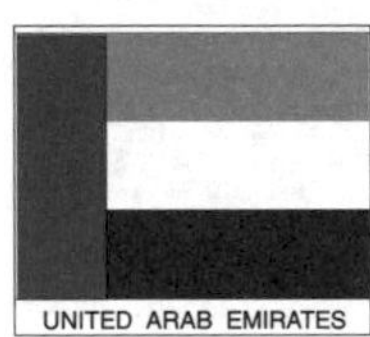

19G014

19G015

19G016

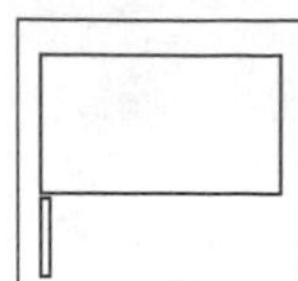

Flag
Drapeaux
Bandera
Flagge

Other
Autre
Otras
Andere

BRITISH ANTARCTIC TERRITORY
19H001

BUDDIST FLAG
19H002

COMMONWEALTH SECRETARIAT
19H003

FEDERATION INTERNATIONALE des ASSOCIATIONS VEXILLOLOGIQUES
19H004

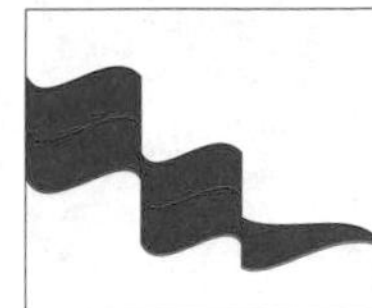
19H005

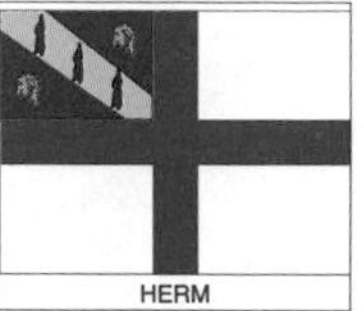
HERM
19H006

NORTH ATLANTIC TREATY ORGANIZATION
19H007

19H009

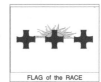

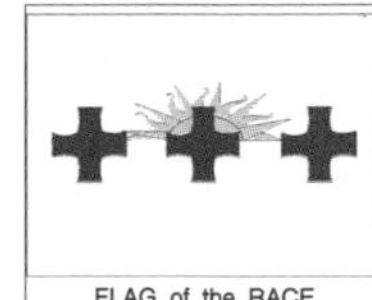
FLAG of the RACE
19H010

UNITED NATIONS
19H012

AIR FORCE
19H013

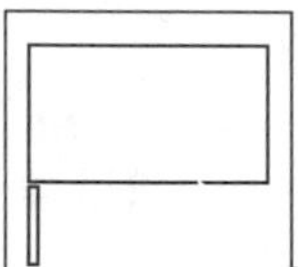

Flag
Drapeaux
Bandera
Flagge

Pacific
Pacifique
Pacífico
Pazifik

AMERICAN SAMOA
19I001

AUSTRALIA
19I002

BRUNEI
19I003

COOK ISLANDS
19I004

FIJI
19I005

FRENCH POLYNESIA
19I006

GUAM
19I007

MARSHALL ISLANDS
19I008

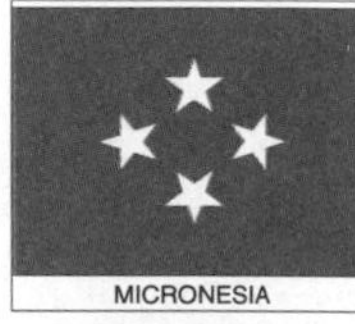
MICRONESIA
19I009

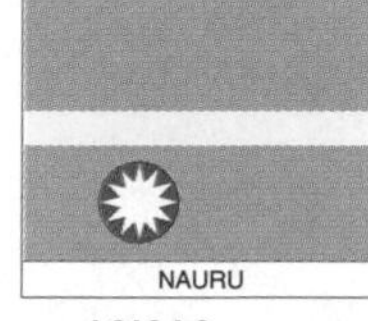
NAURU
19I010

NEW ZEALAND
19I011

NIUE
19I012

NORTH MARIANAS ISLANDS
19I013

OLD BURMA
19I014

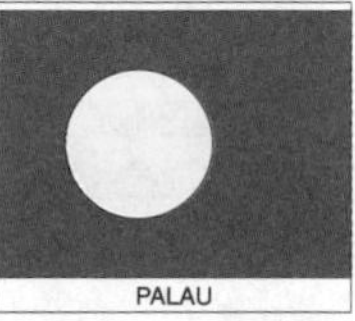
PALAU
19I015

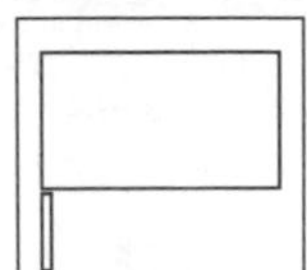

Flag
Drapeaux
Bandera
Flagge

Pacific
Pacifique
Pacífico
Pazifik

PAPUA NEW GUINEA
191016

PHILIPPINES
191017

SOLOMON ISLANDS
191018

TUVALU
191019

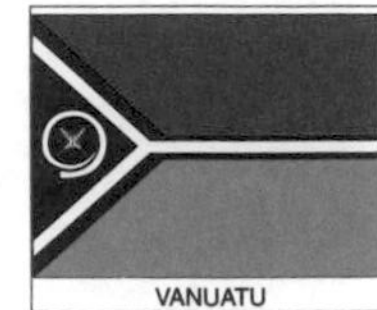
VANUATU
191020

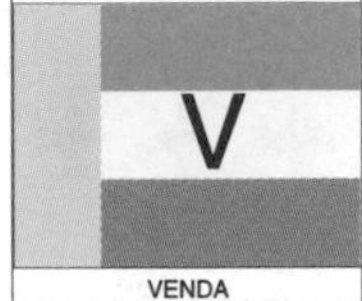
VENDA
191021

WESTERN SAMOA
191022

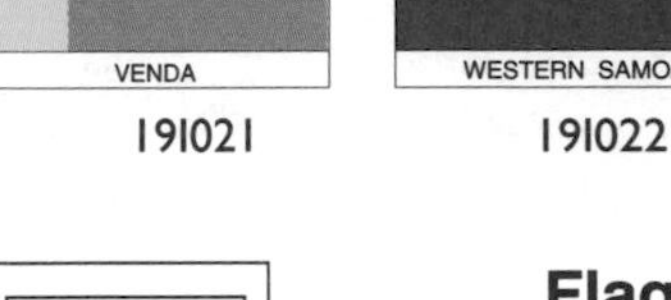

Flag
Drapeaux
Bandera
Flagge

South America
Amérique Latine
Sudamérica
Südamerika

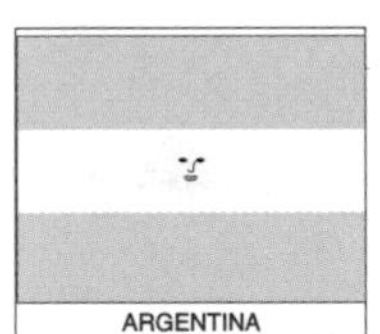
ARGENTINA
19J001

ARUBA
19J002

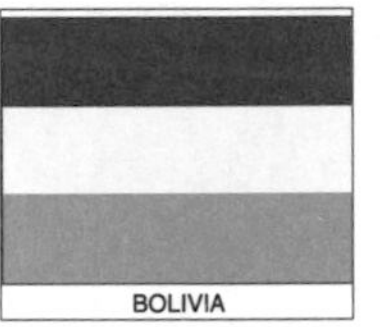
BOLIVIA
19J003

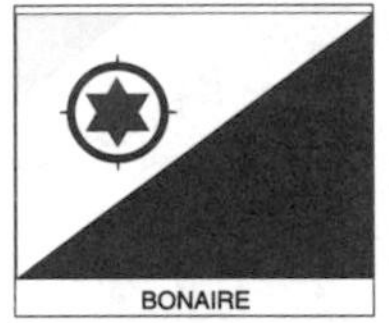
BONAIRE
19J004

BRAZIL
19J005

CHILE
19J006

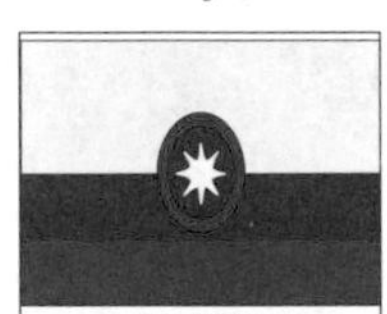
COLOMBIA
19J007

ECUADOR
19J008

FALKLAND ISLANDS
19J009

GUYANA
MISS

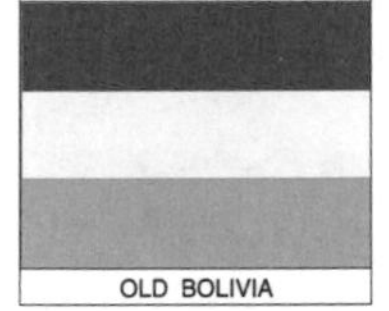
OLD BOLIVIA
19J010

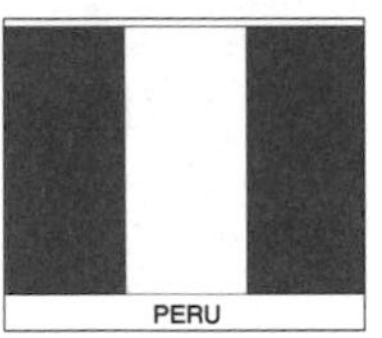
PERU
19J011

PARAGUAY (OBVERSE)
19J012

PARAGUAY (REVERSE)
19J013

SURINAM
19J014

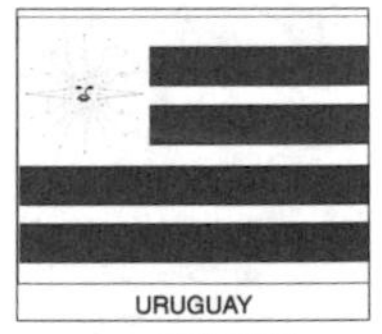
URUGUAY
19J015

VENEZUALA
19J016

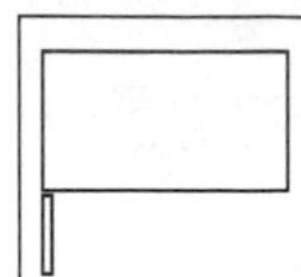

Flag
Drapeaux
Bandera
Flagge

United States
États-Unis
Estados-Unidos
USA

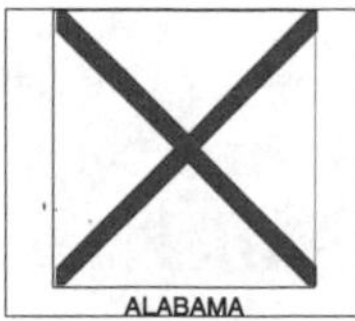

19K001

19K002

19K003

19K004

19K005

19K006

19K007

19K008

19K009

19K010

19K011

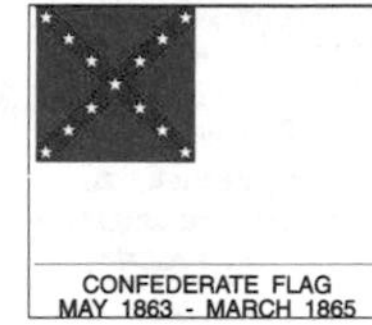

19K012

19K013

19K014

19K015

19K016

19K017

19K018

19K019

19K020

19K021

19K022

19K023

19K024

19K025

19K026

19K027

19K028

19K029

19K030

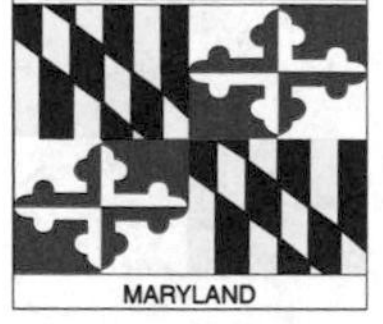

19K031

19K032

19K033

19K034

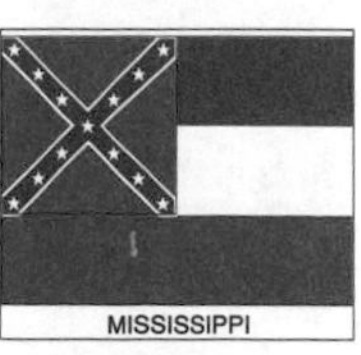

19K035

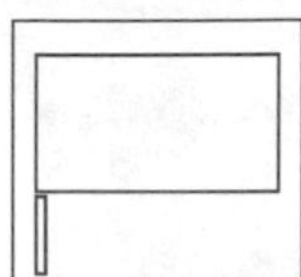

Flag
Drapeaux
Bandera
Flagge

United States
États-Unis
Estados-Unidos
USA

MISSOURI
19K036

MONTANA
19K037

NEBRASKA
19K038

NEVADA
19K039

NEW ENGLAND
19K040

NEW HAMPSHIRE
19K041

NEW JERSEY
19K042

NEW MEXICO
19K043

NEW YORK
19K044

NORTH DAKOTA
19K045

NORTH CAROLINA
19K046

NATIONAL FLAG
1775 - 1800
19K047

NATIONAL FLAG
JUNE 1777 - APRIL 1795
19K048

NATIONAL FLAG
JULY 1818 - SEPT. 1818
19K049

NATIONAL FLAG
JUNE 1777 - APRIL 1795
19K050

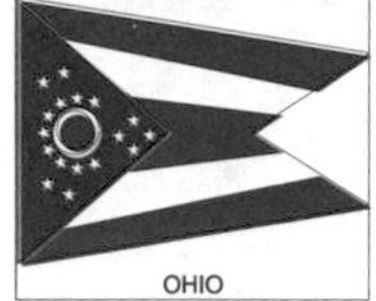
OHIO
19K051

OKLAHOMA
19K052

OREGON
19K053

19K054

PRESIDENT
19K055

RHODE ISLAND
19K056

SECRETARY of NAVY
19K057

SOUTH CAROLINA
19K058

SOUTH DAKOTA
19K059

TENNESSEE
19K060

TEXAS
19K061

UNITED STATES OF AMERICA
19K062

VIRGIN ISLANDS of the USA
19K063

UTAH
19K064

VERMONT
19K065

VIRGINIA
19K066

VICE PRESIDENT
19K067

WASHINGTON
19K068

WEST VIRGINIA
19K069

WISCONSIN
19K070

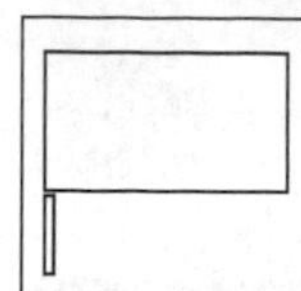

Flag
Drapeaux
Bandera
Flagge

United States
États-Unis
Estados-Unidos
USA

19K071

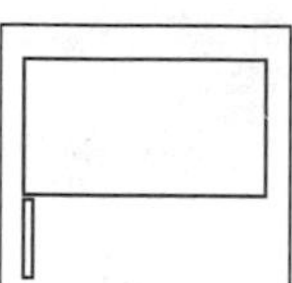

Flag
Drapeaux
Bandera
Flagge

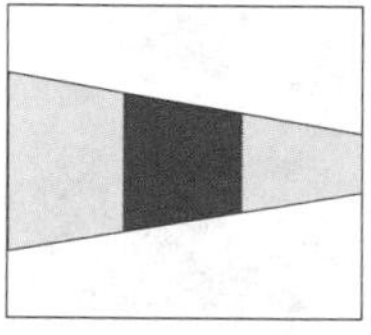

19M001

19M002

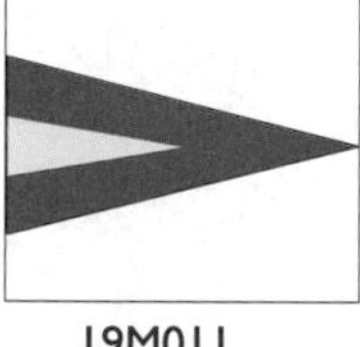

19M011

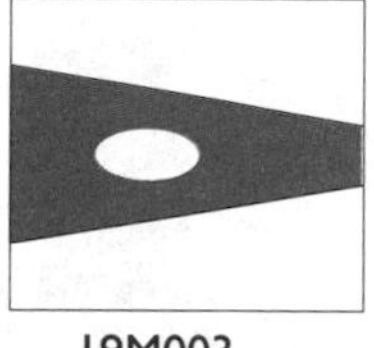

19M003

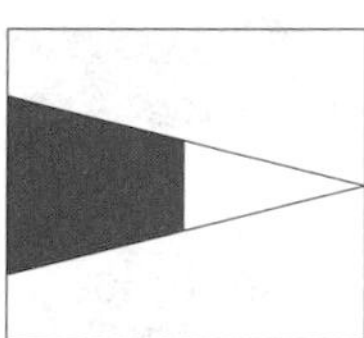

19M012

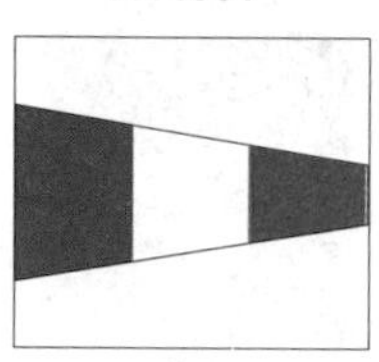

19M004

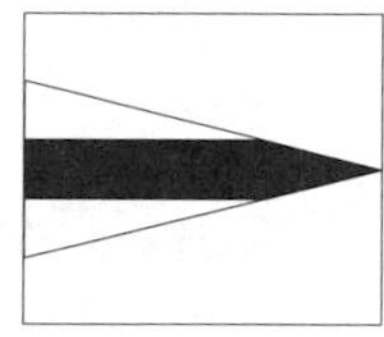

19M013

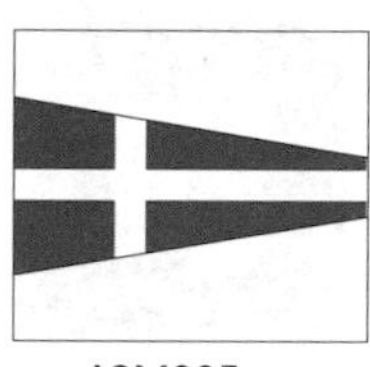

19M005

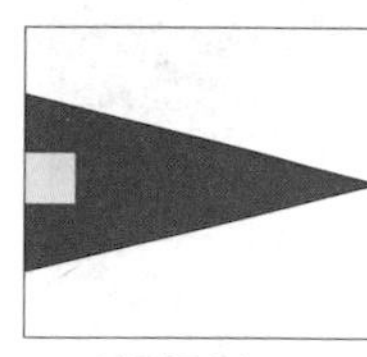

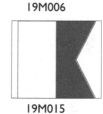

19M014

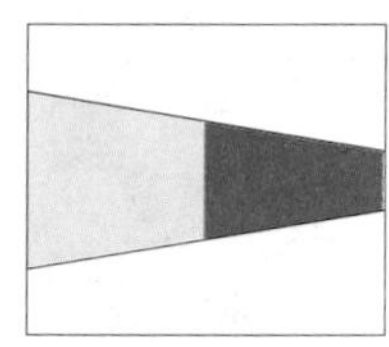

19M006

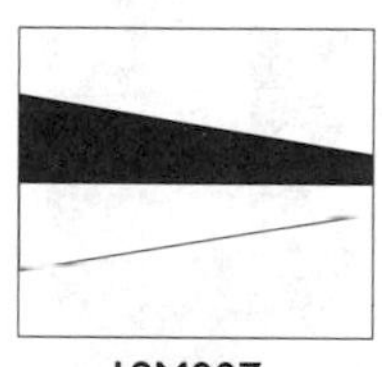

19M007

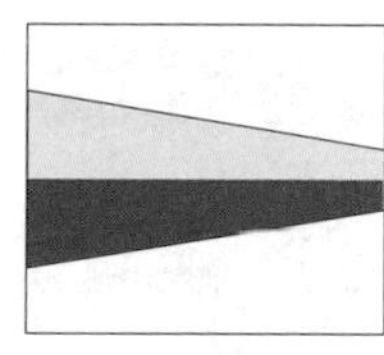

19M008

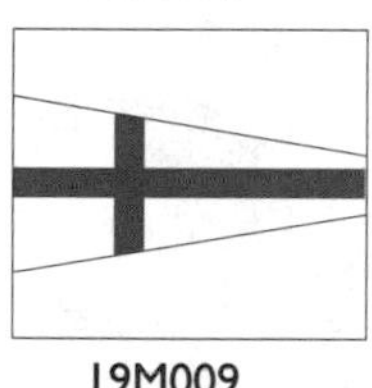

19M009

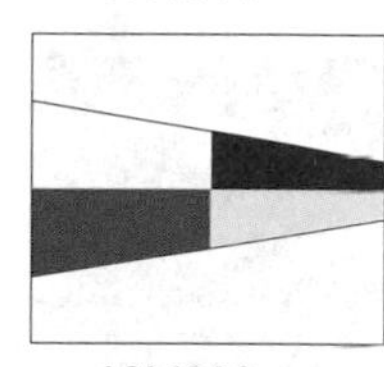

19M010

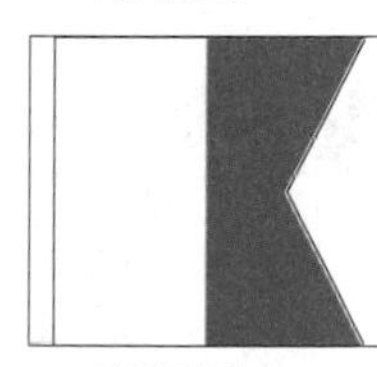

19M015

19M016

19M017

19M018

19M019

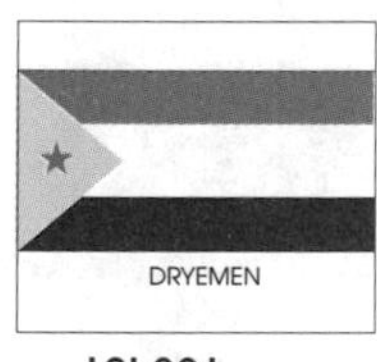

19L001

19M020

19L002

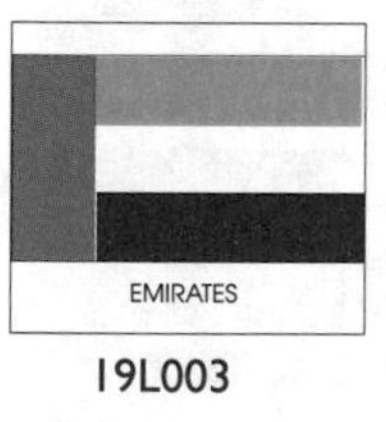

19L003

19N001

19N002

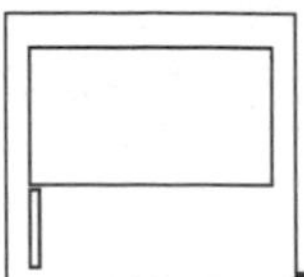

Flag
Drapeaux
Bandera
Flagge

19M021

19M022

19M023

19M024

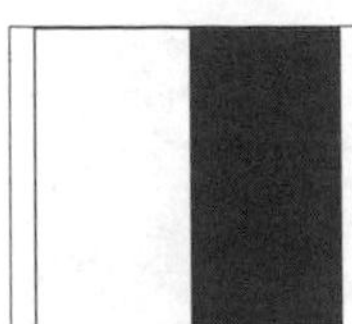
19M025

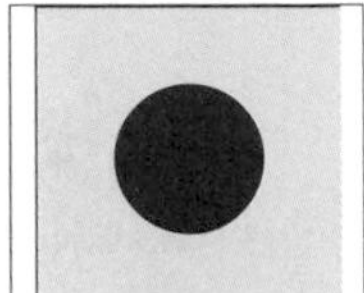
19M026

19L004

19L005

19L006

19L007

19M027

19M028

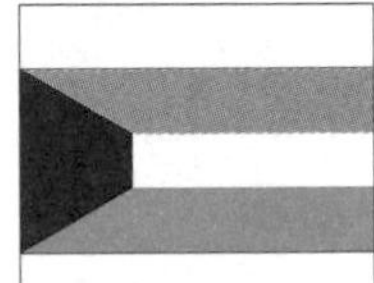
19L008

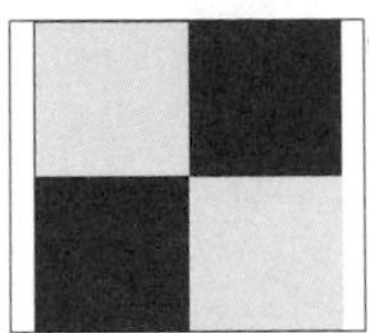
19M029

19M030

19M031

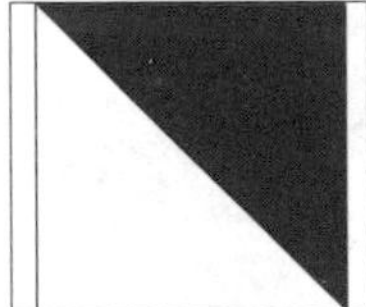
19M032

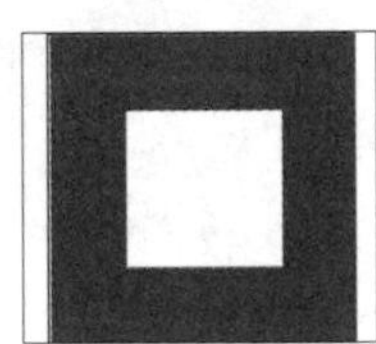
19M033

19M034

19M035

19L009

19M036

19M037

19L010

19M038

19L011

19M039

19N003

19N004

19N005

19M040

19M041

19M042

19M043

19L012

Food
Alimenation
Comida
Lebensmittel

Drinks
Breuvage
Bebidas
Getränke

20A001

20A002

20A003

20A004

20A005

20A006

20A007

20A008

20A009

20A010

20A011

20A012

20A013

20A014

20A015

20A016

Food
Alimentation
Comida
Lebensmittel

Fruit & Vegetable
Fruits et Légumes
Frutas y veg
Obst & Gemüse

20B001

20B002

20B003

20B004

20B005

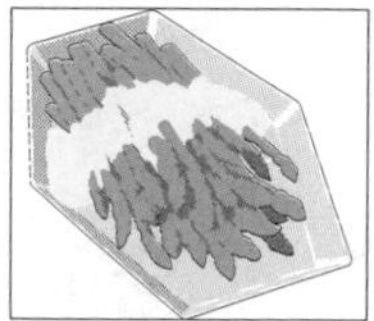
20B006

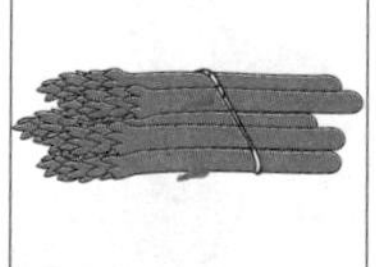
20B007

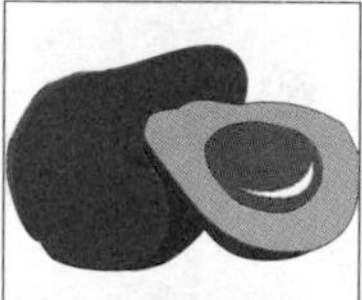
20B008

20B009

20B010

Food
Alimentation
Comida
Lebensmittel

Fruit & Vegetable
Fruits et Légumes
Frutas y veg
Obst & Gemüse

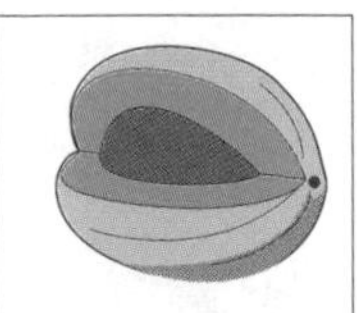

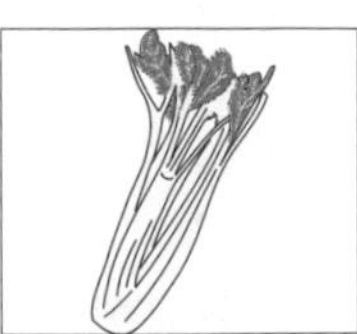

20B011 20B012 20B013 20B014 20B015

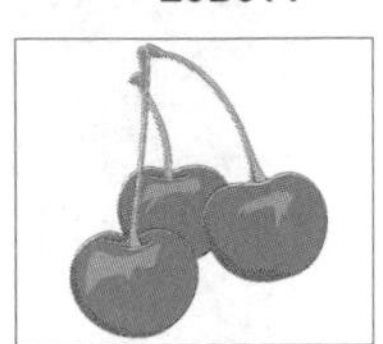

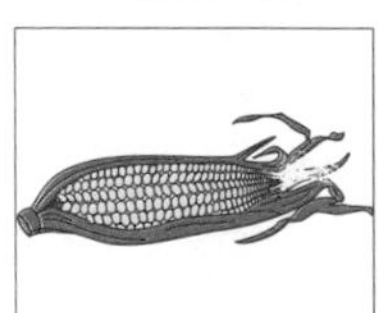

20B016 20B017 20B018 20B019 20B020

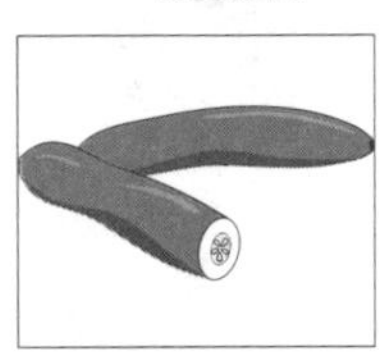
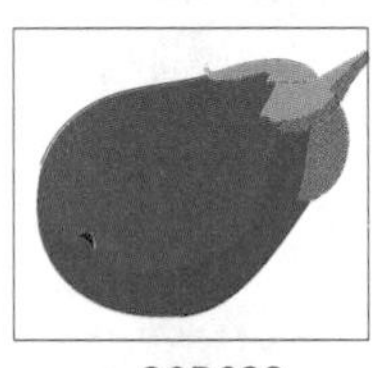

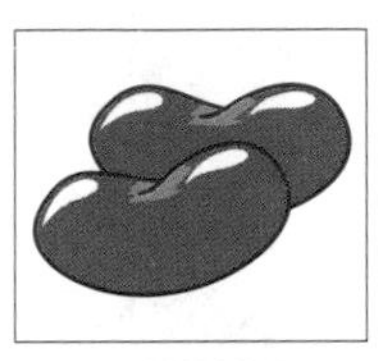

20B021 20B022 20B023 20B024 20B025

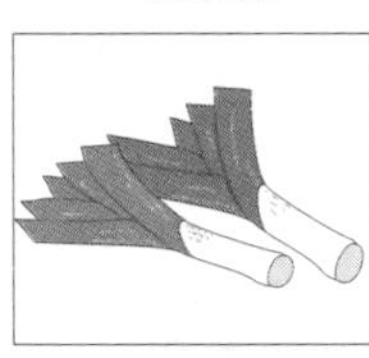
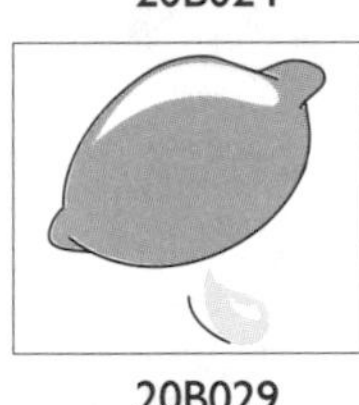
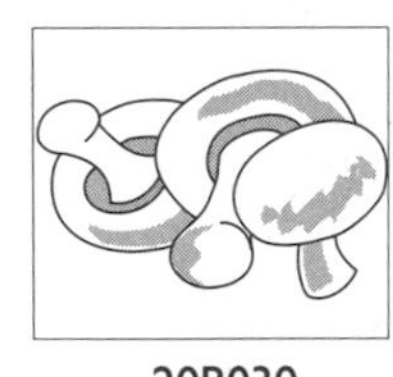

20B026 20B027 20B028 20B029 20B030

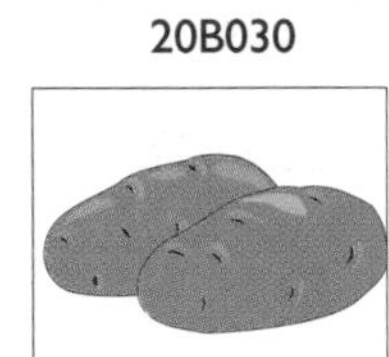

20B031 20B032 20B033 20B034 20B035

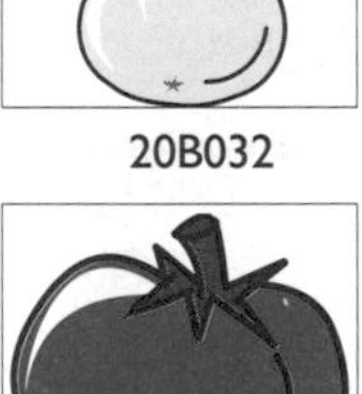

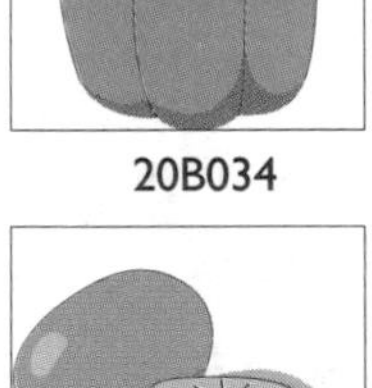
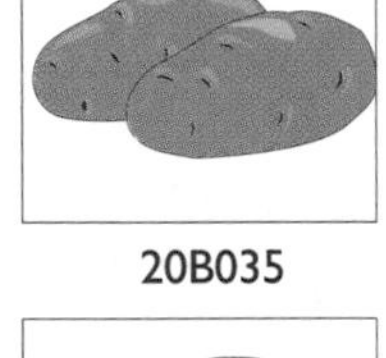
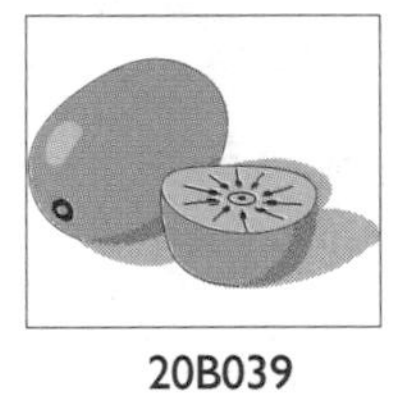
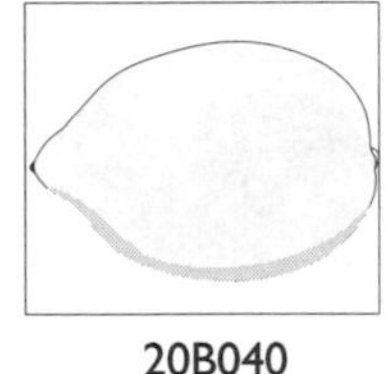

20B036 20B037 20B038 20B039 20B040

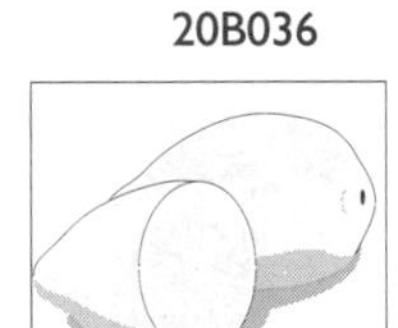
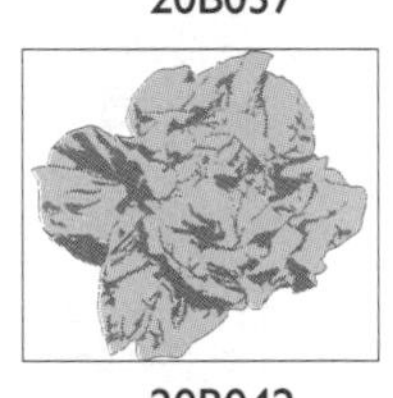
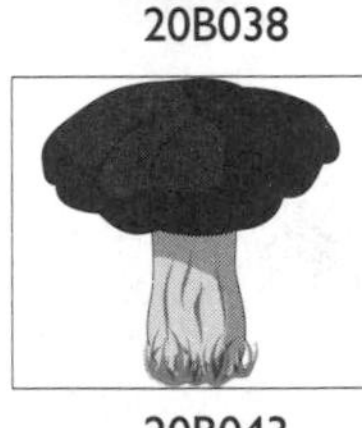
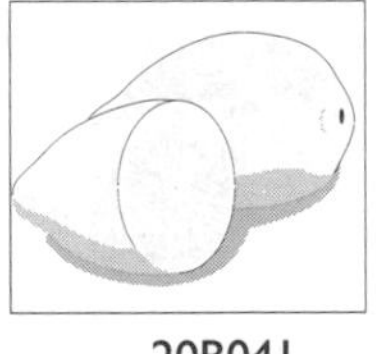
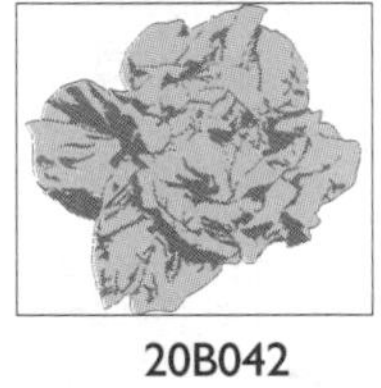

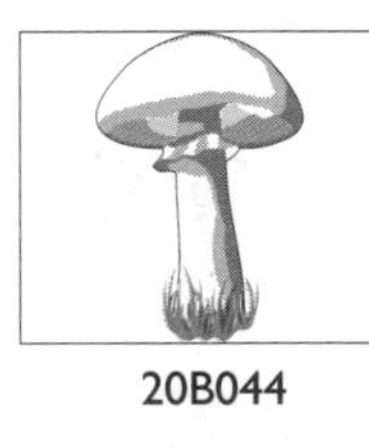
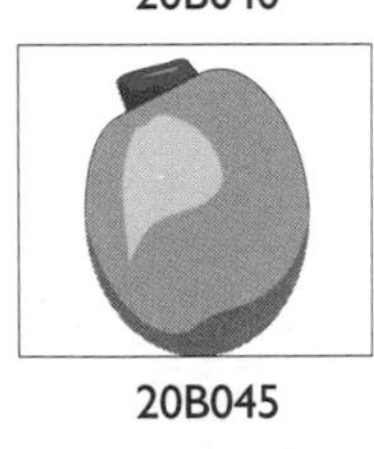

20B041 20B042 20B043 20B044 20B045

Food
Alimenation
Comida
Lebensmittel

Fruit & Vegetable
Fruits et Légumes
Frutas y veg
Obst & Gemüse

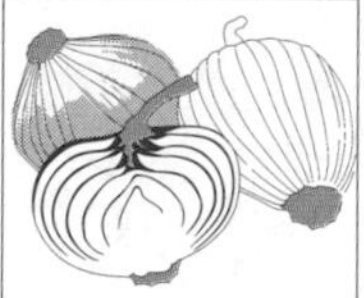
20B046

20B047

20B048

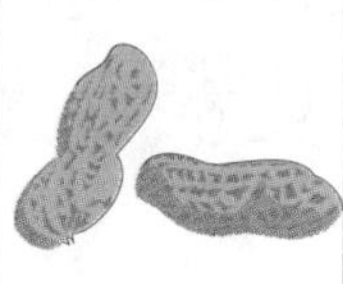
20B049

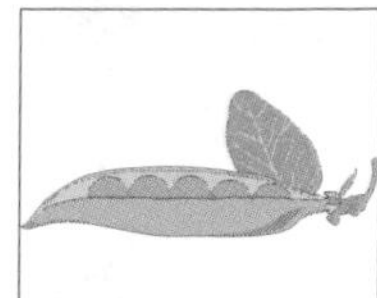
20B050

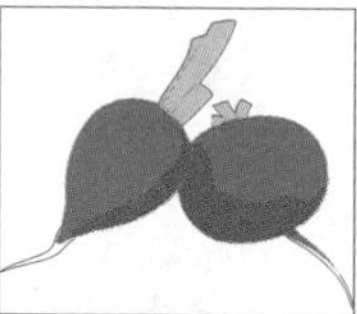
20B051

20B052

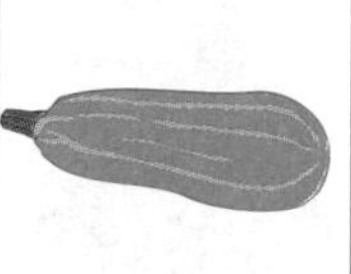
20B053

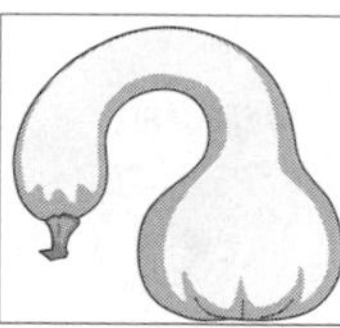
20B054

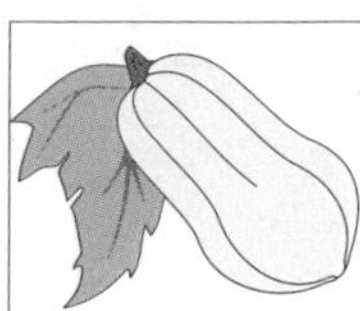
20B055

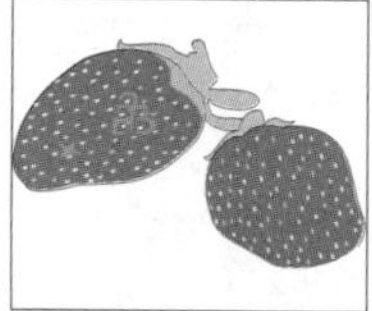
20B056

20B057

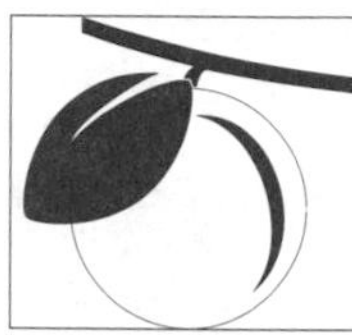
20B058

20B059

20B060

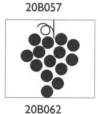

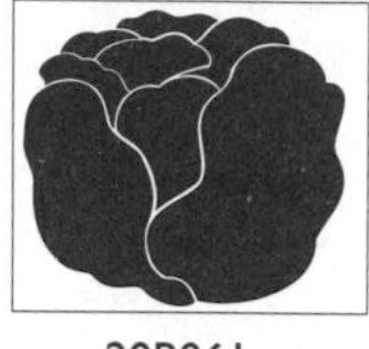
20B061

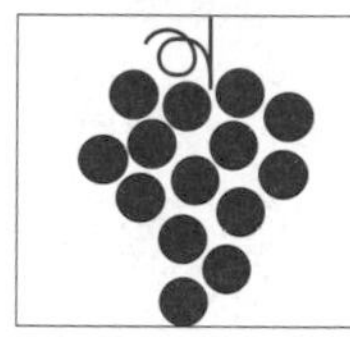
20B062

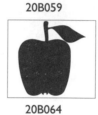

20B063

20B064

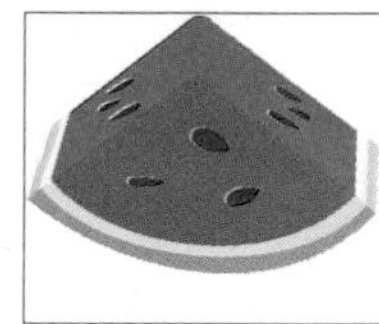
20B065

Food
Alimentation
Comida
Lebensmittel

Products
Produits
Productos
Molkereiprodukte

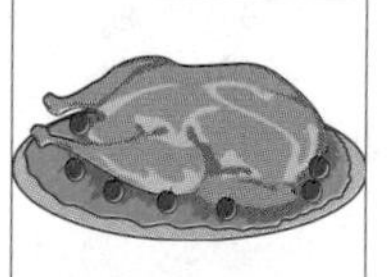
20C001

20C002

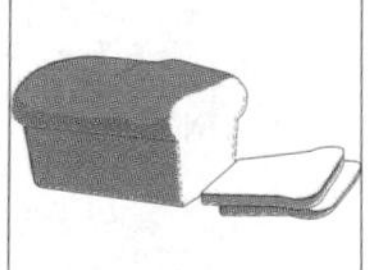
20C004

20C005

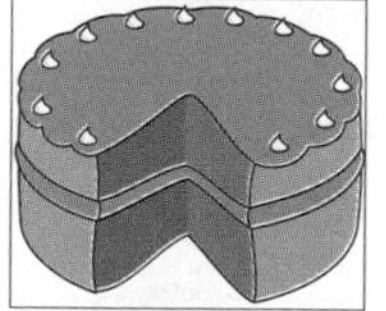
20C006

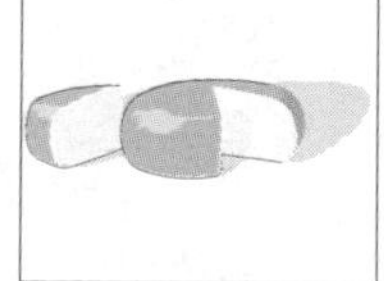
20C007

20C008

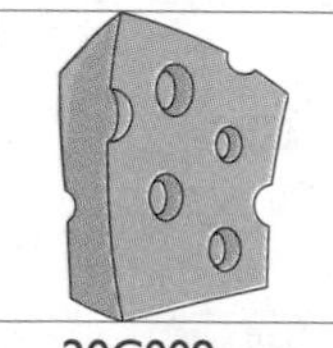
20C009

20C010

20C011

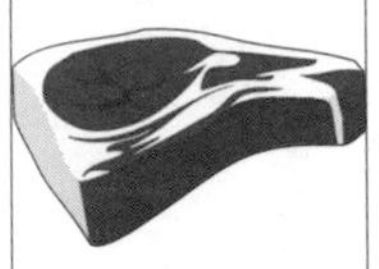
20C012

20C013

20C014

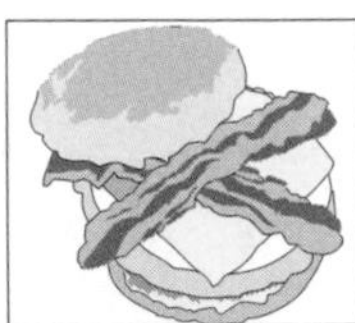
20C015

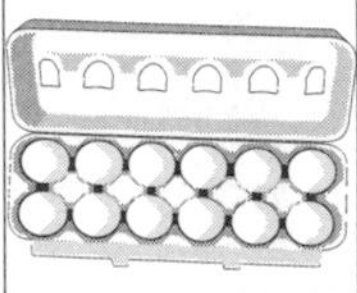
20C016

20C017

20C018

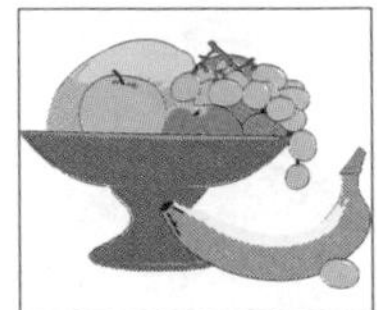
20C019

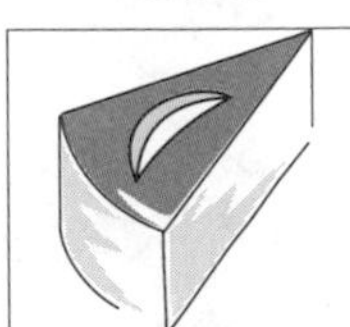
20C020

20C021

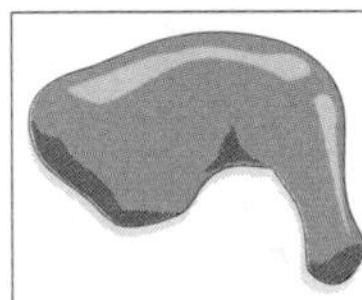
20C022

20C023

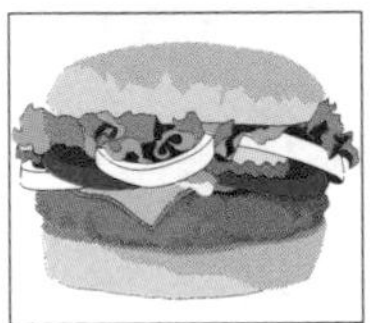
20C024

20C025

20C026

20C027

20C028

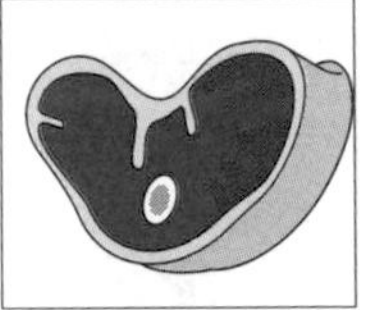
20C029

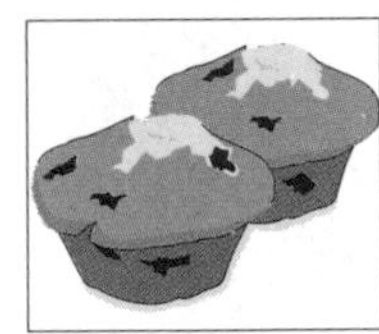
20C030

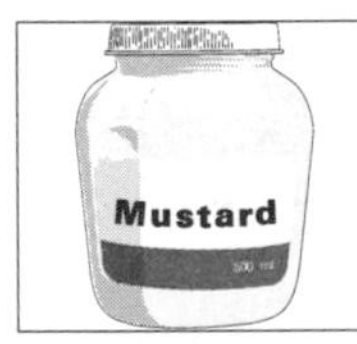

20C031

20C032

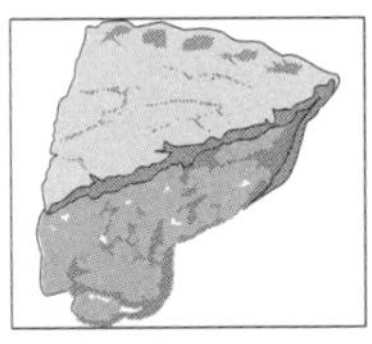
20C033

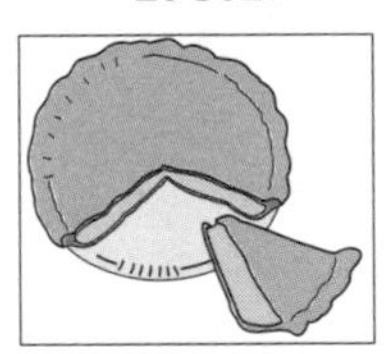
20C034

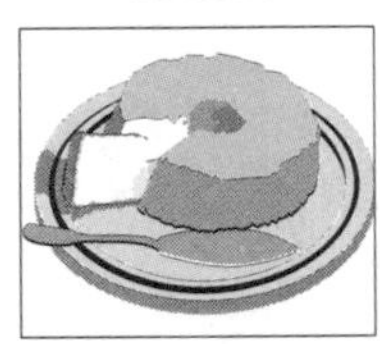
20C035

20C036

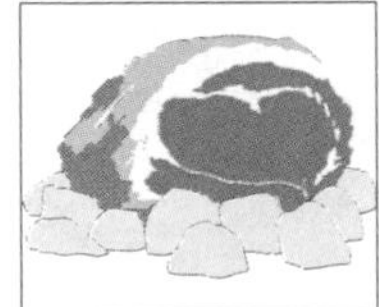
20C037

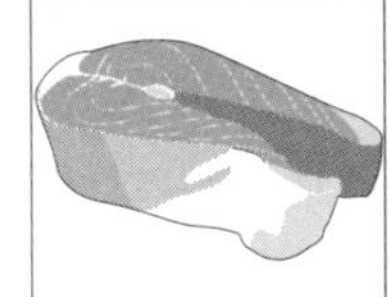
20C038

20C039

20C040

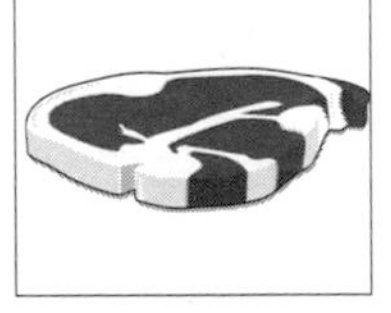
20C042

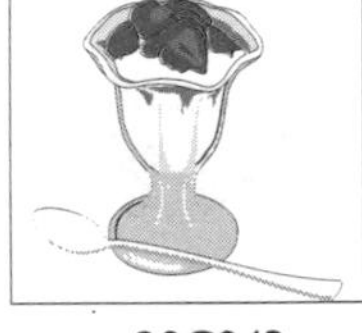
20C043

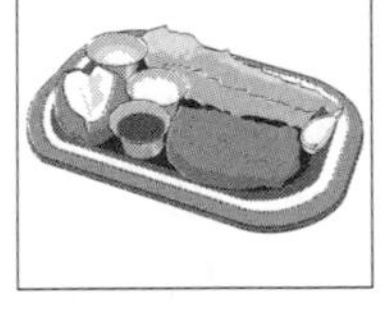
20C044

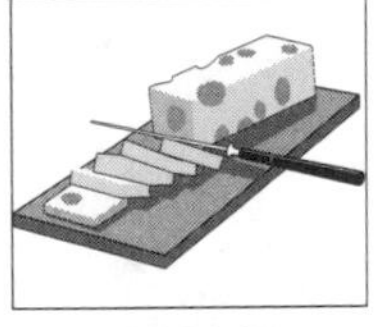
20C045

Food
Alimentation
Comida
Lebensmittel

Products
Produits
Productos
Molkereiprodukte

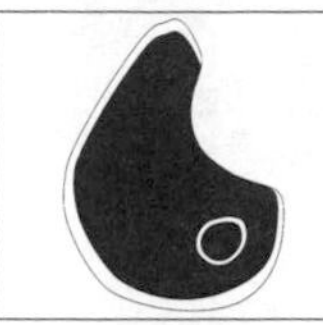
20C046

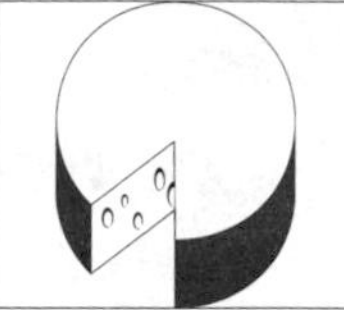
20C047

20C048

20C049

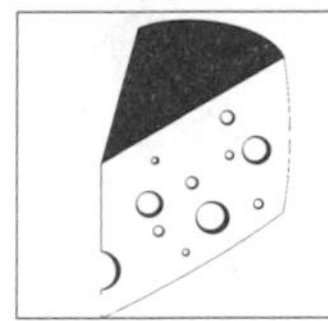
20C050

20C051

20C052

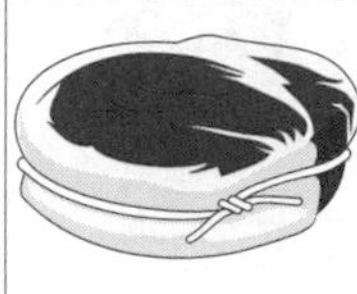
20C053

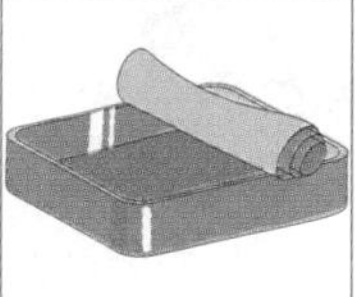
20C054

20C055

Food
Alimentation
Comida
Lebensmittel

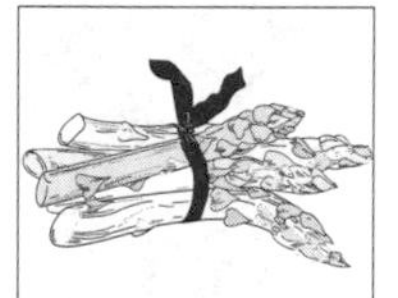
20E001

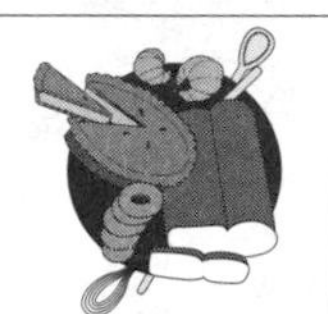
20F001

20D001

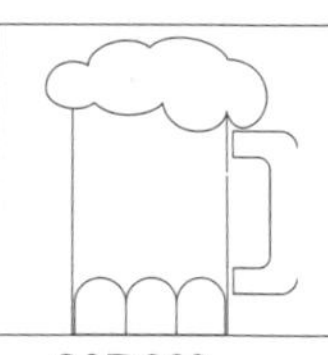
20D002

20F002

20E002

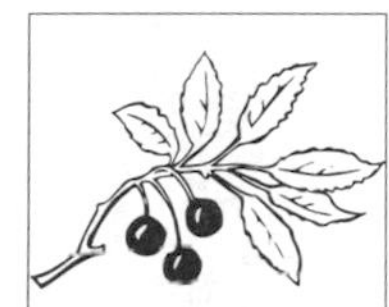
20E003

20D003

20D004

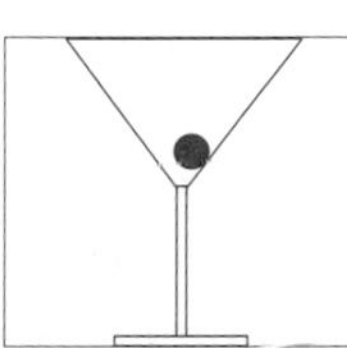
20D005

20E004

20E005

20E006

20F003

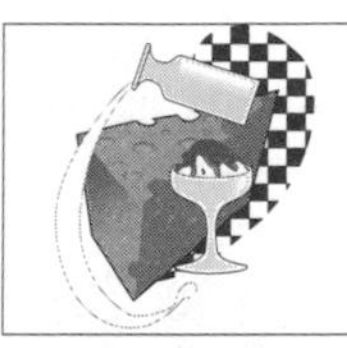
20F004

20F005

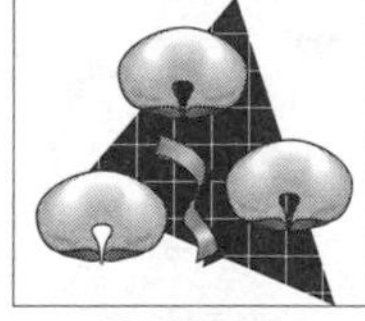
20F006

20F007

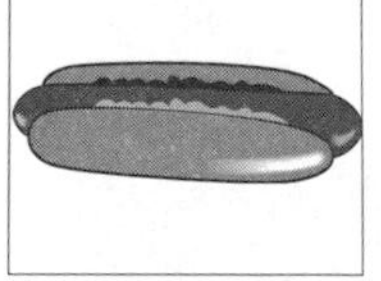
20F008

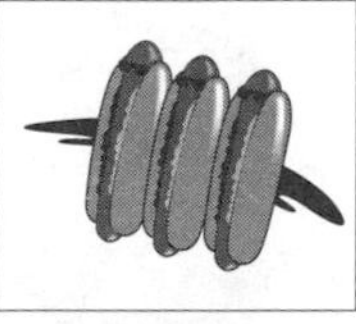
20F009

20F010

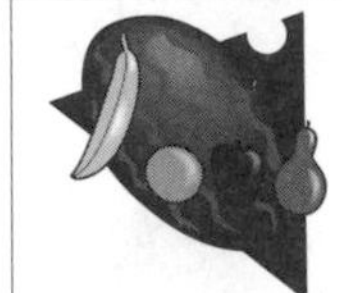
2E007

20F011

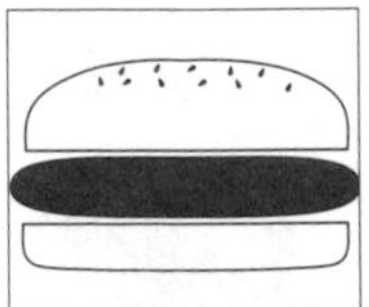
20F012

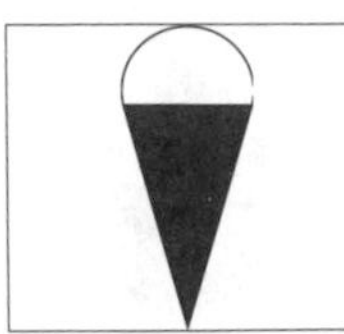
20F013

20F014

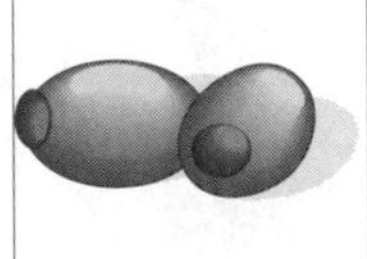
20E008

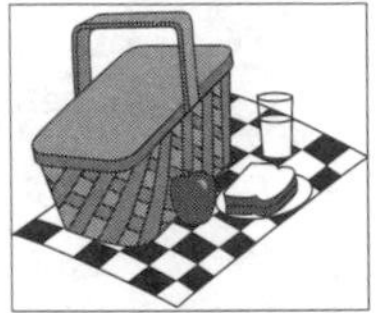
20F015

20F016

20F017

20F018

20F019

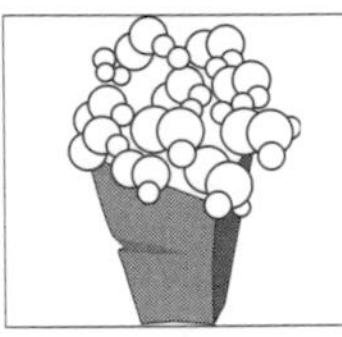
20F020

20F021

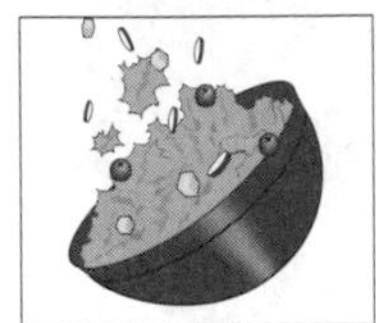
20F022

20F023

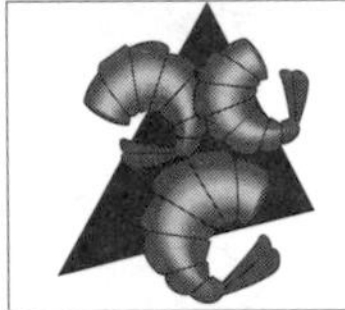
20F024

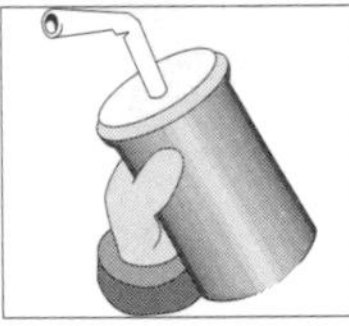
20D006

20F025

20F026

20F027

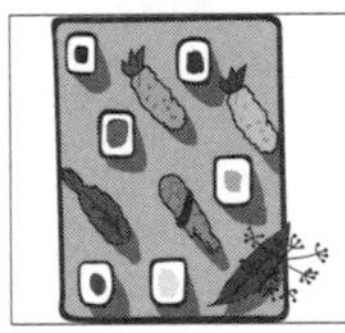
20F028

20D007

20E009

20D008

Food
Alimenation
Comida
Lebensmittel

Drinks
Breuvage
Bebidas
Getränke

20G001	20G002	20G003	20G004	20G005

20G006	20G007	20G008		

Food
Alimenation
Comida
Lebensmittel

Fruit & Vegetable
Fruits et Légumes
Frutas y veg
Obst & Gemüse

		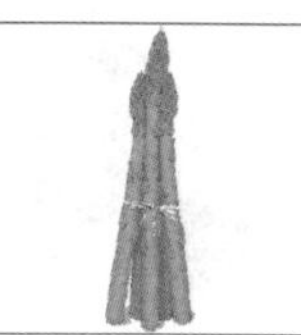	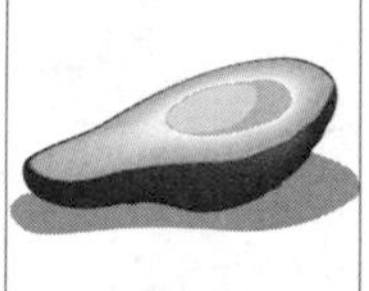	
20H001	20H002	20H003	20H004	20H005
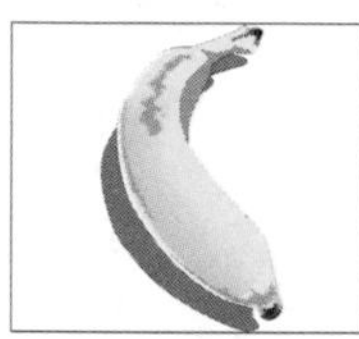				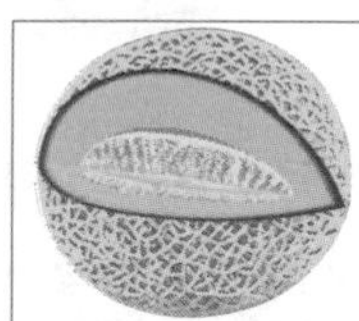
20H006	20H007	20H008	20H009	20H010
		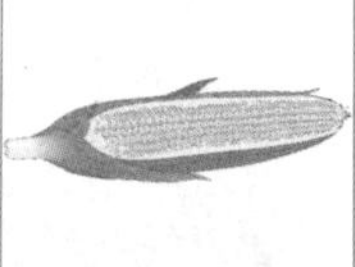		
20H011	20H012	20H013	20H014	20H015
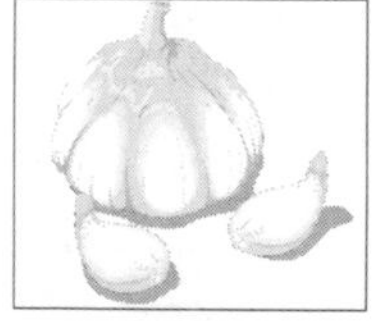			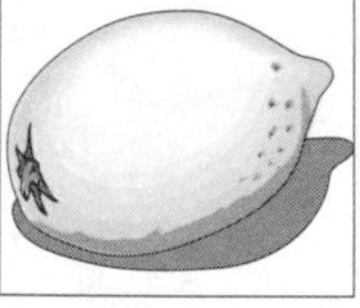	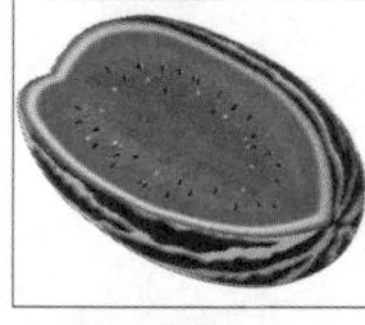
20H016	20H017	20H018	20H019	20H020

20H021

20H022

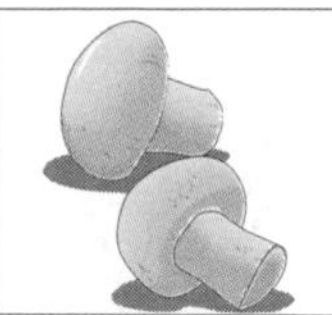
20H023

20H024

20H025

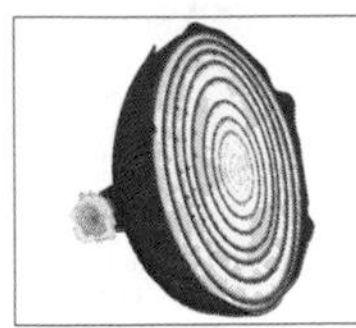
20H026

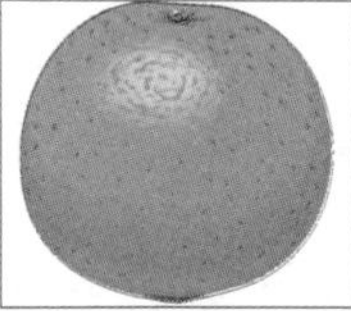
20H027

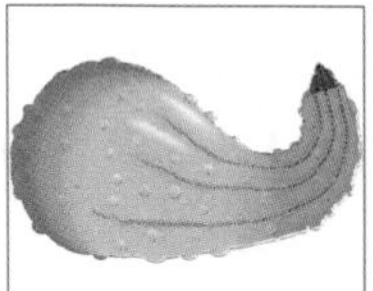
20H028

20H029

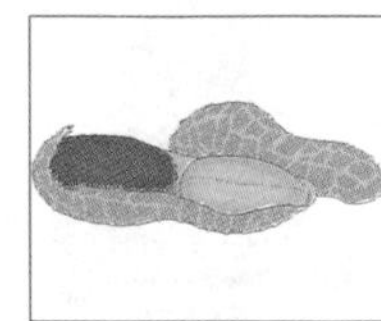
20H030

20H031

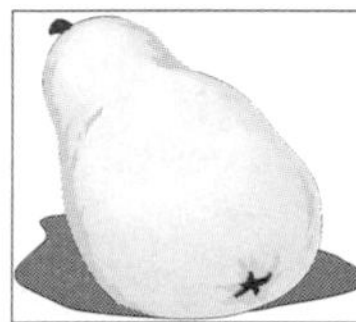
20H032

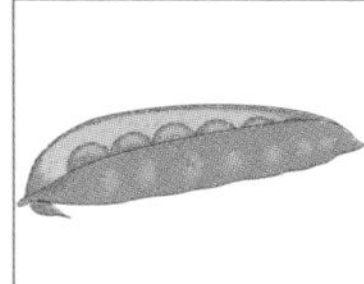
20H033

20H034

20H035

20H036

20H037

20H038

20H039

20H040

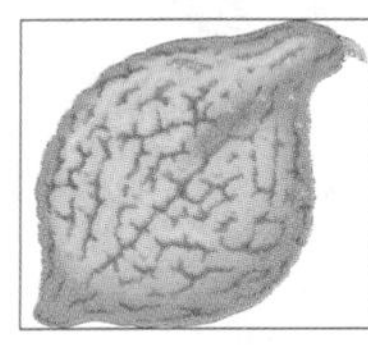
20H041

20H042

Food
Alimenation
Comida
Lebensmittel

Products
Produits
Productos
Molkereiprodukte

201001

201002

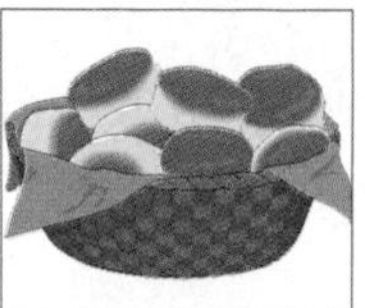

201003

201004

201005

201006

201007

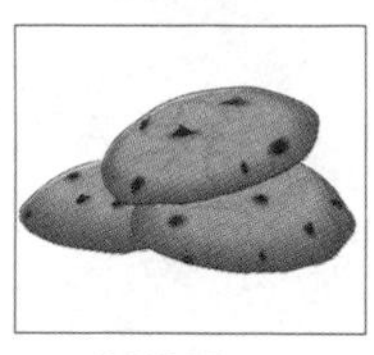

201008

201009

201010

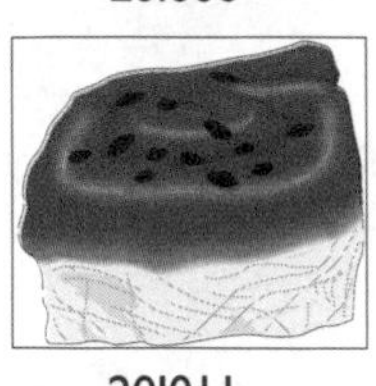

201011

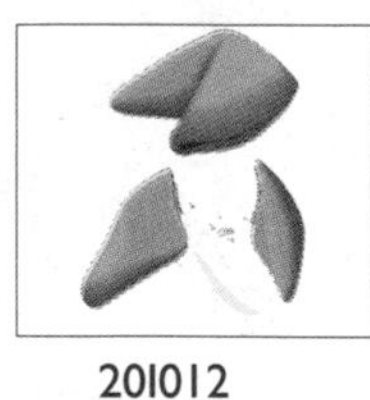

201012

201013

201014

201015

201016

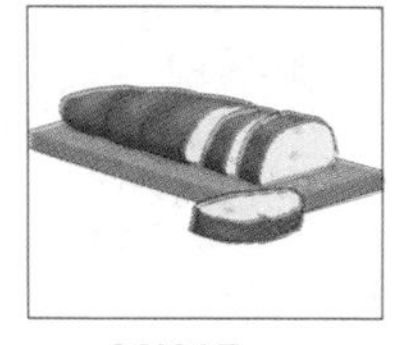

201017

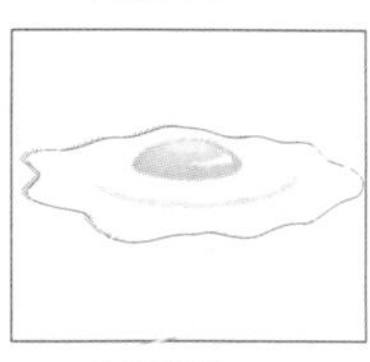

201018

201019

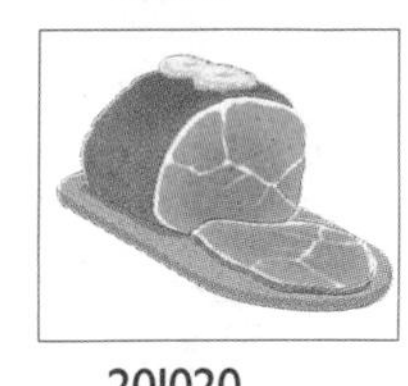

201020

201021

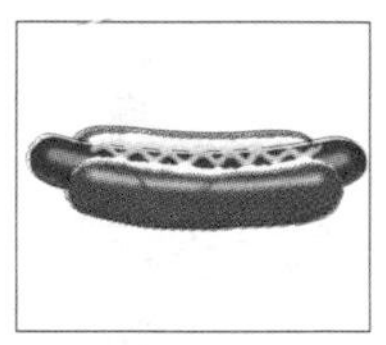

201022

201023

201024

201025

201026

201027

201028

201029

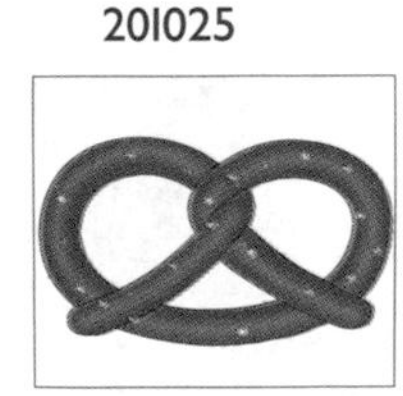

201030

201031

201032

201033

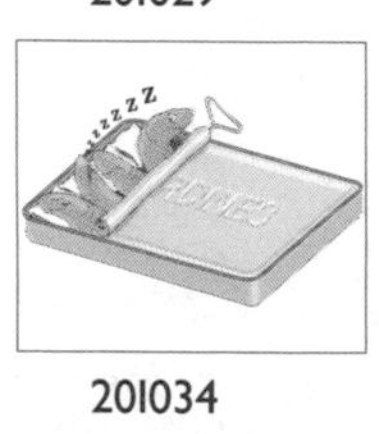

201034

201035

Holiday
Festivités
Festivo
Feiertage

21A001

21A002

21A004

21A005

21A006

21A007

21A008

21A009

21A010

21A011

21A012

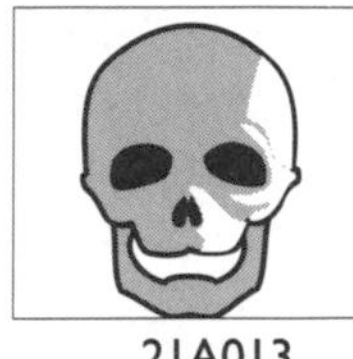
21A013

21A014

21A015

21A016

21A017

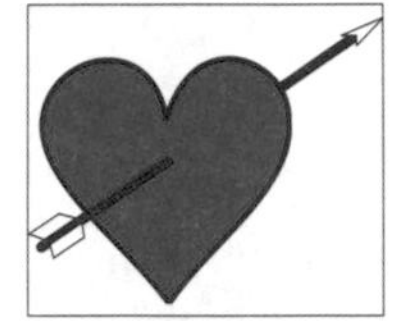
21A018

21A019

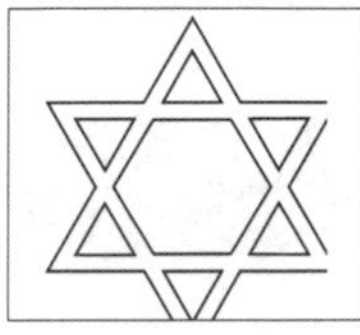
21A020

21A021

21A022

21A023

21A024

21A025

21A026

21A027

21A028

21A029

21A030

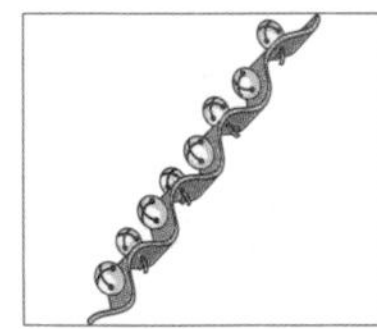
21A031

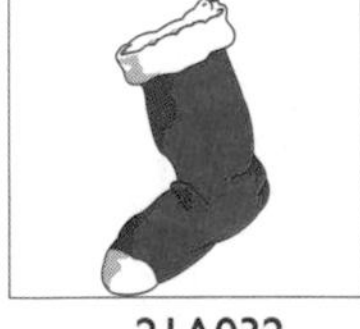
21A032

21A033

21A034

21A035

Holiday
Festivités
Festivo
Feiertage

21A036

21A037

21A038

21A039

21A040

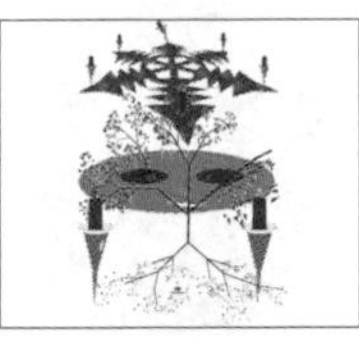
21A041

Holiday
Festivités
Festivo
Feiertage

21B001

21B002

21B003

21B004

21B005

21B006

21B007

21B008

21B009

21B010

21B011

21B012

21B013

21B014

21B015

21B016

21B017

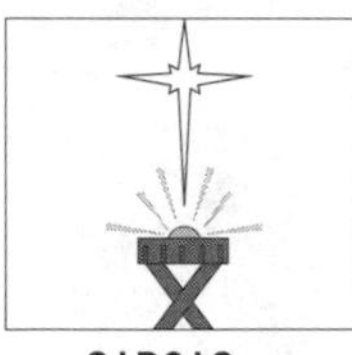
21B018

21B019

21B020

Holiday
Festivités
Festivo
Feiertage

21B021

21B022

21B023

21B024

21B025

21B026

21B027

21B028

21B029

21B030

21B031

21B032

21B033

21B034

21B035

21B036

21B037

Holiday
Festivités
Festivo
Feiertage

21C001

21C002

21C003

21C004

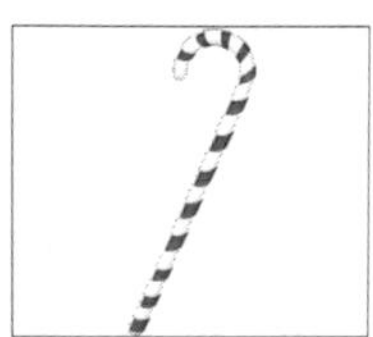
21C005

21C006

21C007

21C008

21C009

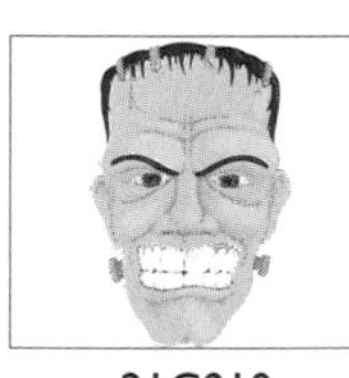
21C010

Holiday
Festivités
Festivo
Feiertage

 21C011	 21C012	 21C013	 21C014	 21C015
 21C016	 21C017	 21C018	 21C019	 21C020
 21C021	 21C022	 21C023	 21C024	 21C025
 21C026	 21C027	 21C028	 21C029	 21C030
 21C031	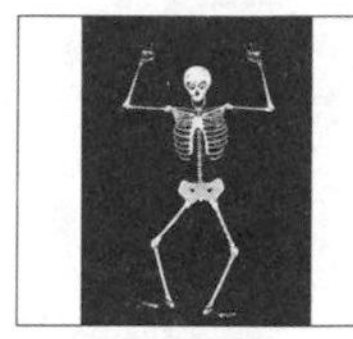 21C032	 21C033	 21C034	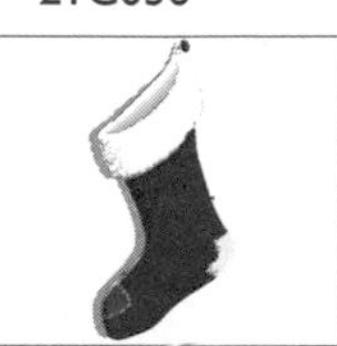 21C035
 21C036	 21C037	 21C038	 21C039	 21C040
 21C041	 21C042	 21C043	 21C044	 21C045

Holiday
Festivités
Festivo
Feiertage

21C046

21C047

21C048

21C049

21C050

21C051

21C052

Home
Domicile
Edificios
Zuhause

22A003

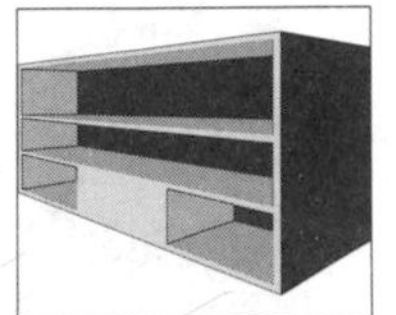
22A004

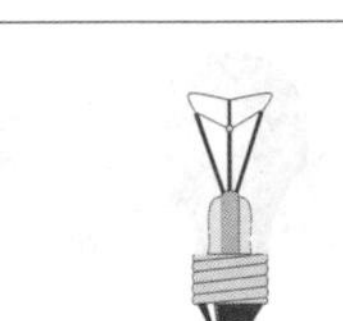
22A005

22A007

22A008

22A009

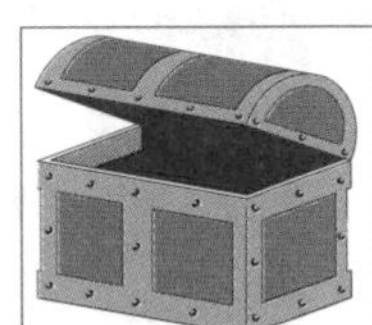
22A010

22A011

22A012

22A013

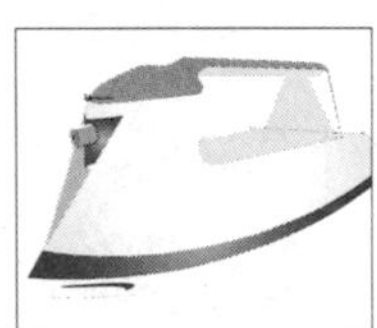
22A015

22A016

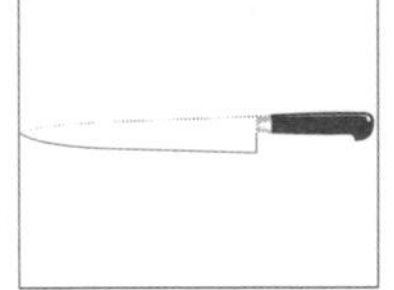
22A017

22A018

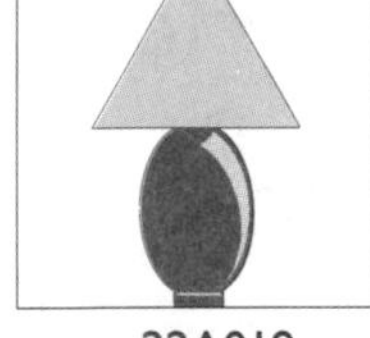
22A019

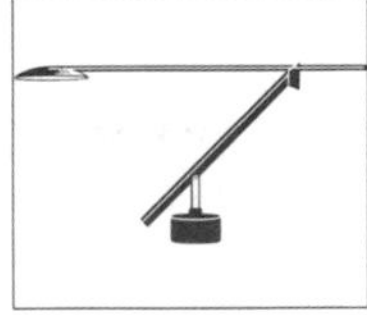
22A020

Home
Domicile
Edificios
Zuhause

22A021

22A022

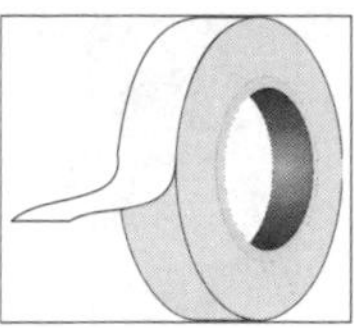
22A023

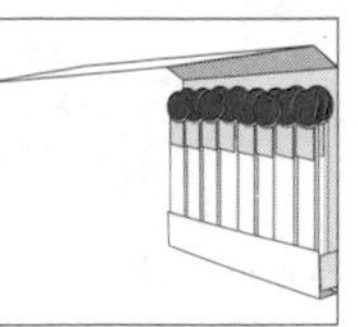
22A024

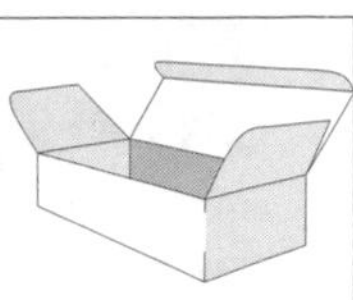
22A025

22A026

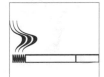

22A027

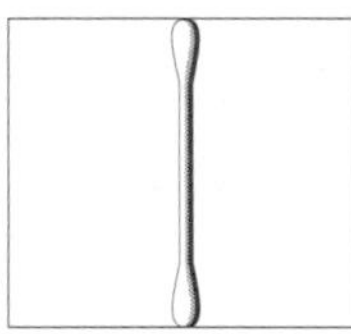
22A028

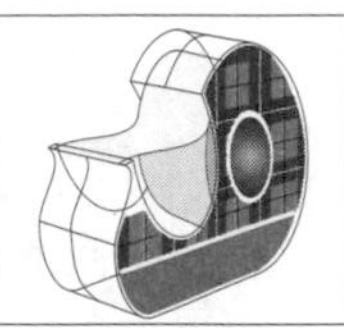
22A029

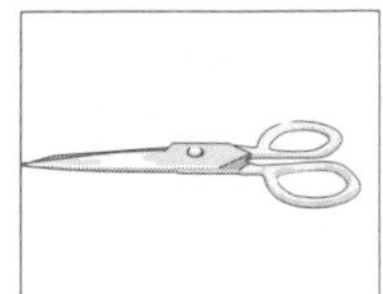
22A030

22A031

22A032

22A033

22A034

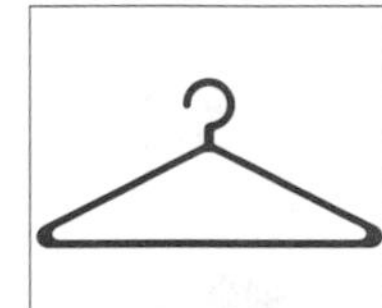
22A035

22A036

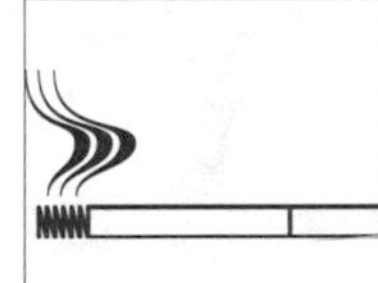
22A037

22A038

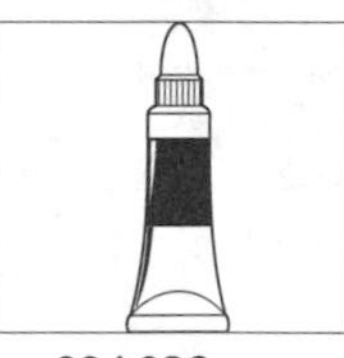
22A039

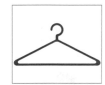

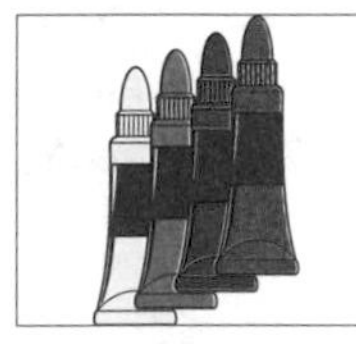
22A040

22A041

22A042

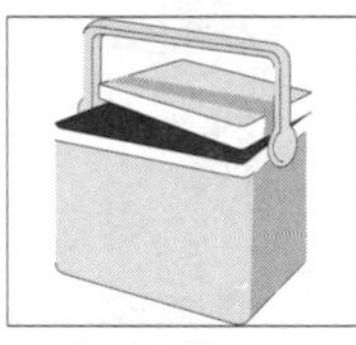
22A043

22A044

22A045

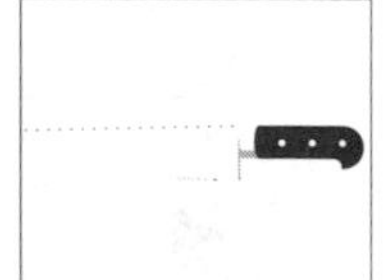
22A046

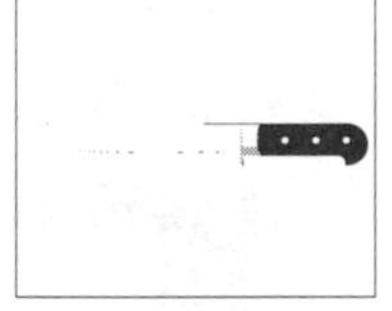
22A047

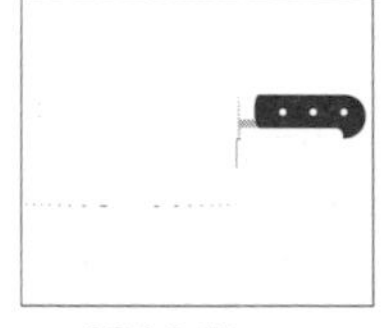
22A048

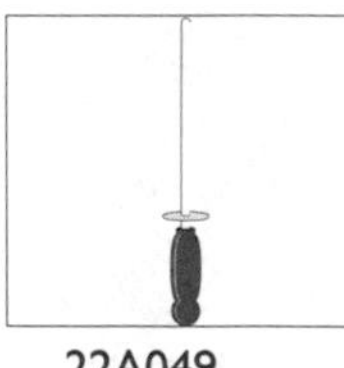
22A049

22A050

22A051

22A052

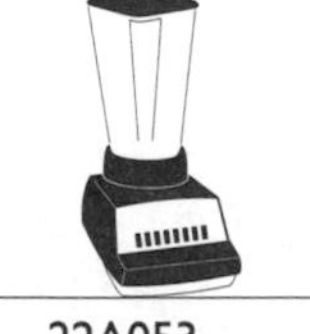
22A053

22A054

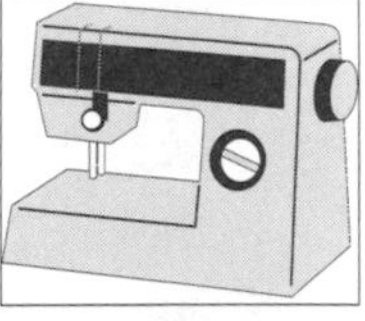
22A055

Home
Domicile
Edificios
Zuhause

22A056

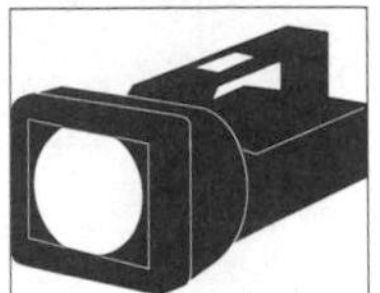
22A057

22A058

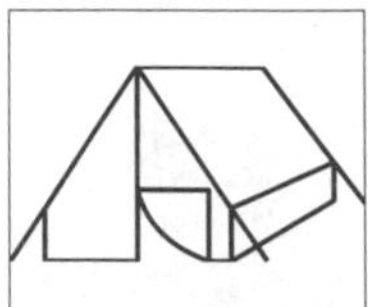
22A059

22A060

22A061

22A062

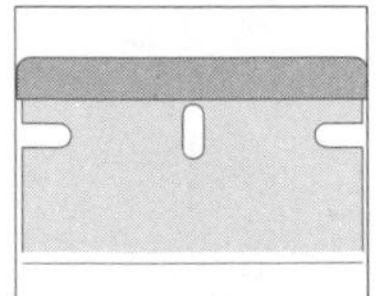
22A063

22A064

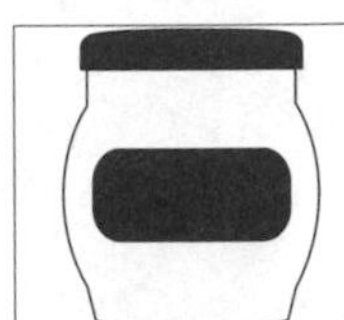
22A065

22A066

22A067

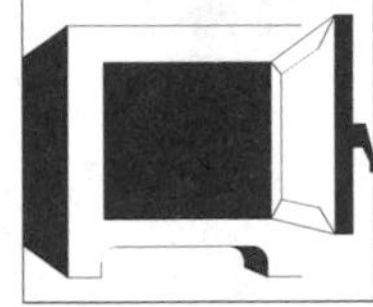
22A068

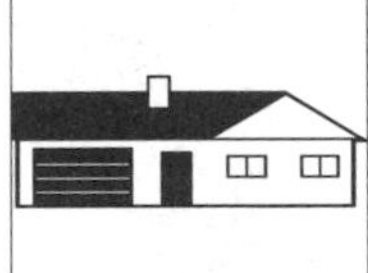
22A069

22A070

22A071

22A072

22A073

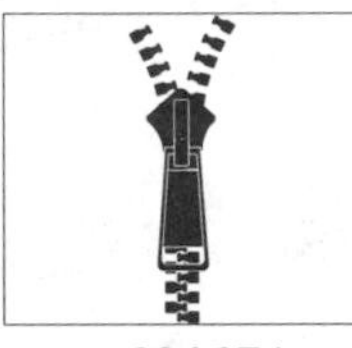
22A074

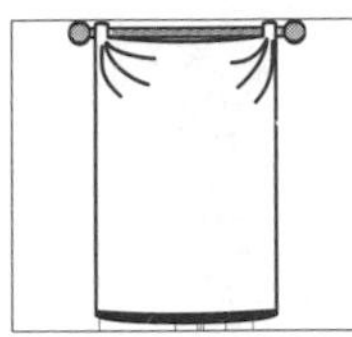
22A075

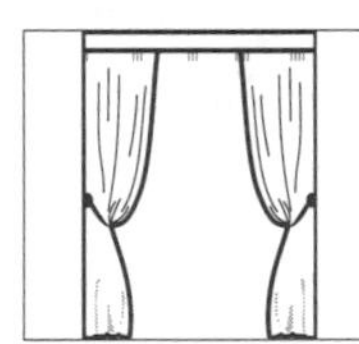
22A076

22A077

22A078

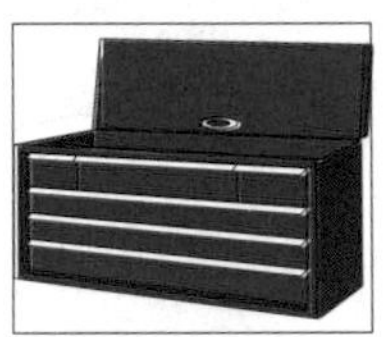
22A079

22A080

22A081

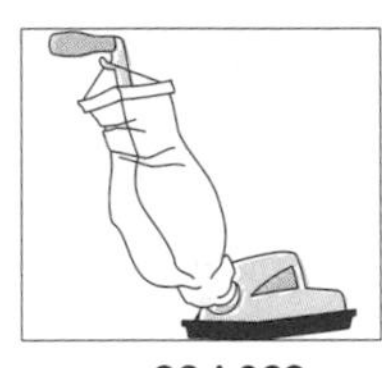
22A082

22A084

22A085

Home
Domicile
Edificios
Zuhause

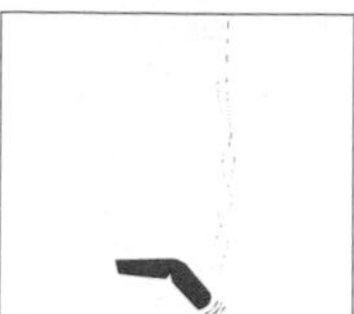
22B001

22B002

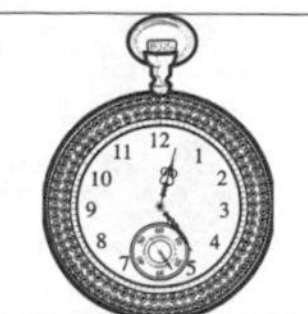
22B003

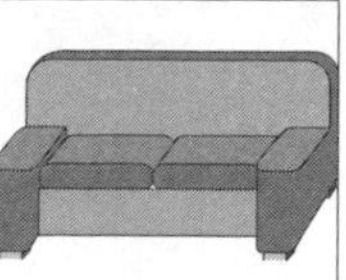
22B004

22B005

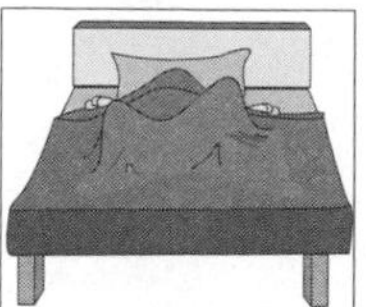
22B006

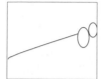

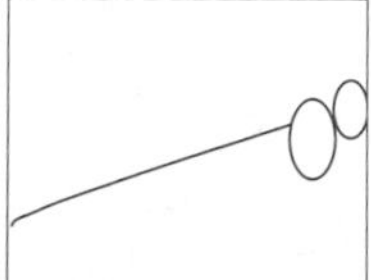
22B007

22B008

22B009

22B010

22B011

22B012

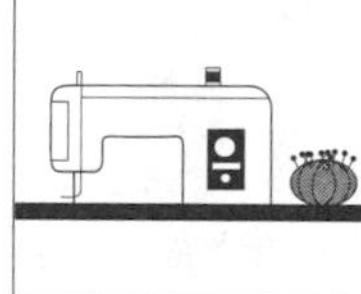
22B013

22B014

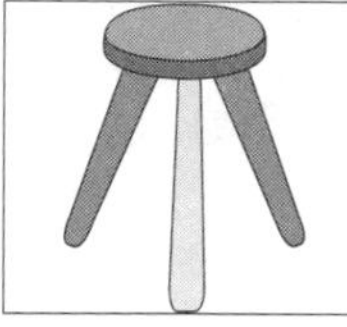
22B015

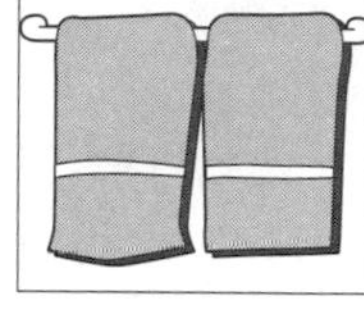
22B016

22B017

Home
Domicile
Edificios
Zuhause

22C001

22C002

22C003

22C004

22C005

22C006

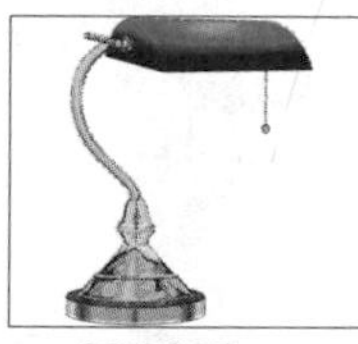
22C007

22C008

22C009

22C010

Home
Domicile
Edificios
Zuhause

22C011

22C012

22C013

22C014

Insect
Insecte
Insecto
Insekten

23A001

23A002

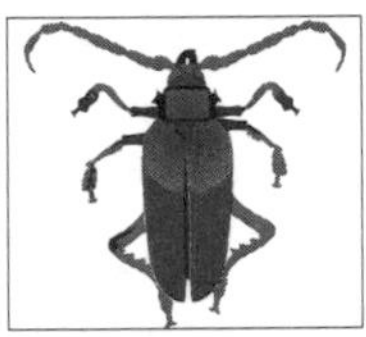
23A003

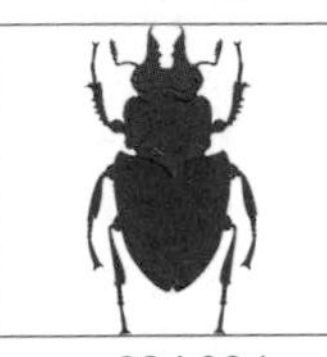
23A004

23A005

23A006

23A007

23A008

23A009

23A010

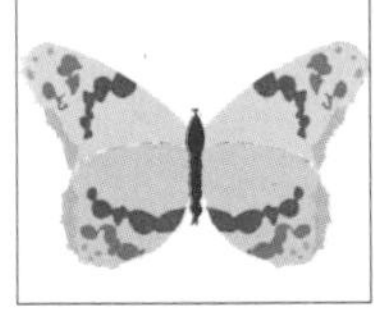
23A011

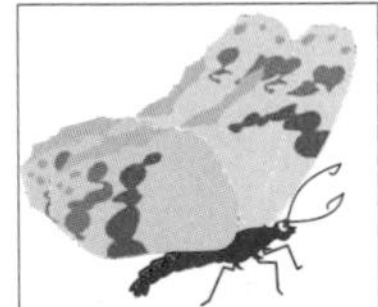
23A012

23A013

23A014

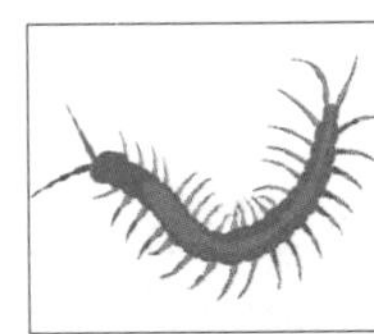
23A015

23A016

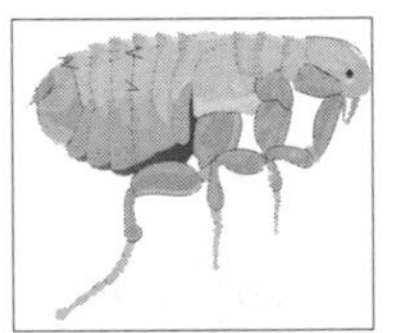
23A017

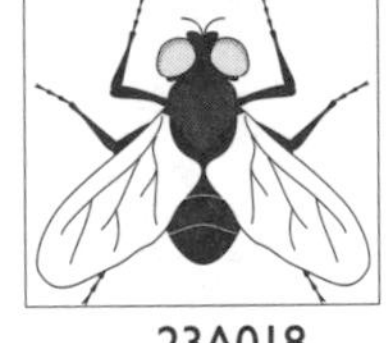
23A018

23A019

23A020

23A021

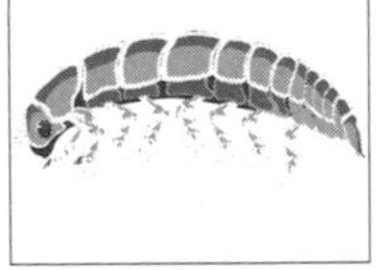
23A022

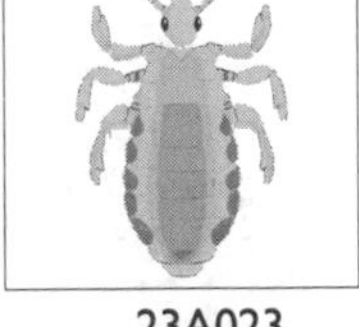
23A023

23A024

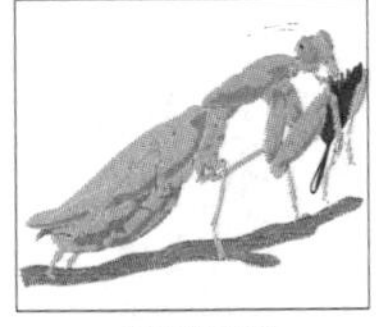
23A025

Insect
Insecte
Insecto
Insekten

23A026

23A027

23A028

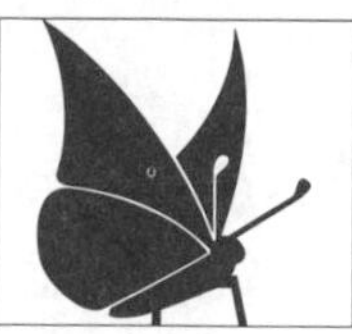
23A029

23A030

23A031

Insect
Insecte
Insecto
Insekten

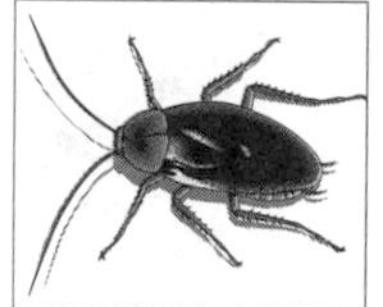
23B001

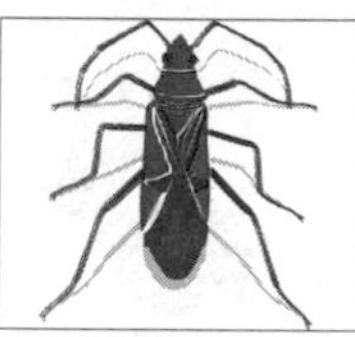
23B002

23B003

23B004

23B005

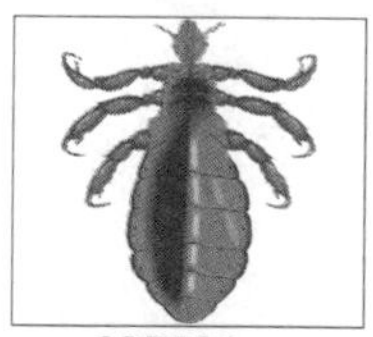
23B006

23B007

23B008

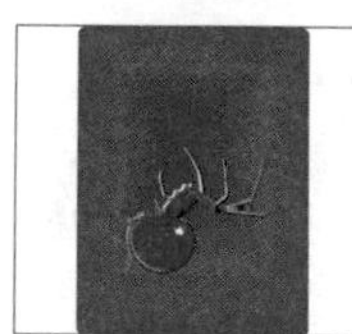
23B009

23B010

23B011

23B012

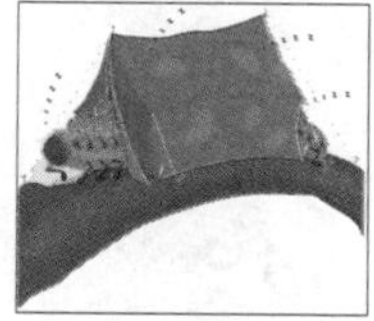
23B013

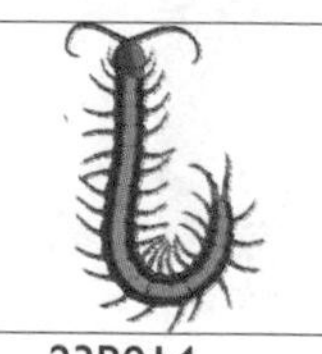
23B014

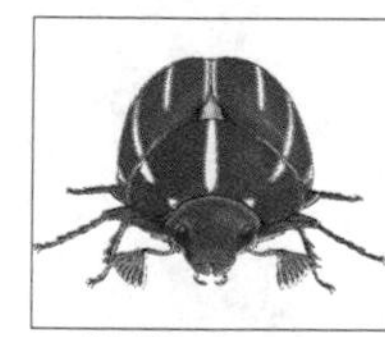
23B015

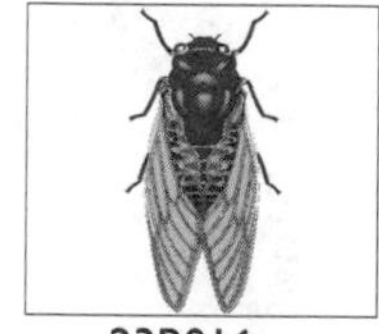
23B016

23B017

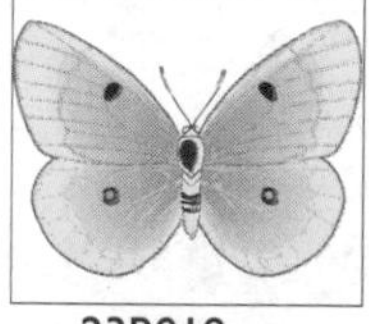
23B018

23B019

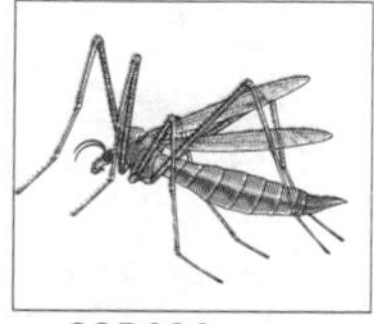
23B020

Insect
Insecte
Insecto
Insekten

23B021

23B022

23B023

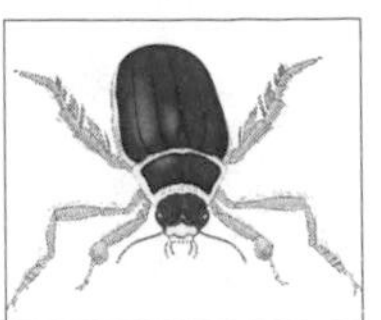
23B024

23B025

23B026

23B027

23B028

23B029

23B030

23B031

23B032

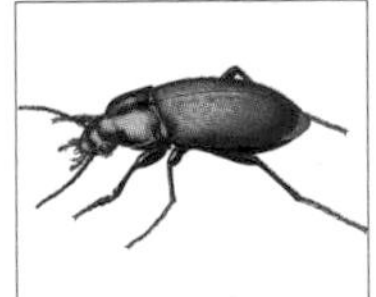
23B033

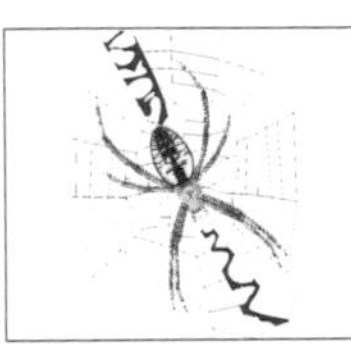
23B034

23B035

23B036

23B037

23B038

23B039

23B040

23B041

23B042

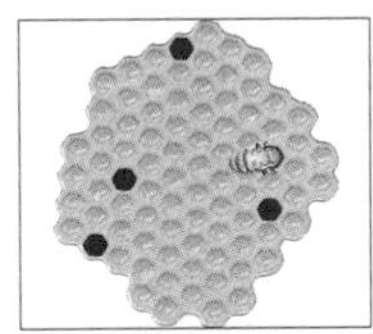
23B043

23B044

23B045

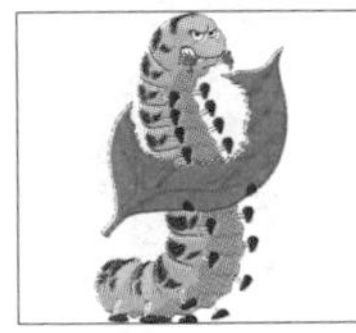
23B046

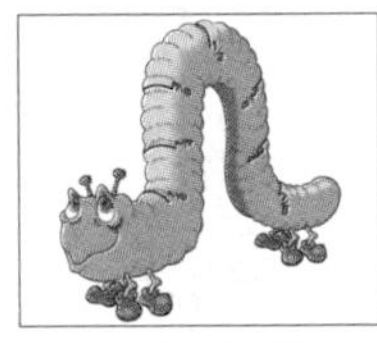
23B047

23B048

23B049

23B050

23B051

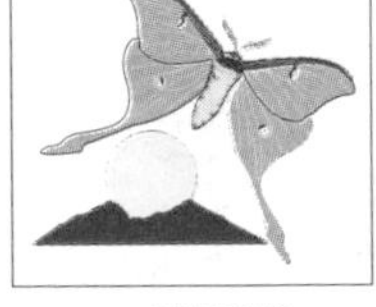
23B052

23B053

23B054

23B055

Insect
Insecte
Insecto
Insekten

23B056

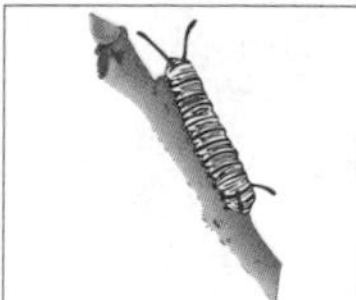
23B057

23B058

23B059

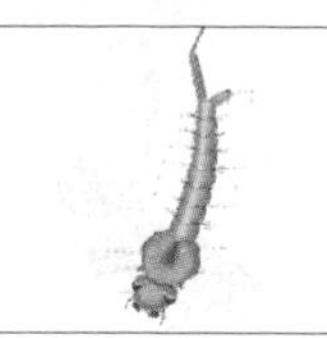
23B060

23B061

23B062

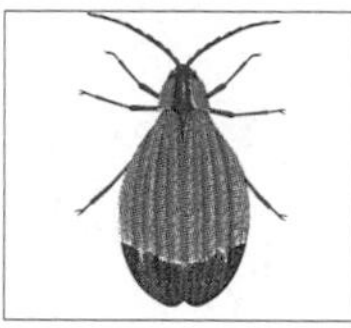
23B063

23B064

23B065

23B066

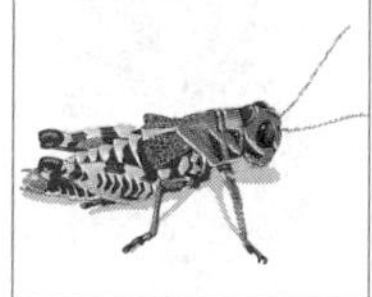
23B067

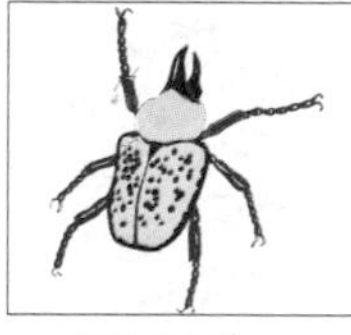
23B068

23B069

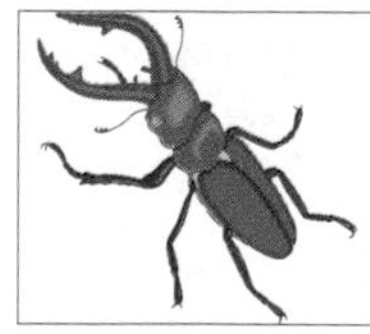
23B070

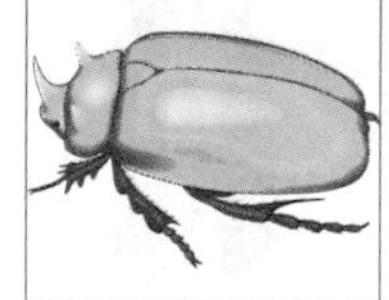
23B071

23B072

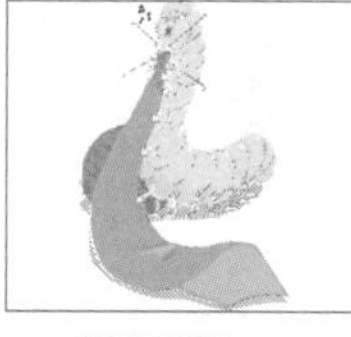
23B073

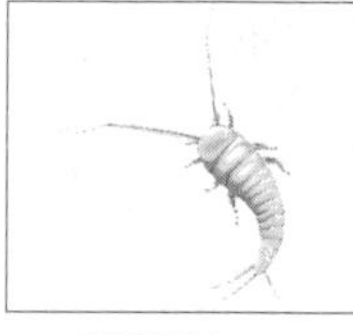
23B074

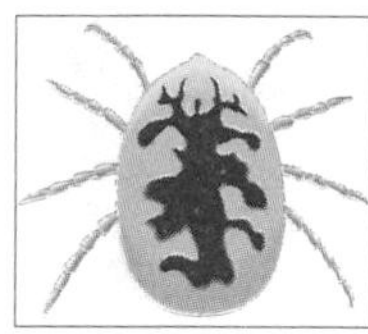
23B075

23B076

23B077

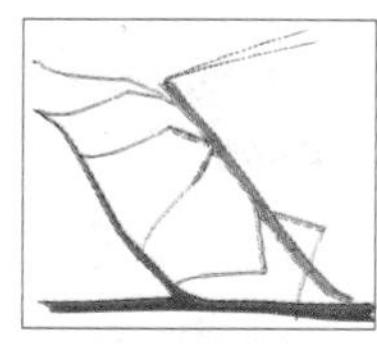
23B078

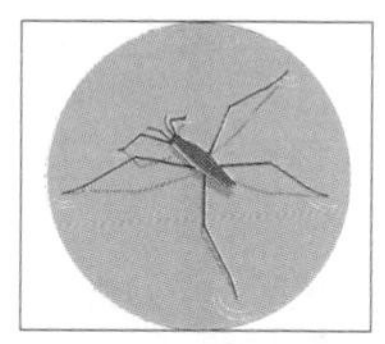
23B079

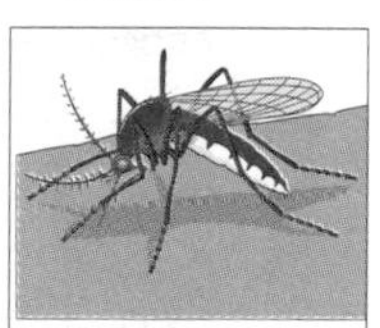
23B080

23B081

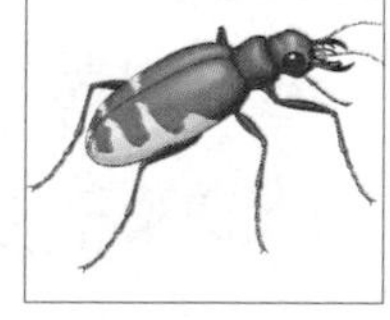
23B082

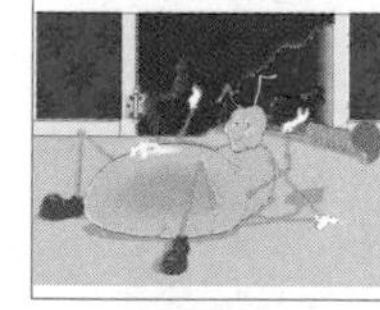
23B083

23B084

23B085

23B086

23B087

23B088

23B089

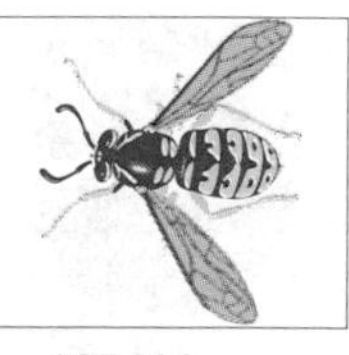
23B090

Insect
Insecte
Insecto
Insekten

23B091

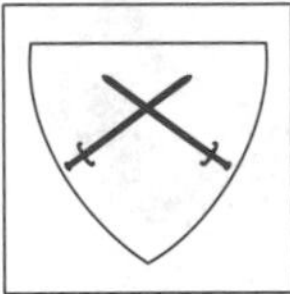

Insignia
Insignes
Insignias
Abzeichen

24A001

24A002

24A003

24A004

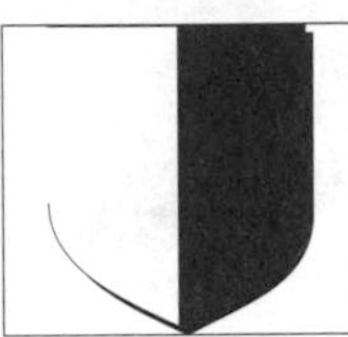
24A005

24A006

24A007

24A008

24A009

24A010

24A011

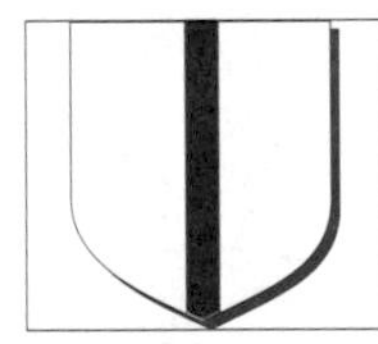
24A012

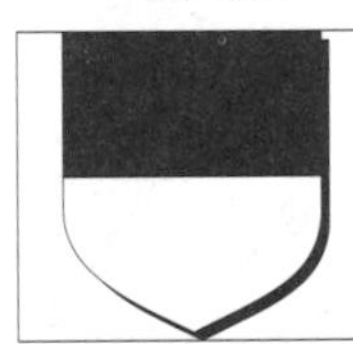
24A013

24A014

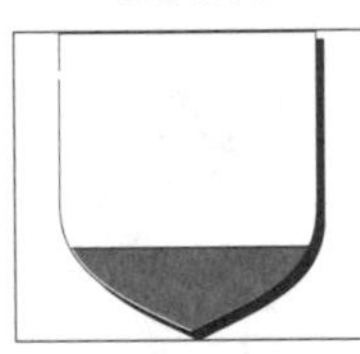
24A015

24A016

24A017

24A018

24A019

24A020

24A021

24A022

24A023

24A024

24A025

Insignia
Insignes
Insignias
Abzeichen

24A026

24A027

24A028

24A029

24A030

24A031

24A032

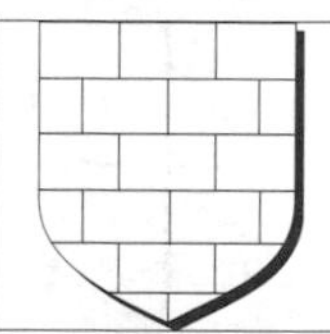
24A033

24A034

24A035

24A036

24A037

24A038

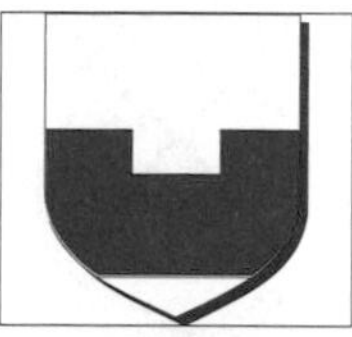
24A039

24A040

24A041

24A042

24A043

24A044

24A045

24A046

24A047

24A048

24A049

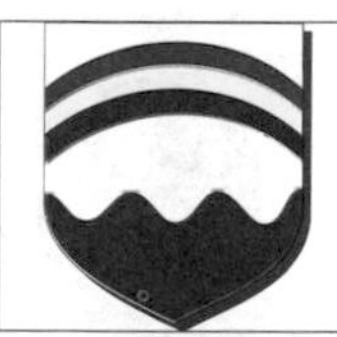
24A050

24A051

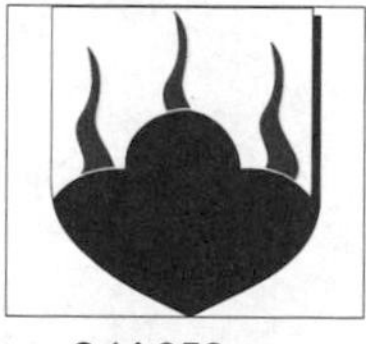
24A052

24A053

24A054

24A055

24A056

24A057

24A058

24A059

24A060

Insignia
Insignes
Insignias
Abzeichen

24A061

24A062

24A063

24A064

24A065

24A066

24A067

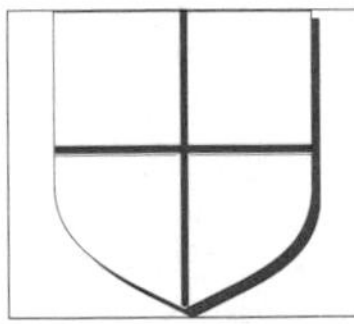
24A068

24A069

24A070

24A071

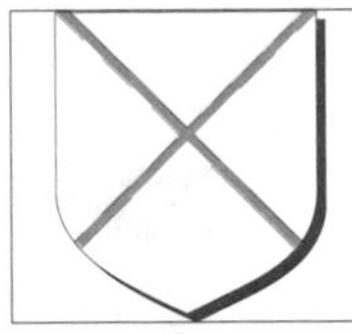
24A072

24A073

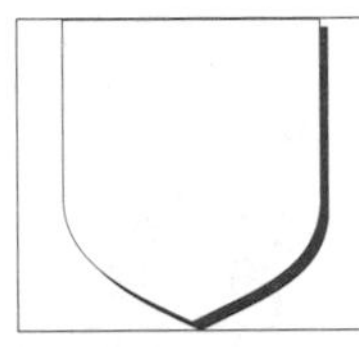
24A074

24A075

24A076

24A077

24A078

24A079

24A080

24A081

24A082

24A083

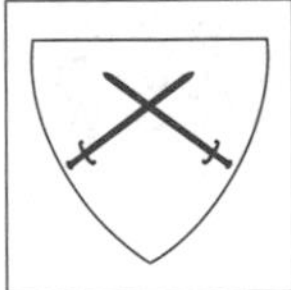

Insignia
Insignes
Insignias
Abzeichen

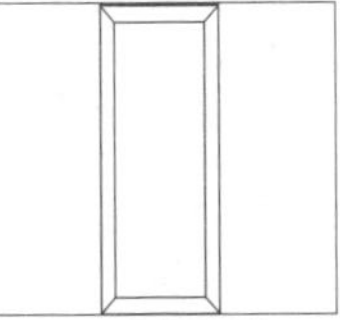
24B001

24B002

24B003

24B004

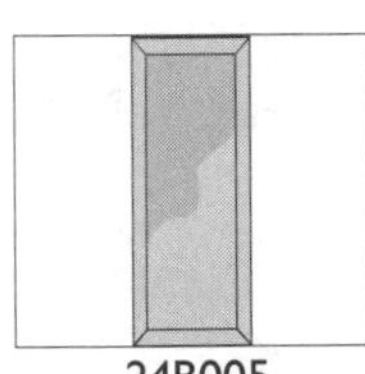
24B005

24B006

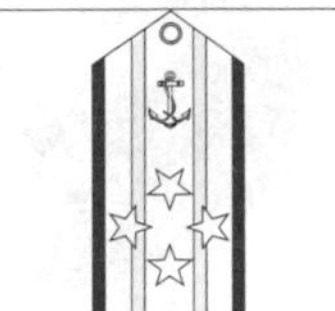
24B007

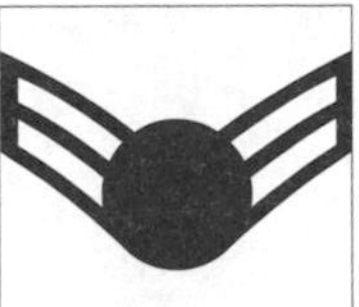
24B009

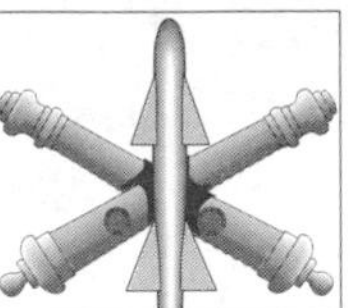
24B008

24B010

24B011

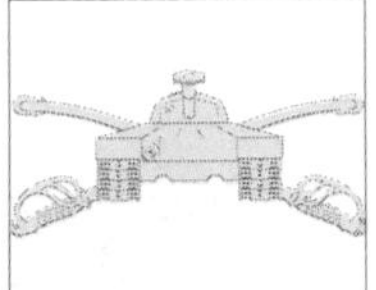
24B012

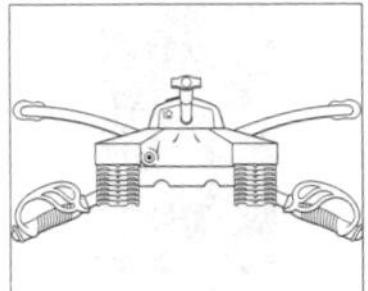
24B013

24B014

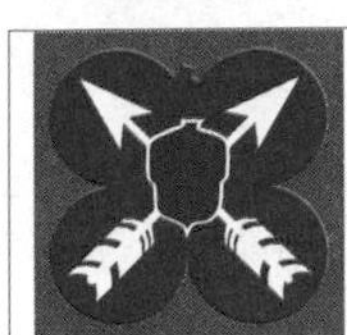
24B015

24B016

24B017

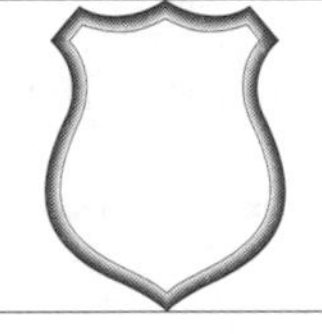
24B018

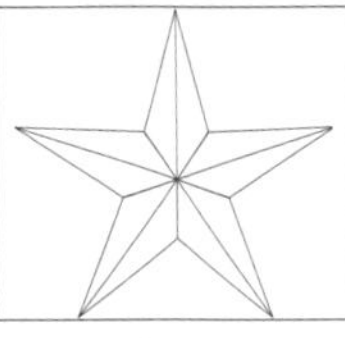
24B019

24B020

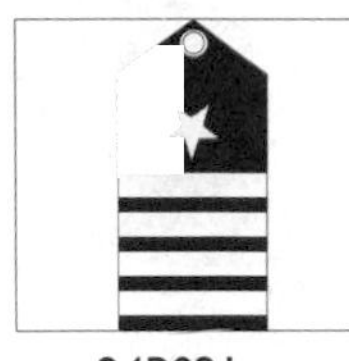
24B021

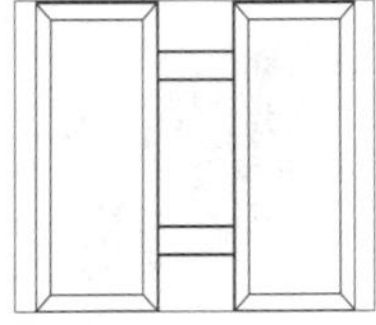
24B022

24B023

24B024

24B025

24B026

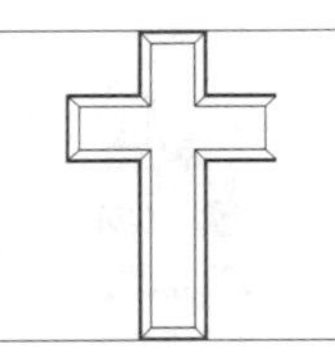
24B027

24B028

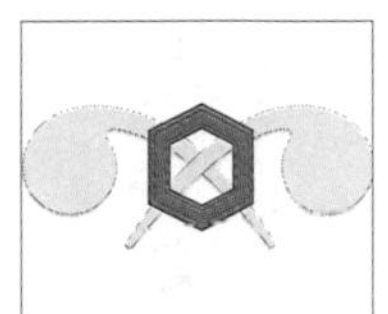
24B029

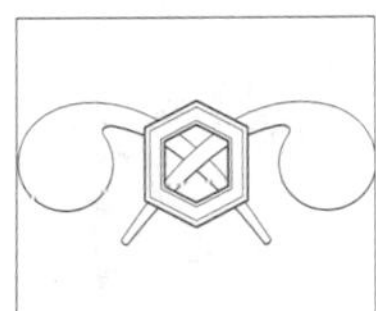
24B030

24B031

24B032

24B033

24B034

24B035

24B036

24B037

24B038

24B039

24B040

Insignia
Insignes
Insignias
Abzeichen

24B041	24B042	24B043	24B044	24B045
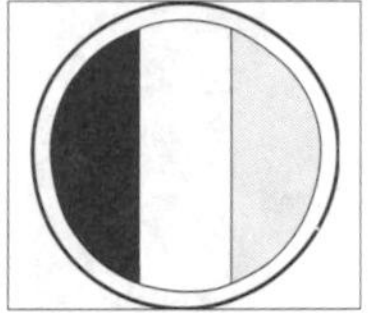			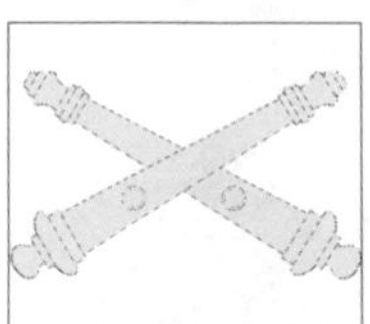	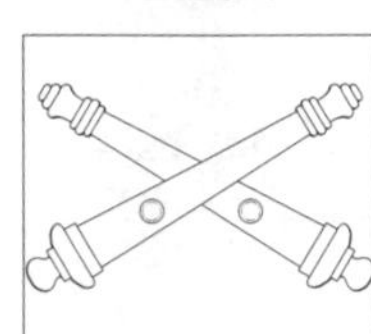
24B046	24B047	24B048	24B049	24B050
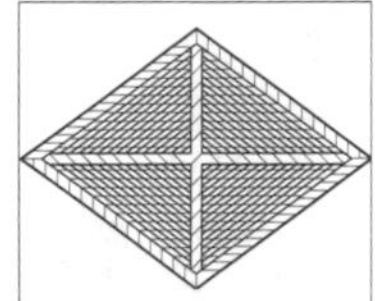	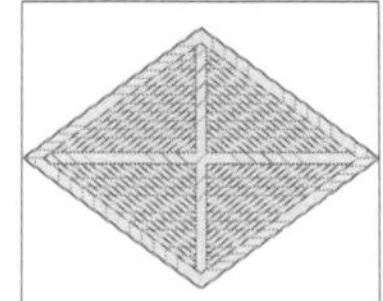	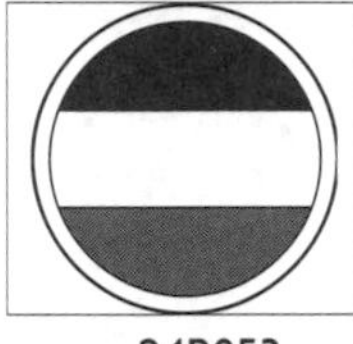		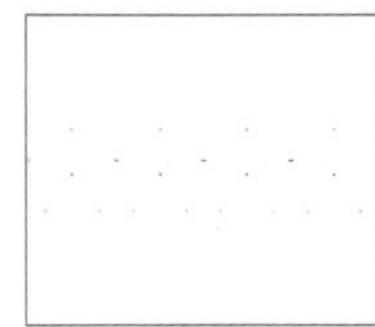
24B051	24B052	24B053	24B054	24B055
	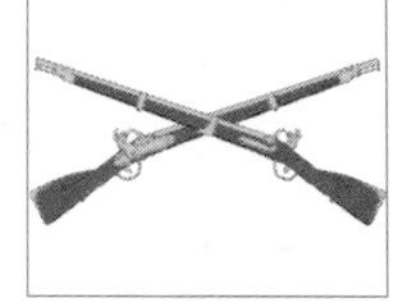	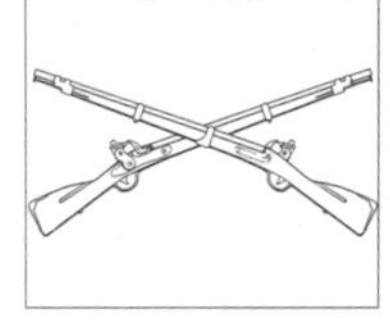		
24B056	24B057	24B058	24B059	24B060

24B061	24B062	24B063	24B064	24B065
		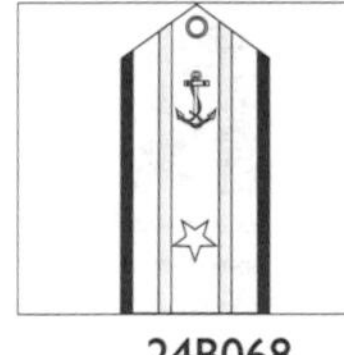		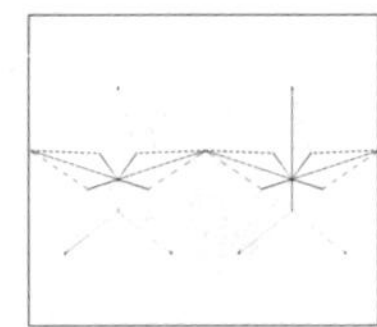
24B066	24B067	24B068	24B069	24B070

24B071	24B072	24B073	24B074	24B075

Insignia
Insignes
Insignias
Abzeichen

24B076

24B077

24B078

24B079

24B080

24B081

24B082

24B083

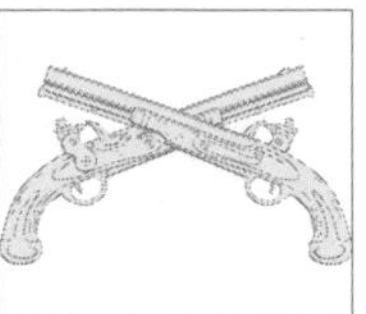
24B084

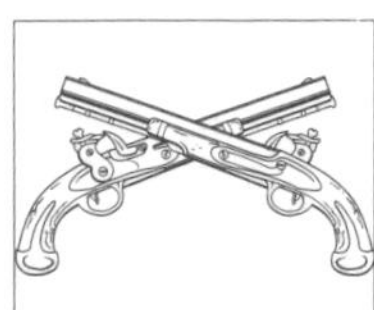
24B085

24B086

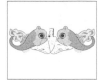

24B087

24B088

24B089

24B090

24B091

24B092

24B093

24B094

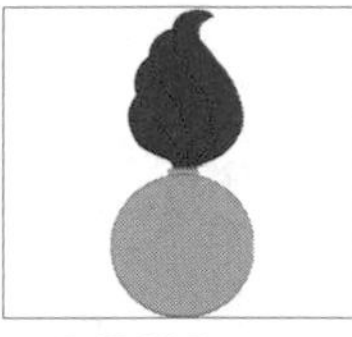
24B095

24B096

24B097

24B098

24B099

24B100

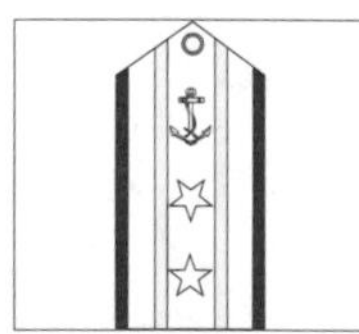
24B101

24B102

24B103

24B104

24B105

24B106

24B107

24B108

24B109

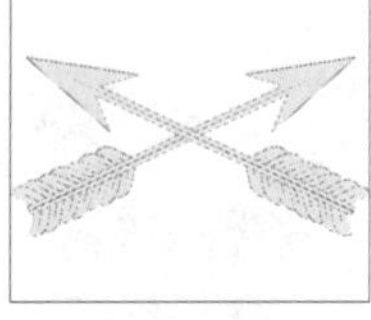
24B110

Insignia
Insignes
Insignias
Abzeichen

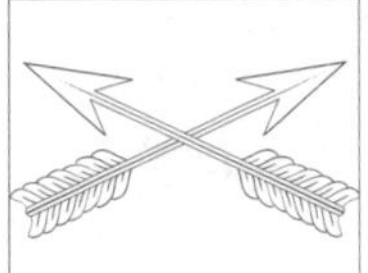

24B111

24B112

24B113

24B114

24B115

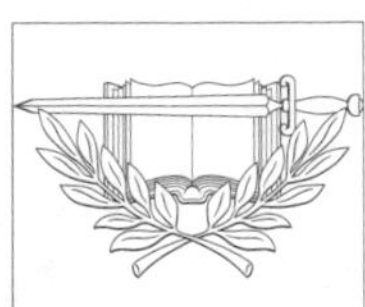

24B116

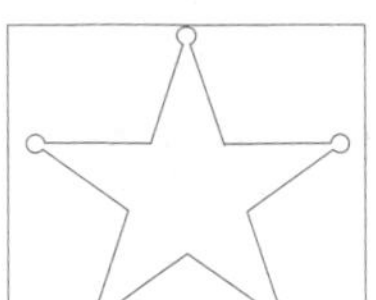

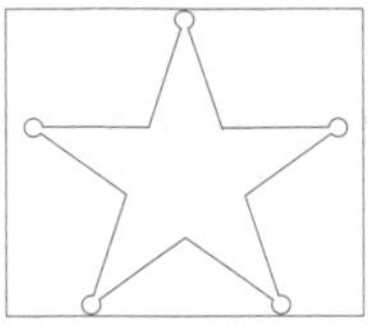

24B118

24B119

24B117

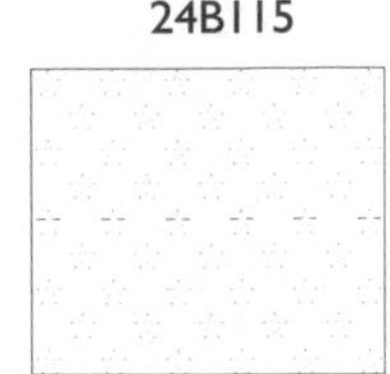

24B120

24B121

24B122

24B123

24B124

24B125

24B126

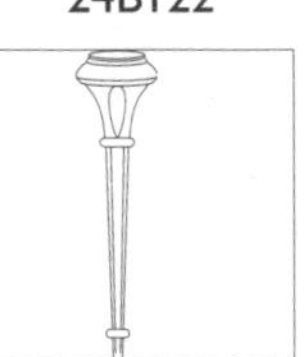

24B127

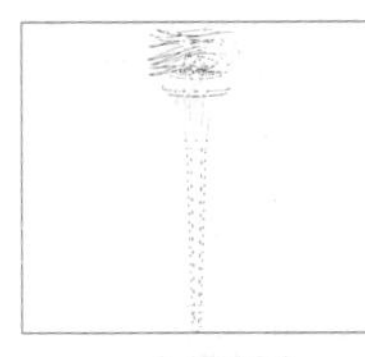

24B128

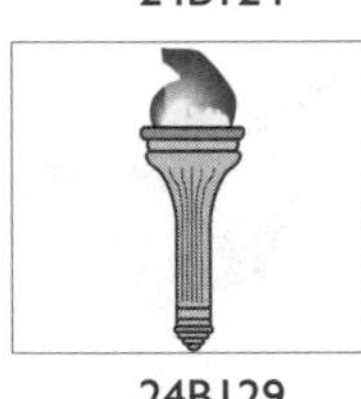

24B129

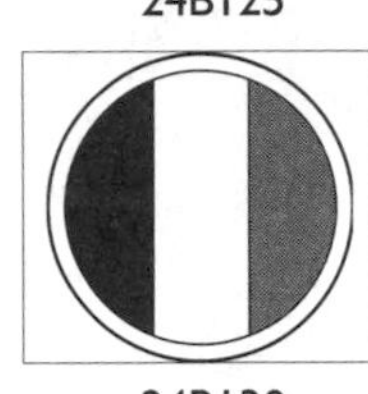

24B130

24B131

24B132

24B133

24B134

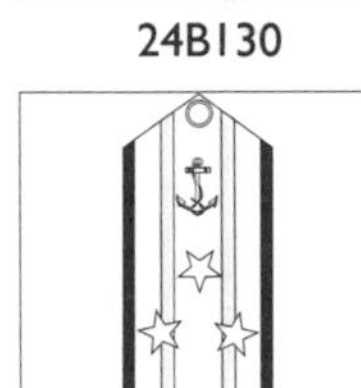

24B135

24B136

24B137

24B138

24B139

24B140

24B141

24B142

24B143

24B144

24B145

Insignia
Insignes
Insignias
Abzeichen

24C001

24C002

24C003

24C004

24C005

24C006

24C007

24C008

24C009

24C010

Justice
Justice
Justicia
Justiz

25A001

25A002

25A003

25A004

25A005

25A006

25A007

25A008

25A009

25A010

25A011

25A012

25A013

25A014

25A015

25A016

25A017

25A018

25A019

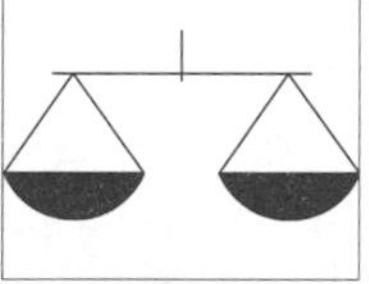
25A020

Justice
Justice
Justicia
Justiz

25A021

25A022

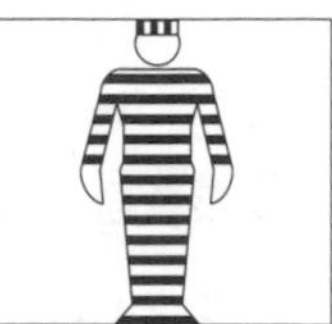
25A023

25A024

25A025

25A026

25A027

25A028

25A029

25A030

25A031

25A032

25A033

Justice
Justice
Justicia
Justiz

25B001

25B002

25B003

25B004

25B005

25B006

25B007

25B008

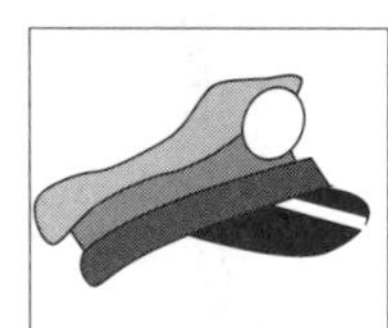
25B009

Justice
Justice
Justicia
Justiz

25C001

25C002

25C003

25C004

25C005

25C006

25C007

25C008

25C009

25C010

25C011

25C012

25C013

25C014

25C015

25C016

25C017

Landmarks
Monuments
Paisajes
Wahrzeichen

26A001

26A002

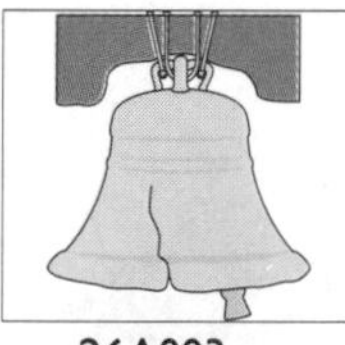
26A003

26A005

26A006

26A007

26A008

26A009

26A010

Landmarks
Monuments
Paisajes
Wahrzeichen

26A011

26A012

26A013

26A014

26A015

26A016

26A017

26A018

26A019

26A020

26A021

26A022

26A023

26A024

26A025

26A026

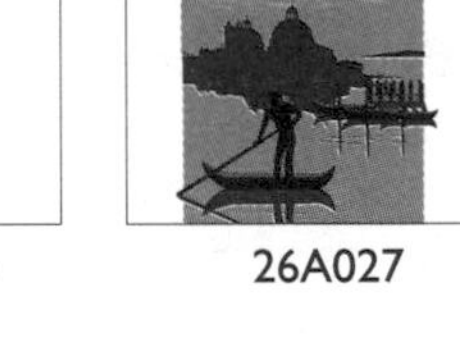
26A027

Landmarks
Monuments
Paisajes
Wahrzeichen

26B001

26B002

26B003

26B004

26B005

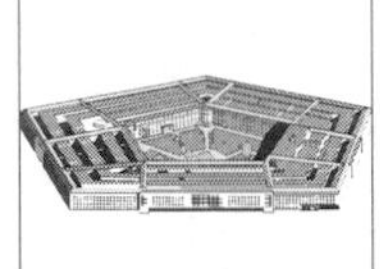
26B006

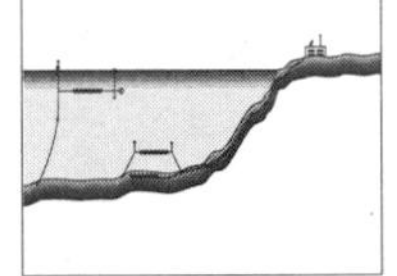
26B007

26B008

26B009

26B010

Landmarks
Monuments
Paisajes
Wahrzeichen

26B011

26B012

26B013

Landmarks
Monuments
Paisajes
Wahrzeichen

26C001

26C002

26C003

26C004

26C005

26C006

26C007

26C008

26C009

26C010

26C011

26C012

26C013

26C014

26C015

26C016

26C017

26C018

26C019

26C020

26C021

26C022

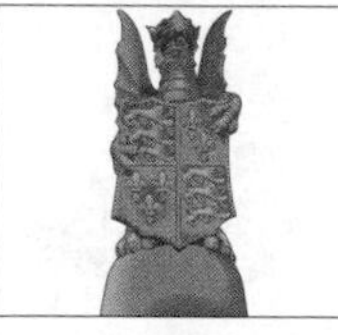
26C023

26C024

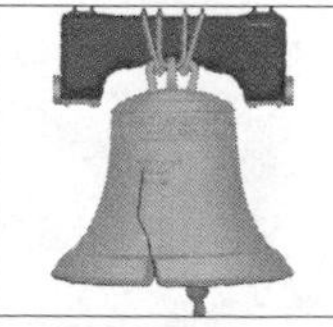
26C025

Landmarks
Monuments
Paisajes
Wahrzeichen

	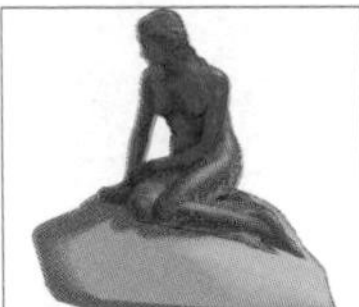			
26C026	26C027	26C028	26C029	26C030

26C031	26C032	26C033	26C034	26C035

26C036	26C037	26C038	26C039	26C040

26C041	26C042	26C043	26C044	26C045

26C046	26C047			

Leisure
Loisirs
Ocio
Freizeit

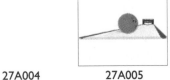

	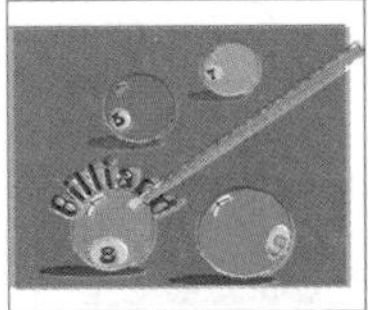		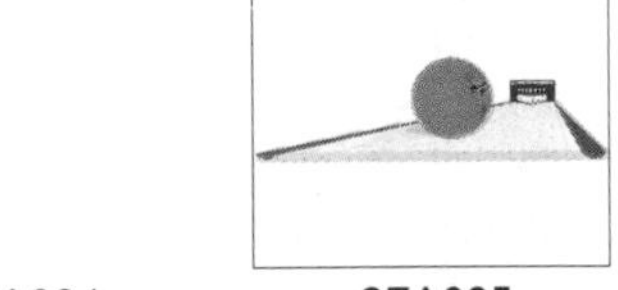	
27A001	27A002	27A003	27A004	27A005

Leisure
Loisirs
Ocio
Freizeit

27A006

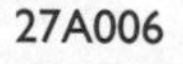

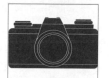

27A007

27A008

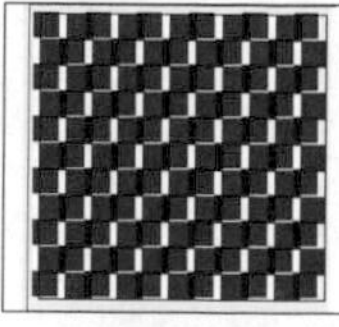

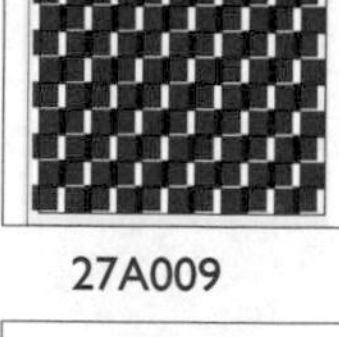

27A009

27A010

27A011

27A012

27A013

27A014

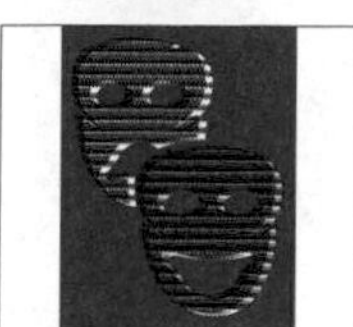

27A015

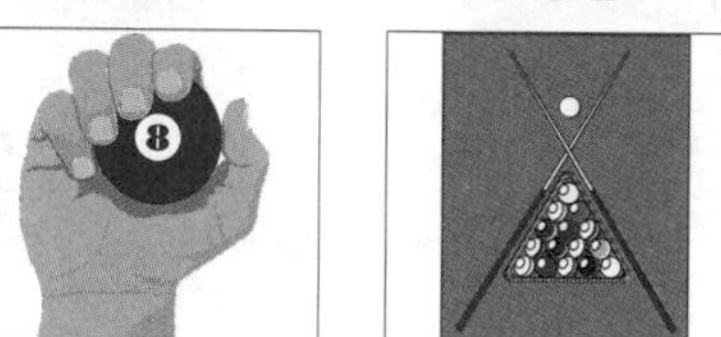

27A016

27A017

27A018

27A019

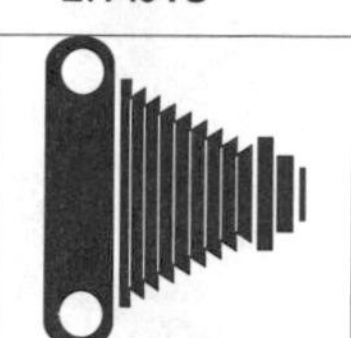

27A020

27A021

27A022

27A023

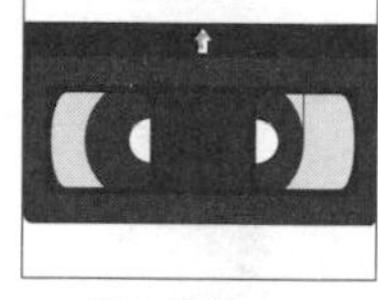

27A024

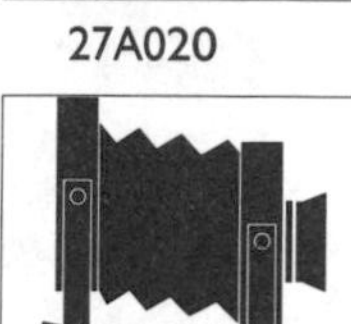

27A025

27A026

27A027

27A028

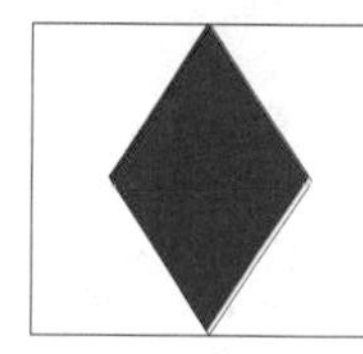

27A029

27A030

27A031

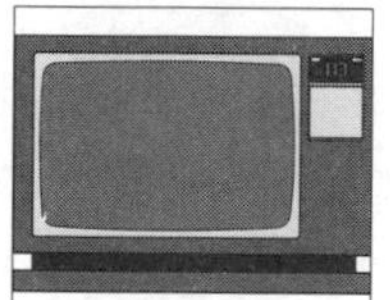

27A032

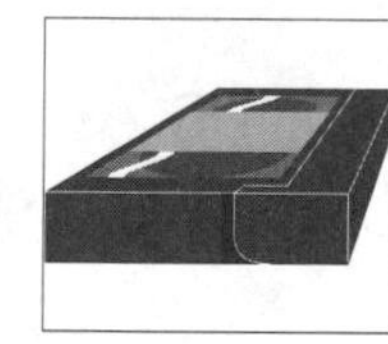

27A033

27A036

Leisure
Loisirs
Ocio
Freizeit

27B001

27B002

27B003

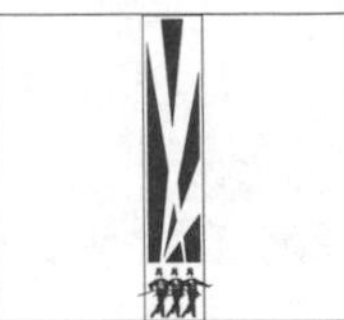
27B004

27B005

27B006

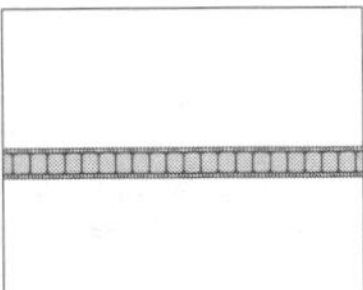
27B007

27B008

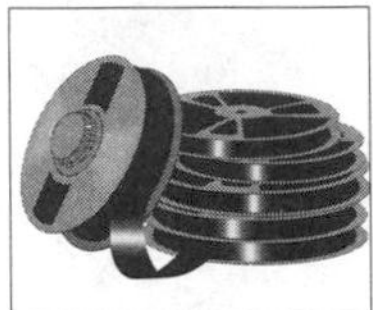
27B009

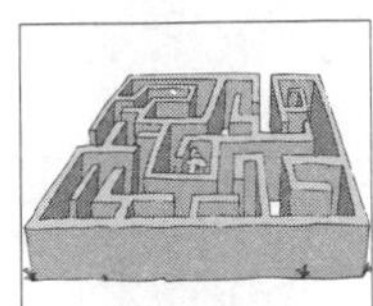
27B010

27B011

27B012

27B013

27B014

27B015

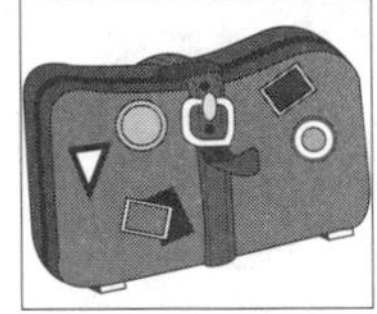
27B016

27B017

Leisure
Loisirs
Ocio
Freizeit

27C001

27C002

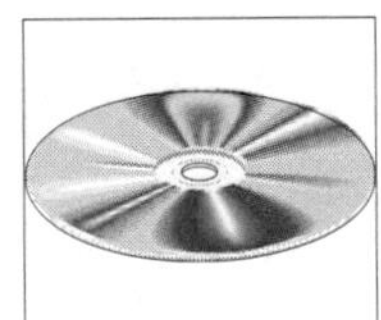
27C003

27C004

27C005

27C006

Man
Homme
Hombres
Mann

28A001

28A002

28A003

28A004

28A005

28A006

28A007

28A008

28A009

28A010

28A011

28A012

28A013

28A014

28A015

28A016

28A017

28A018

28A019

28A020

28A021

28A022

28A023

28A024

28A025

28A026

28A027

28A028

28A029

28A030

28A031

28A032

28A033

28A034

28A035

28A036

28A037

28A038

28A039

28A040

28A041

28A042

28A043

28A044

28A045

28A046

28A047

28A048

28A049

28A050

28A051

28A052

28A053

28A054

28A055

28A056

28A057

28A058

28A059

28A060

28A061

28A062

28A063

28A064

28A065

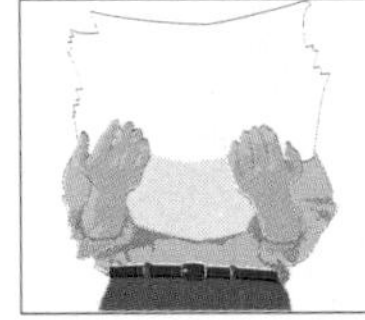
28A066

28A067

28A068

28A069

28A070

Man
Homme
Hombres
Mann

28A071

28A072

28A073

28A074

28A075

28A076

28A077

28A078

28A079

28A080

28A081

28A082

28A083

28A084

28A085

28A086

28A087

28A088

28A089

28A090

28A091

28A092

28A093

28A094

28A095

28A096

28A097

28A098

28A099

28A100

Man
Homme
Hombres
Mann

Entertainment
Spectacles
Diversión
Underhaltung

28B001

28B002

28B003

28B004

28B005

28B006

28B007

28B008

28B009

28B010

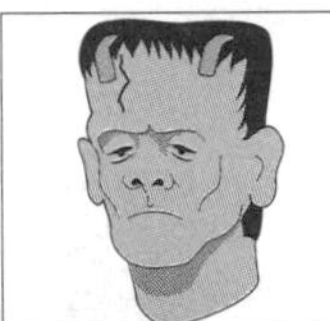
28B011

28B012

28B013

28B014

28B015

28B016

Man
Homme
Hombres
Mann

Historical
Histoire
Histórico
Geschichte

28C001

28C002

28C004

28C006

28C008

28C010

28C012

28C014

28C016

28C018

Man
Homme
Hombres
Mann

Historical
Histoire
Histórico
Geschichte

28C020

28C022

28C023

28C025

28C027

28C029

28C031

28C032

28C034

28C036

28C038

28C040

28C042

28C044

28C046

28C048

28C050

28C052

28C053

28C055

28C056

28C058

28C060

28C062

28C064

28C065

28C067

28C069

28C071

28C073

28C075

28C077

28C079

28C081

28C083

Man
Homme
Hombres
Mann

Historical
Histoire
Histórico
Geschichte

28C085

28C087

28C089

28C091

28C093

Man
Homme
Hombres
Mann

Humor
Humor
Humorismo
Humor

28D001

28D002

28D003

28D004

28D005

28D006

28D007

28D008

28D009

28D010

28D011

28D012

28D013

28D014

28D015

28D016

28D017

28D018

28D019

28D020

28D021

28D022

28D023

28D024

28D025

28D026

28D027

28D028

28D029

28D030

28D031

28D032

28D033

28D034

28D035

28D036

28D037

28D038

28D039

28D040

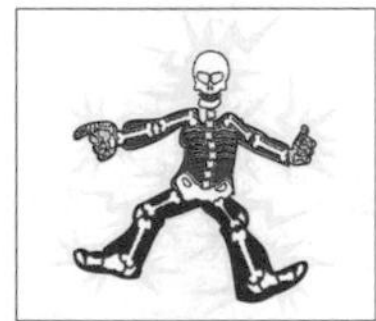
28D041

28D042

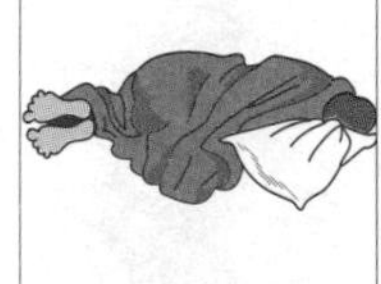
28D043

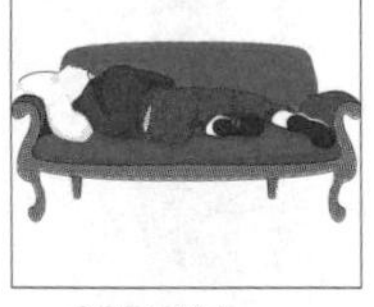
28D044

28D045

28D046

28D047

28D048

28D049

Man
Homme
Hombres
Mann

Icon
Icône
Icono
Symbole

28E001

28E002

28E003

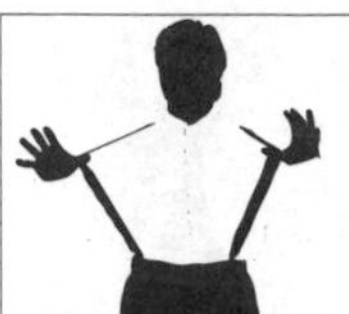
28E004

28E005

28E006

28E007

28E008

28E009

28E010

28E011

28E012

28E013

28E014

28E015

28E016

28E018

28E019

28E020

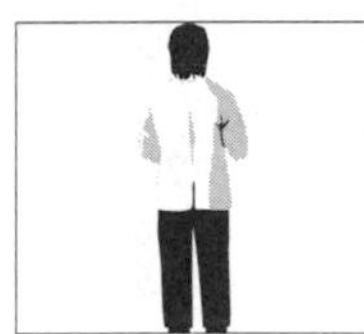
28E021

28E023

28E024

28E025

28E026

28E027

28E028

28E029

28E030

28E031

28E032

28E033

28E034

28E035

28E036

Man
Homme
Hombres
Mann

Icon
Icône
Icono
Symbole

28E037

28E038

28E039

28E040

28E041

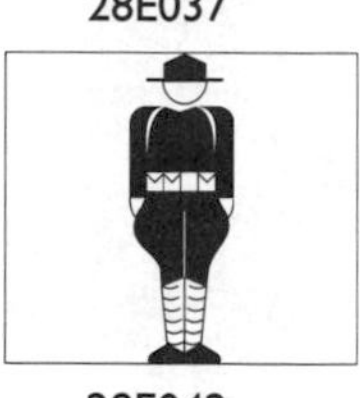
28E042

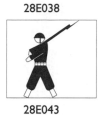

28E043

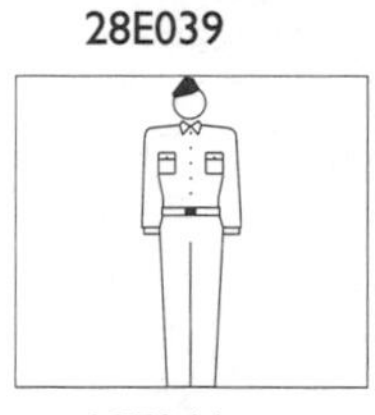
28E044

28E045

28E046

28E047

28E048

28E049

28E050

28E051

28E052

28E053

28E054

28E055

28E056

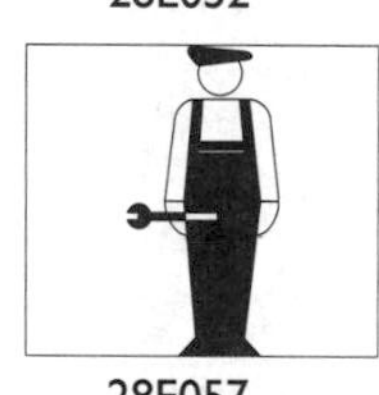
28E057

28E058

28E059

28E060

28E061

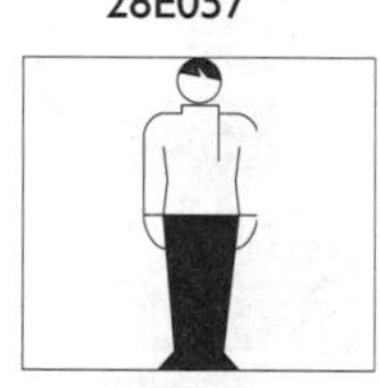
28E062

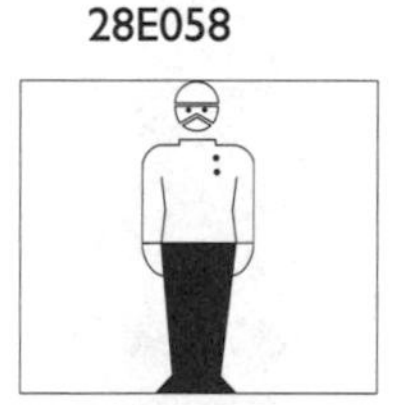
28E063

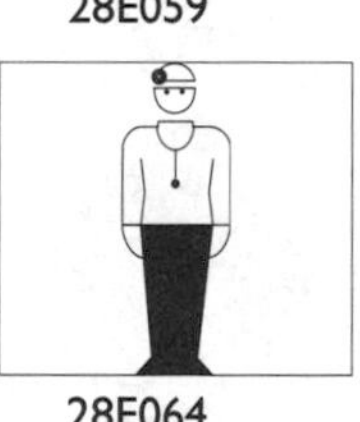
28E064

28E065

28E066

28E067

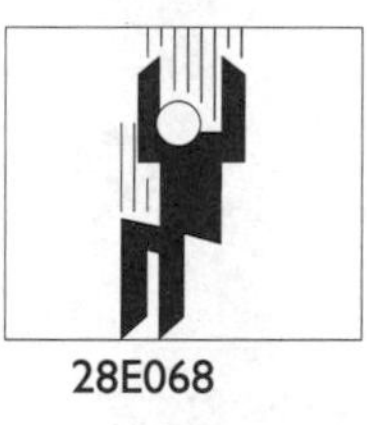
28E068

28E069

28E070

28E071

Man
Homme
Hombres
Mann

Icon
Icône
Icono
Symbole

28E072

28E073

28E074

28E075

28E076

28E077

Man
Homme
Hombres
Mann

Miscellaneous
Divers
Varios
Verschiedenes

28F001

28F002

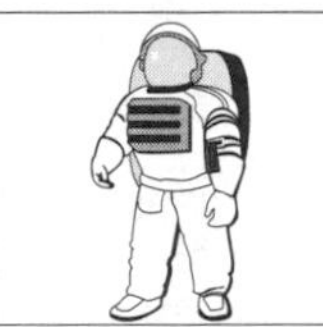
28F003

28F004

28F005

28F006

28F007

28F008

28F009

28F010

28F011

28F012

28F013

28F014

28F015

28F016

28F017

28F018

28F019

28F020

Man
Homme
Hombres
Mann

Miscellaneous
Divers
Varios
Verschiedenes

28F021

28F022

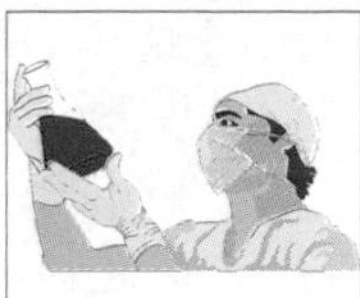
28F023

28F024

28F025

28F026

28F027

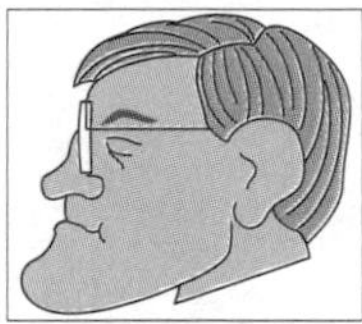
28F028

28F029

28F030

28F031

28F032

28F033

28F034

28F035

28F036

28F037

28F038

28F039

28F040

28F041

28F042

28F043

28F044

28F045

28F046

28E022

28F047

28F048

28F049

28F050

28F051

28F052

28F053

28F054

28F055

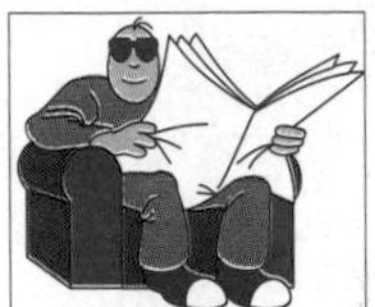
28F056

28F057

28F058

28F059

28F060

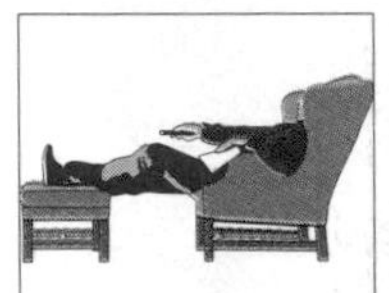
28F061

28F062

28F063

28F064

28F065

28F066

28F067

28F068

28F069

28F070

28F071

28F072

28F073

28F074

28F075

28F076

28F077

28F078

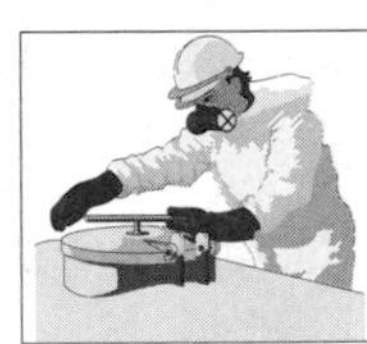
28F079

28F080

28F081

28F082

28F083

28F084

28F085

28F086

28F087

28F088

28F089

Man
Homme
Hombres
Mann

Miscellaneous
Divers
Varios
Verschiedenes

28F090

Man
Homme
Hombres
Mann

Sports
Sports
Desportes
Sport

28G001

28G002

28G003

28G004

28G005

28G006

28G007

28G008

28G009

28G011

28G012

28G013

28G014

28G015

28G016

28G017

28G018

28G019

28G020

28G021

28G022

28G023

28G024

28G025

Man
Homme
Hombres
Mann

Sports
Sports
Desportes
Sport

28G026

28G027

28G028

28G029

28G030

28G031

28G032

28G033

28G034

28G035

28G036

28G037

28G038

28G039

28G040

28G041

28G042

28G043

28G044

28G045

28G046

28G047

28G048

28G049

28G050

28G051

28G052

28G053

28G054

28G055

28G056

28G057

28G058

28G059

28G060

Man
Homme
Hombres
Mann

Sports
Sports
Desportes
Sport

28G061

28G062

28G063

Man
Homme
Hombres
Mann

Business
Affaires
Negocios
Wirtschaft

28H001

28H002

28H003

28H004

28H005

28H006

28H007

28H008

28H009

28H010

28H011

28H012

28H013

28H014

28H015

28H016

28H017

28H018

28H019

28H020

28H021

28H022

28H023

28H024

28H025

Man
Homme
Hombres
Mann

Business
Affaires
Negocios
Wirtschaft

28H026

28H027

28H028

28H029

28H030

28H031

28H032

Man
Homme
Hombres
Mann

Entertainment
Spectacles
Diversión
Underhaltung

28I001

28I002

28I003

28I004

28I005

28I006

28I007

28I008

28I009

28I010

28I011

28I012

28I013

28I014

28I015

28I016

28I017

28I018

28I019

28I020

Man
Homme
Hombres
Mann

Entertainment
Spectacles
Diversión
Underhaltung

28I021

28I022

28I023

28I024

28I025

Man
Homme
Hombres
Mann

Historical
Histoire
Histórico
Geschichte

28J001

28J002

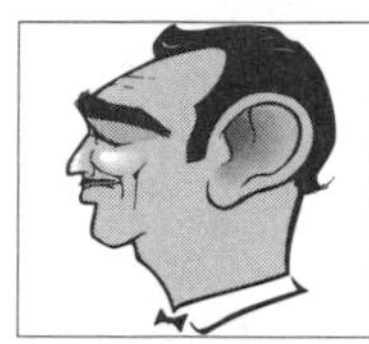
28J005

28J006

28J007

28J008

28J009

28J010

28J011

28J012

28J013

28J014

28J015

28J016

28J017

28J018

28J019

28J020

28J021

28J022

28J023

28J025

Man
Homme
Hombres
Mann

Historical
Histoire
Histórico
Geschichte

28J026

28J028

28J029

28J031

28J032

28J033

28J034

28J035

28J036

28J037

28J038

Man
Homme
Hombres
Mann

Humor
Humor
Humorismo
Humor

28K001

28K002

28K003

28K004

28K005

28K006

28K007

28K008

28K009

28K010

28K011

28K012

28K013

28K014

28K015

Man
Homme
Hombres
Mann

Humor
Humor
Humorismo
Humor

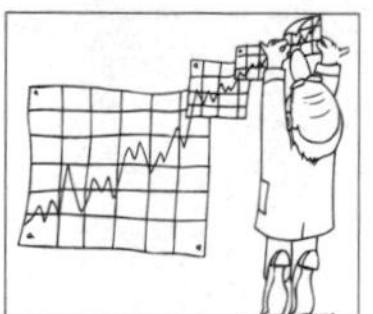
28K016

28K017

28K018

28K019

28K020

28K021

28K022

28K023

28K024

28K025

28K026

28K027

28K028

28K029

28K030

28K031

28K032

28K033

28K034

28K035

28K036

28K037

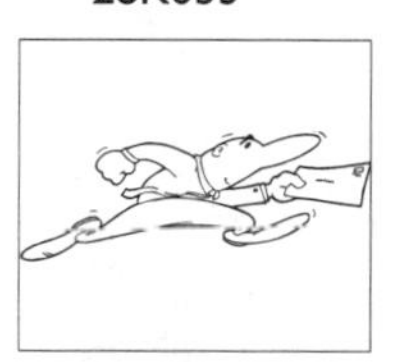
28K038

28K039

28K040

28K041

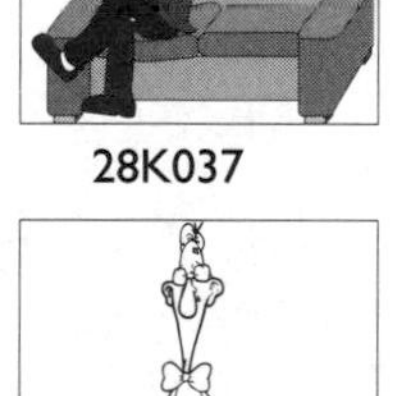
28K042

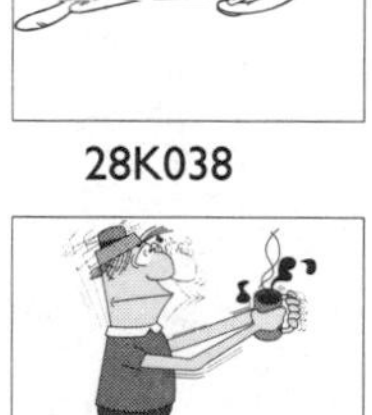
28K043

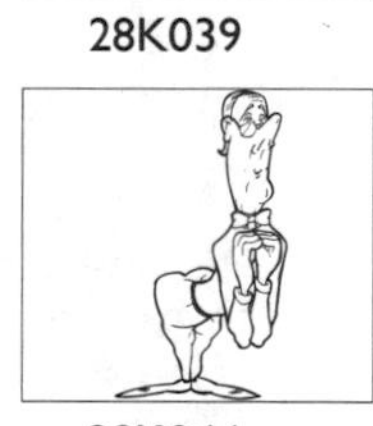
28K044

28K045

28K046

28K047

28K048

28K049

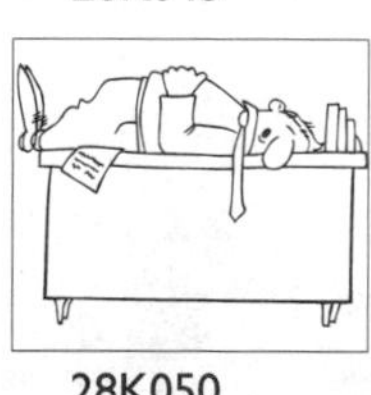
28K050

Man
Homme
Hombres
Mann

Humor
Humor
Humorismo
Humor

28K051

28K052

28K053

28K054

28K055

28K056

28K057

28K058

28K059

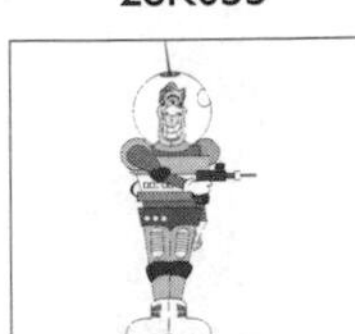
28K060

28K061

28K062

28K063

28K064

28K065

28K066

28K067

28K068

28K069

28K070

28K071

28K072

28K073

Man
Homme
Hombres
Mann

Icon
Icônes
Icono
Symbole

28L001

28L002

28L003

28L004

28L005

Man
Homme
Hombres
Mann

Icon
Icône
Icono
Symbole

28L006

28L007

28L008

28L009

28L010

28L011

28L012

28L013

28L014

28L015

28L016

28L017

28L018

28L019

28L020

28L021

28L022

28L023

28L024

28L025

28L026

28L027

28L028

28L029

Man
Homme
Hombres
Mann

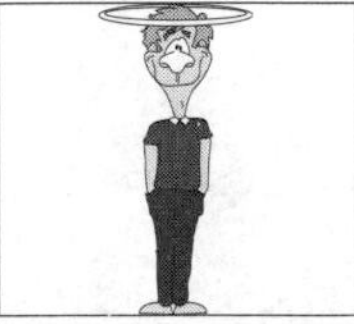
28M001

28M002

28M003

28M004

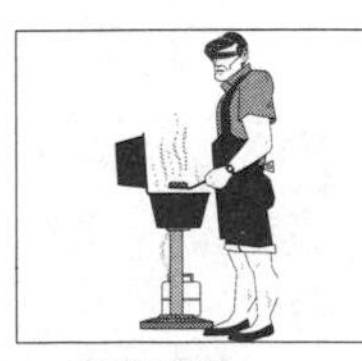
28M005

28M006

28M007

28M008

28M009

28M010

28M011

28M012

28M013

28M014

28M015

28M016

28M017

28M018

28M019

28M020

28M021

28M022

28M023

28M024

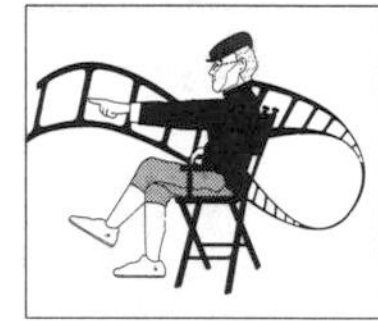
28M025

28M026

28M027

28M028

28M029

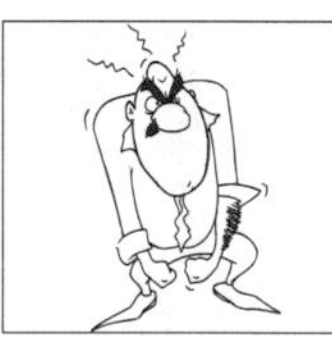
28M030

28M031

28M032

28M033

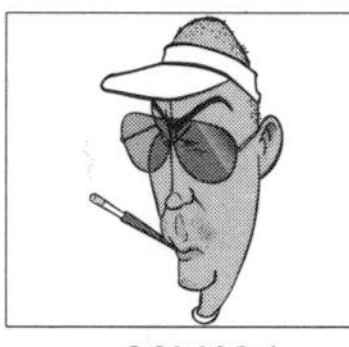
28M034

28M035

28M036

28M037

28M038

28M039

28M040

28M041

28M042

28M043

28M044

28M045

28M046

28M047

28M048

28M049

28M050

28M051

28M052

28M053

28M054

28M055

28M056

28M057

28M058

28M059

28M060

28M061

28M062

28M063

28M064

28M065

28M066

28M067

28M068

28M069

28M070

28M071

28M072

28M073

28M074

28M075

Man
Homme
Hombres
Mann

Miscellaneous
Divers
Varios
Verschiedenes

				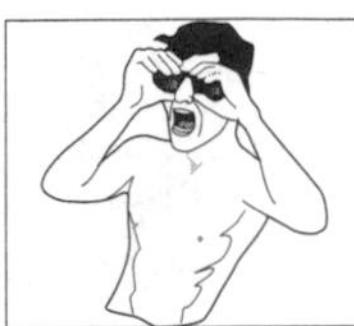
28M076	28M077	28M078	28M079	28M080
				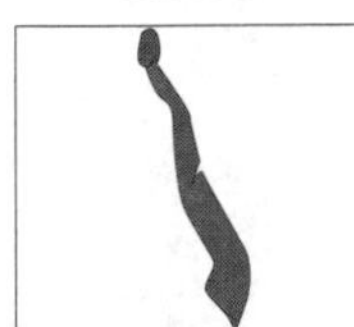
28M081	28M082	28M083	28M084	28M085

28M086	28M087	28M088	28M089	28M090

28M091	28M092	28M093	28M094	28M095

28M096	28M097	28M098	28M099	

Man
Homme
Hombres
Mann

Sports
Sports
Desportes
Sport

28N002	28N003	28N004	28N005

Man
Homme
Hombres
Mann

Sports
Sports
Desportes
Sport

28N006

28N007

28N008

28N009

28N010

28N011

28N012

28N013

28N014

28N015

28N016

28N017

28N018

28N019

28N020

28N021

28N022

28N023

28N024

28N025

28N026

28N027

Man
Homme
Hombres
Mann

28P001

28P002

28P003

28P004

28O001

Man
Homme
Hombres
Mann

28Q001

28Q002

28Q003

28P005

28Q004

28P006

28P007

28O002

28O003

28P008

28P009

28P010

28Q005

28Q006

28Q007

28O004

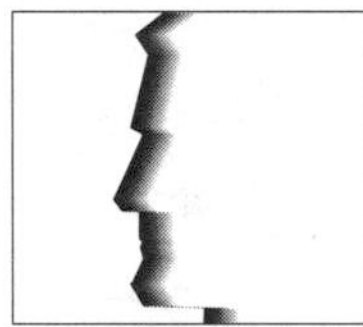
28O005

28O006

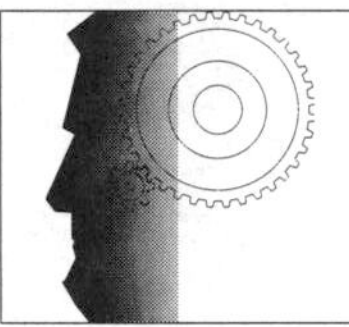
28O007

28Q008

28P011

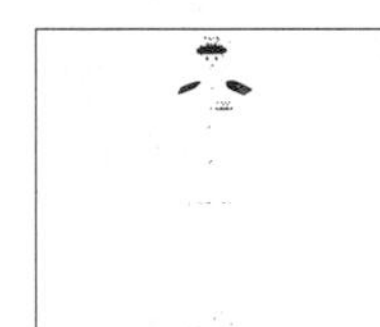
28P012

28Q009

28Q010

28P013

Man
Homme
Hombres
Mann

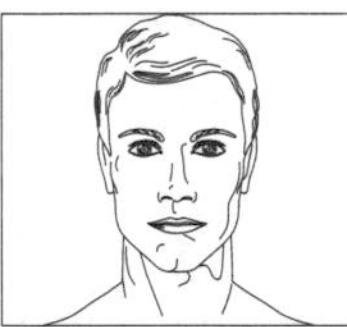
28R008

28R003

28R009

28R004

28R010

Man
Homme
Hombres
Mann

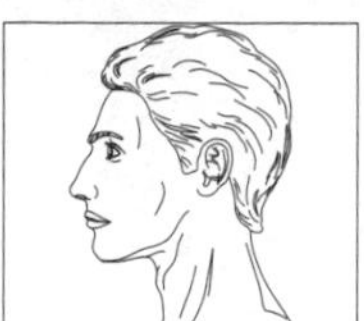
28R011

28R005

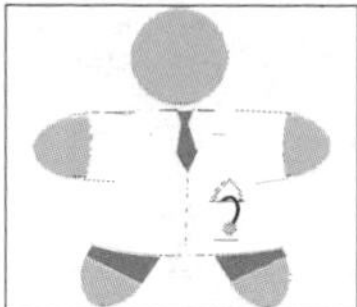
28R012

28R018

28R006

28R001

28R013

28R007

28R014

28R002

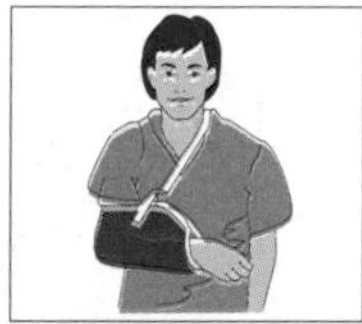
28R015

28R016

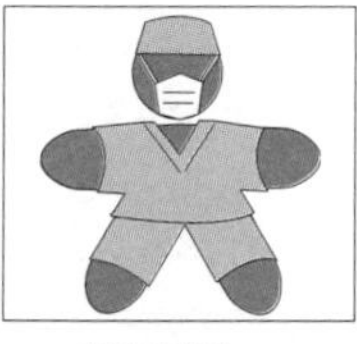
28R017

Man
Homme
Hombres
Mann

Business
Affaires
Negocios
Wirtschaft

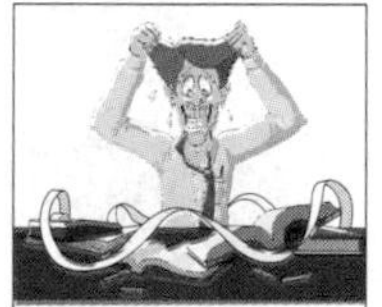
28S001

28S002

28S003

28S004

28S005

28S006

28S007

28S008

28S009

28S010

28S011

28S012

28S013

28S014

28S015

Man
Homme
Hombres
Mann

Business
Affaires
Negocios
Wirtschaft

28S016

Man
Homme
Hombres
Mann

Historical
Histoire
Histórico
Geschichte

28T001

28T002

28T003

28T004

28T005

28T006

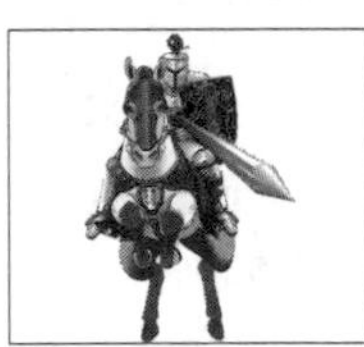
28T007

28T008

28T009

Man
Homme
Hombres
Mann

Humor
Humor
Humorismo
Humor

28U001

28U002

28U003

28U004

28U005

28U006

28U007

28U008

28U009

28U010

28U011

28U012

28U013

28U014

28U015

28U016

28U017

28U018

28U019

28U020

28U021

28U022

28U023

28U024

28U025

28U026

28U027

28U028

28U029

28U030

28U031

Man
Homme
Hombres
Mann

Miscellaneous
Divers
Varios
Verschiedenes

28V001

28V002

28V003

28V004

28V005

28V006

28V007

28V008

28V009

28V010

28V011

28V012

28V013

28V014

28V015

28V016

28V017

28V018

28V019

28V020

28V021

28V022

28V023

28V024

28V025

28V026

28V027

28V028

28V029

28V030

28V031

28V032

28V033

28V034

28V035

Man
Homme
Hombres
Mann

Miscellaneous
Divers
Varios
Verschiedenes

28V036

28V037

28V038

28V039

28V040

28V041

28V042

28V043

28V044

28V045

28V046

28V047

28V048

Man
Homme
Hombres
Mann

Sports
Sports
Desportes
Sport

28W001

28W002

28W003

28W004

28W005

28W006

28W007

28W008

28W009

28W010

28W011

28W012

28W013

28W014

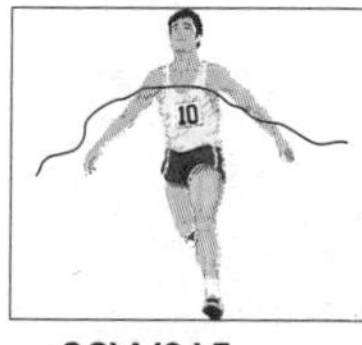
28W015

Man
Homme
Hombres
Mann

Sports
Sports
Desportes
Sport

28W016

28W017

28W018

28W019

28W020

28W021

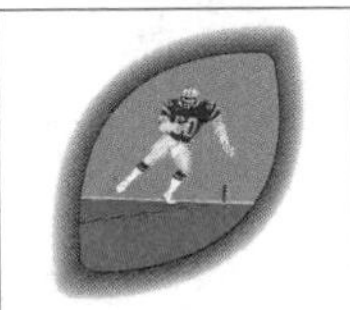
28W022

28W023

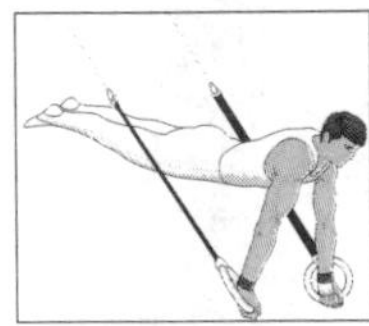
28W024

28W025

28W026

28W027

28W028

28W029

28W030

28W031

28W032

28W033

28W034

28W035

28W036

28W037

28W038

28W039

28W040

28W041

28W042

28W043

28W044

28W045

28W046

28W047

28W048

28W049

28W050

Man
Homme
Hombres
Mann

Sports
Sports
Desportes
Sport

28W051

28W052

28W053

28W054

28W055

Map
Cartographie
Mapa
Landkarte

Africa
Afrique
África
Afrika

CARTESIA

29A001

29A002

29A003

29A004

29A005

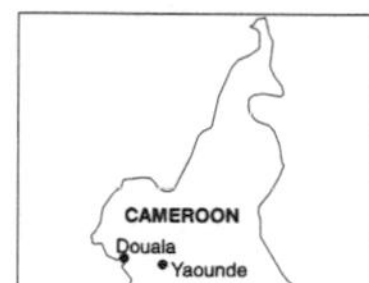

29A006

29A007

29A008

29A009

29A010

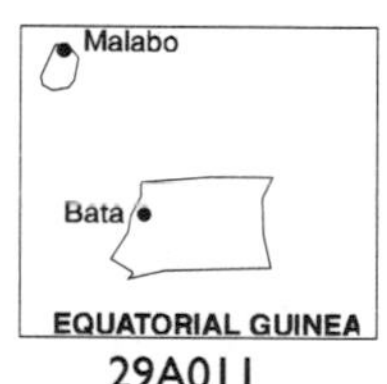

29A011

29A012

29A013

29A014

29A015

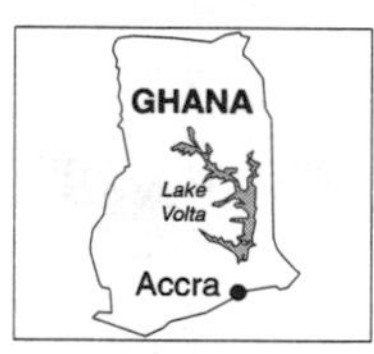

29A016

29A017

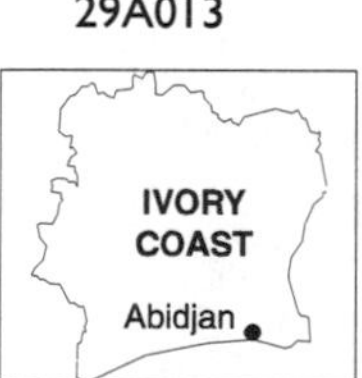

29A018

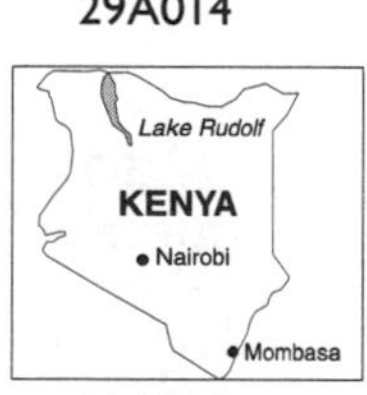

29A019

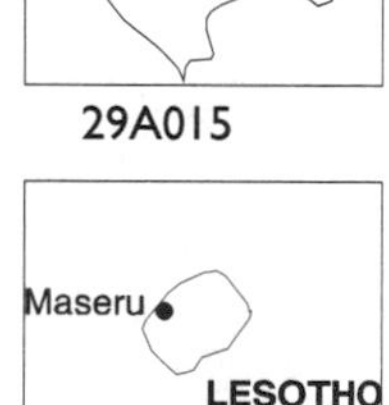

29A020

29A021

29A022

29A023

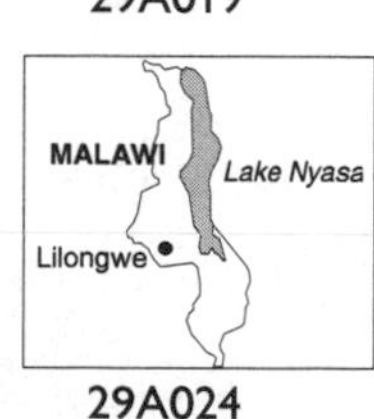

29A024

29A025

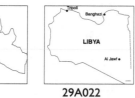

Map
Cartographie
Mapa
Landkarte

Africa
Afrique
África
Afrika

29A026

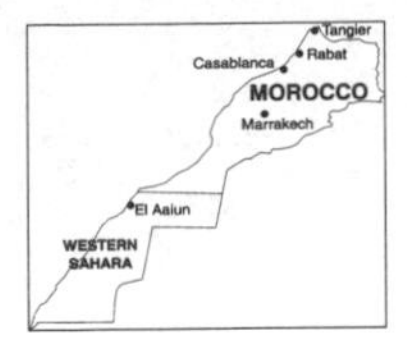

29A027

29A028

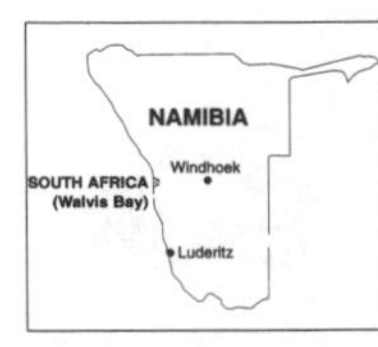

29A029

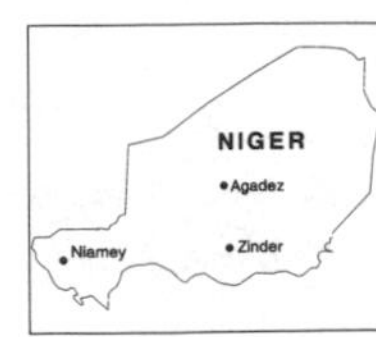

29A030

29A031

29A032

29A033

29A034

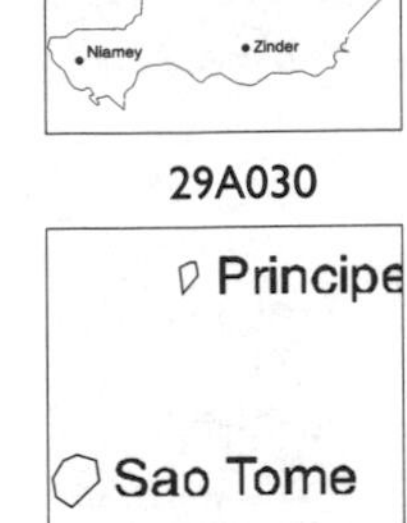

29A035

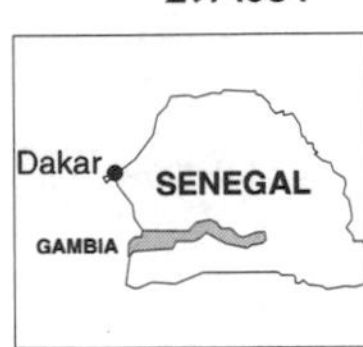

29A036

29A037

29A038

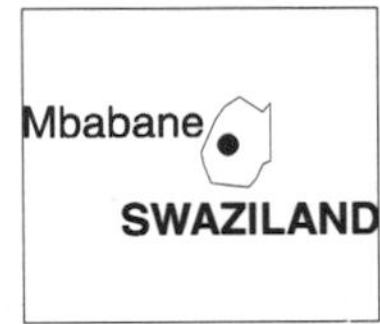

29A039

29A040

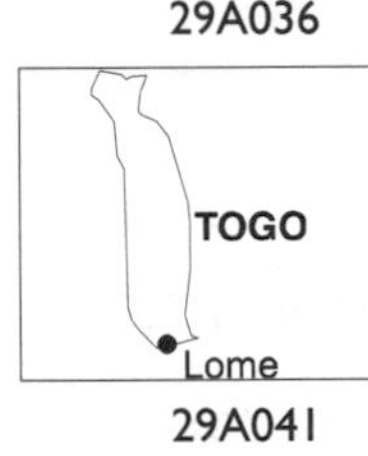

29A041

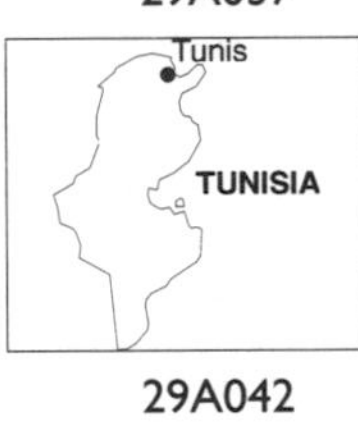

29A042

29A043

29A044

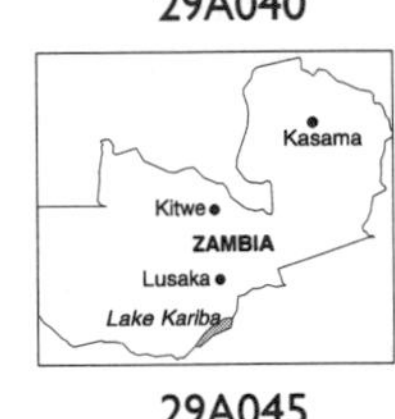

29A045

29A046

Map
Cartographie
Mapa
Landkarte

Asia
Asie
Asia
Asien

29B001

29B002

29B003

29B004

29B005

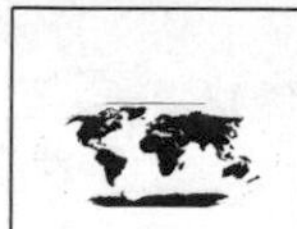

Map
Cartographie
Mapa
Landkarte

Asia
Asie
Asia
Asien

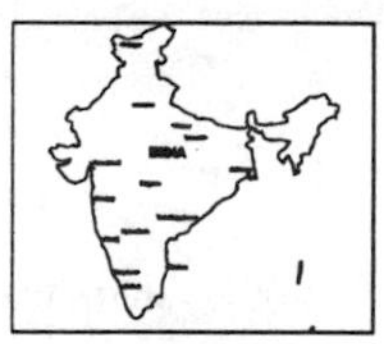

29B006

29B007

29B008

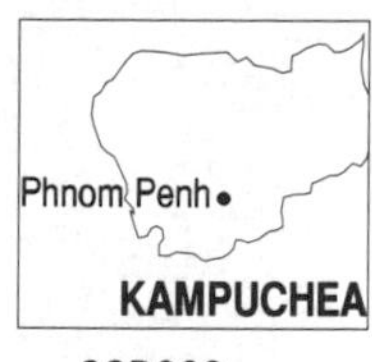

29B009

29B010

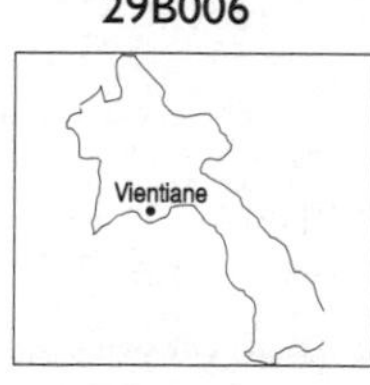

29B011

29B012

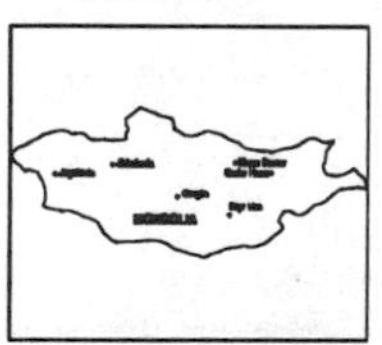

29B013

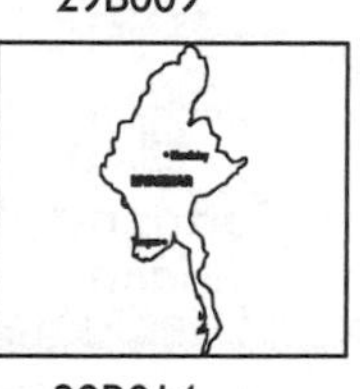

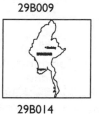

29B014

29B015

29B016

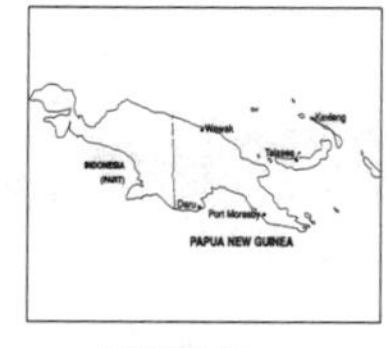

29B017

29B018

29B019

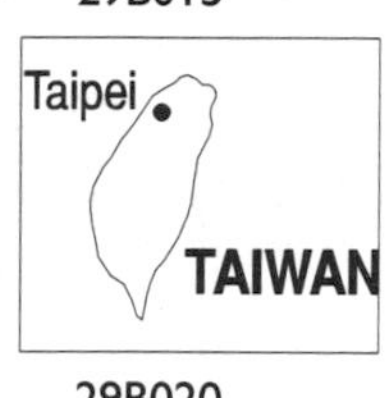

29B020

29B021

29B022

29B023

Map
Cartographie
Mapa
Landkarte

Central America
Amérique Centrale
Centroamérica
Mittleamerika

29C001

29C002

29C003

29C004

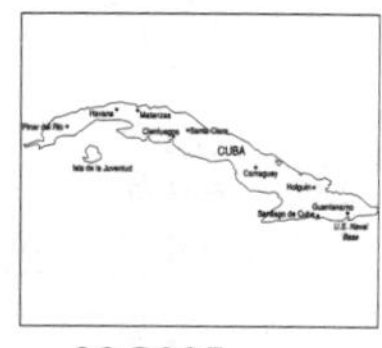

29C005

29C006

29C007

29C008

29C009

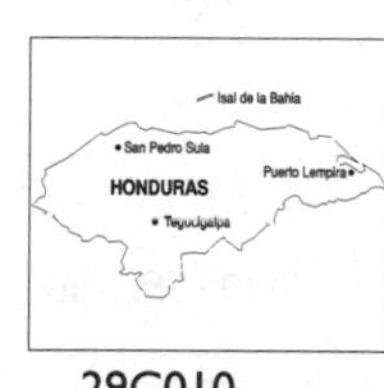

29C010

Map
Cartographie
Mapa
Landkarte

Central America
Amérique Centrale
Centroamérica
Mittleamerika

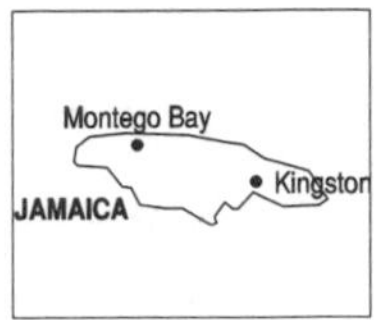

29C011

29C012

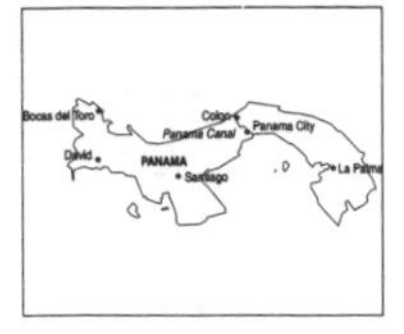

29C013

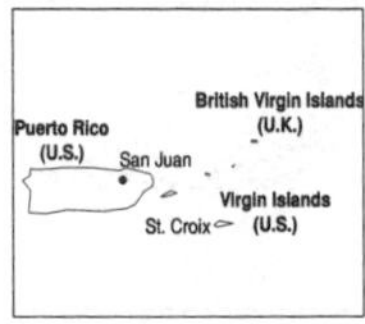

29C014

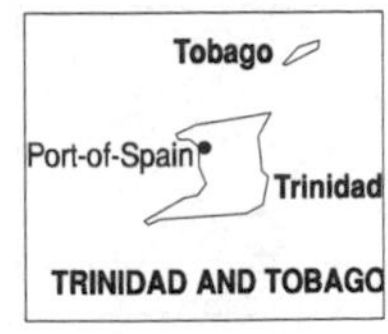

29C015

Map
Cartographie
Mapa
Landkarte

Europe
Europe
Europa
Europa

29D001

29D002

29D003

29D004

29D005

Copenhagen
DENMARK

29D006

29D007

29D008

29D009

29D010

29D011

29D012

29D013

29D014

29D015

29D016

29D017

29D018

29D019

29D020

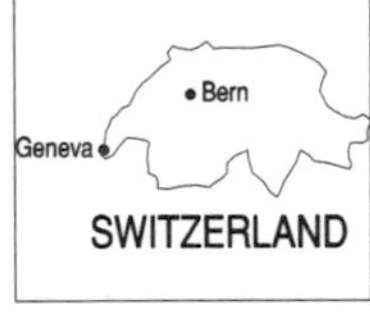

29D021

29D022

29D023

Map
Cartographie
Mapa
Landkarte

Middle East
Moyen-Orient
Medioeste
Naher Osten

29E001

Nicosia
CYPRUS

29E002

29E003

29E004

29E005

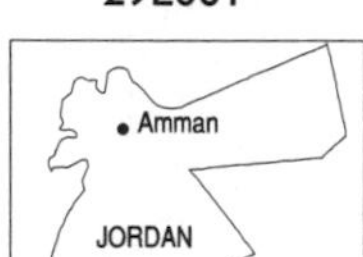

29E006

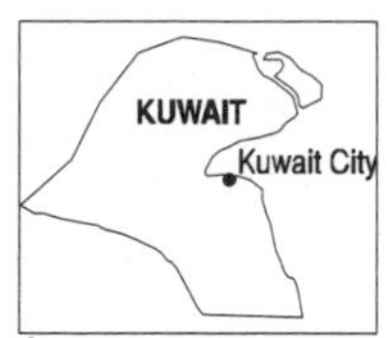

29E007

29E008

29E009

29E010

SAUDI ARABIA

29E011

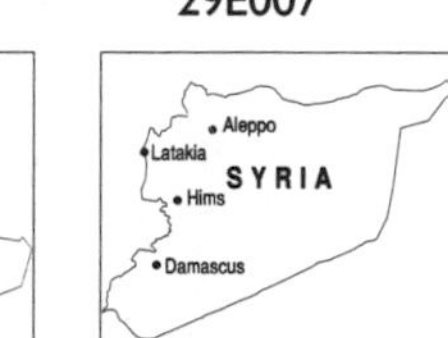

29E012

TURKEY

29E013

Abu Zaby
UNITED ARAB EMIRATES

29E014

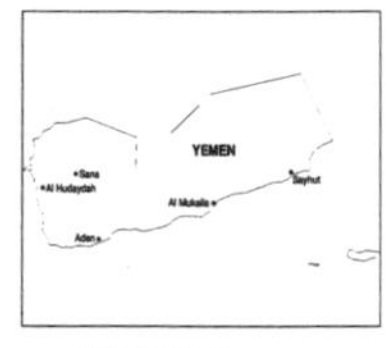

29E015

Map
Cartographie
Mapa
Landkarte

North America
Amérique du Nord
Norte América
Nordamerika

29F001

29F002

29F003

Map
Cartographie
Mapa
Landkarte

Pacific
Pacifique
Pacífico
Pazifik

29G001

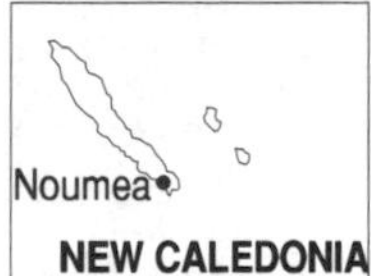

29G002

29G003

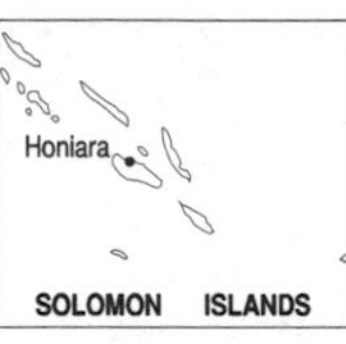

29G004

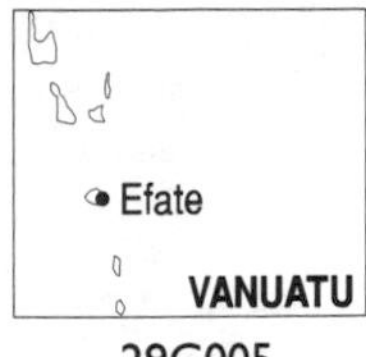

29G005

Map
Cartographie
Mapa
Landkarte

29H001

29H002

29H003

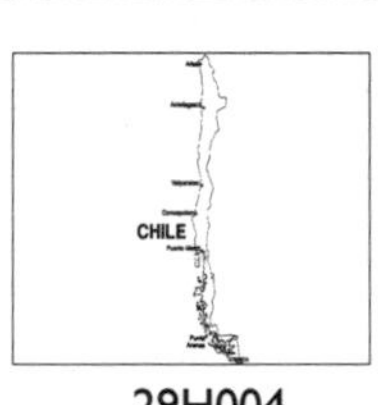

29H004

29H005

29H006

29H007

29H008

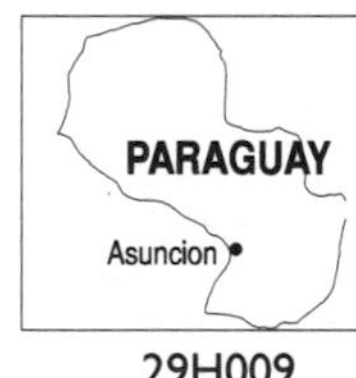

29H009

29H010

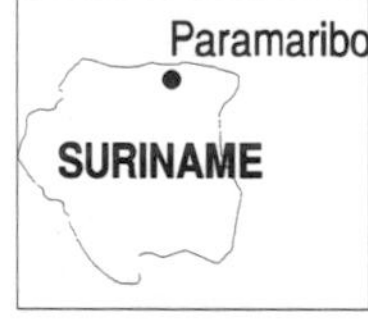

29H011

Salto
Montevideo
URUGUAY

29H012

29H013

Map
Cartographie
Mapa
Landkarte

Canada
Canada
Canada
Kanada

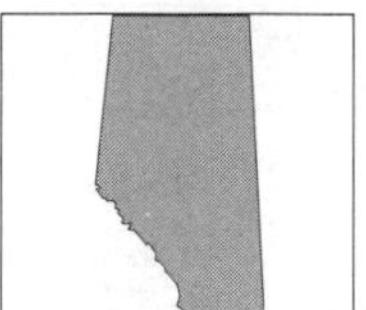
29I001

29I002

29I003

29I004

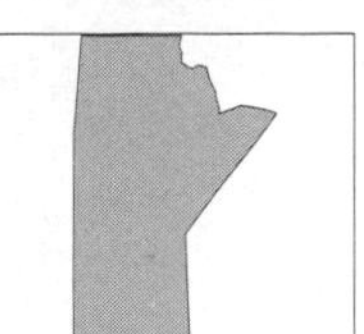
29I005

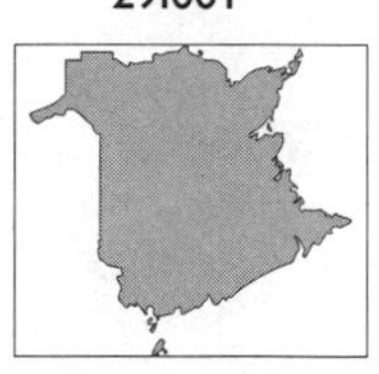
29I006

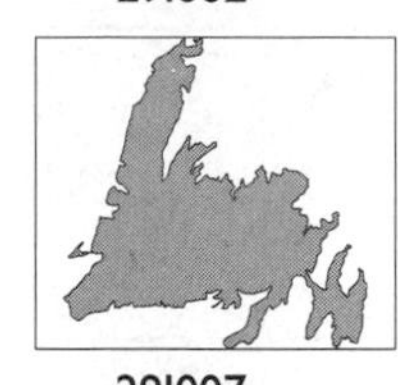
29I007

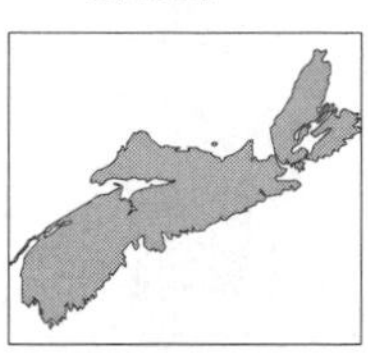
29I008

29I009

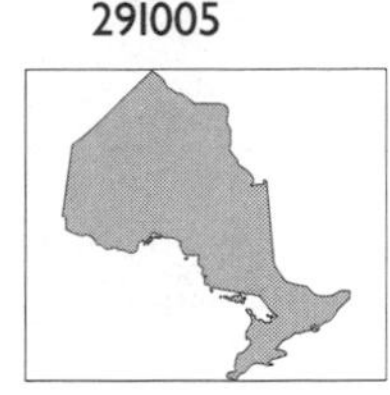
29I010

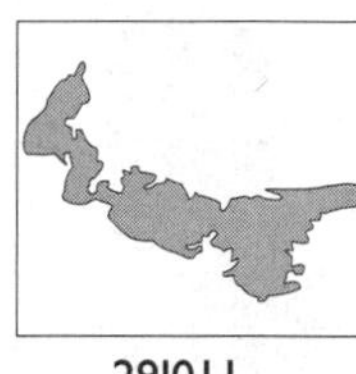
29I011

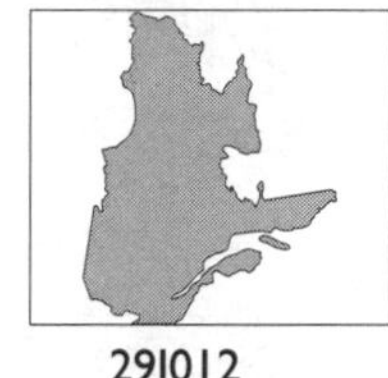
29I012

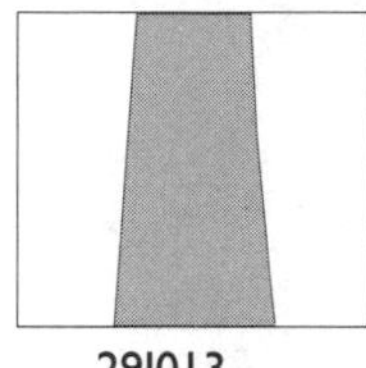
29I013

29I014

Map
Cartographie
Mapa
Landkarte

Other
Autre
Otras
Andere

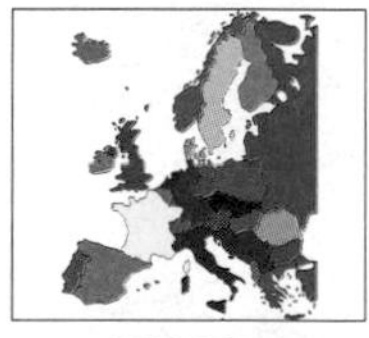
29J001

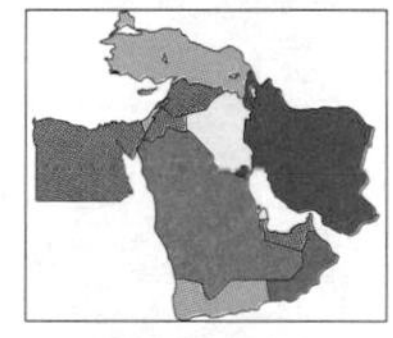
29J002

29J003

29J004

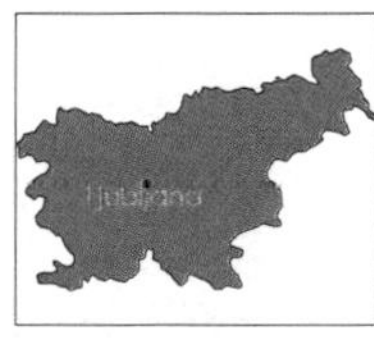

29J005

29J006

29J007

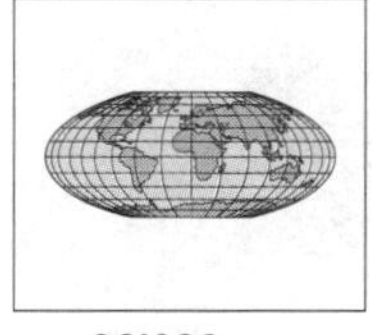
29J008

Map
Cartographie
Mapa
Landkarte

United States
États-Unis
Estados-Unidos
USA

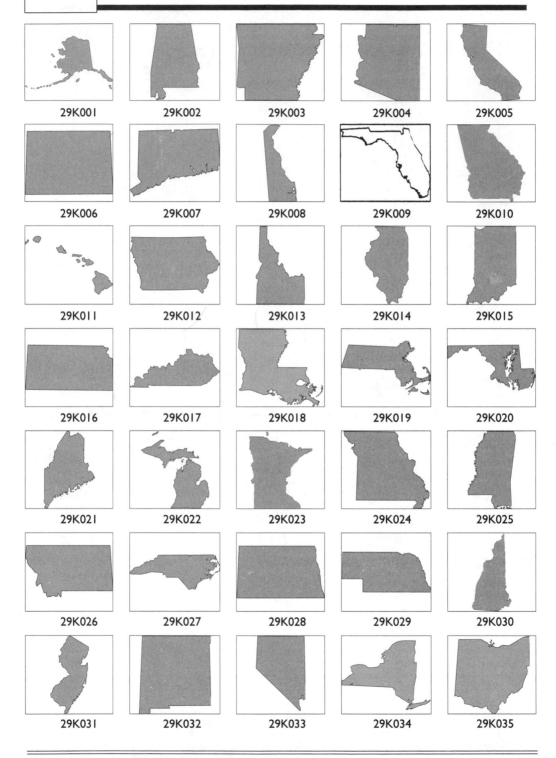

29K001	29K002	29K003	29K004	29K005
29K006	29K007	29K008	29K009	29K010
29K011	29K012	29K013	29K014	29K015
29K016	29K017	29K018	29K019	29K020
29K021	29K022	29K023	29K024	29K025
29K026	29K027	29K028	29K029	29K030
29K031	29K032	29K033	29K034	29K035

Map
Cartographie
Mapa
Landkarte

United States
États-Unis
Estados-Unidos
USA

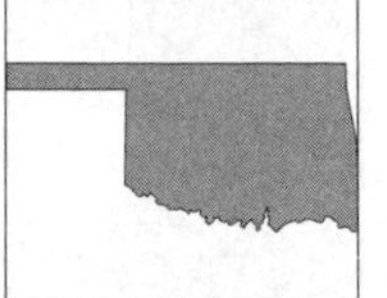

29K036

29K037

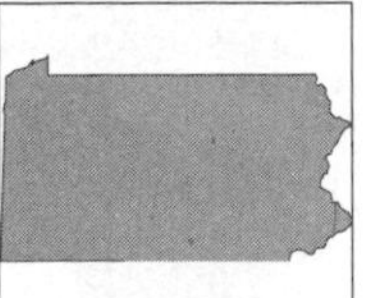

29K038

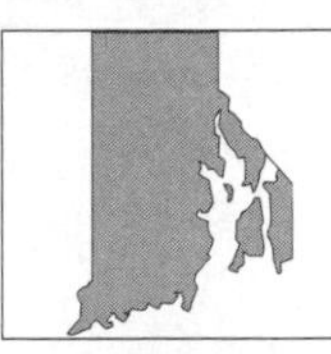

29K039

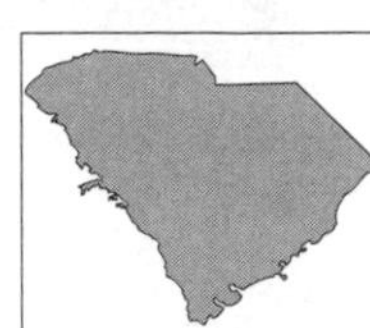

29K040

29K041

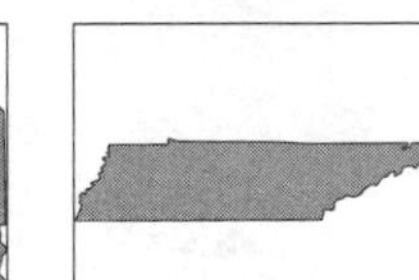

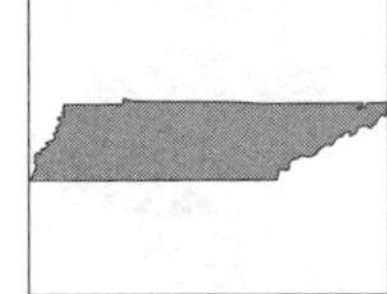

29K042

29K043

29K044

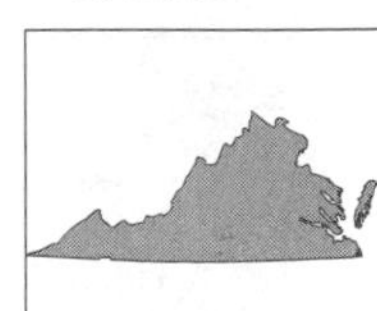

29K045

29K046

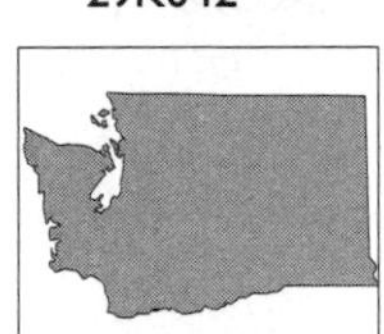

29K047

29K048

29K049

29K050

Map
Cartographie
Mapa
Landkarte

Other
Autre
Otras
Andere

29L001

29L002

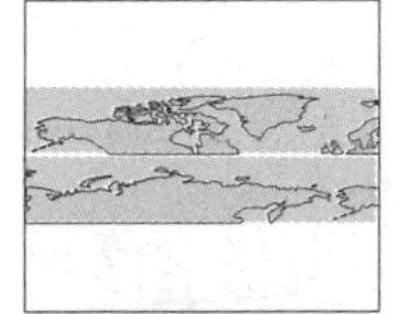

29L003

29L004

29L005

Map
Cartographie
Mapa
Landkarte

29L006

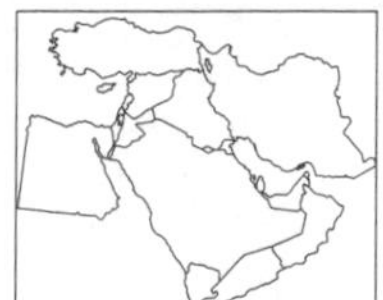
29L007

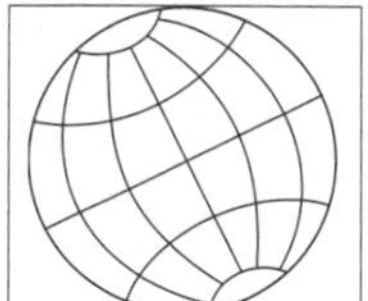
29L008

29L009

29L010

29L011

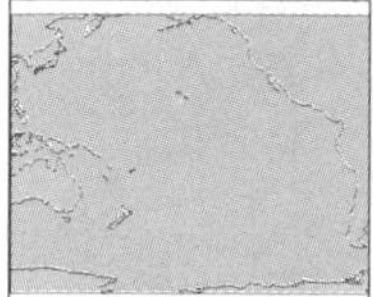
29L012

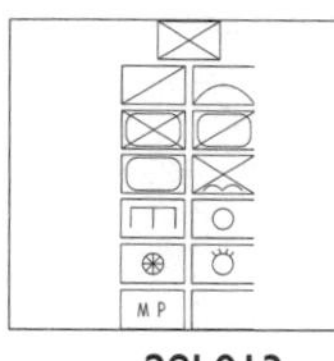

29L013

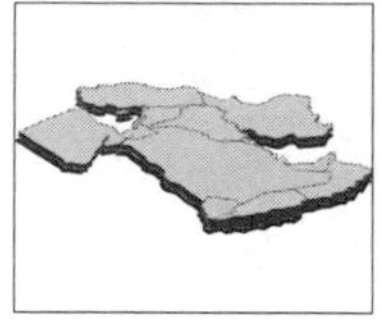
29L014

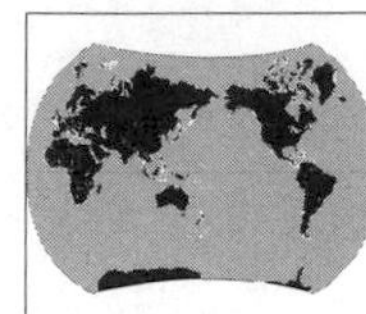
29L015

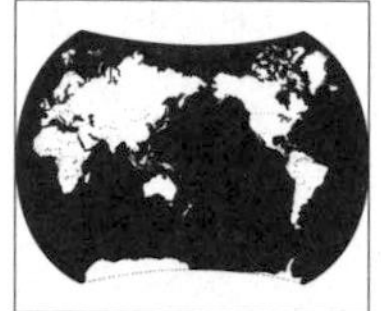
29L016

Map
Cartographie
Mapa
Landkarte

United States
États-Unis
Estados-Unidos
USA

29M001

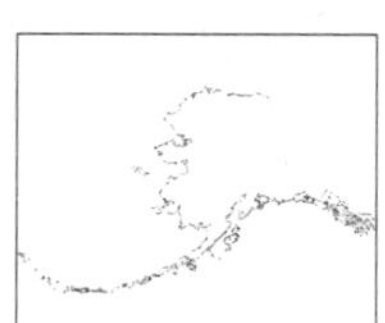
29M002

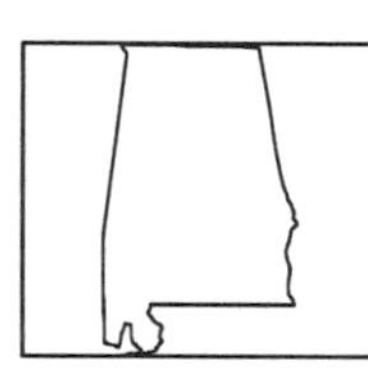
29M003

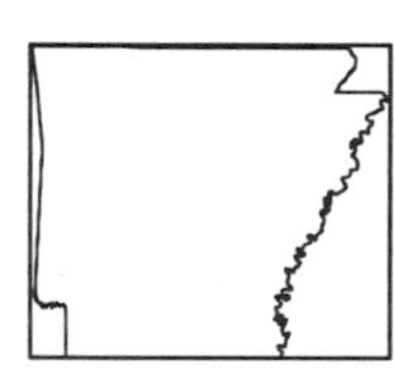
29M004

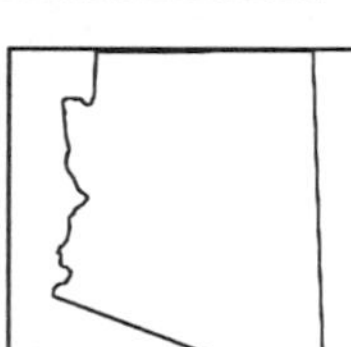
29M005

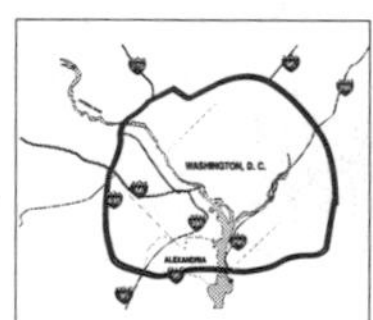

29M006

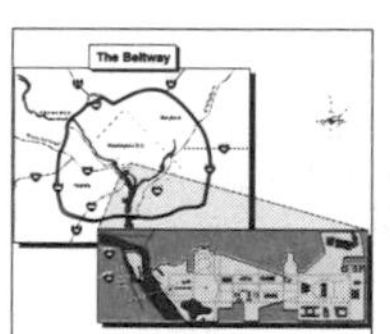

29M007

29M008

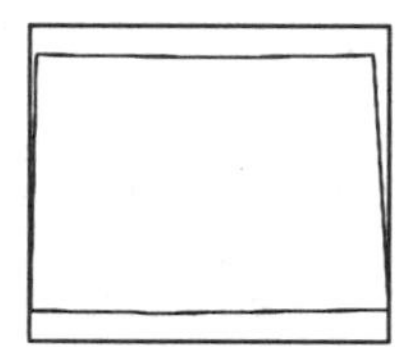
29M009

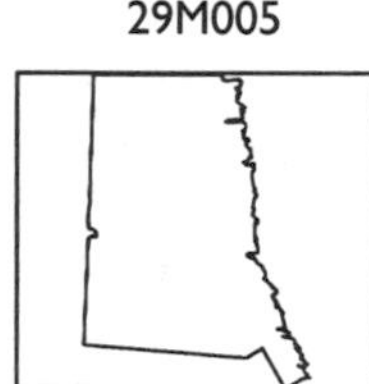
29M010

29M011

29M012

29M013

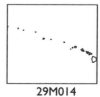

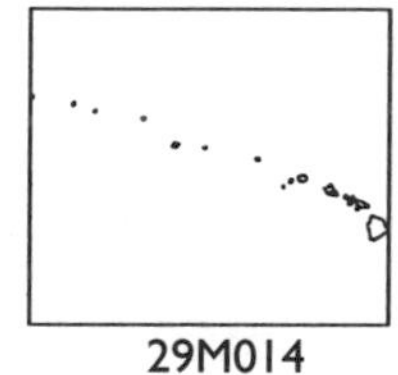
29M014

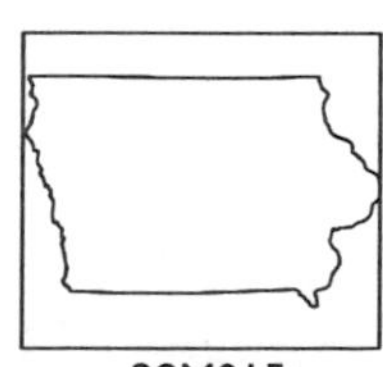
29M015

Map
Cartographie
Mapa
Landkarte

United States
États-Unis
Estados-Unidos
USA

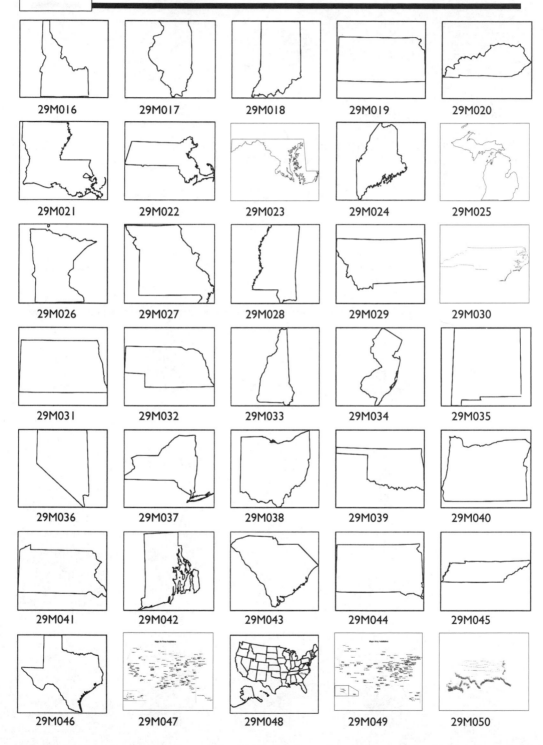

29M016	29M017	29M018	29M019	29M020
29M021	29M022	29M023	29M024	29M025
29M026	29M027	29M028	29M029	29M030
29M031	29M032	29M033	29M034	29M035
29M036	29M037	29M038	29M039	29M040
29M041	29M042	29M043	29M044	29M045
29M046	29M047	29M048	29M049	29M050

Map
Cartographie
Mapa
Landkarte

United States
États-Unis
Estados-Unidos
USA

29M051

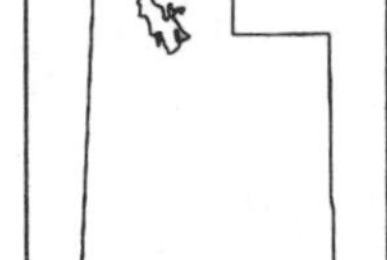

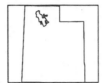

29M052

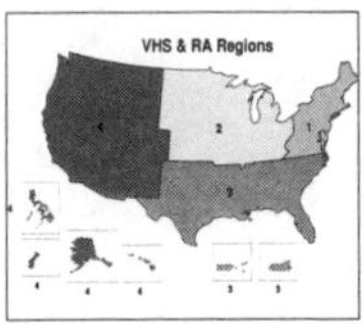

29M053

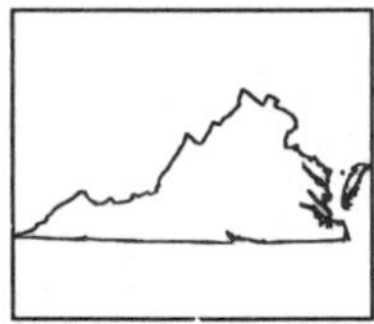

29M054

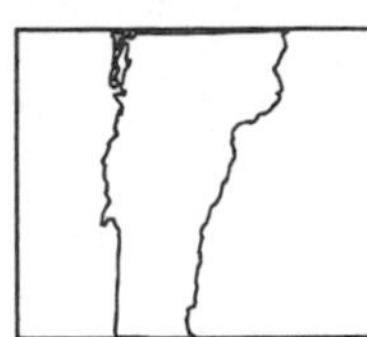

29M055

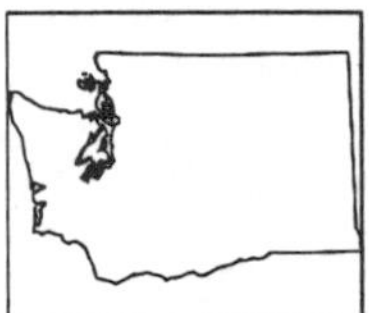

29M056

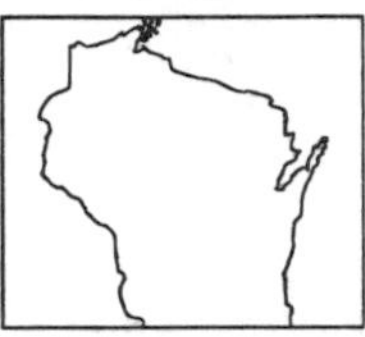

29M057

29M058

29M059

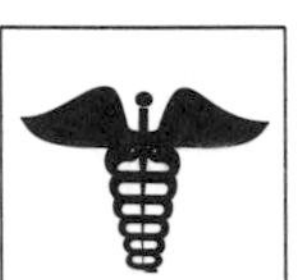

Medical
Médecine
Médico
Medizin

Anatomy
Anatomie
Anatomia
Anatomie

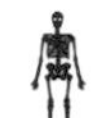

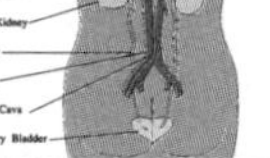

30A001

30A002

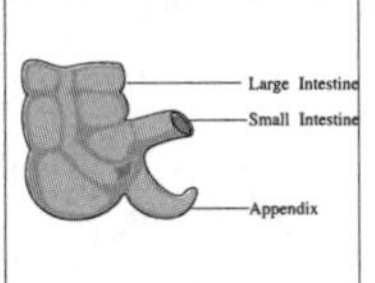

30A003

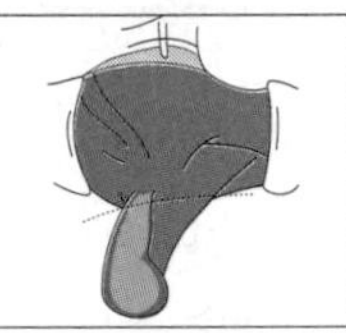

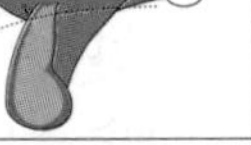

30A004

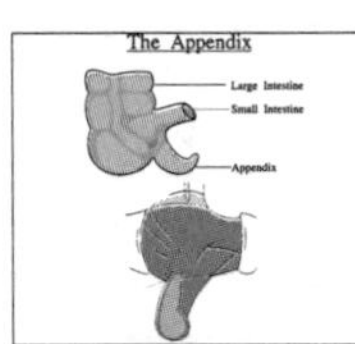

30A005

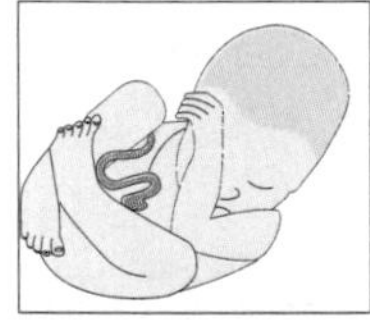

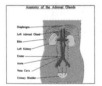

30A006

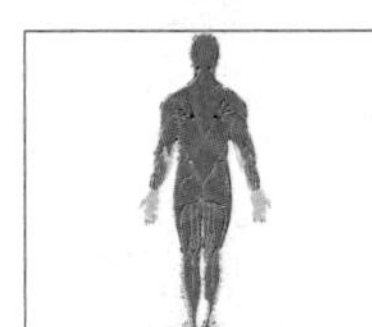

30A007

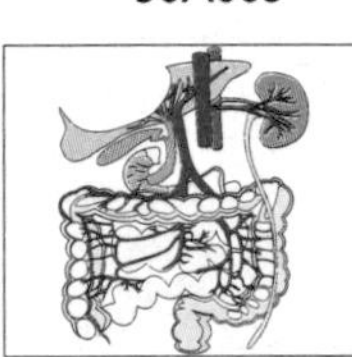

30A008

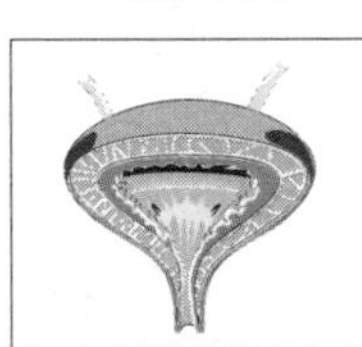

30A009

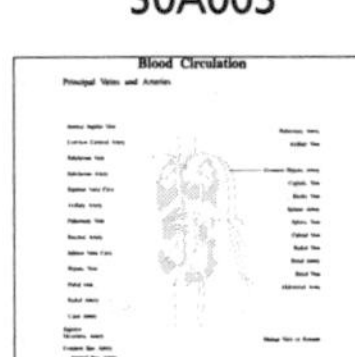

30A010

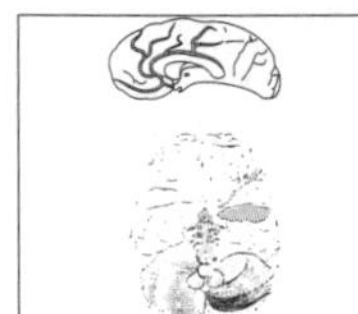

30A011

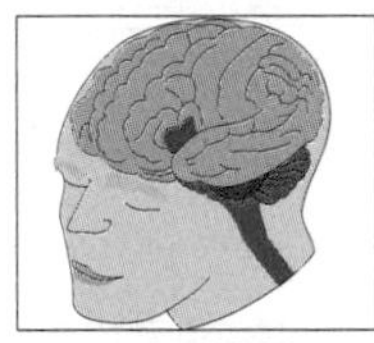

30A012

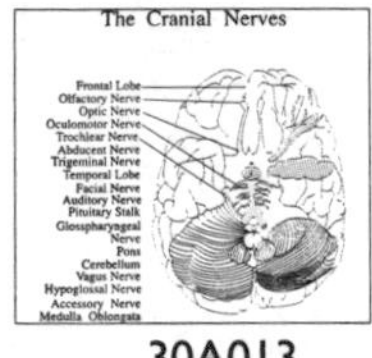

30A013

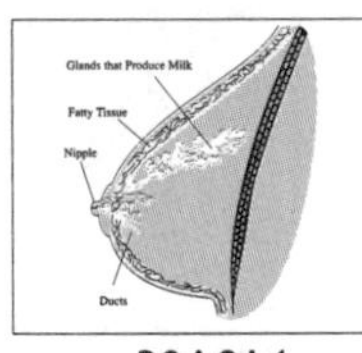

30A014

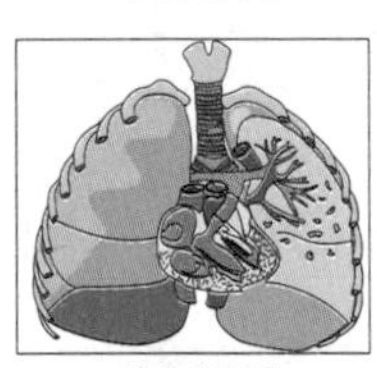

30A015

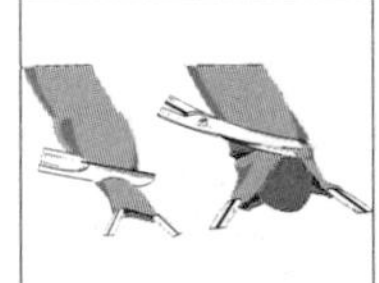

30A016

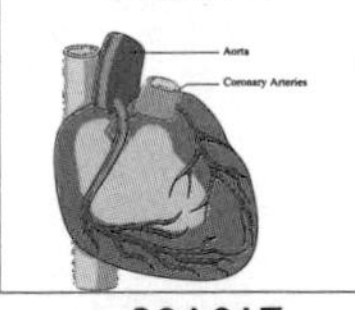

30A017

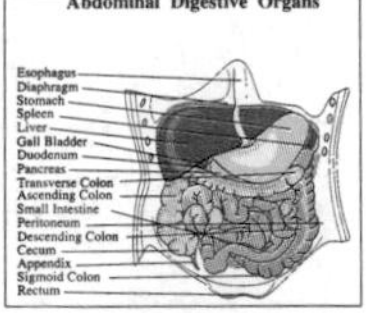

30A018

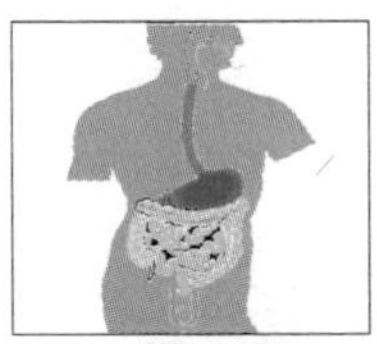

30A019

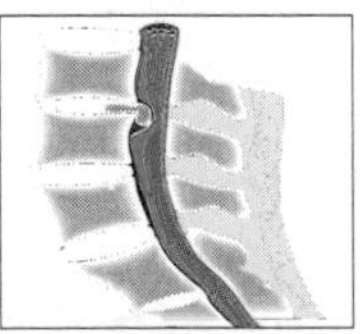

30A020

Medical
Médecine
Médico
Medizin

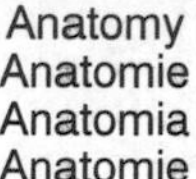

Anatomy
Anatomie
Anatomia
Anatomie

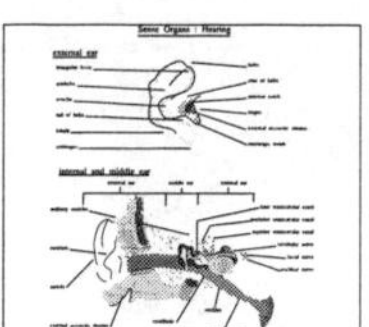

30A021

30A022

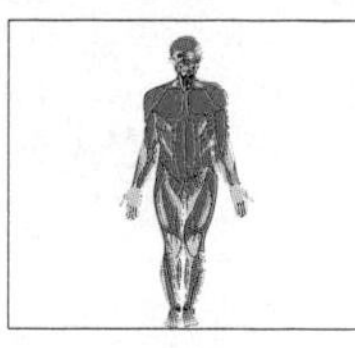

30A023

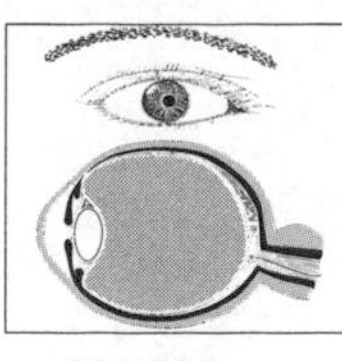

30A024

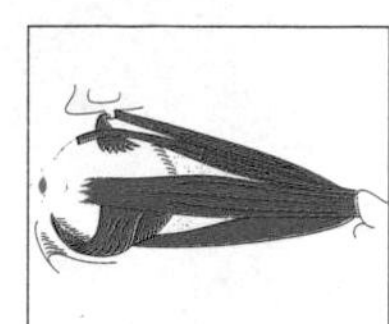

30A025

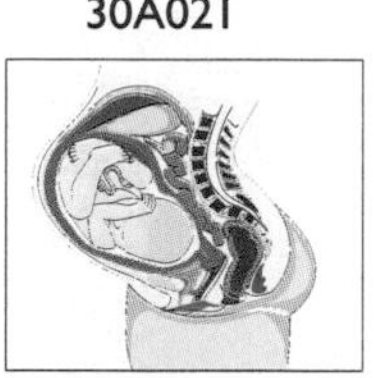

30A026

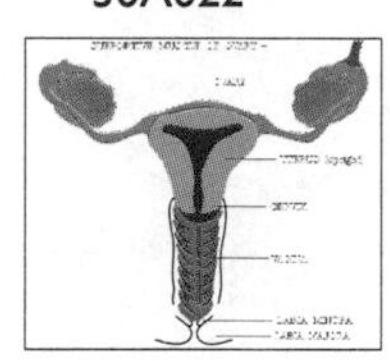

30A027

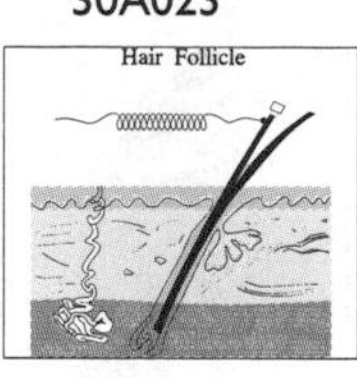

30A028

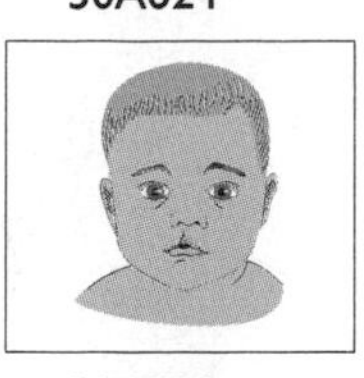

30A029

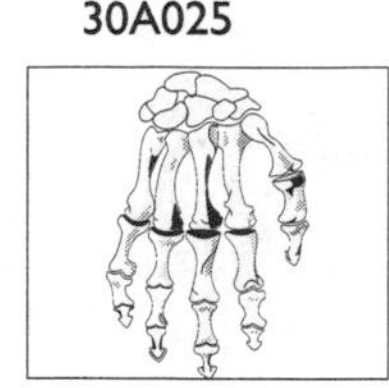

30A030

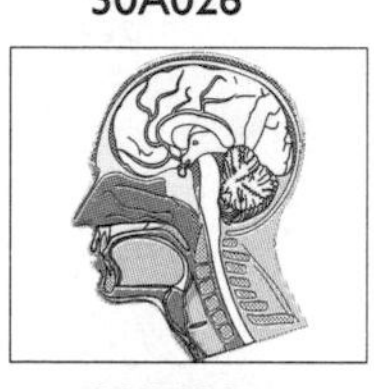

30A031

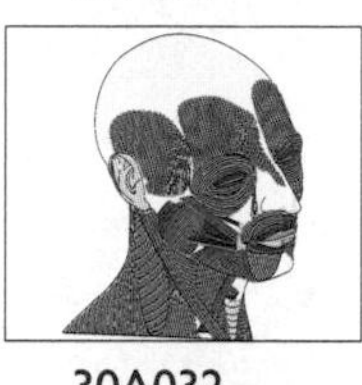

30A032

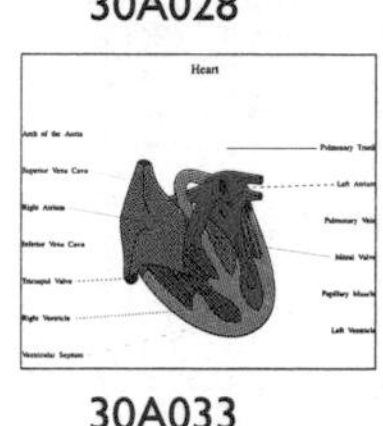

30A033

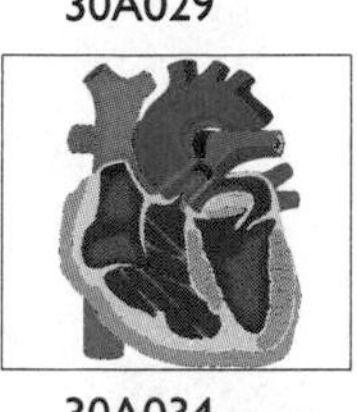

30A034

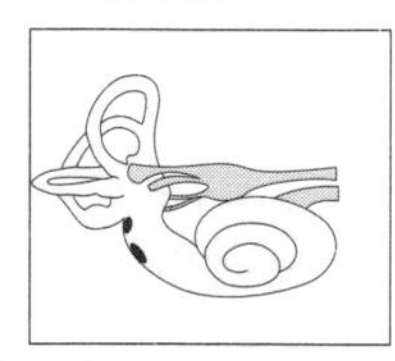

30A035

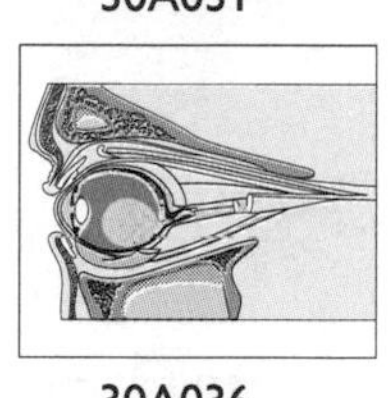

30A036

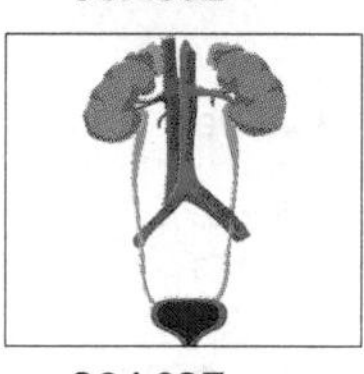

30A037

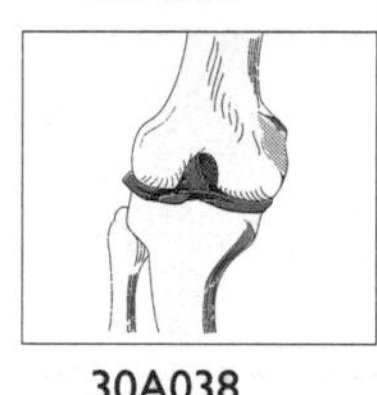

30A038

30A039

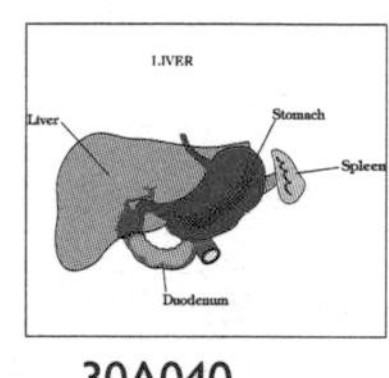

30A040

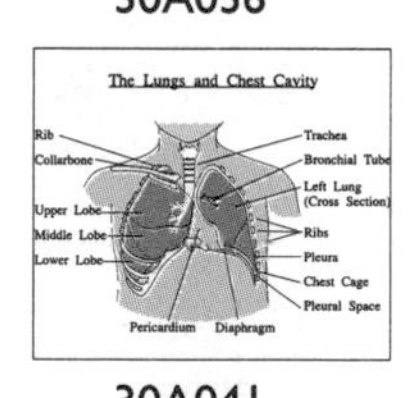

30A041

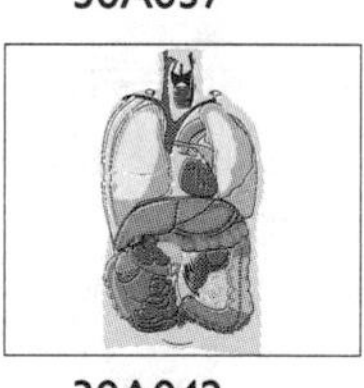

30A042

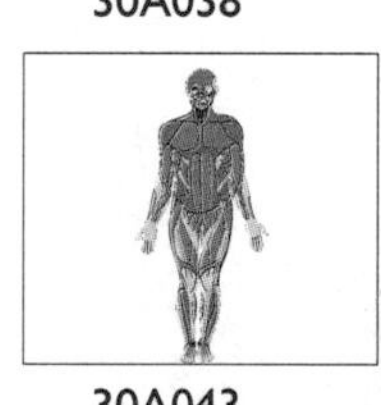

30A043

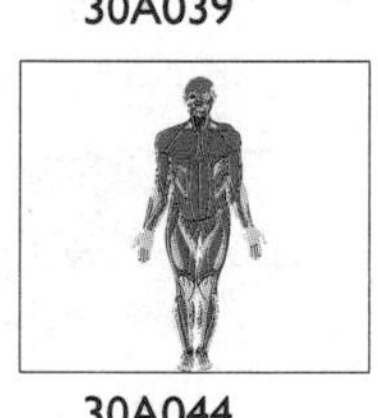

30A044

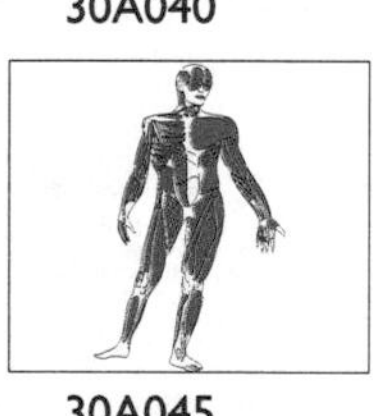

30A045

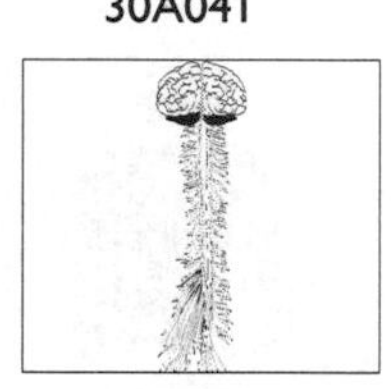

30A046

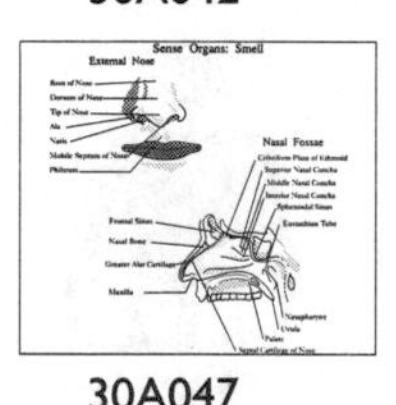

30A047

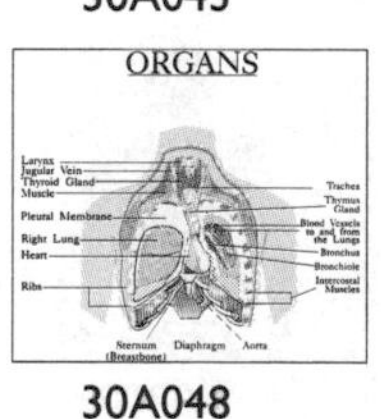

30A048

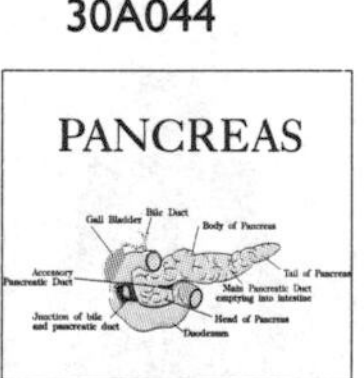

30A049

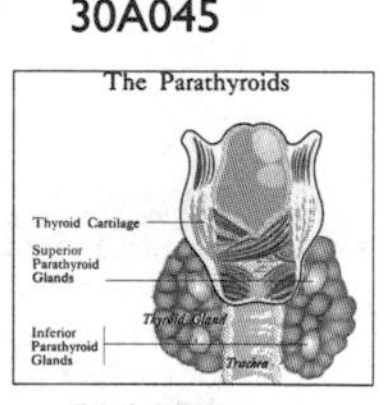

30A050

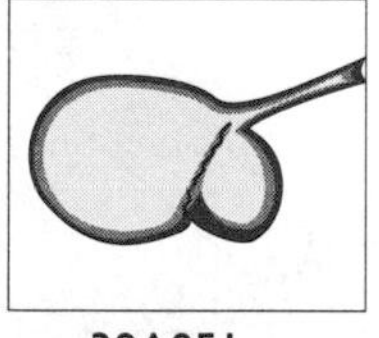

30A051

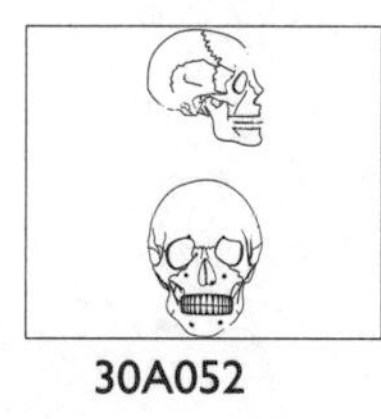

30A052

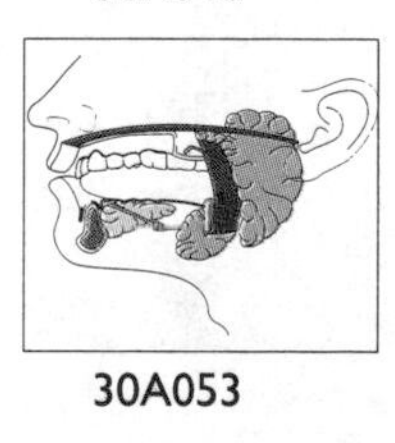

30A053

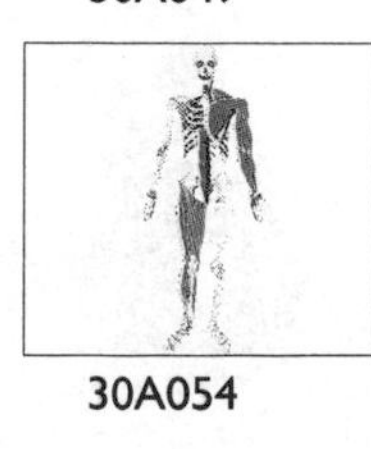

30A054

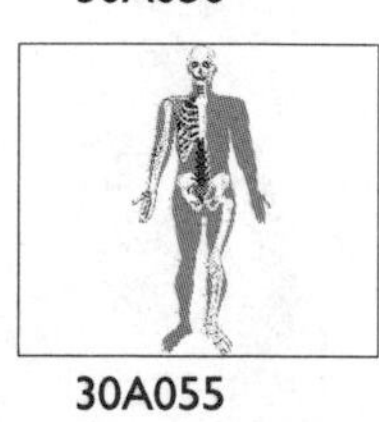

30A055

Medical
Médecine
Médico
Medizin

Anatomy
Anatomie
Anatomia
Anatomie

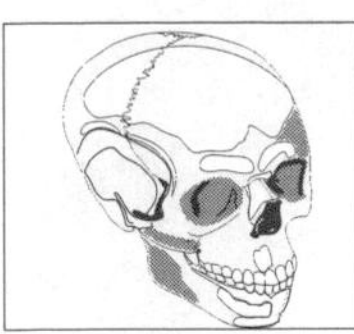

30A056

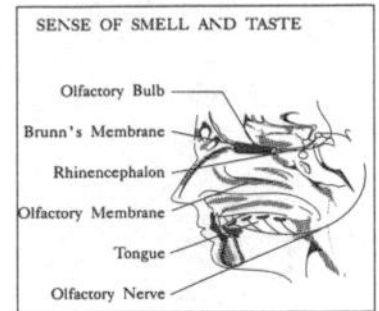

30A057

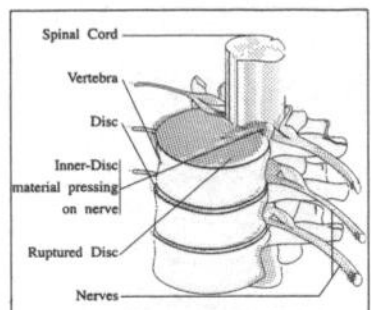

30A058

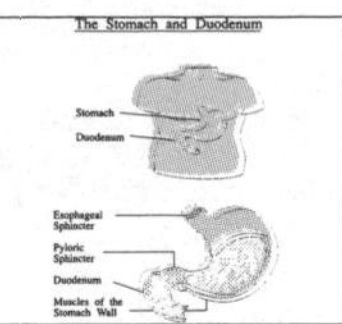

30A059

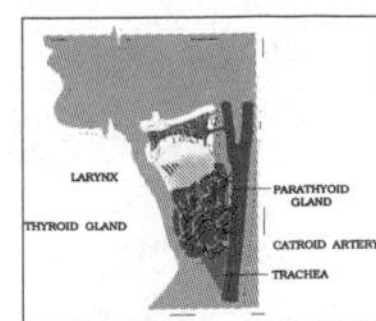

30A060

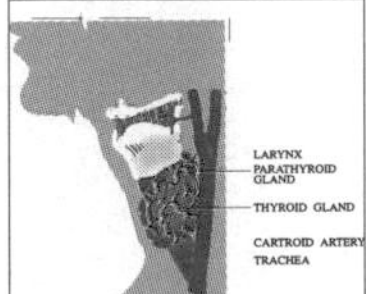

30A061

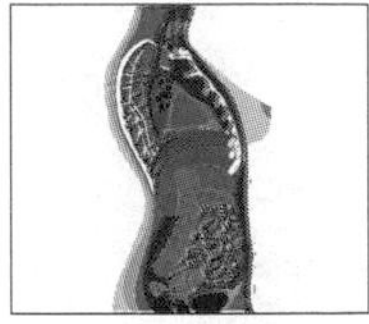

30A063

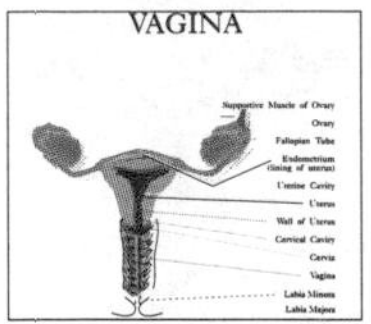

30A064

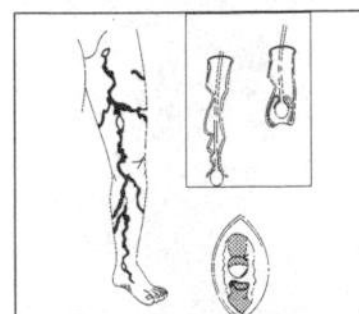

30A065

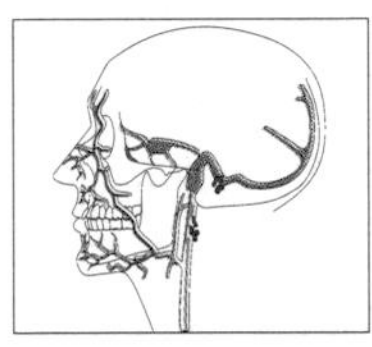

30A066

Medical
Médecine
Médico
Medizin

Miscellaneous
Divers
Varios
Verschiedenes

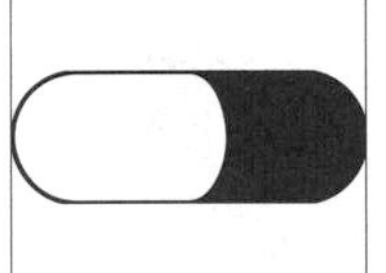

30B001

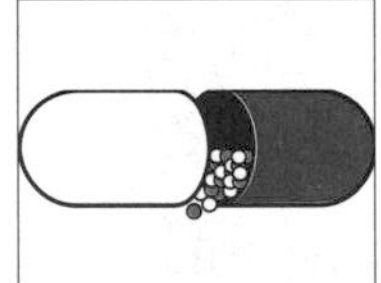

30B002

30B004

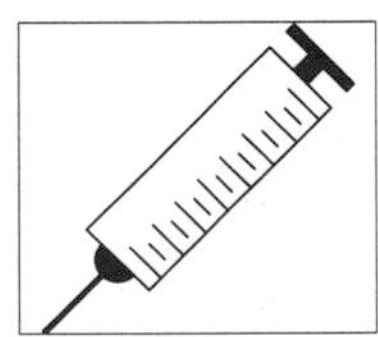

30B005

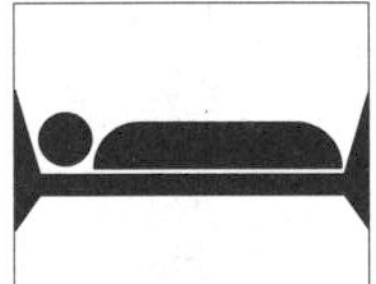

30B006

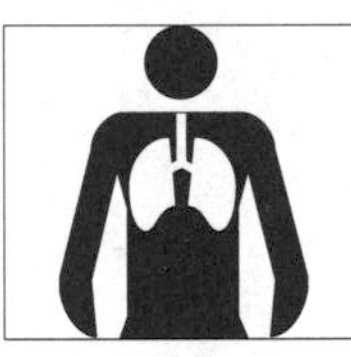

30B007

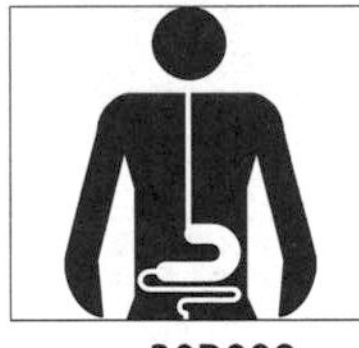

30B008

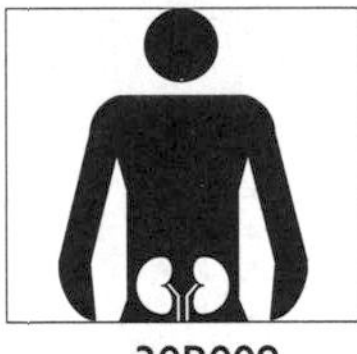

30B009

30B010

30B011

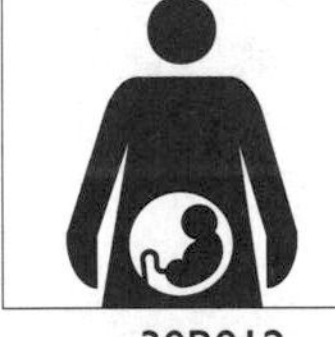

30B012

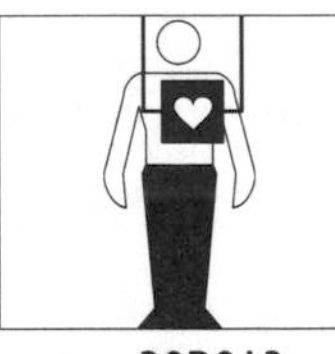

30B013

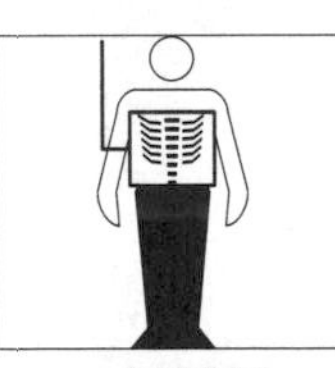

30B014

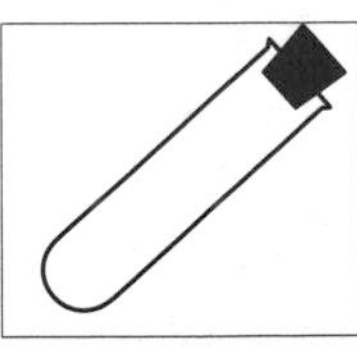

30B015

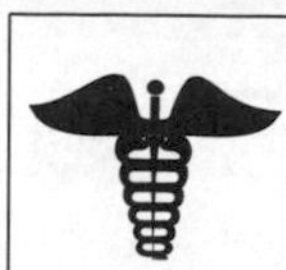

Medical
Médecine
Médico
Medizin

Miscellaneous
Divers
Varios
Verschiedenes

30B016

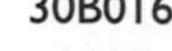

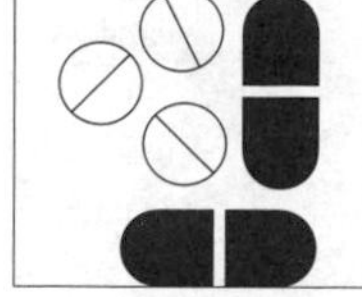

30B017

30B018

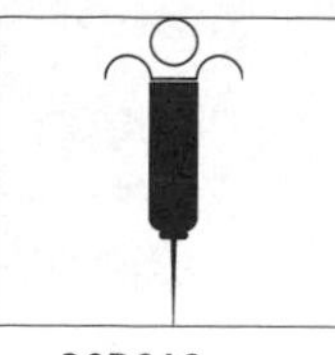

30B019

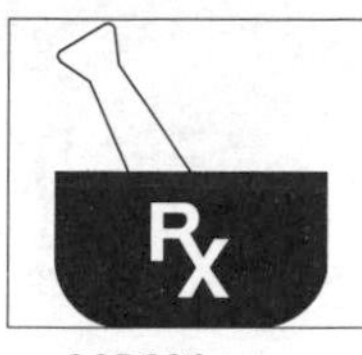

30B020

30B021

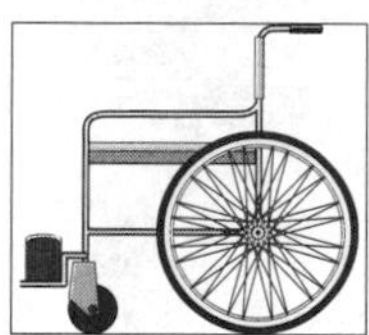

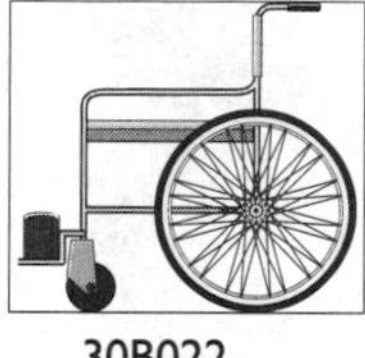

30B022

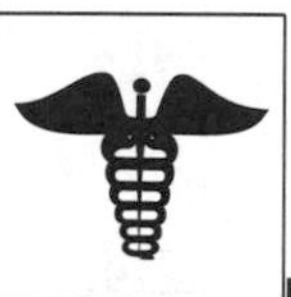

Medical
Médecine
Médico
Medizin

Emergency
Urgence
Urgencia
Notfall

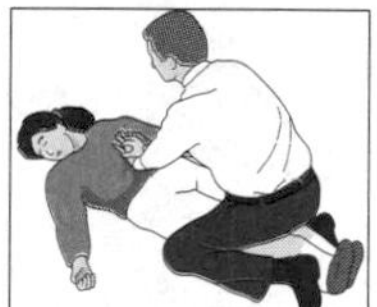

30E001

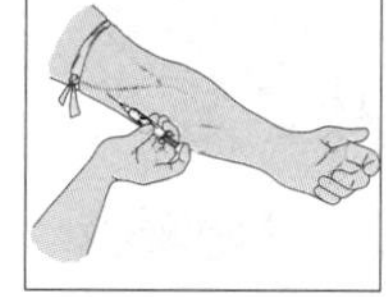

30E002

30E003

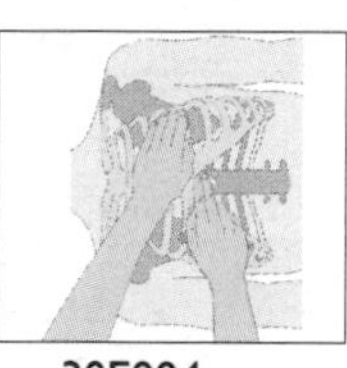

30E004

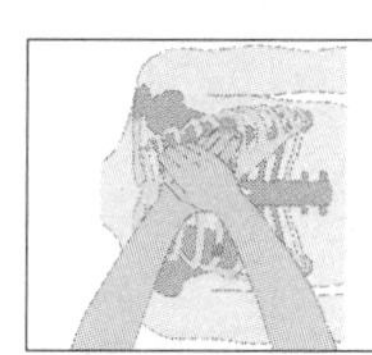

30E005

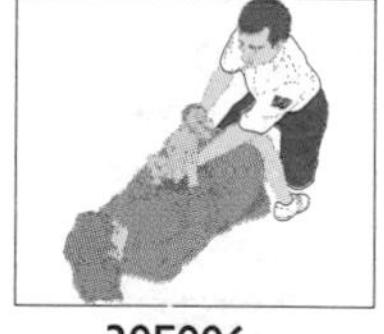

30E006

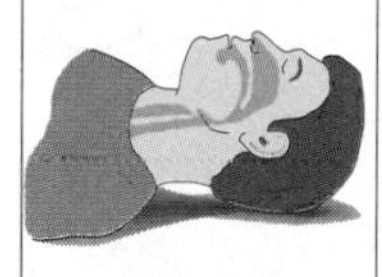

30E007

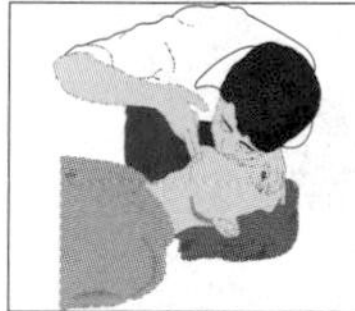

30E008

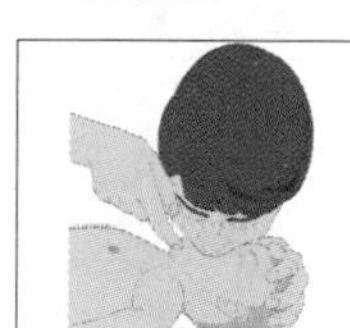

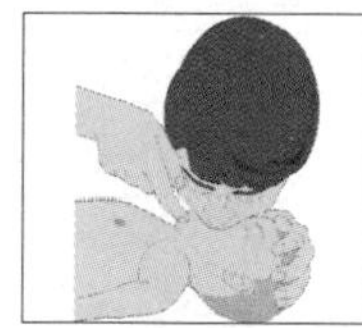

30E009

30E010

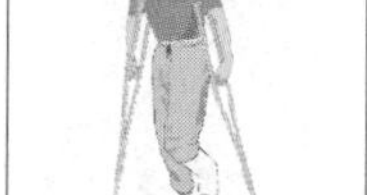

30E011

30E012

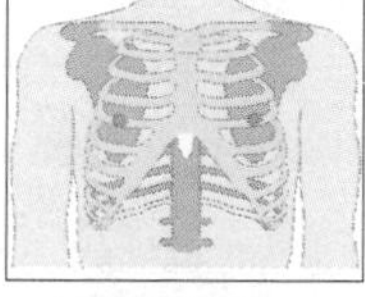

30E013

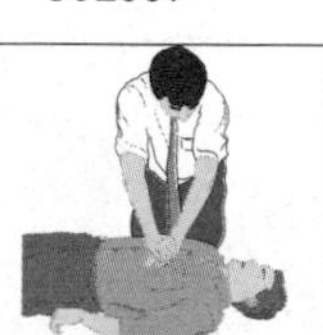

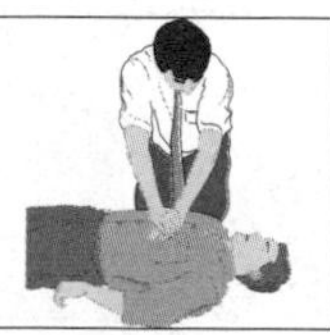

30E014

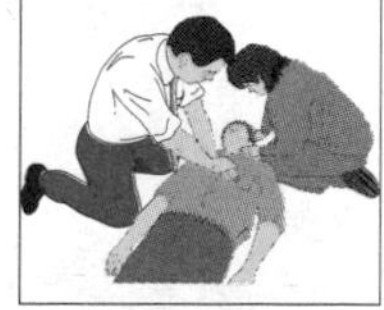

30E015

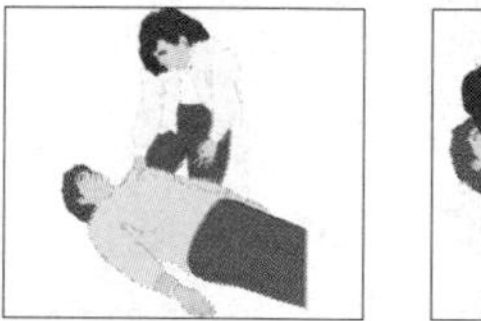

30E016

30E017

30E018

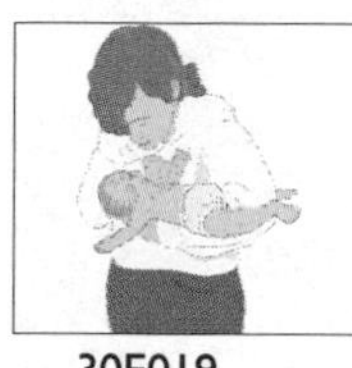

30E019

30E020

Medical
Médecine
Médico
Medizin

Emergency
Urgence
Urgencia
Notfall

30E021

30E022

30E023

30E024

30E025

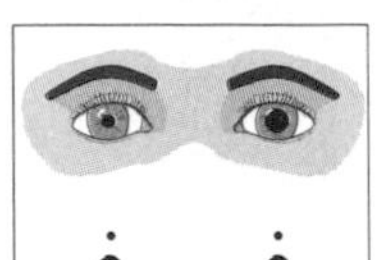

30E026

30E027

30E028

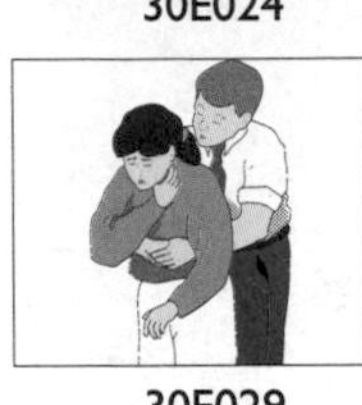

30E029

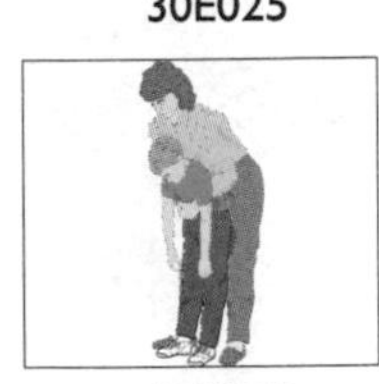

30E030

30E031

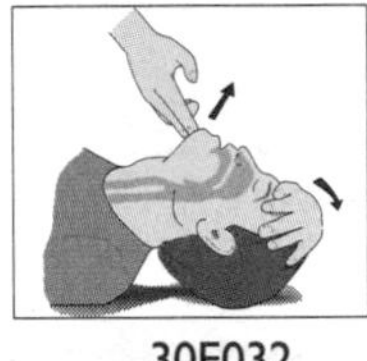

30E032

30E033

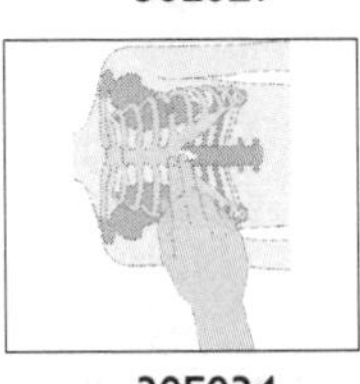

30E034

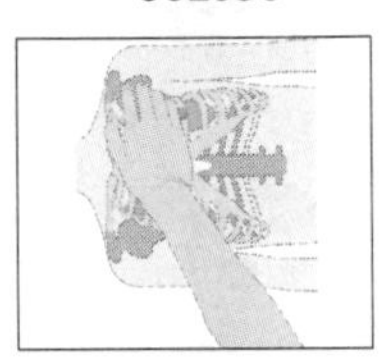

30E035

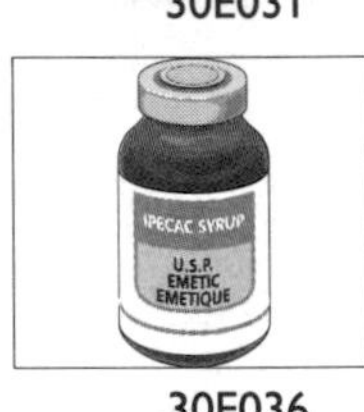

30E036

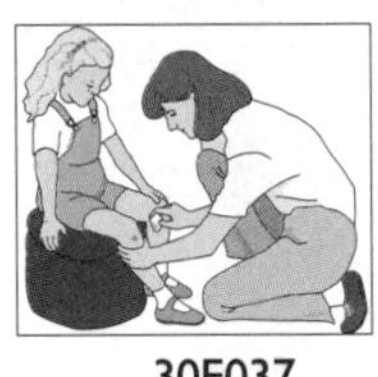

30E037

30E038

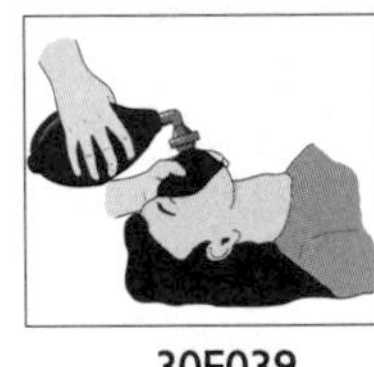

30E039

30E040

30E041

30E042

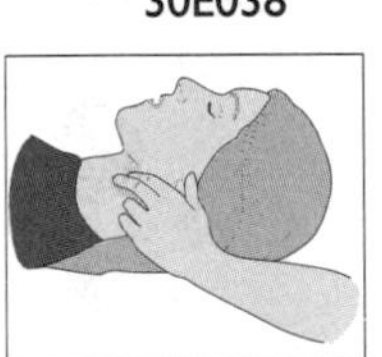
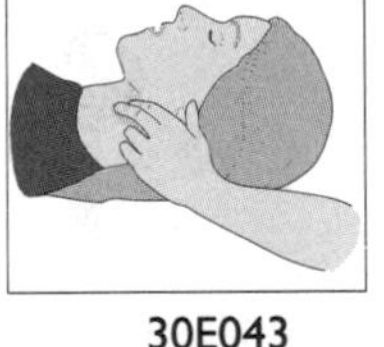

30E043

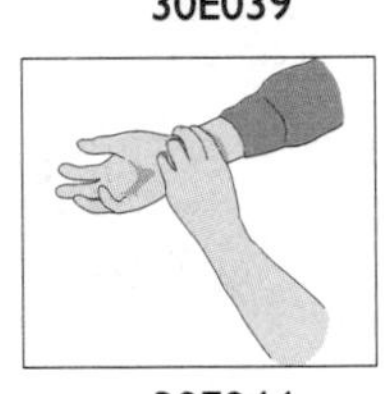
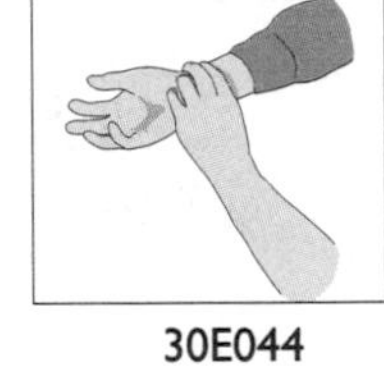

30E044

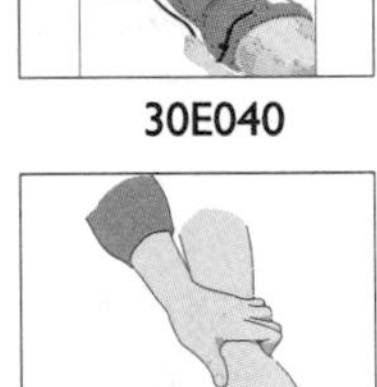
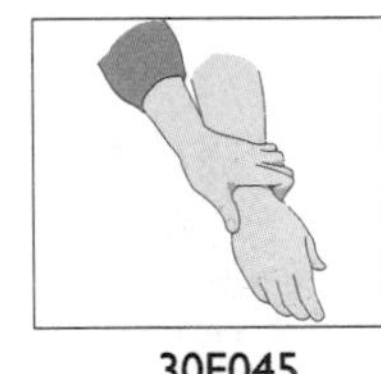

30E045

30C142

30E046

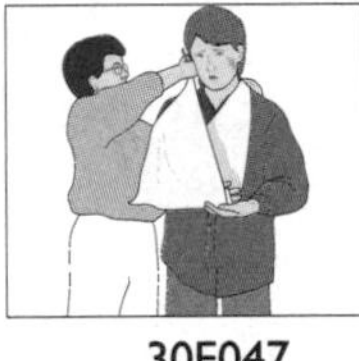

30E047

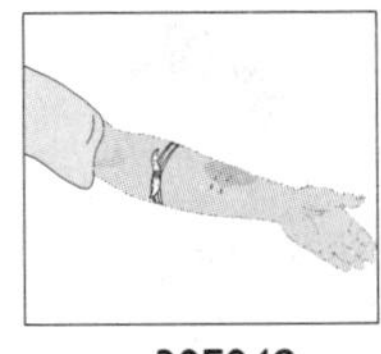

30E048

30E049

30E050

30E051

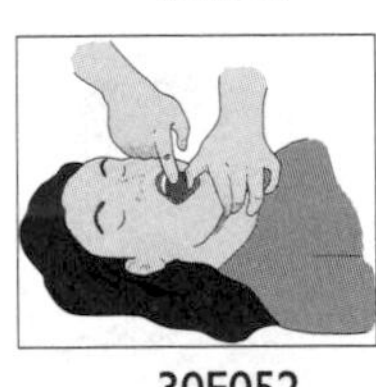

30E052

30E053

30E054

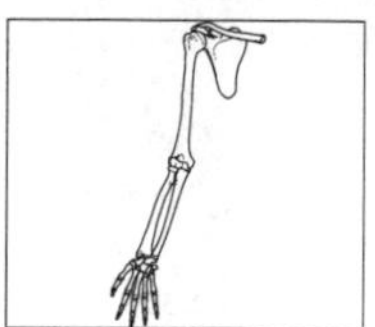
30C001

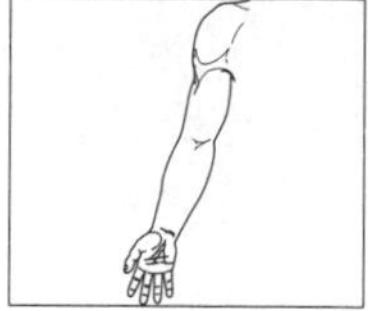
0C002

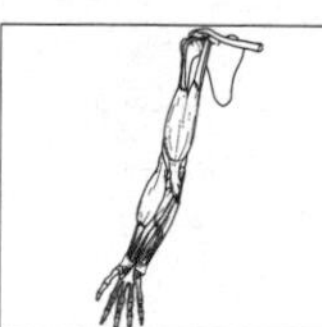
30C003

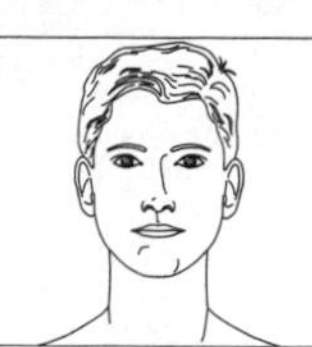
30C004

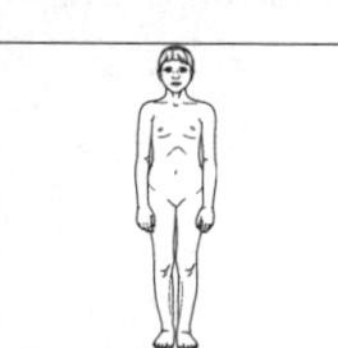
30C005

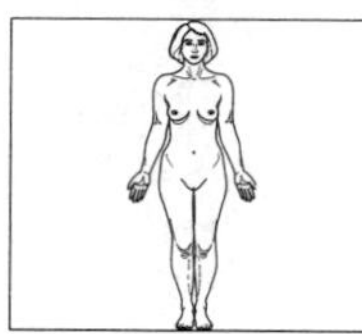
30C006

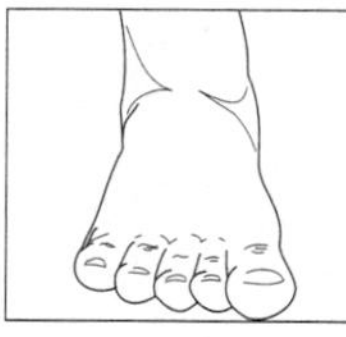
30C007

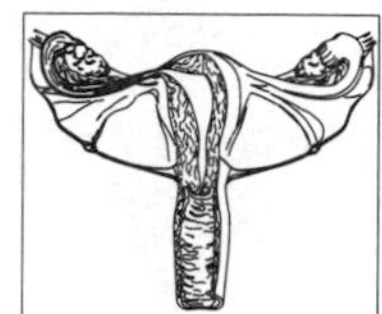
30C008

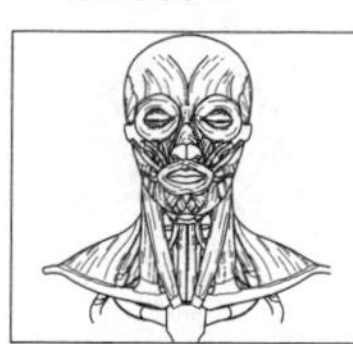
30C009

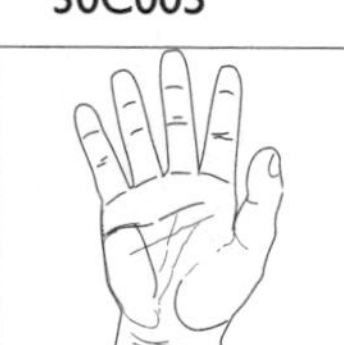
30C010

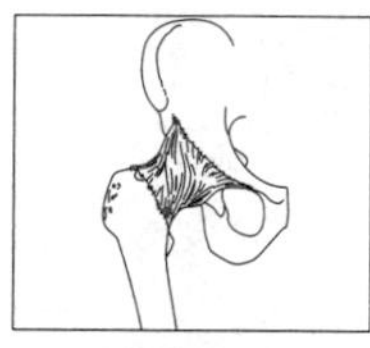
30C011

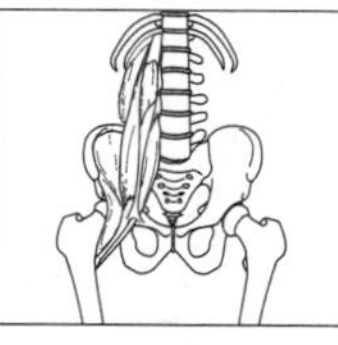
30C012

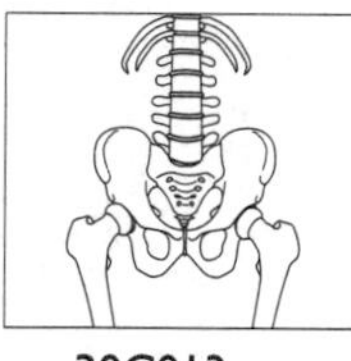
30C013

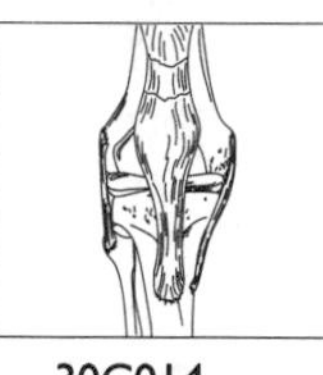
30C014

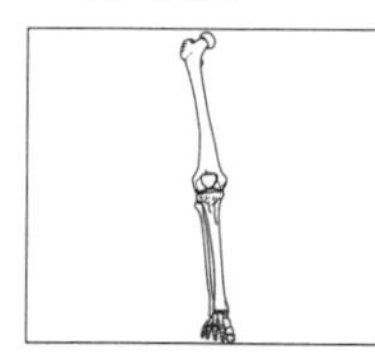
30C015

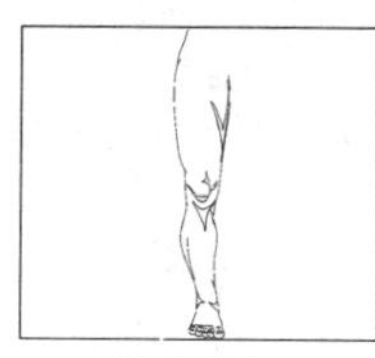
30C016

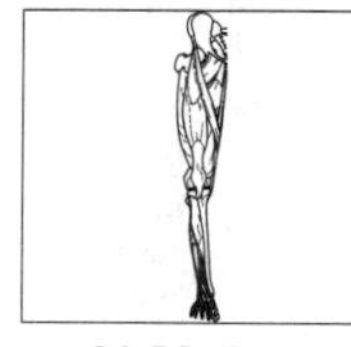
30C017

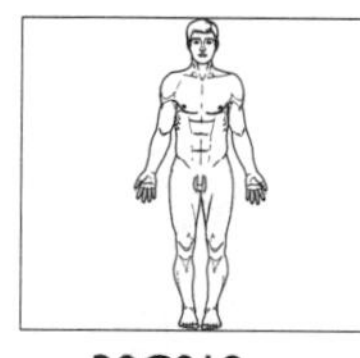
30C018

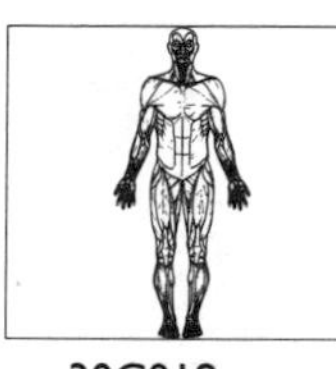
30C019

30C020

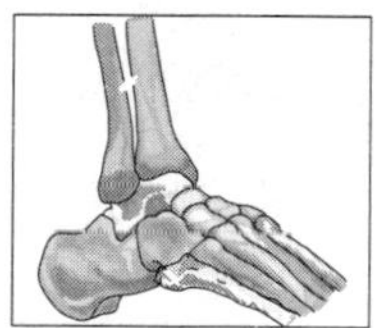
30C021

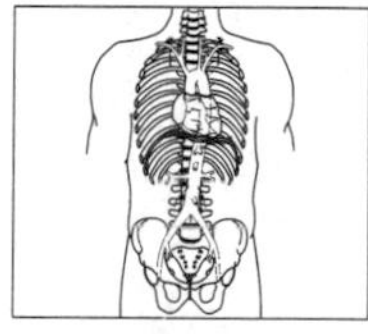
30C022

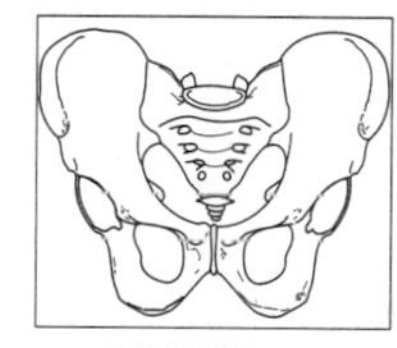
30C023

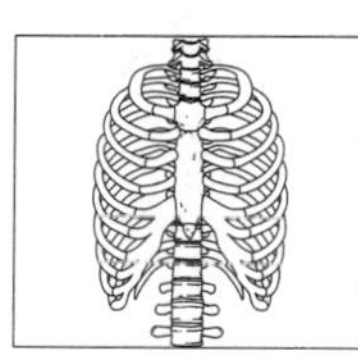
30C024

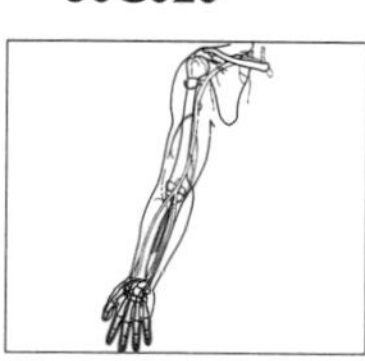
30C025

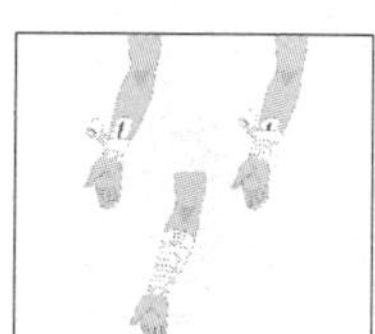
30C026

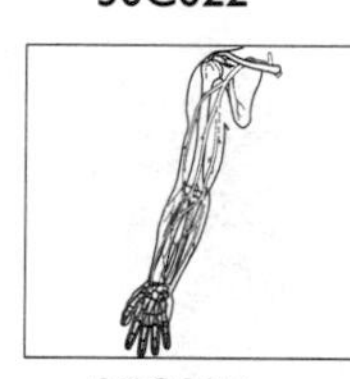
30C027

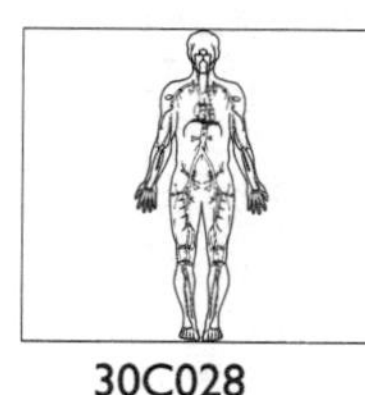
30C028

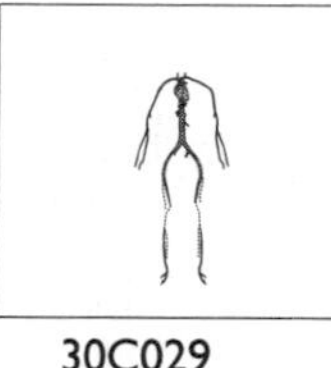
30C029

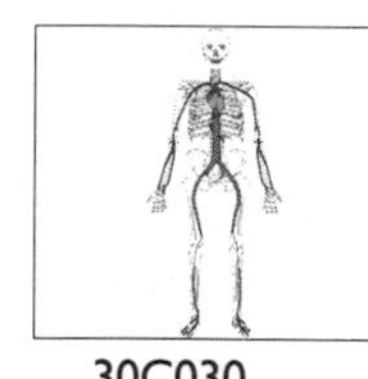
30C030

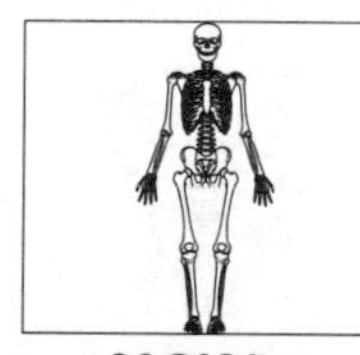
30C031

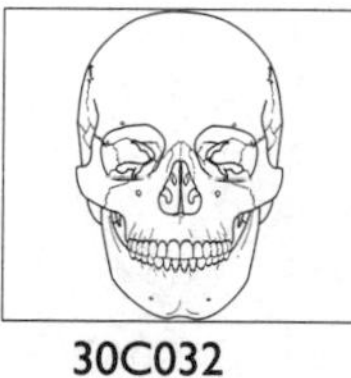
30C032

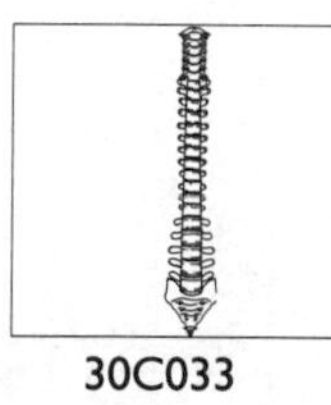
30C033

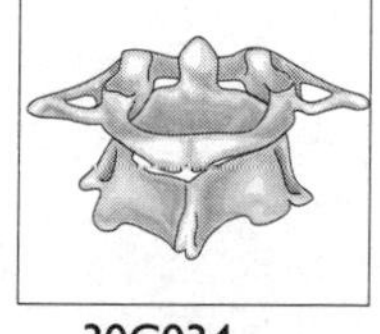
30C034

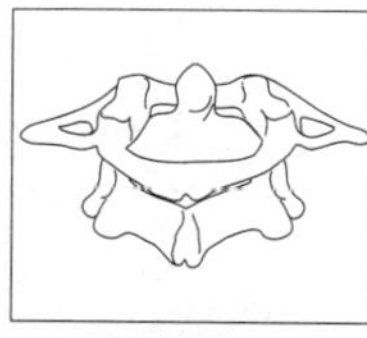
30C035

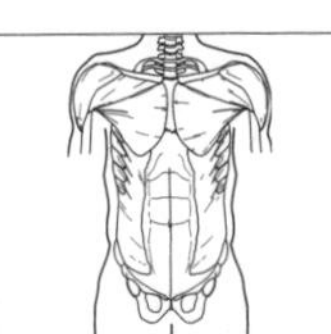
30C036

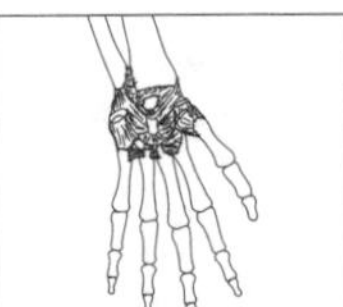
30C037

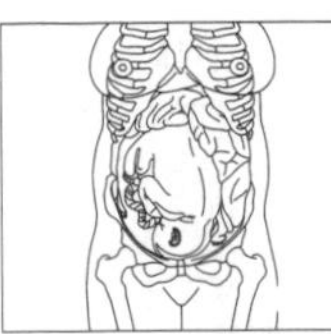
30C038

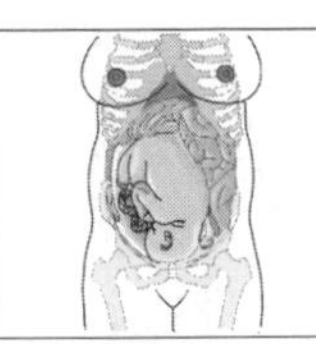
30C039

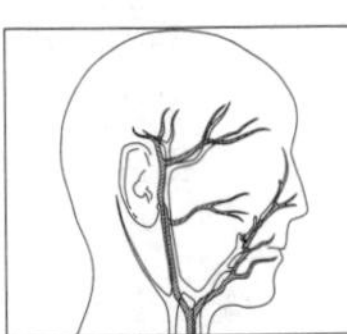
30C040

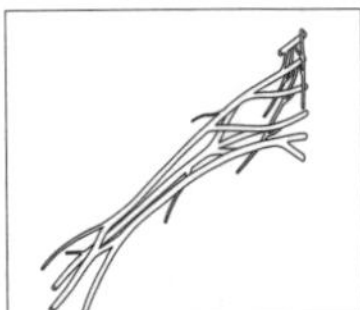
30C041

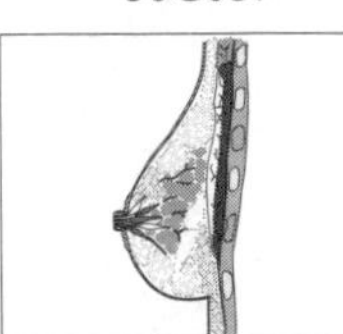
30C042

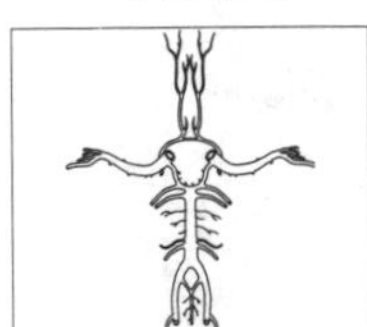
30C043

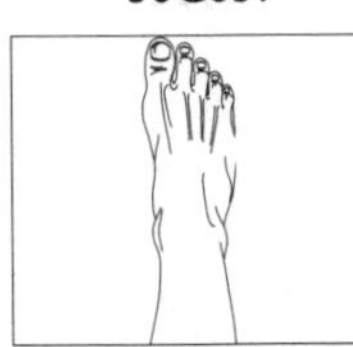
30C044

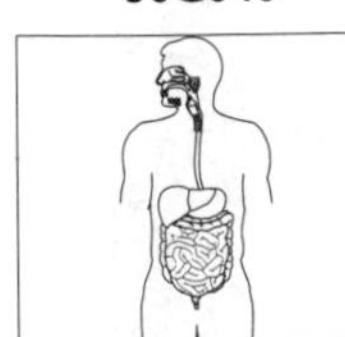
30C045

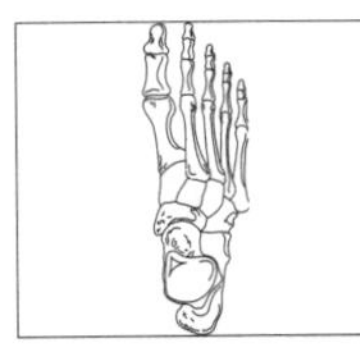
30C046

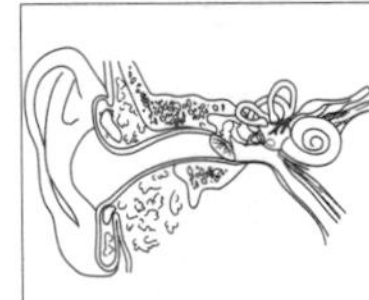
30C047

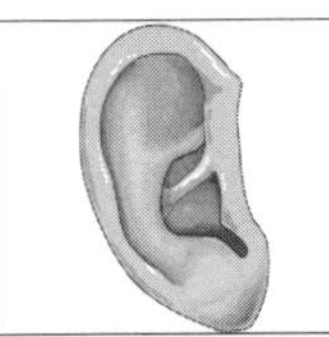
30C048

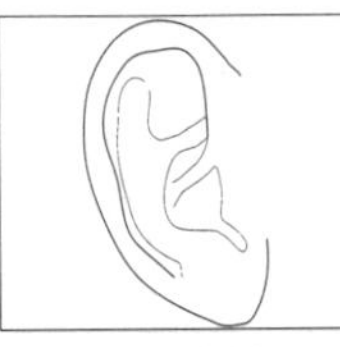
30C049

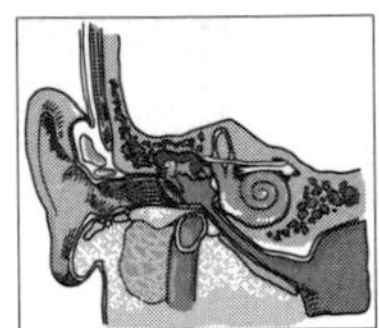
30C050

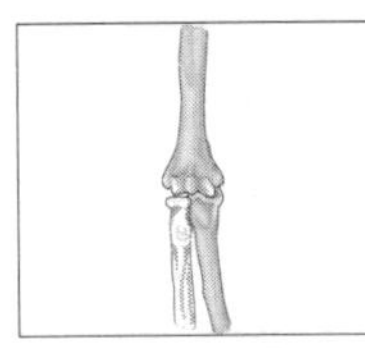
30C051

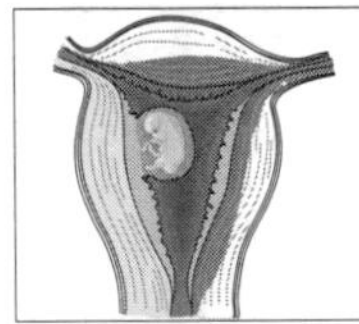
30C052

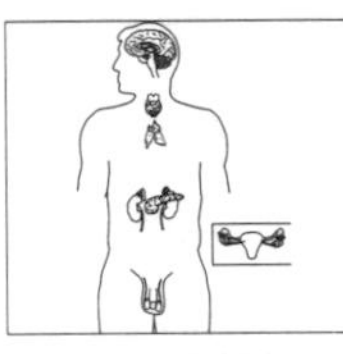
30C053

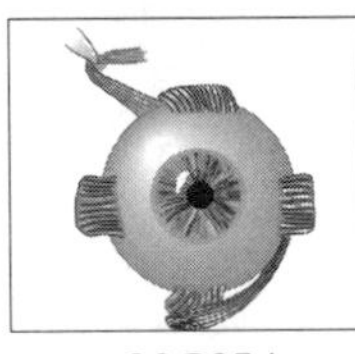
30C054

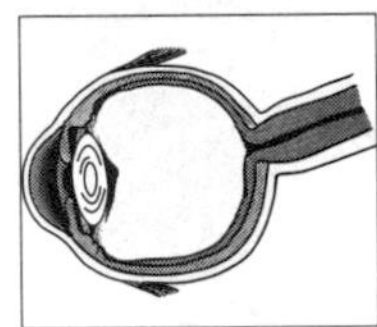
30C055

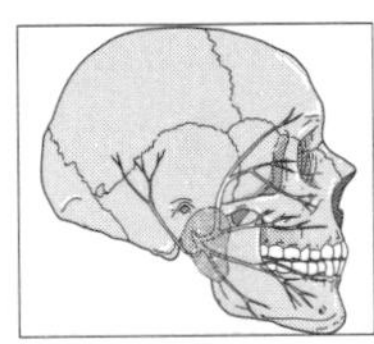
30C056

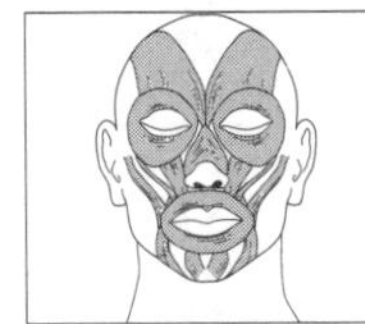
30C057

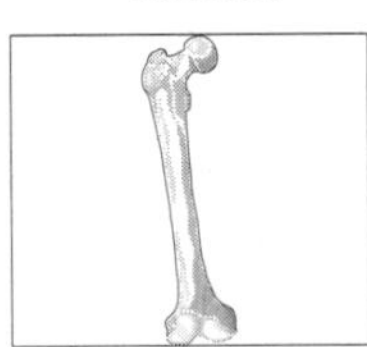
30C058

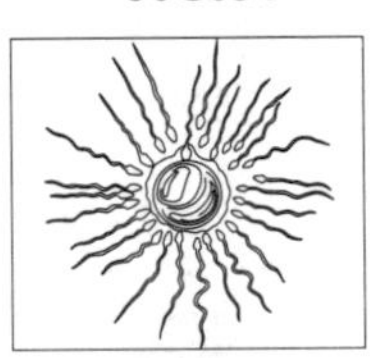
30C059

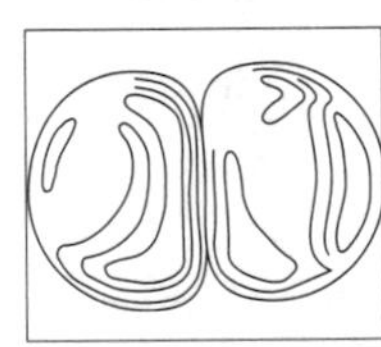
30C060

30C061

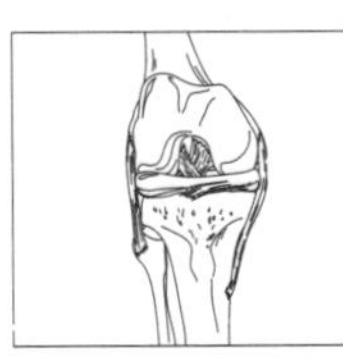
30C062

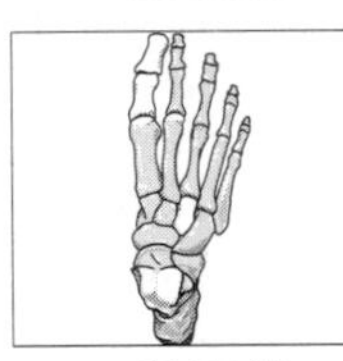
30C063

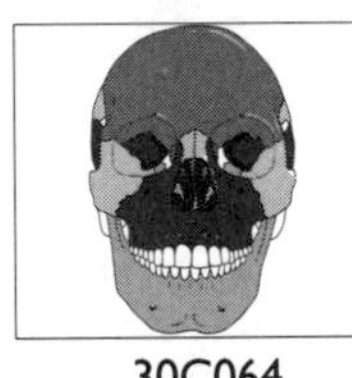
30C064

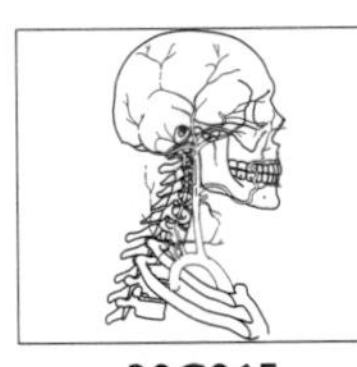
30C065

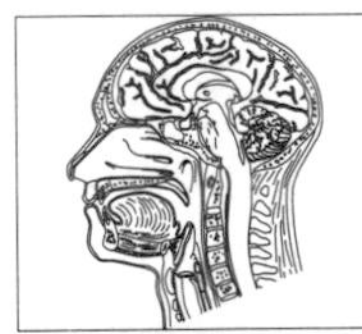
30C066

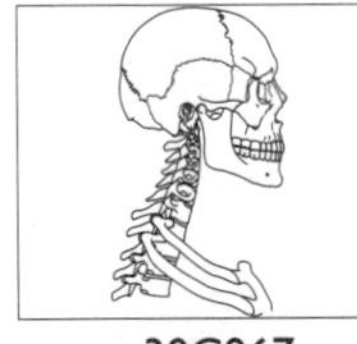
30C067

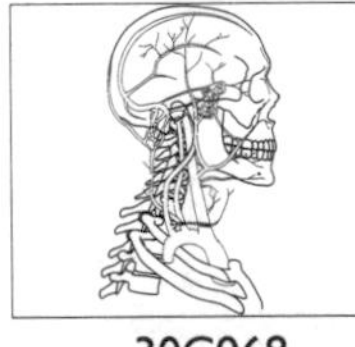
30C068

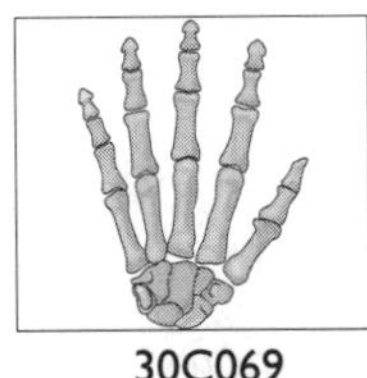
30C069

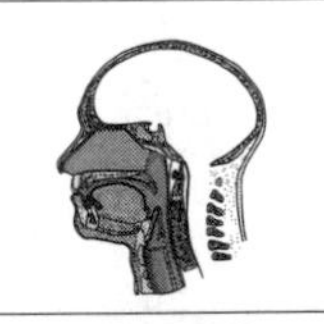
30C070

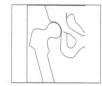

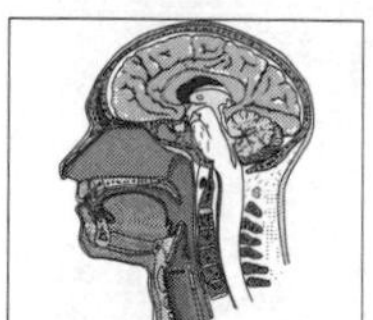 30C071	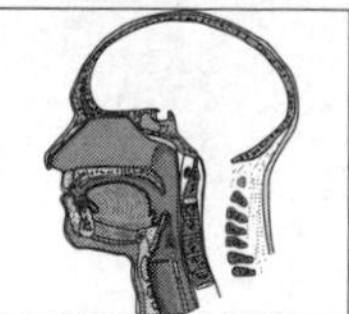 30C072	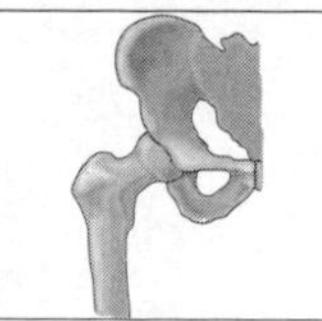 30C073	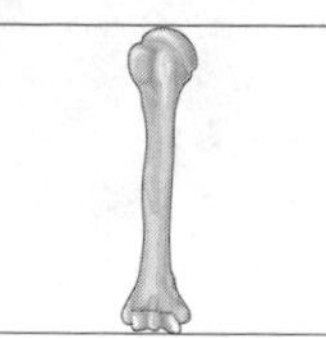 30C074	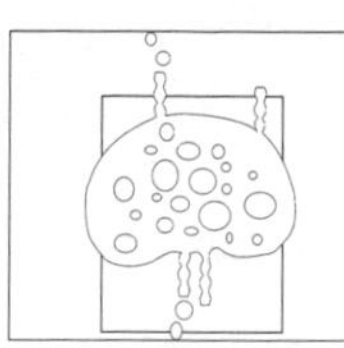 30C075
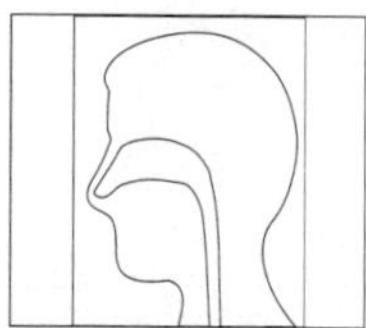 30C076	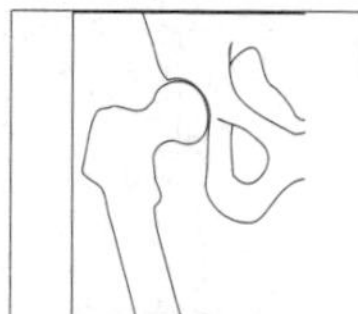 30C077	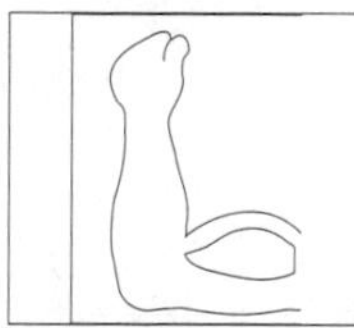 30C078	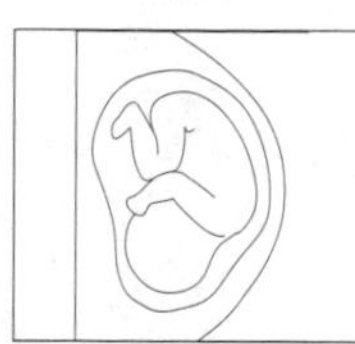 30C079	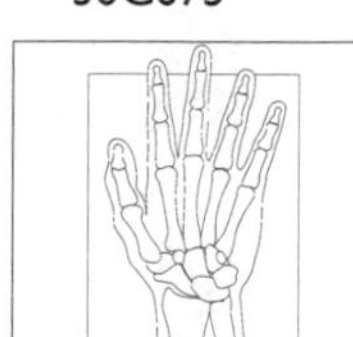 30C080
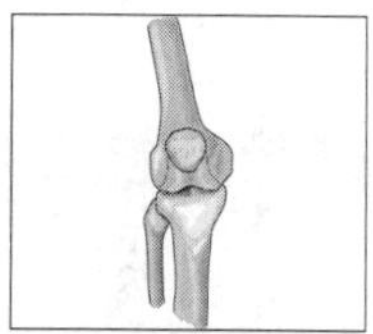 30C081	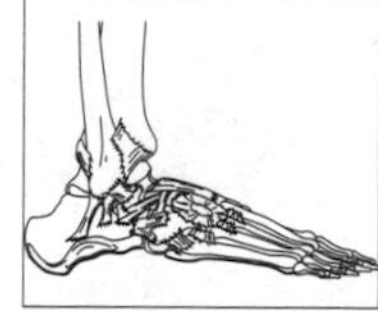 30C082	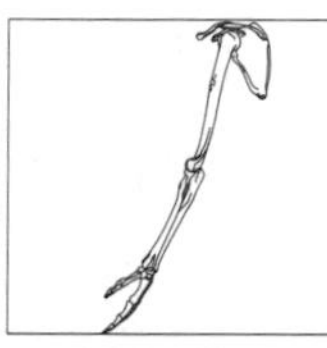 30C083	 30C084	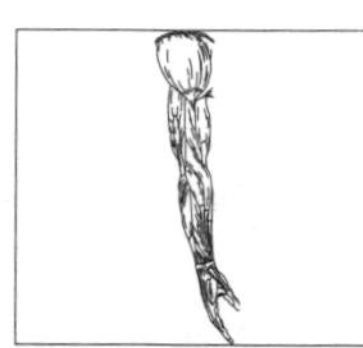 30C085
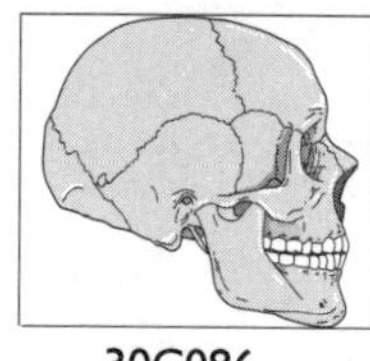 30C086	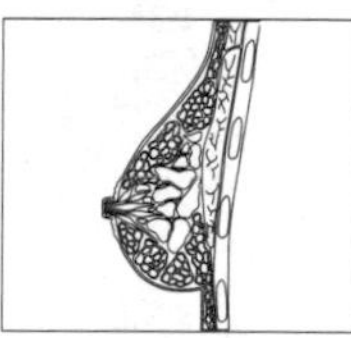 30C087	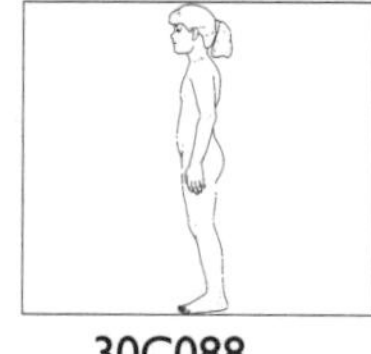 30C088	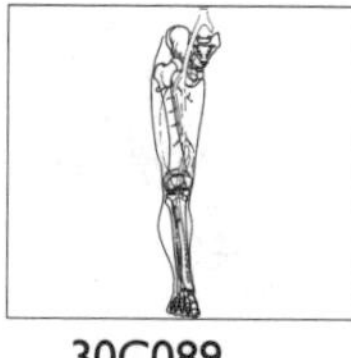 30C089	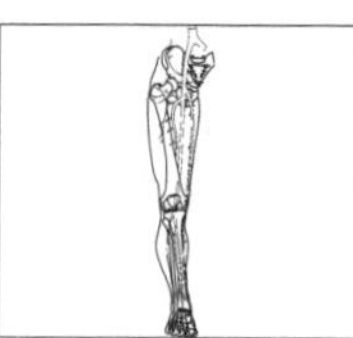 30C090
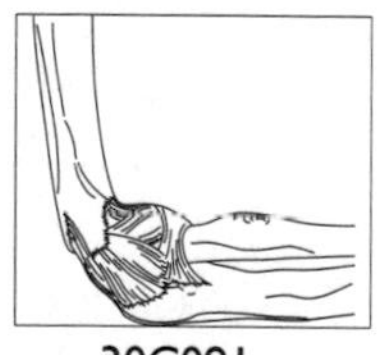 30C091	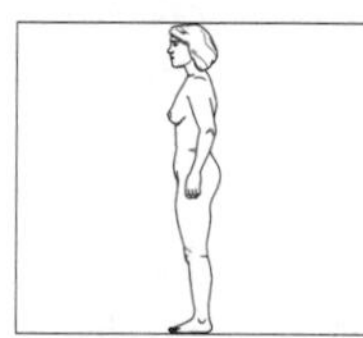 30C092	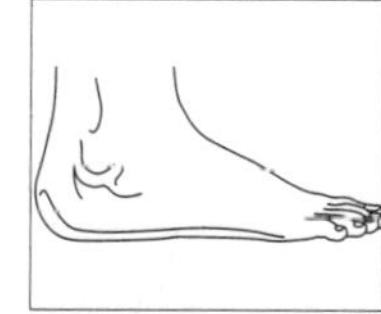 30C093	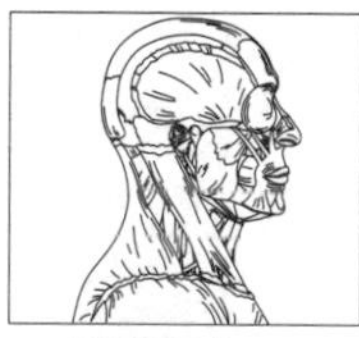 30C094	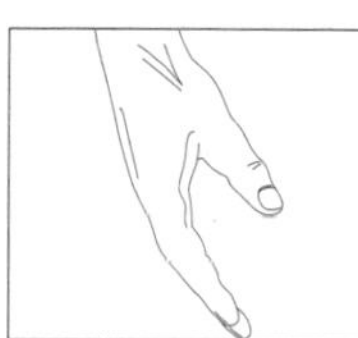 30C095
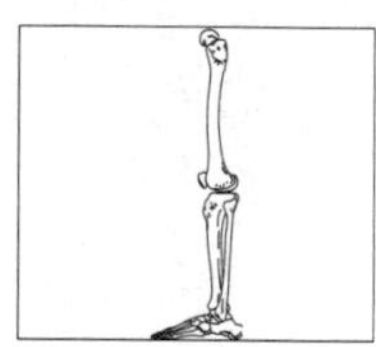 30C096	 30C097	 30C098	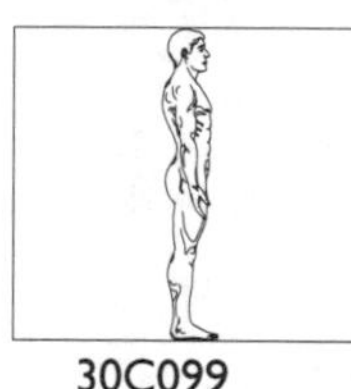 30C099	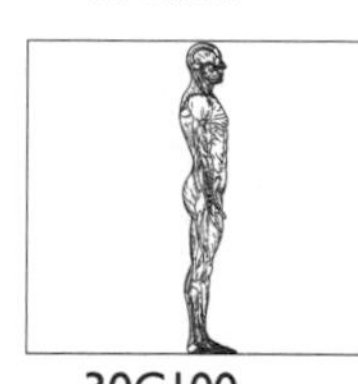 30C100
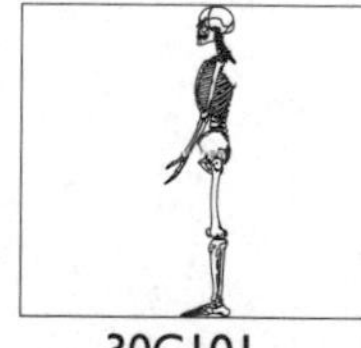 30C101	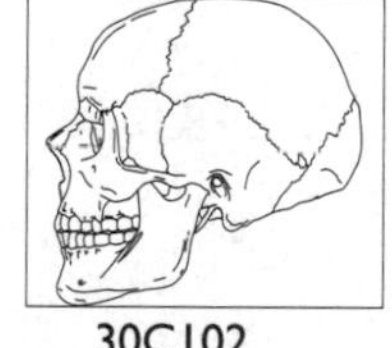 30C102	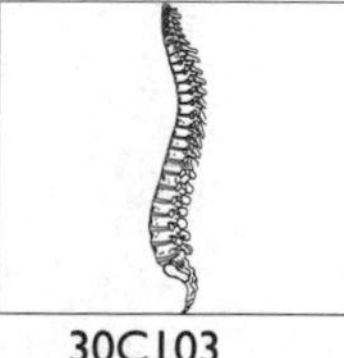 30C103	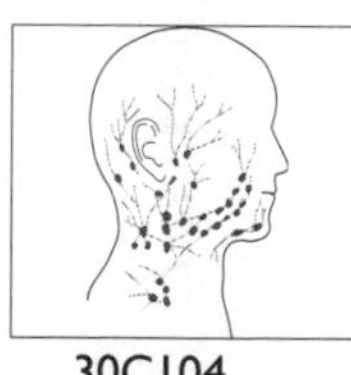 30C104	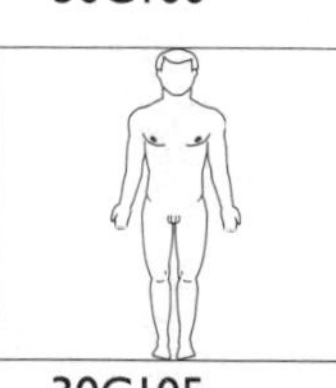 30C105

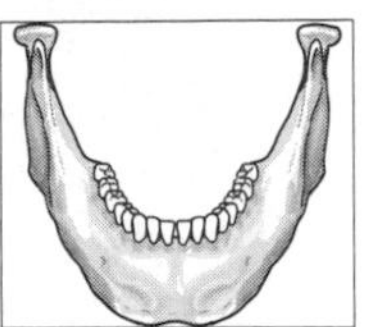
30C106

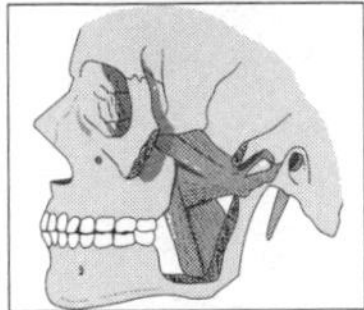
30C107

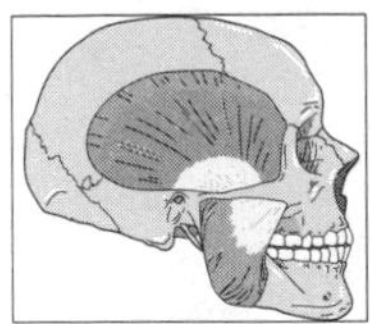
30C108

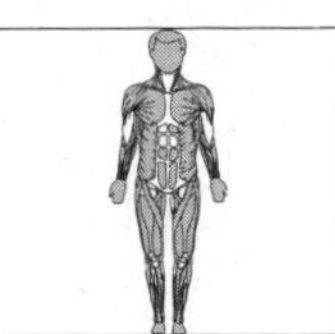
30C109

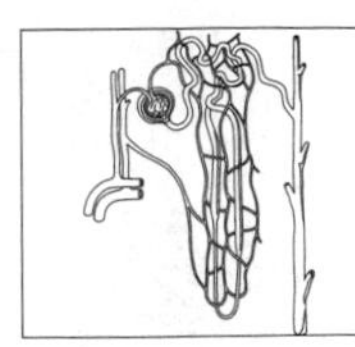
30C110

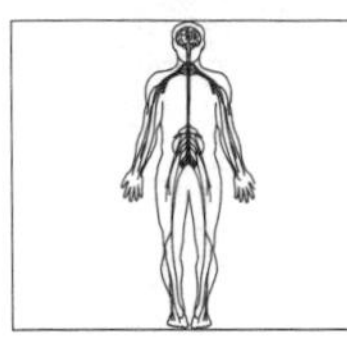
30C111

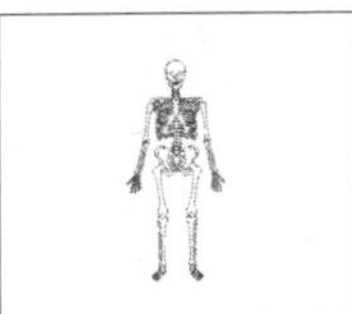
30C112

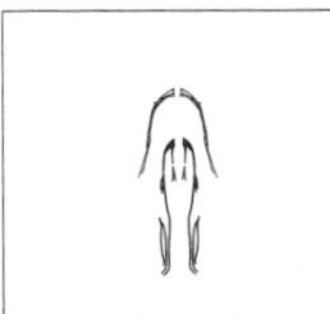
30C113

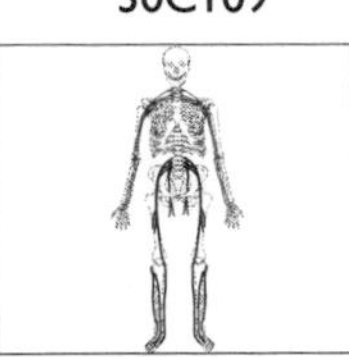
30C114

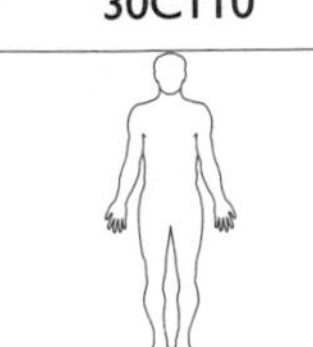
30C115

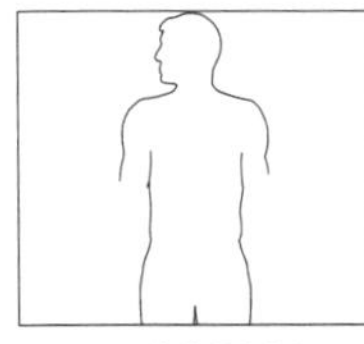
30C116

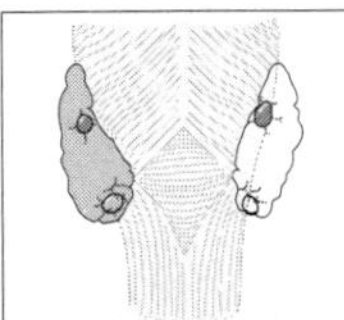
30C117

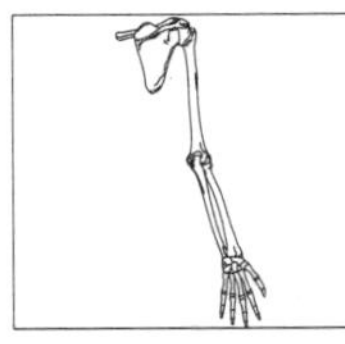
30C118

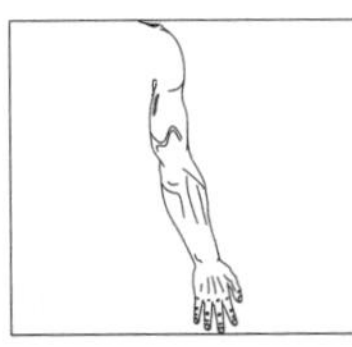
30C119

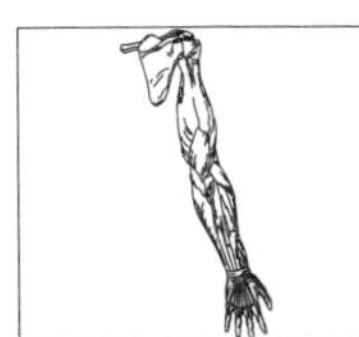
30C120

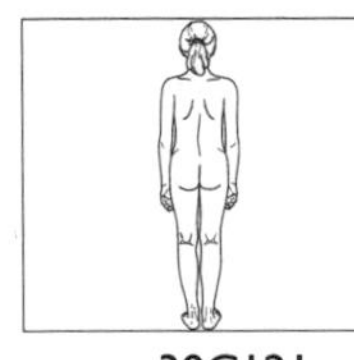
30C121

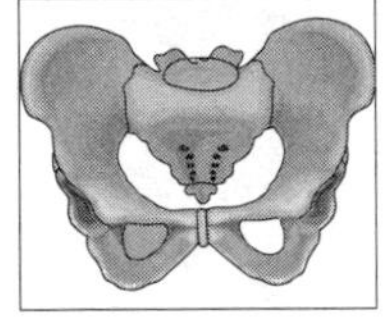
30C122

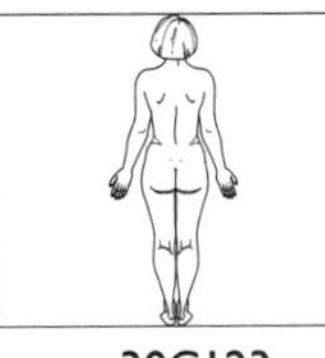
30C123

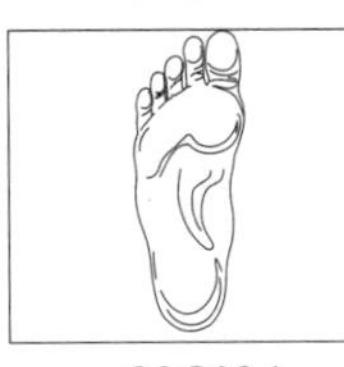
30C124

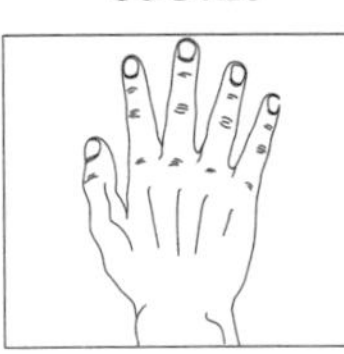
30C125

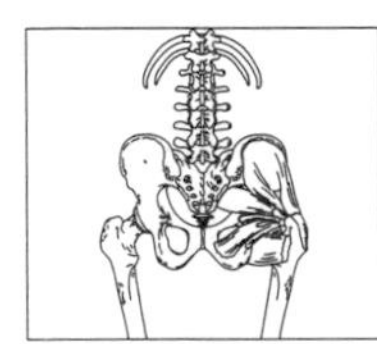
30C126

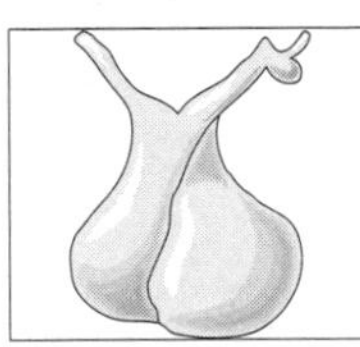
30C127

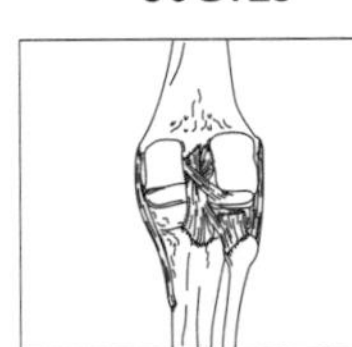
30C128

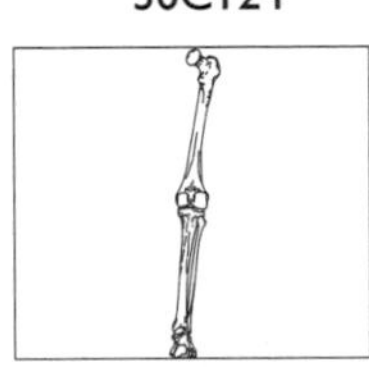
30C129

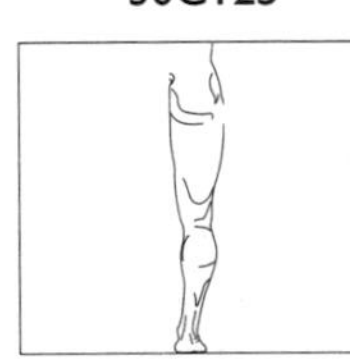
30C130

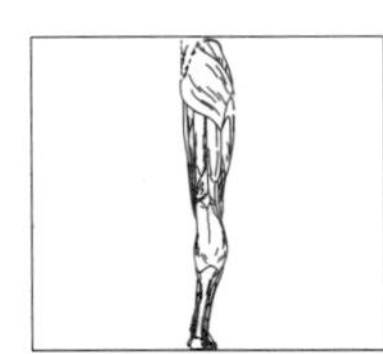
30C131

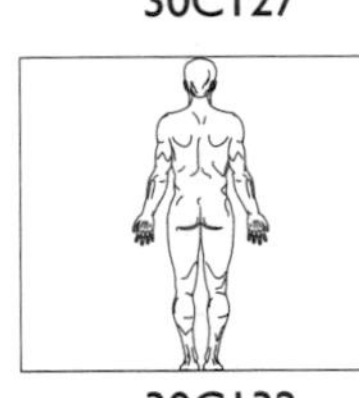
30C132

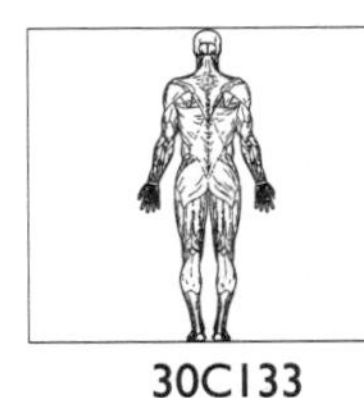
30C133

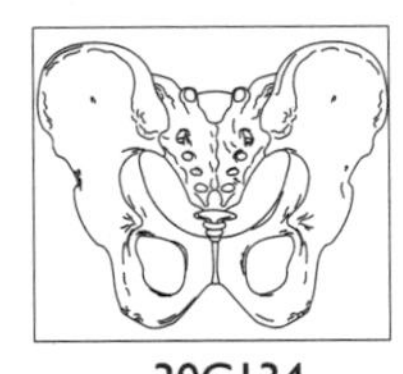
30C134

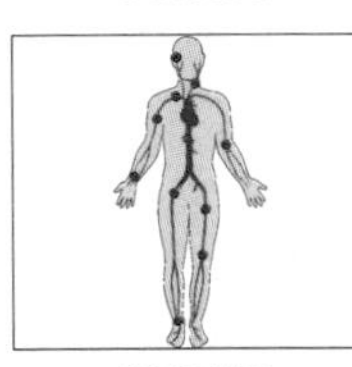
30C135

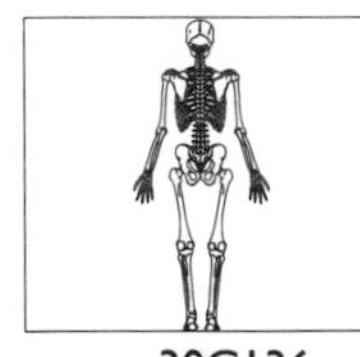
30C136

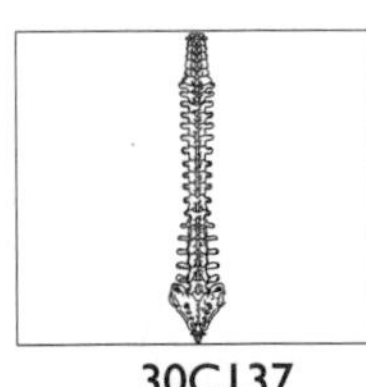
30C137

30C138

30C139

30C140

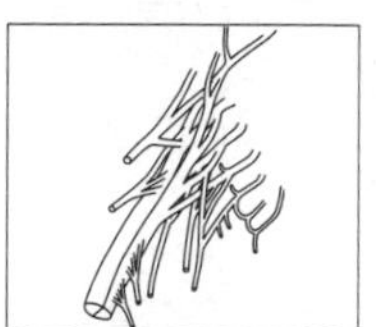
30C141

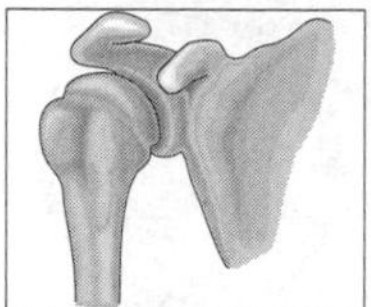
30C143

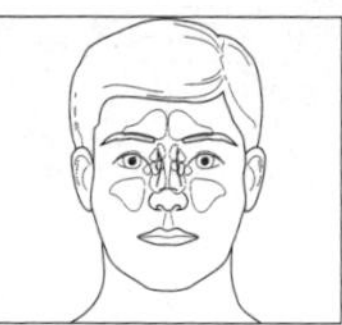
30C144

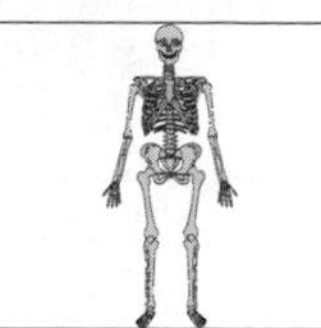
30C145

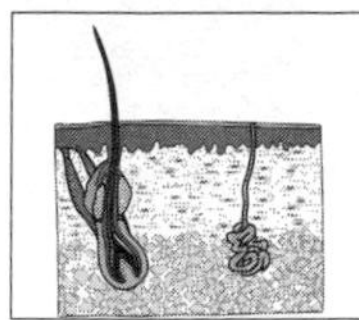
30C146

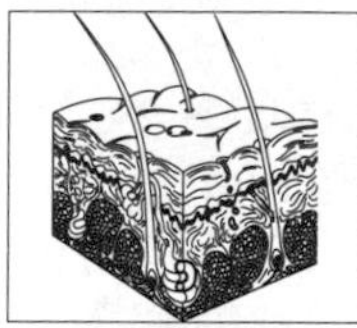
30C147

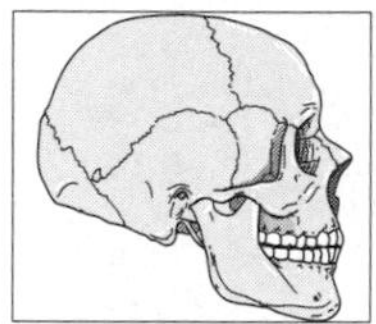
30C148

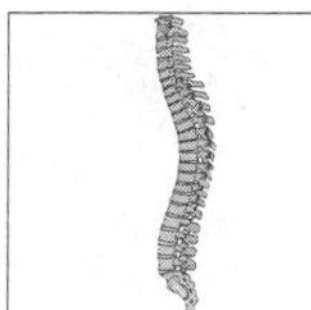
30C149

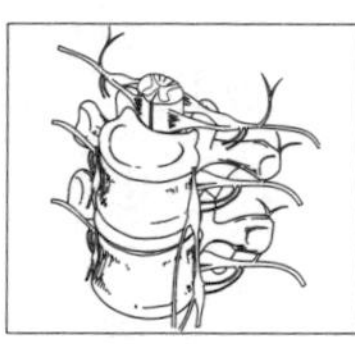
30C150

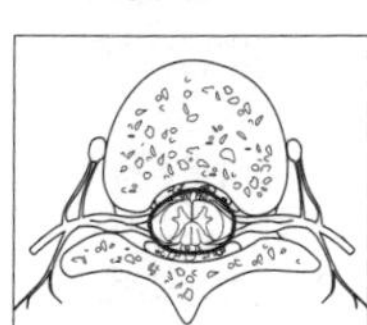
30C151

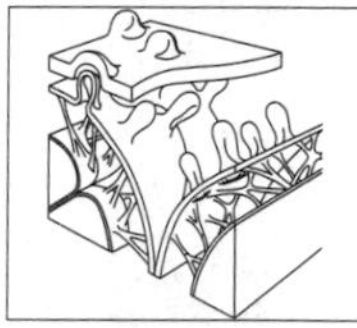
30C152

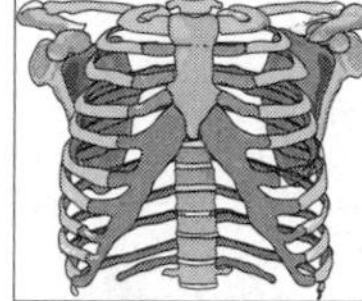
30C153

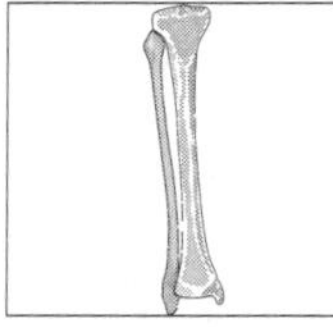
30C154

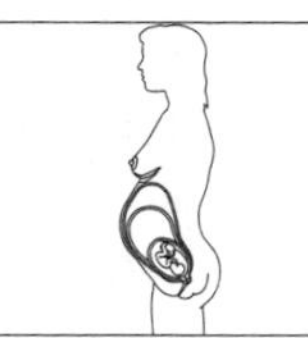
30C155

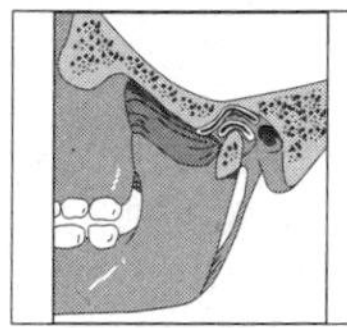
30C156

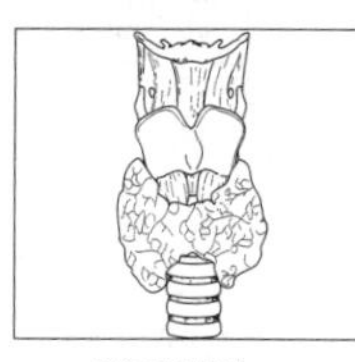
30C157

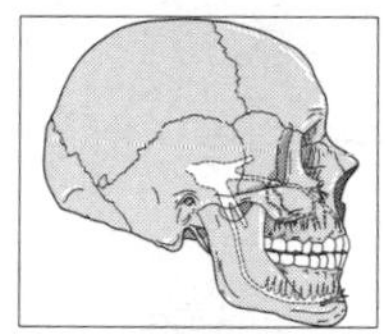
30C158

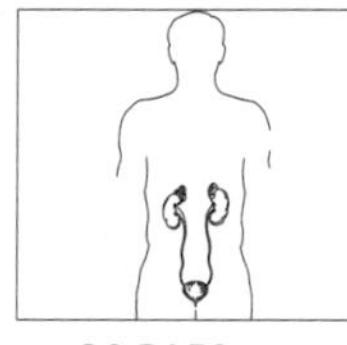
30C159

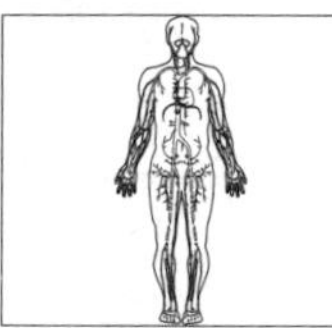
30C160

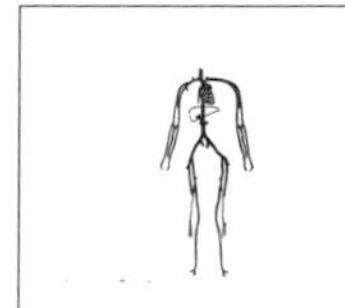
30C161

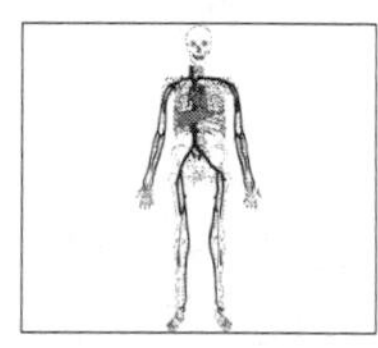
30C162

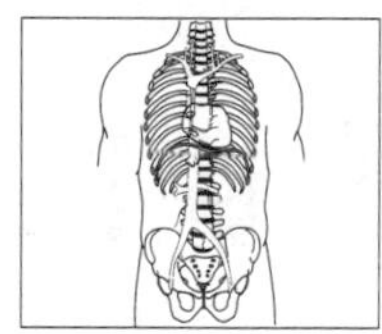
30C163

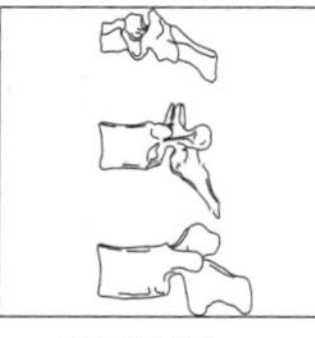
30C164

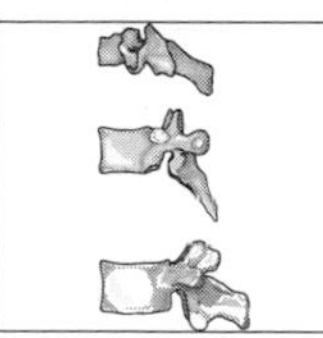
30C165

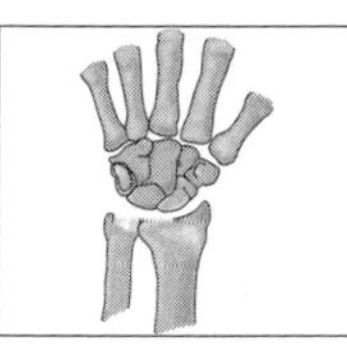
30C166

30D001

30D002

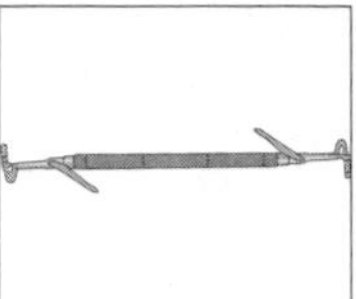
30D003

30D004

30D005

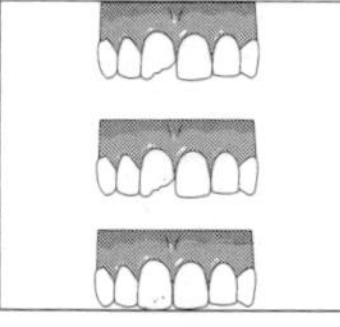
30D006

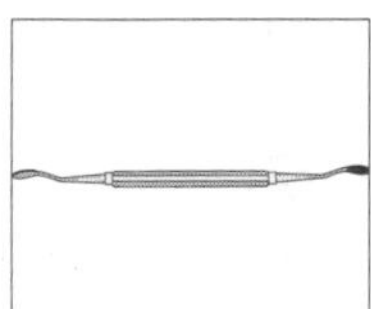
30D007

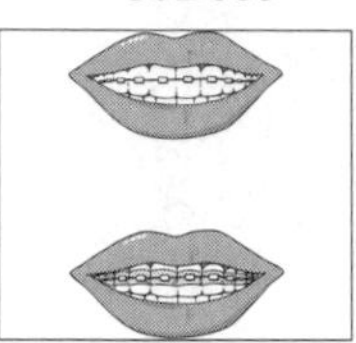
30D008

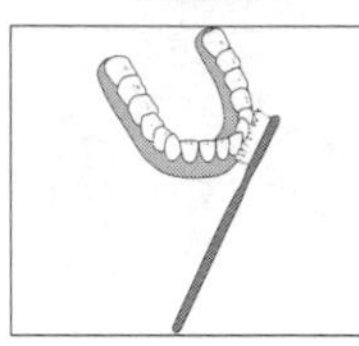
30D009

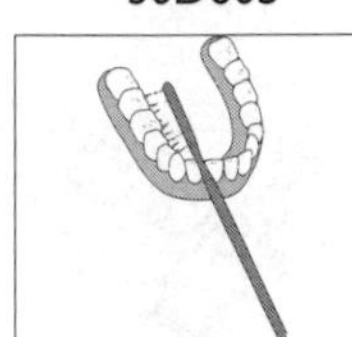
30D010

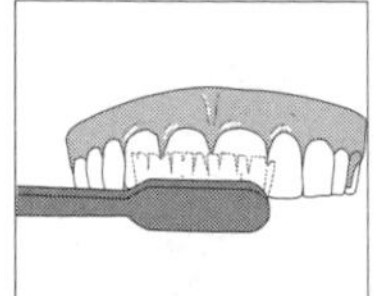
30D011

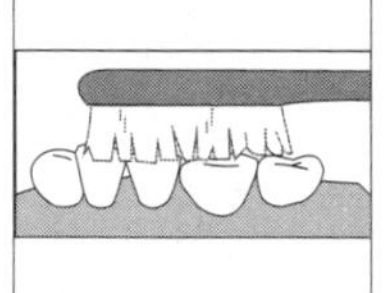
30D012

30D013

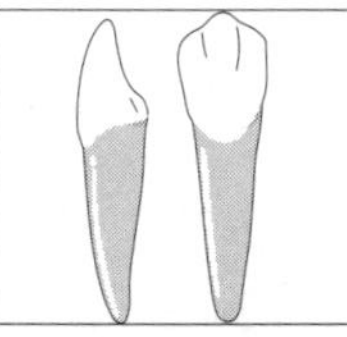
30D014

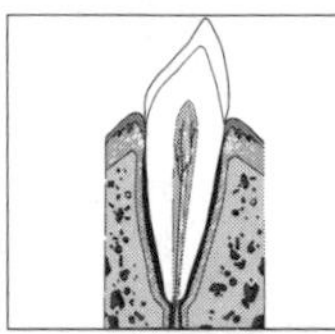
30D015

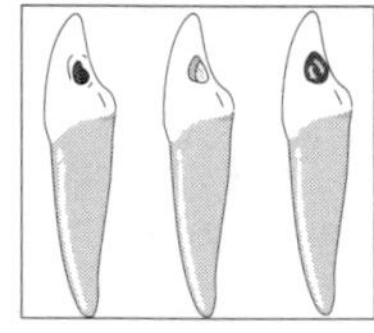
30D016

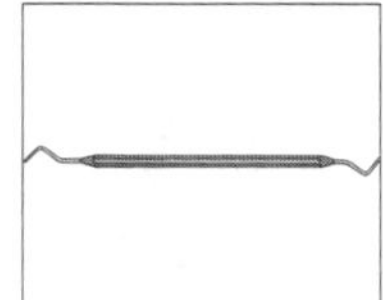
30D017

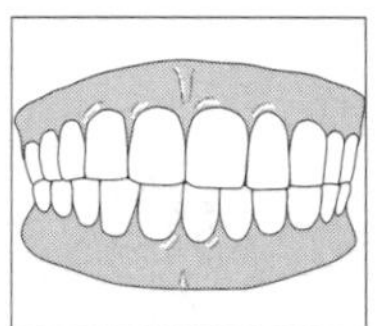
30D018

30D019

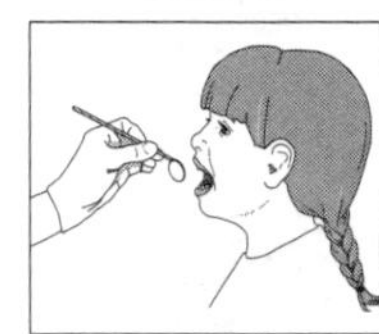
30D020

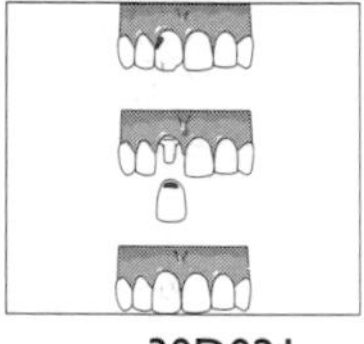
30D021

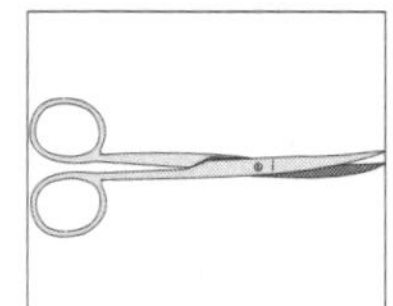
30D022

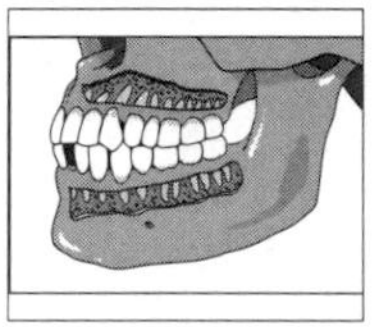
30D023

30D024

30D025

30D026

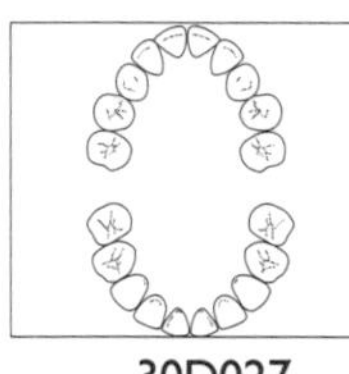
30D027

30D028

30D029

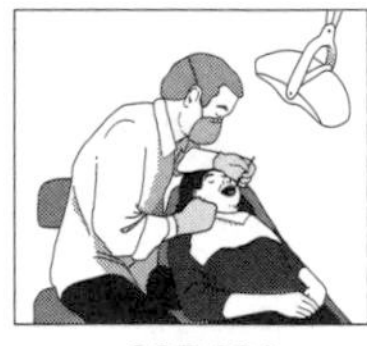
30D030

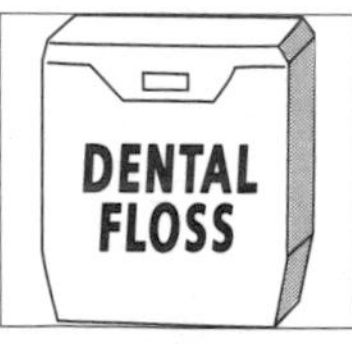

30D031

30D032

30D033

30D034

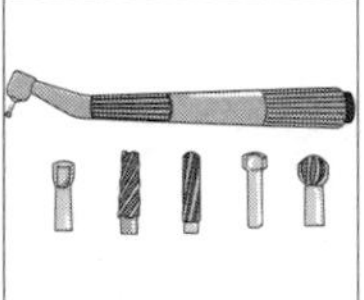
30D035

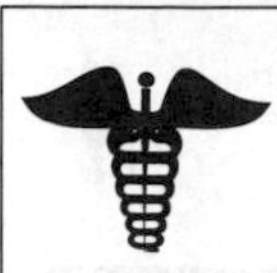

Medical
Médecine
Médico
Medizin

Dental
Dentaire
Odontologia
Zahneilkunde

30D036

30D037

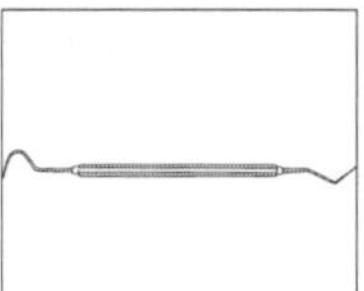
30D038

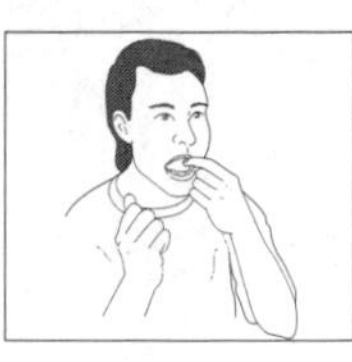
30D039

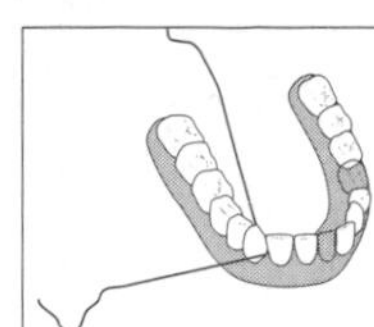
30D040

30D041

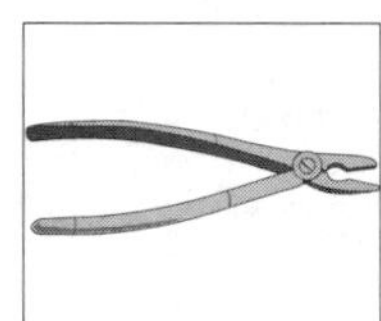
30D042

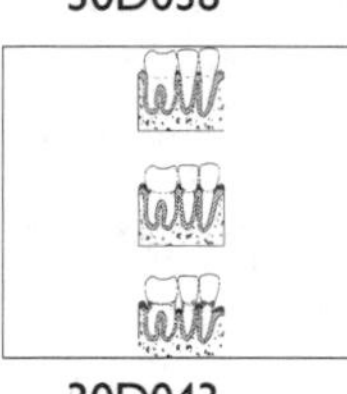
30D043

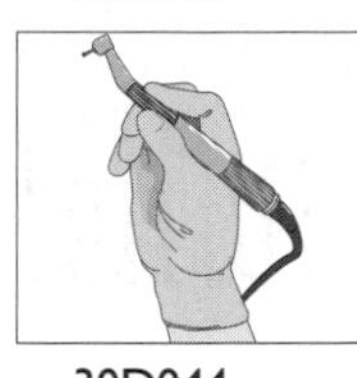
30D044

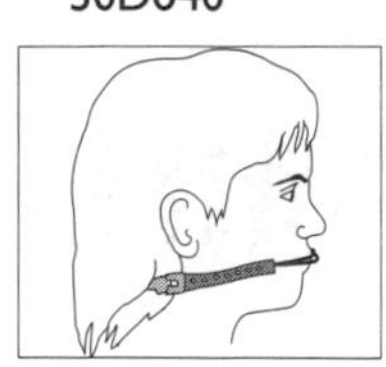
30D045

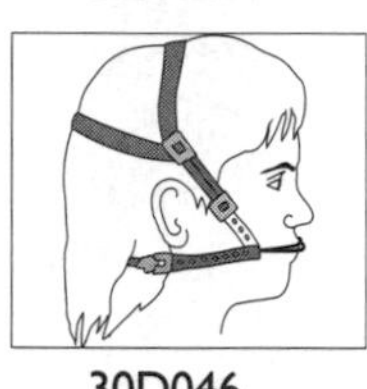
30D046

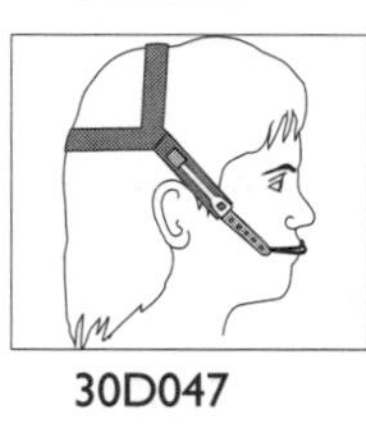
30D047

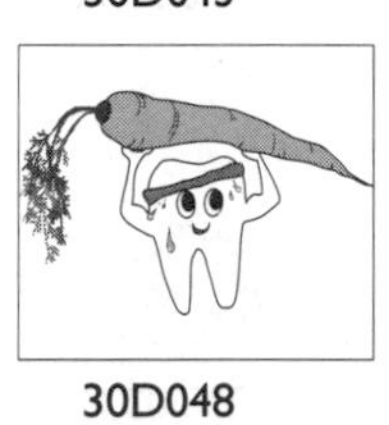
30D048

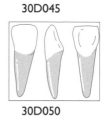

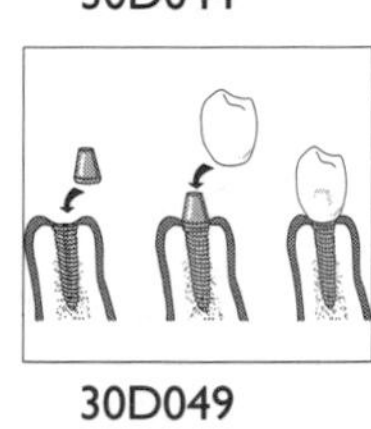
30D049

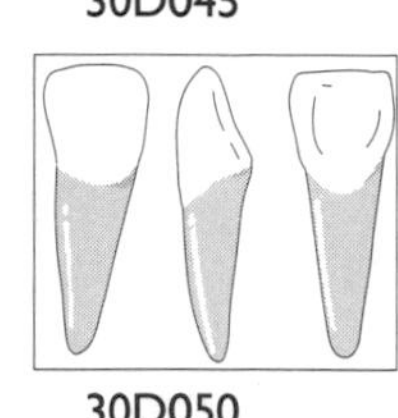
30D050

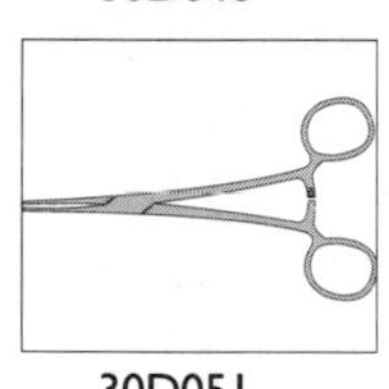
30D051

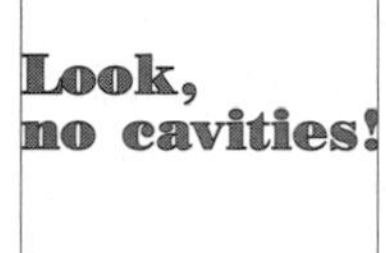

30D052

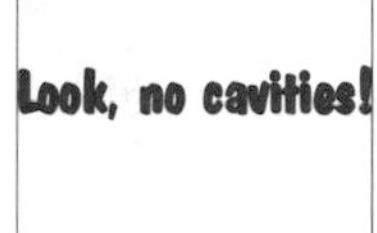

30D053

30D054

30D055

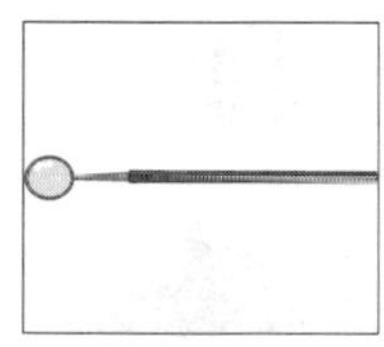
30D056

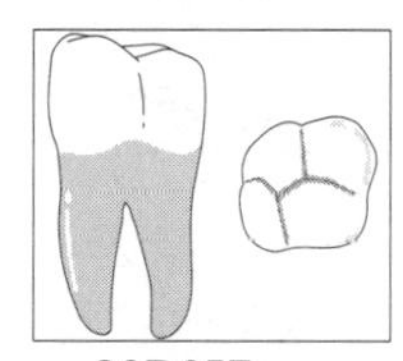
30D057

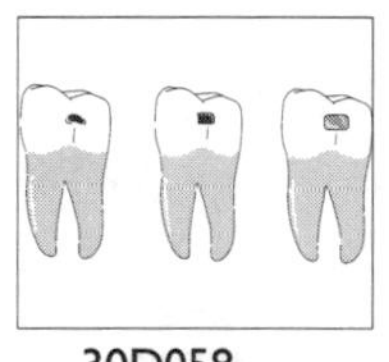
30D058

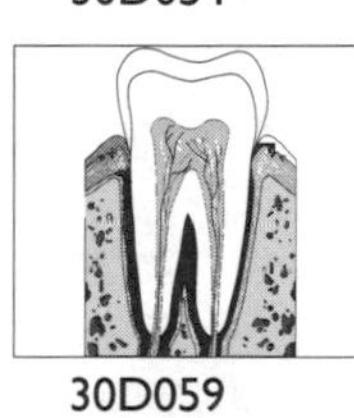
30D059

30D060

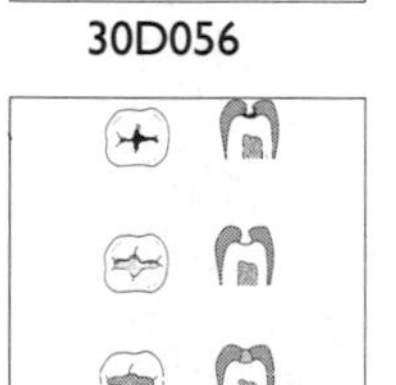
30D061

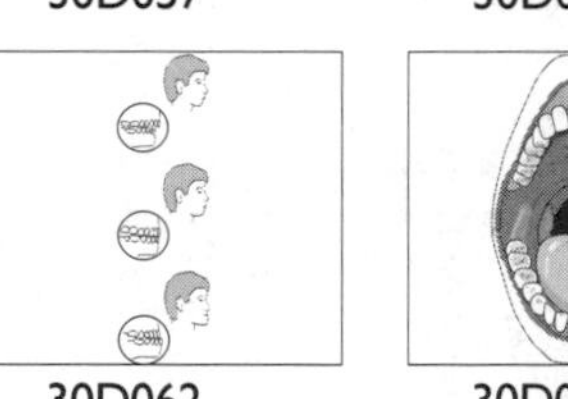
30D062

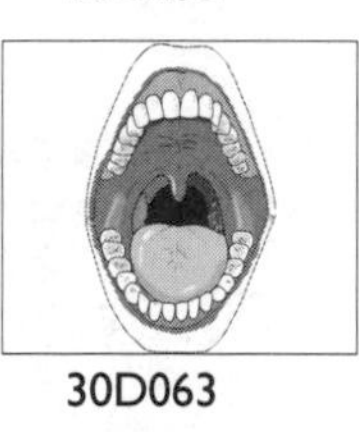
30D063

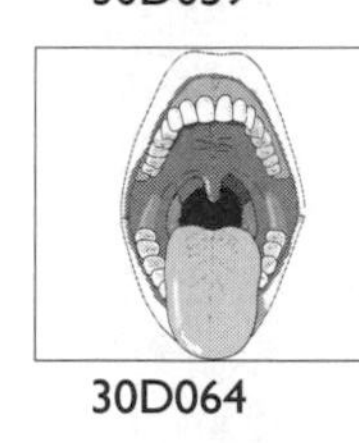
30D064

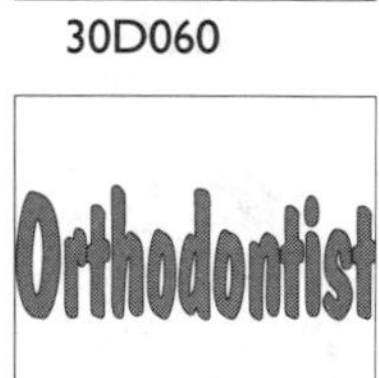

30D065

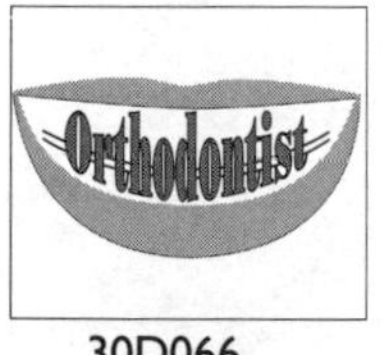

30D066

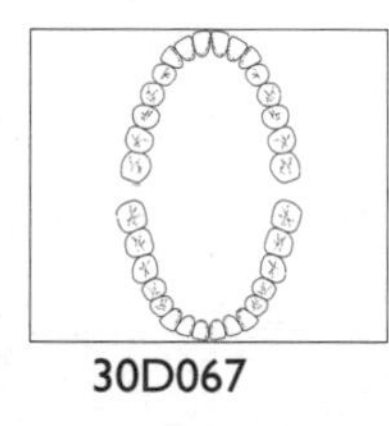
30D067

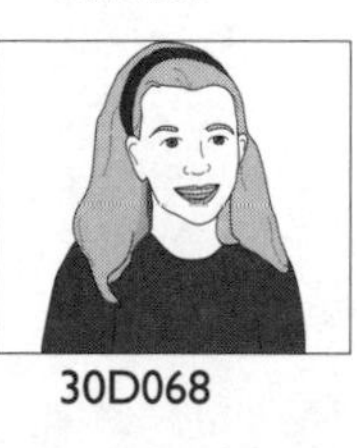
30D068

30D069

30D070

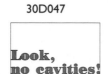

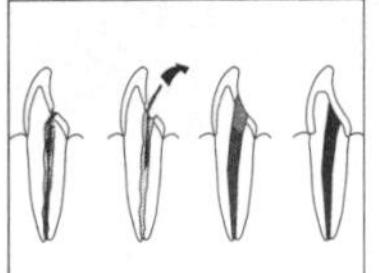
30D071

30D072

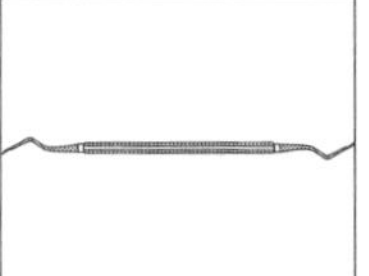
30D073

30D074

30D075

30D076

30D077

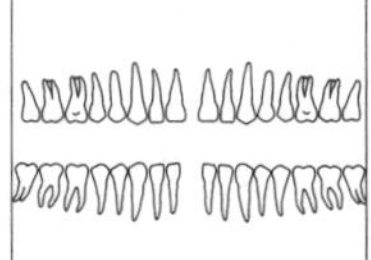
30D078

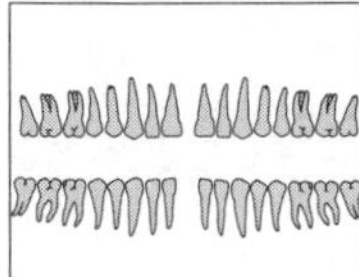
30D079

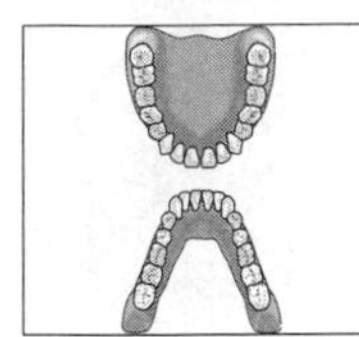
30D080

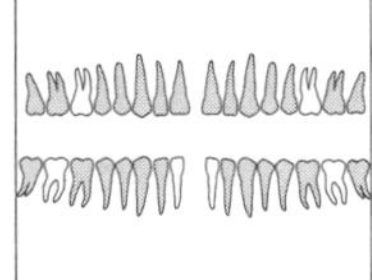
30D081

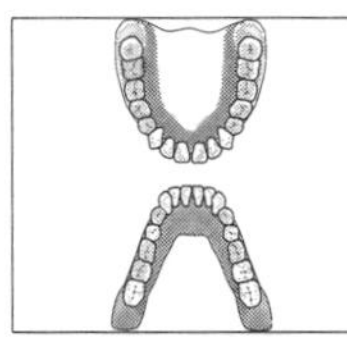
30D082

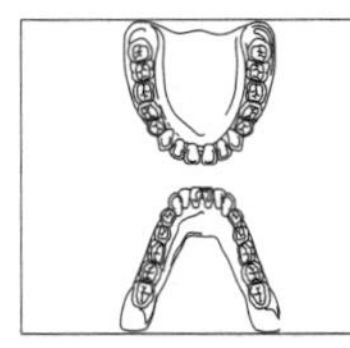
30D083

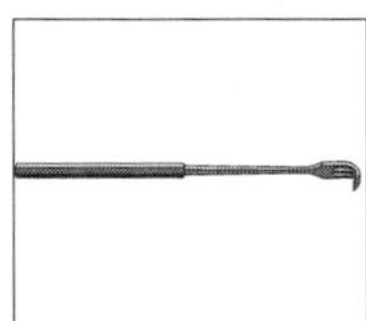
30D084

30D085

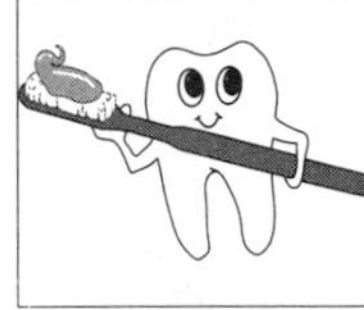
30D086

30D087

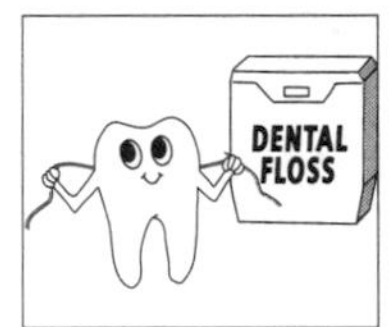

30D088

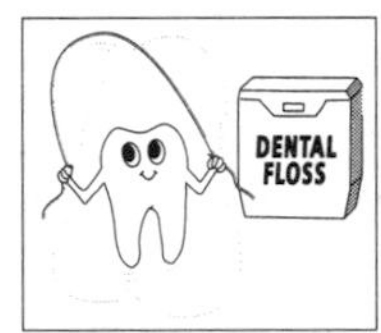

30D089

30D090

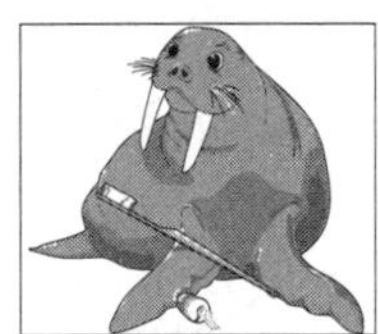
30D091

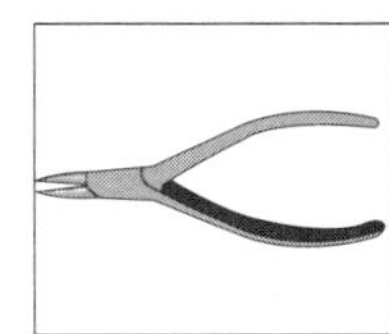
30D092

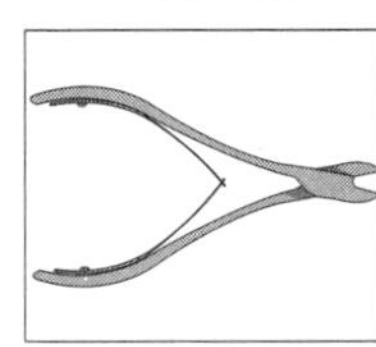
30D093

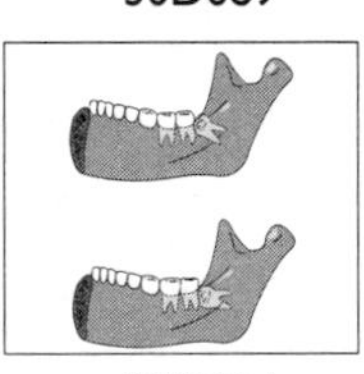
30D094

30D095

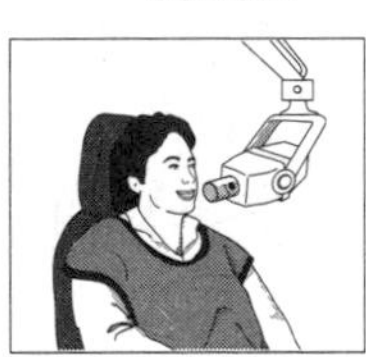
30D096

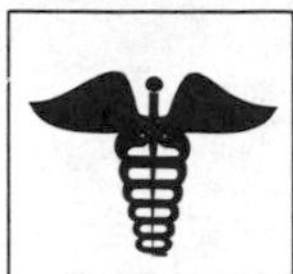

Medical
Médecine
Médico
Medizin

Medical Equipment
Equip Médical
Equipo Médico
Medizinisches Gerät

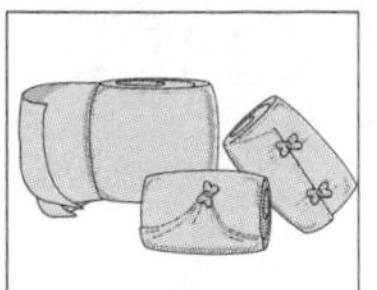
30F001

30F003

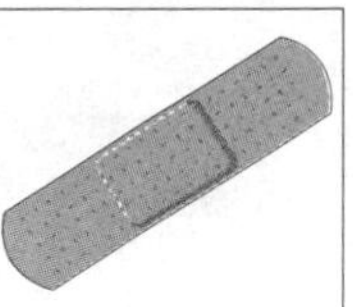
30F004

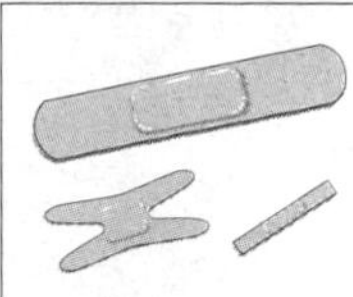
30F005

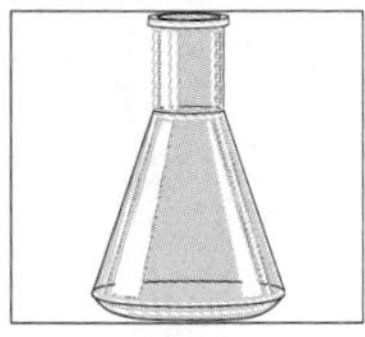
30F006

30F007

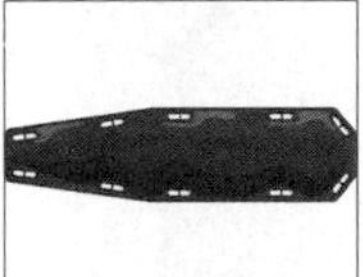
30F008

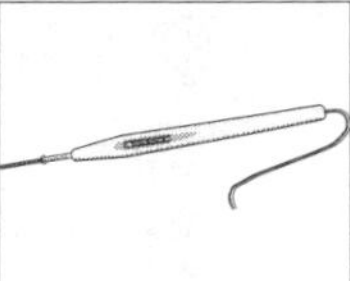
30F009

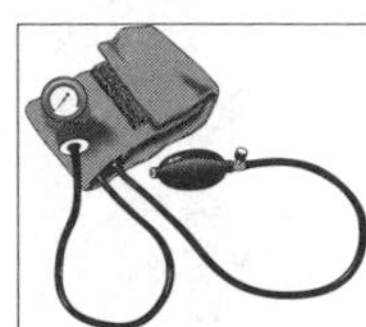
30F010

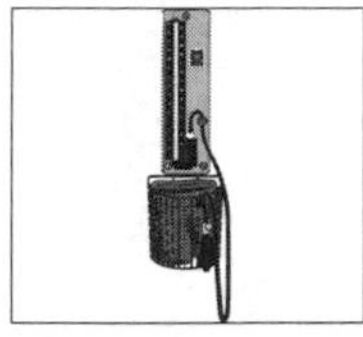
30F011

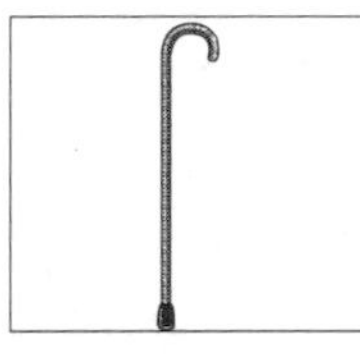
30F012

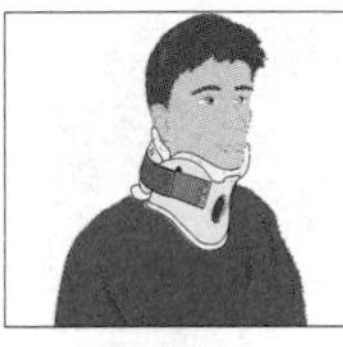
30F013

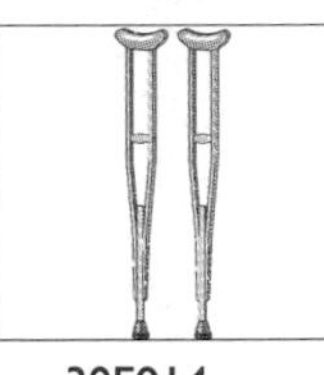
30F014

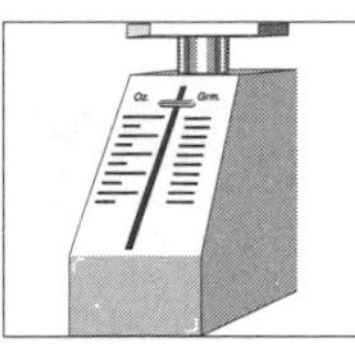
30F015

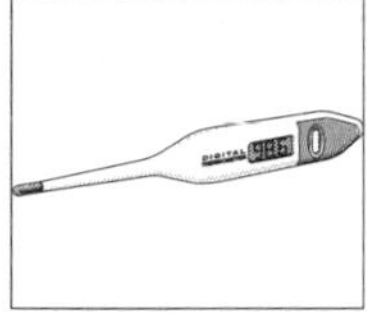
30F016

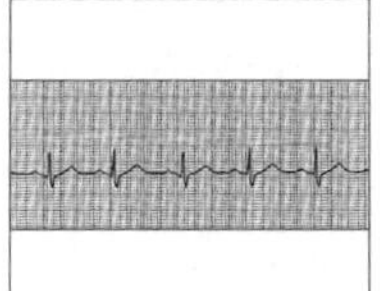
30F017

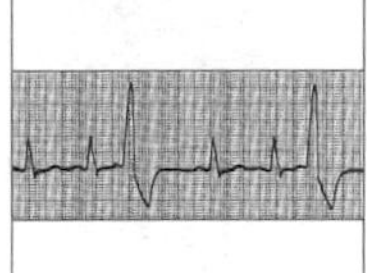
30F018

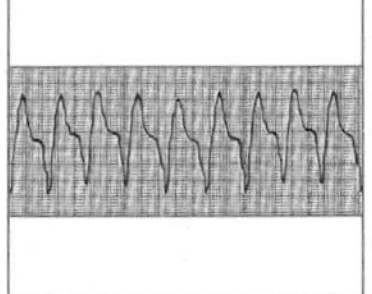
30F019

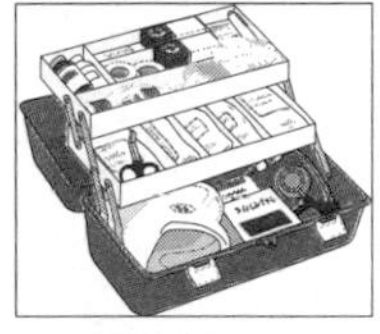
30F020

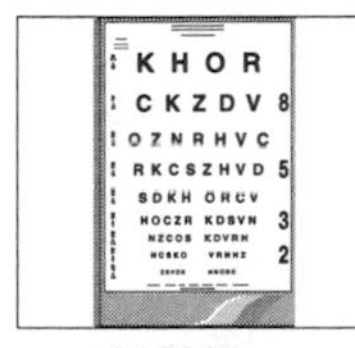

30F021

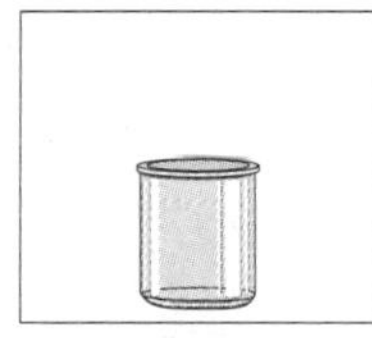
30F022

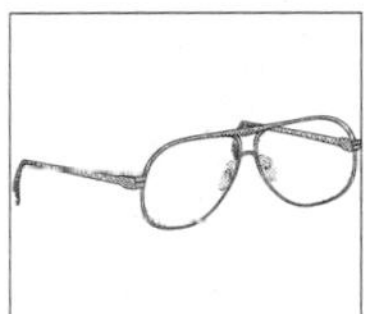
30F023

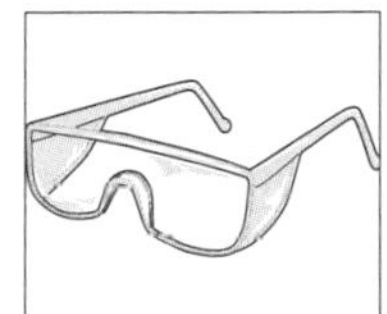
30F024

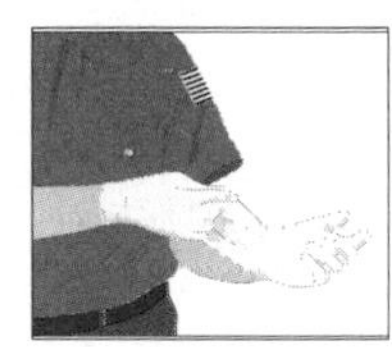
30F025

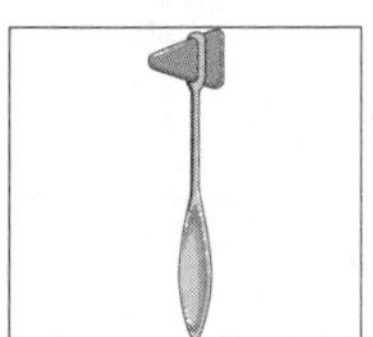
30F026

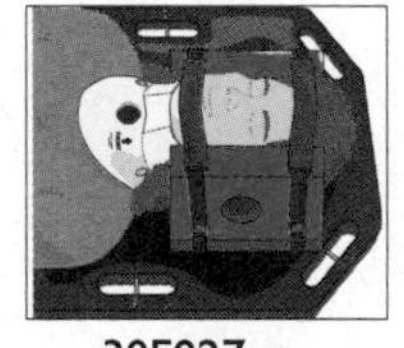
30F027

30F028

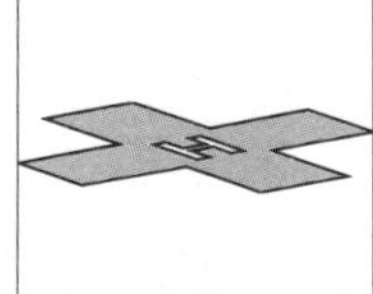
30F029

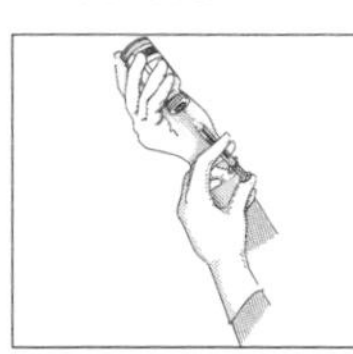
30F030

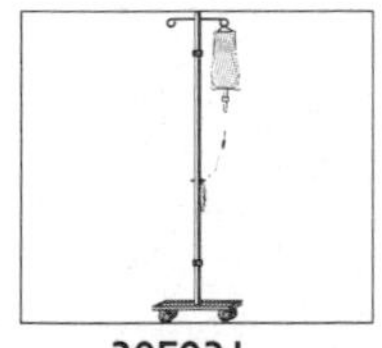
30F031

30F032

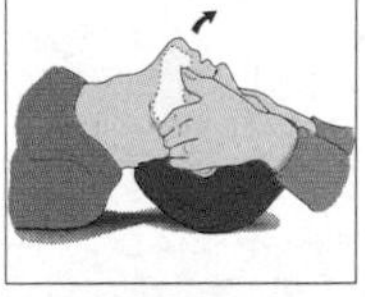
30F033

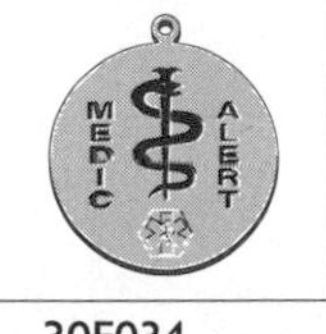

30F034

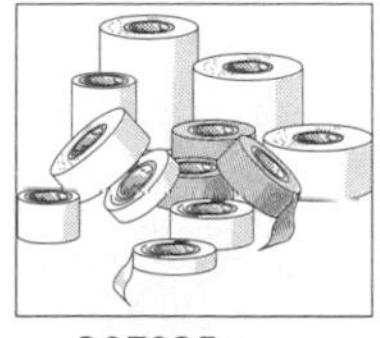
30F035

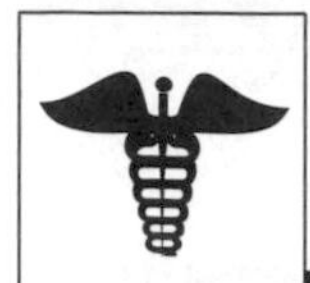

Medical
Médecine
Médico
Medizin

Medical Equipment
Equip Médical
Equipo Médico
Medizinisches Gerät

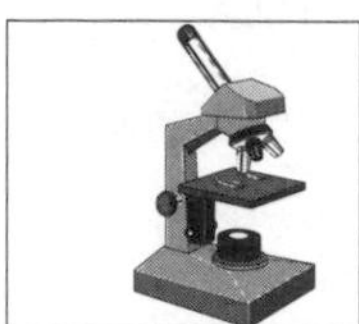

30F036

30F037

30F038

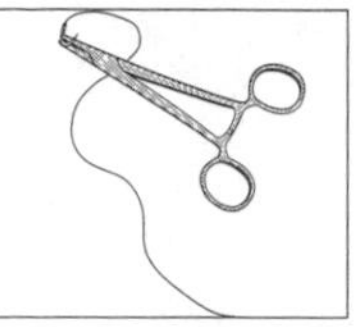

30F039

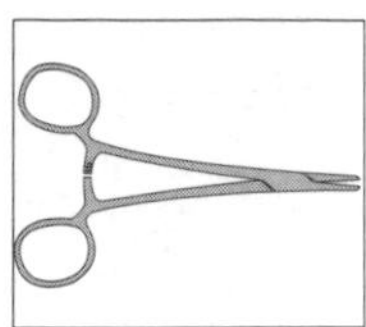

30F040

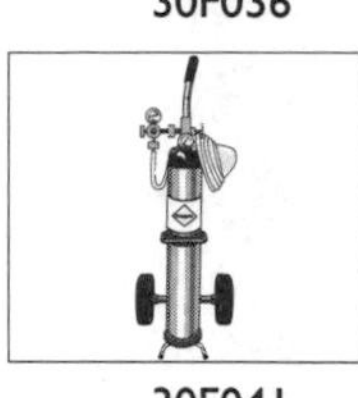

30F041

30F042

30F043

30F044

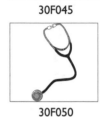

30F045

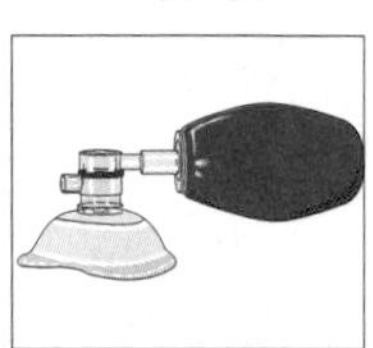

30F046

30F047

30F048

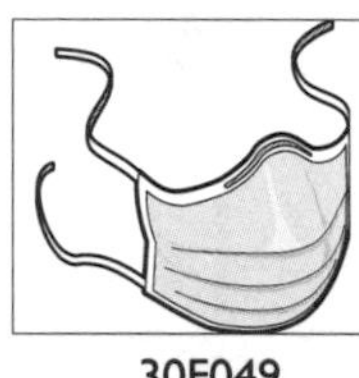

30F049

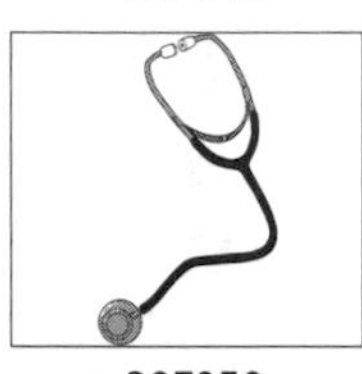

30F050

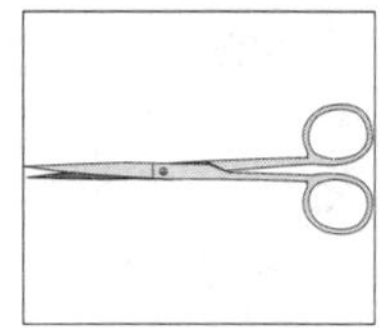

30F051

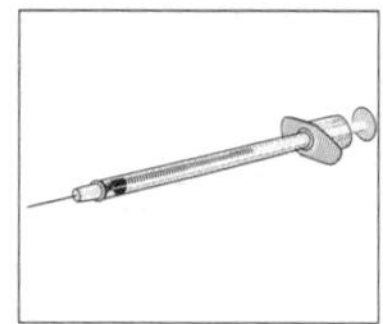

30F052

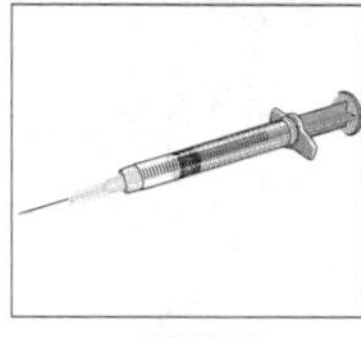

30F053

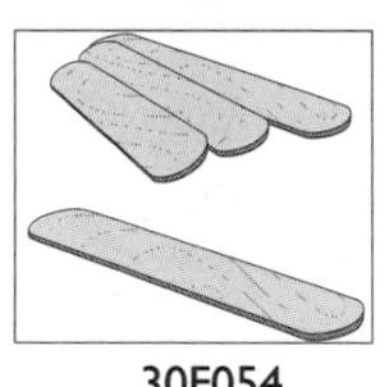

30F054

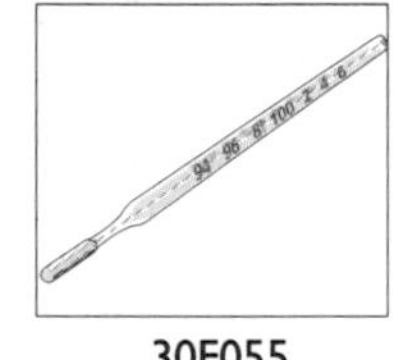

30F055

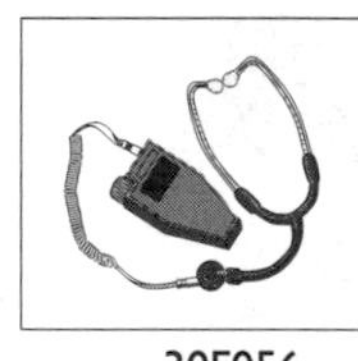

30F056

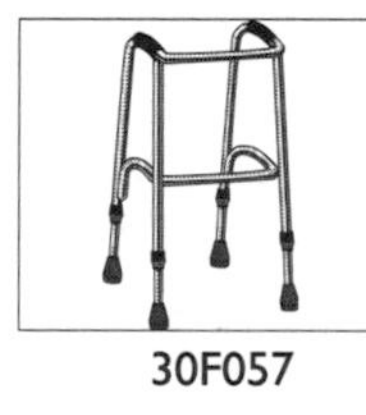

30F057

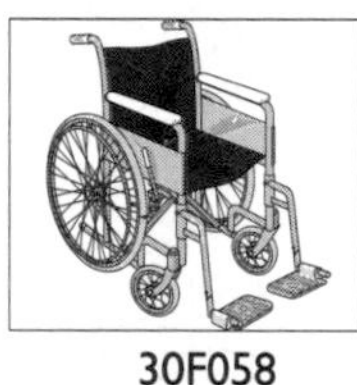

30F058

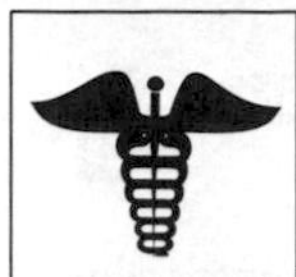

Medical
Médecine
Médico
Medizin

Organ
Organes
Órgano
Organ

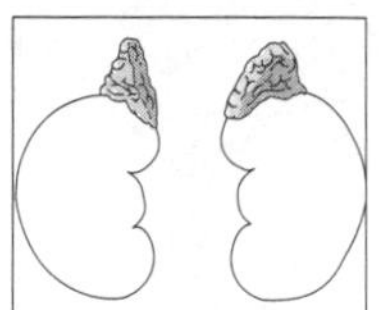
30H001

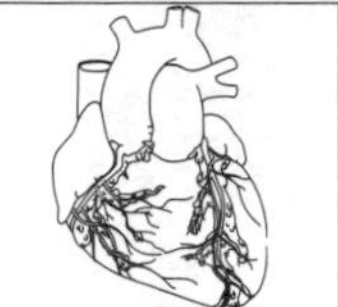
30H002

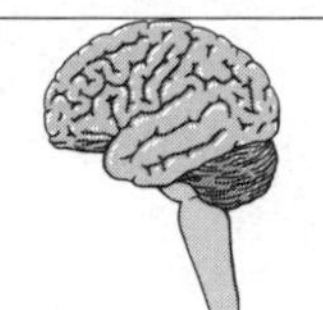
30H003

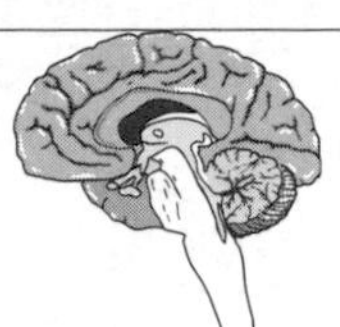
30H004

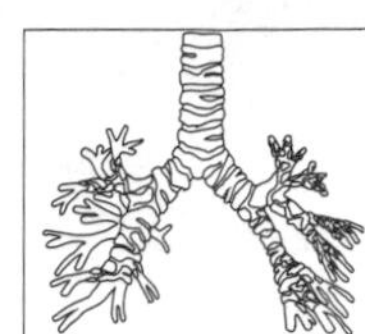
30H005

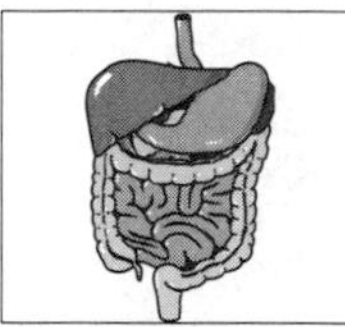
30H006

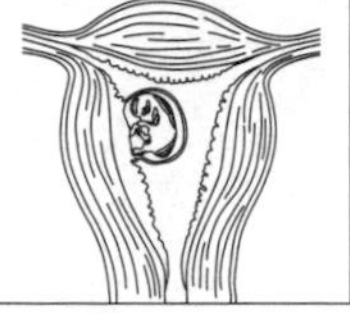
30H007

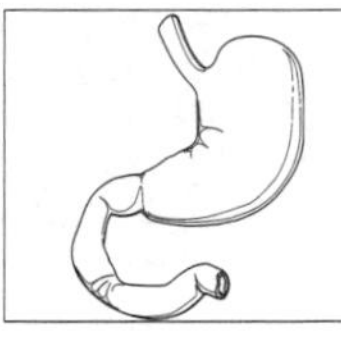
30H008

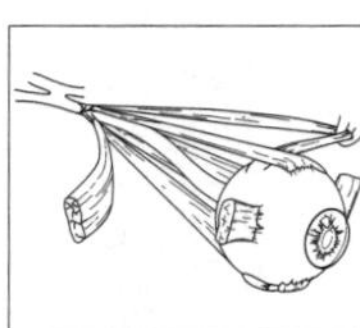
30H009

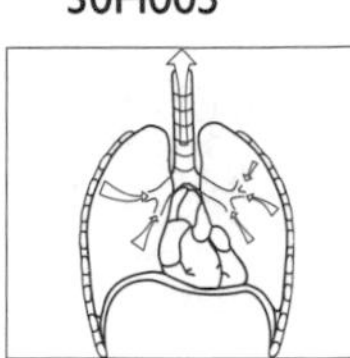
30H010

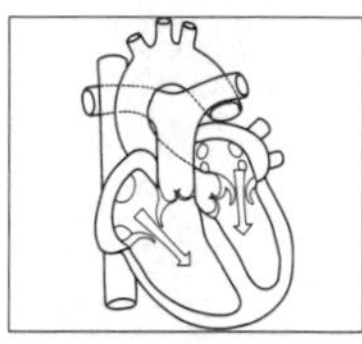
30H011

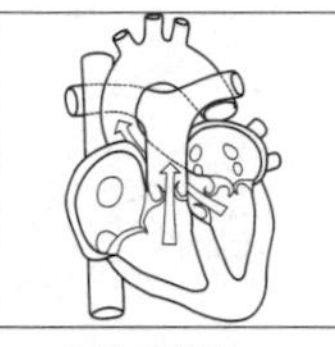
30H012

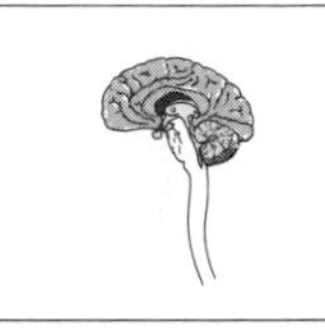
30H013

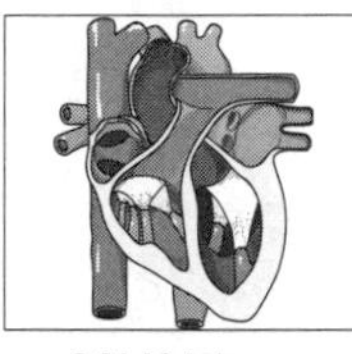
30H014

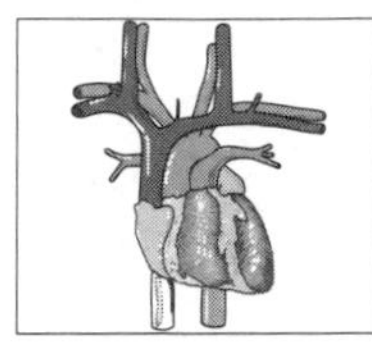
30H015

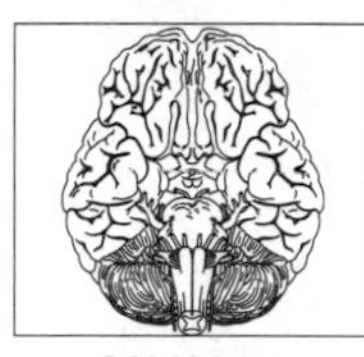
30H016

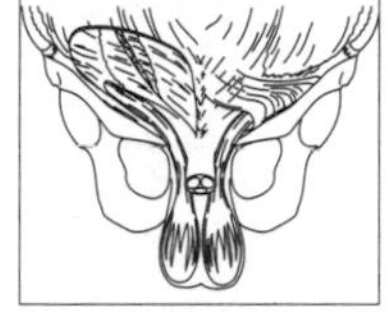
30H017

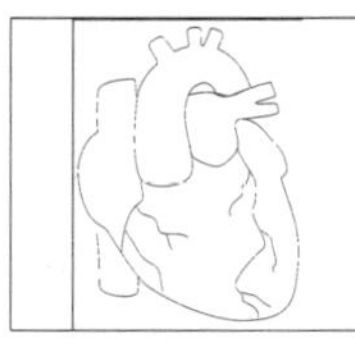
30H018

30H019

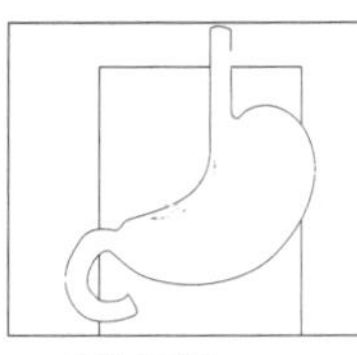
30H020

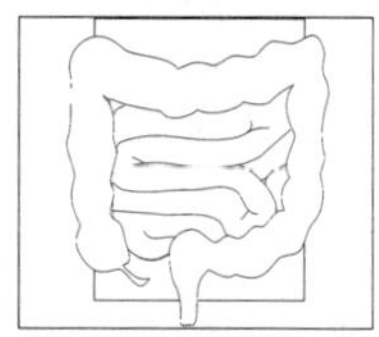
30H021

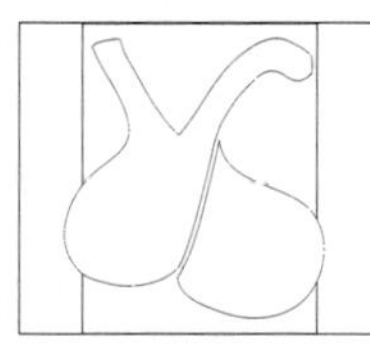
30H022

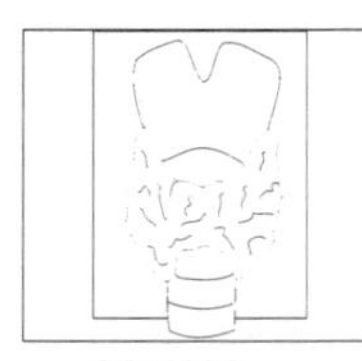
30H023

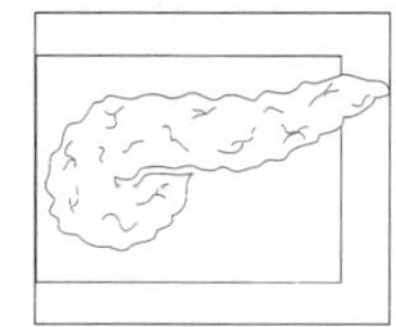
30H024

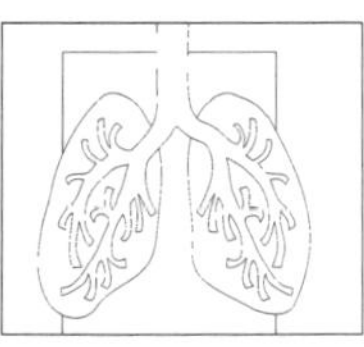
30H025

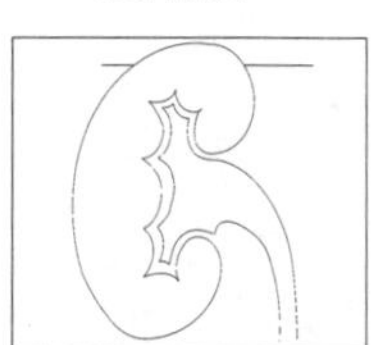
30H026

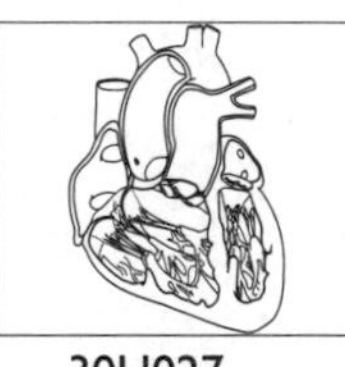
30H027

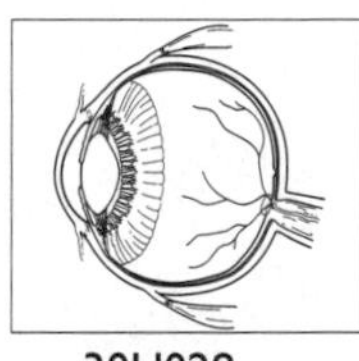
30H028

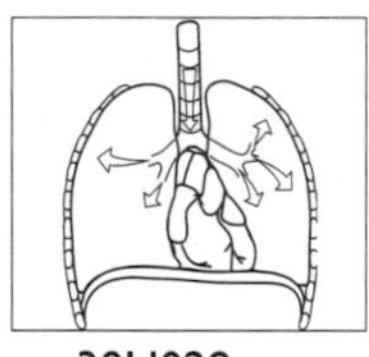
30H029

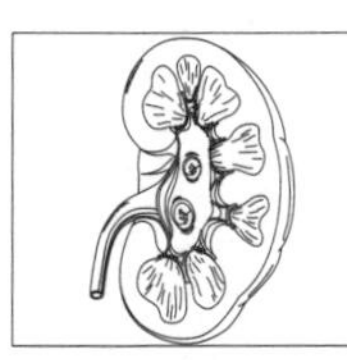
30H030

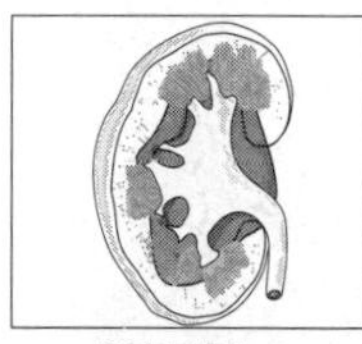
30H031

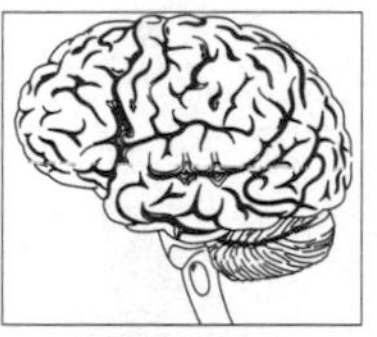
30H032

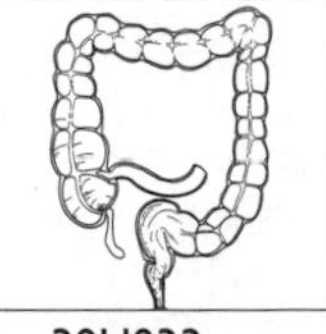
30H033

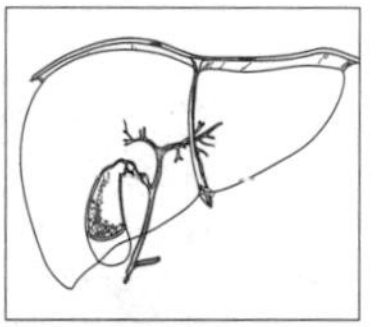
30H034

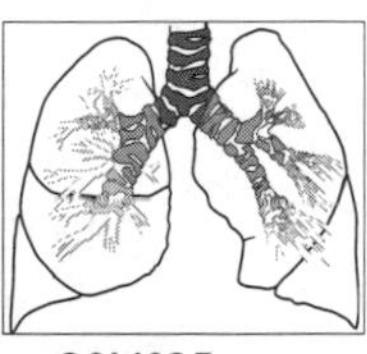
30H035

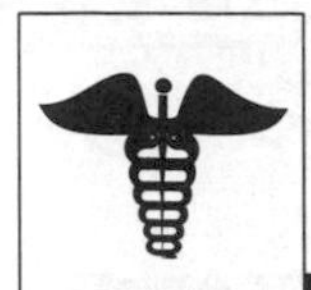

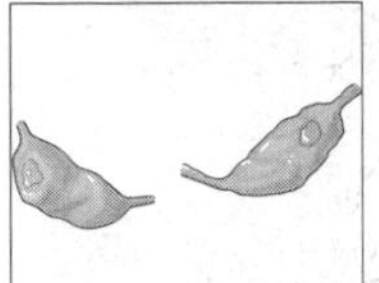

30H036

30H037

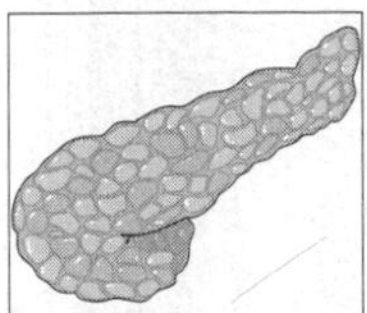

30H038

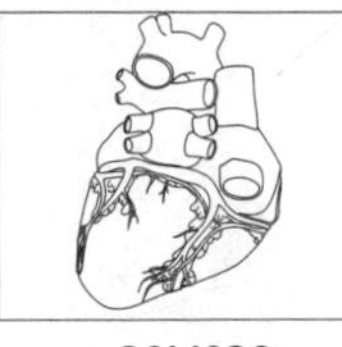

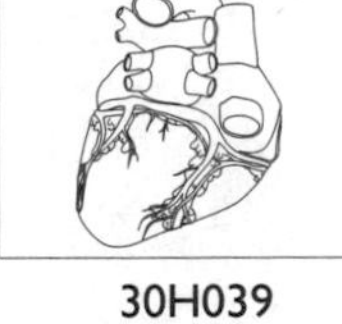

30H039

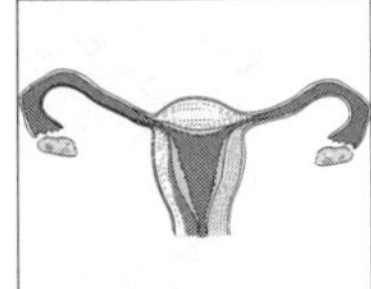

30H040

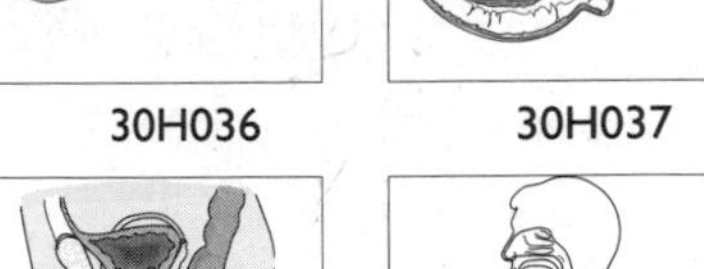

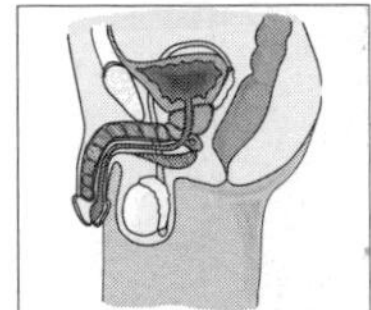

30H041

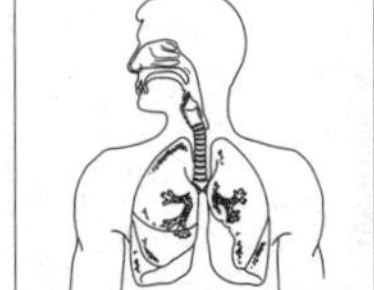

30H042

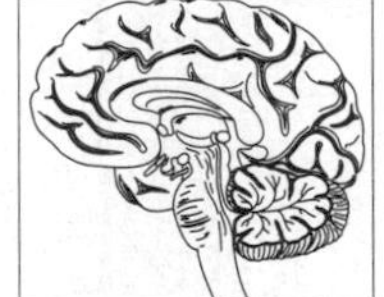

30H043

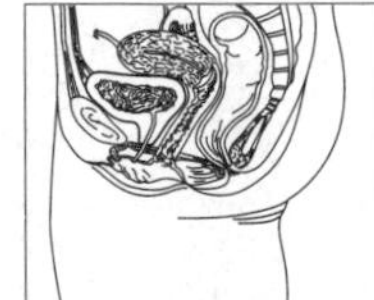

30H044

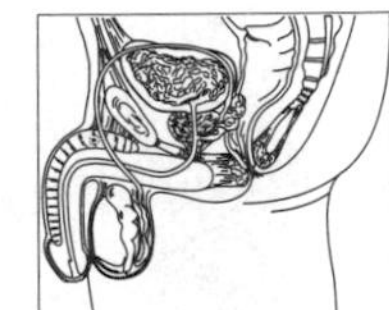

30H045

30H046

30H047

30H048

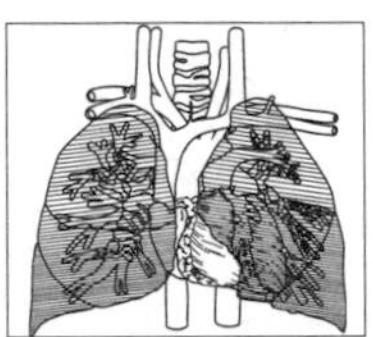

30H049

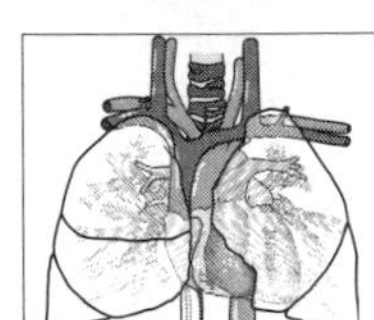

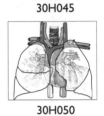

30H050

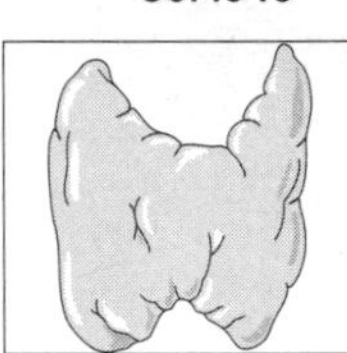

30H051

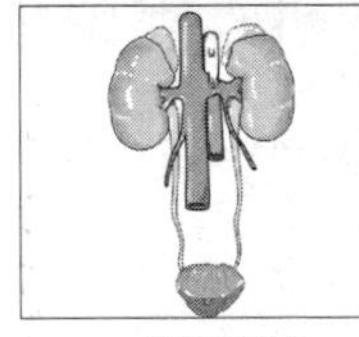

30H052

Miscellaneous
Divers
Varios
Verschiedenes

31A001

31A002

31A003

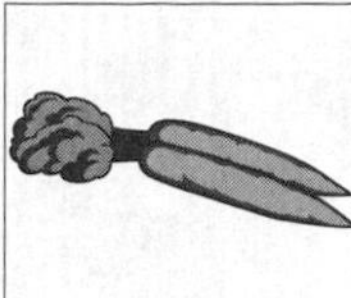
31A004

31A005

31A006

31A007

31A008

31A009

31A010

31A011

31A012

31A013

31A014

31A015

31A016

31A017

31A018

31A019

31A020

31A021

31A022

31A023

31A024

Miscellaneous
Divers
Varios
Verschiedenes

31B001

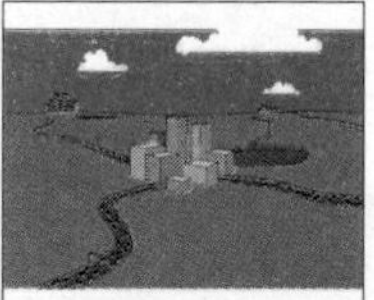
31B002

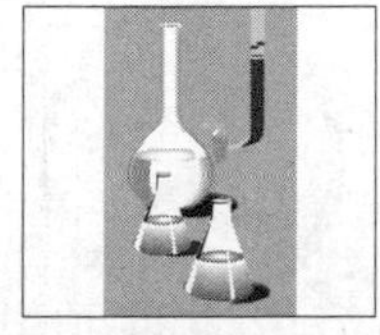
31B004

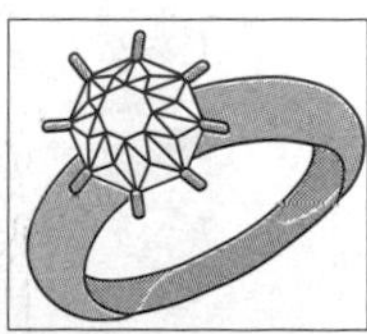
31B005

Miscellaneous
Divers
Varios
Verschiedenes

31B007

31B008

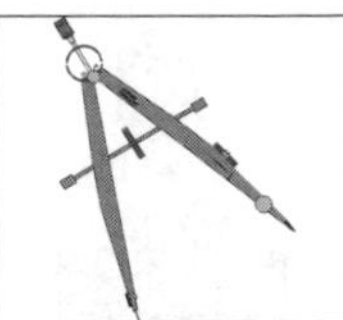
31B009

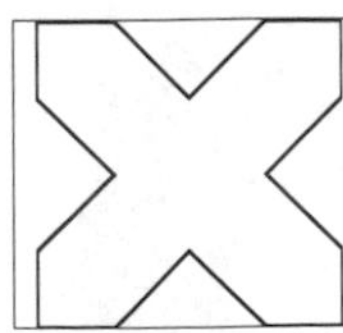
31B010

31B011

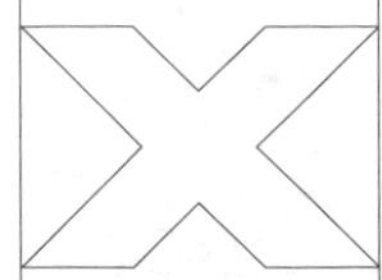
31B012

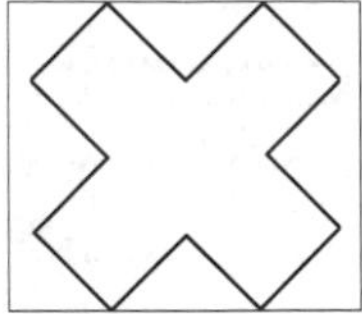
31B013

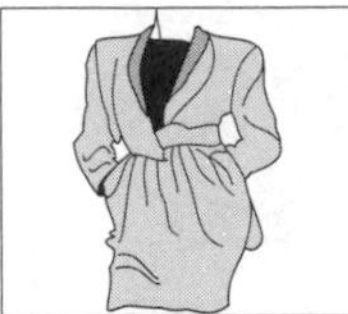
31B014

31B015

31B016

31B017

31B018

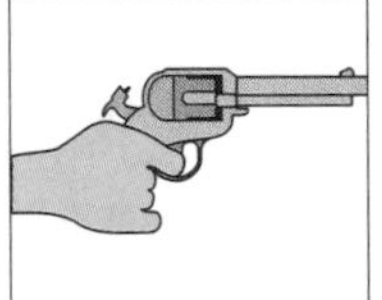
31B019

31B020

31B021

31B022

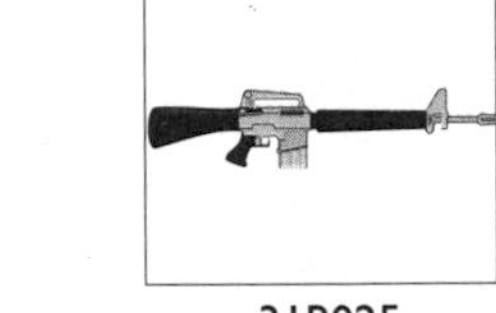
31B025

31B029

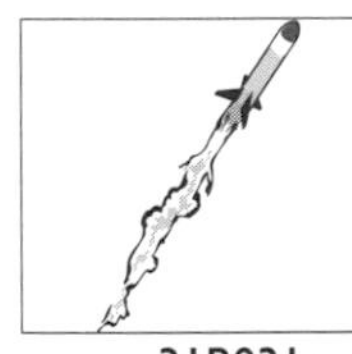
31B031

31B032

31B033

31B034

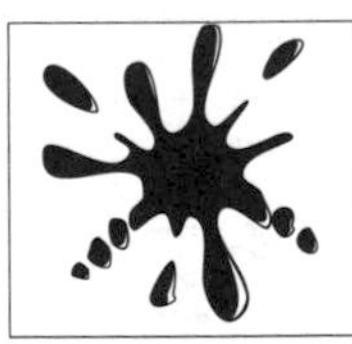
31B035

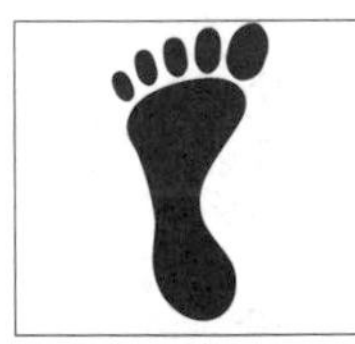
31B036

31B037

31B038

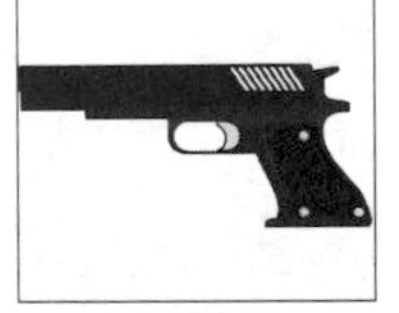
31B039

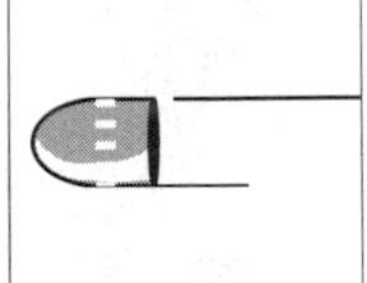
31B040

Miscellaneous
Divers
Varios
Verschiedenes

31B041

31B042

31B043

31B044

Miscellaneous
Divers
Varios
Verschiedenes

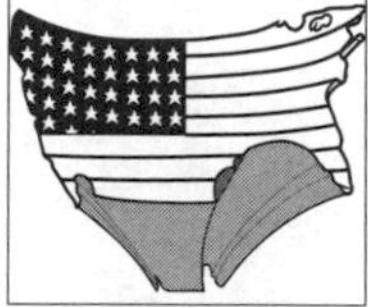
31C001

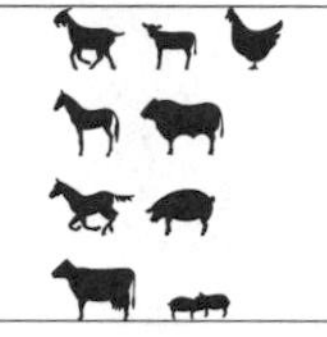
31C002

31C003

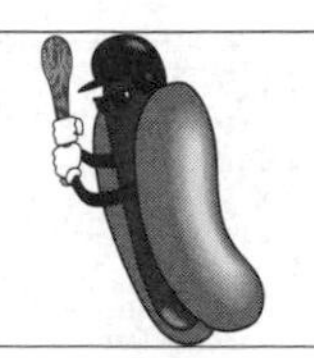
31C004

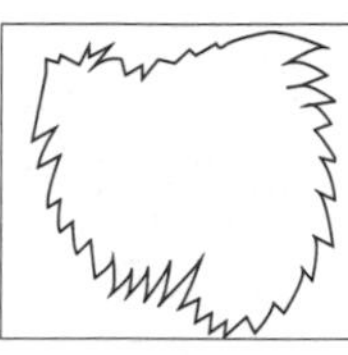
31C005

31C006

31C007

31C008

31C009

31C010

31C011

31C012

31C013

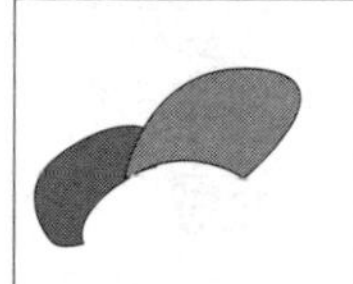
31C014

31C015

31C016

31C017

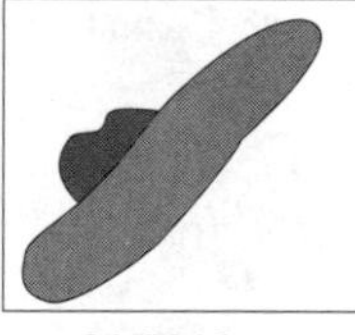
31C018

31C019

31C020

31C021

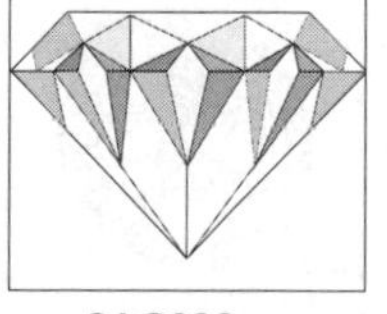
31C022

31C023

31C024

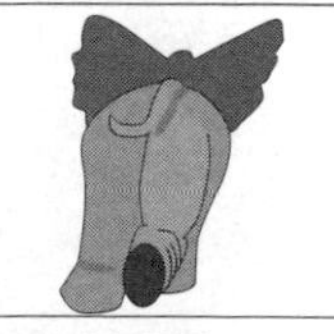
31C025

Miscellaneous
Divers
Varios
Verschiedenes

31C026

31C027

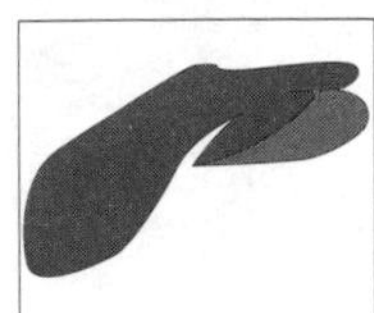

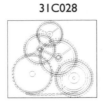

31C028

31C029

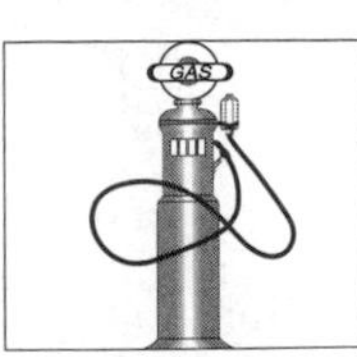

31C030

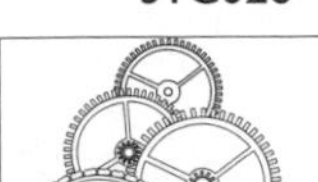

31C031

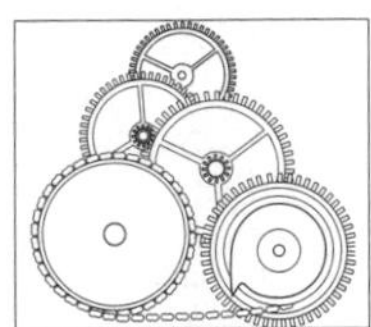

31C032

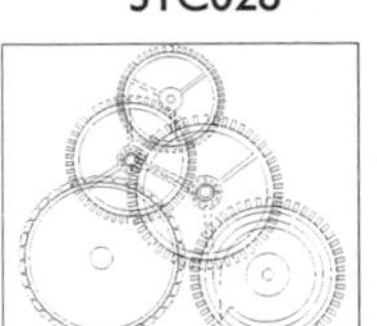

31C033

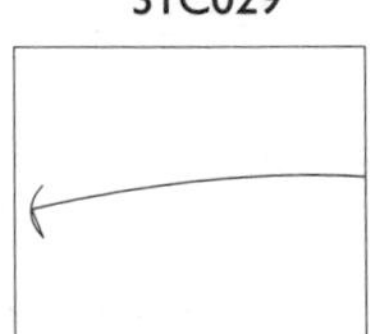

31C034

31C035

31C036

31C037

31C038

31C039

31C040

31C041

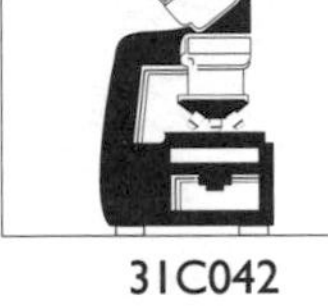

31C042

31C043

31C044

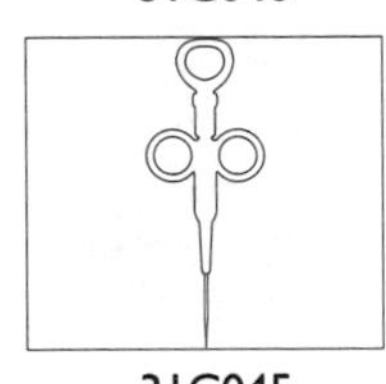

31C045

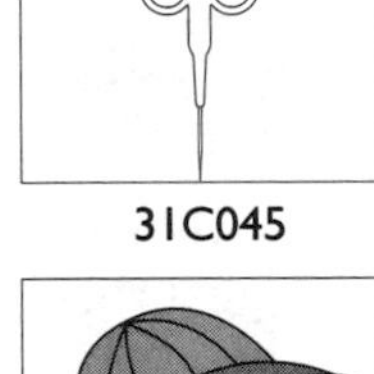

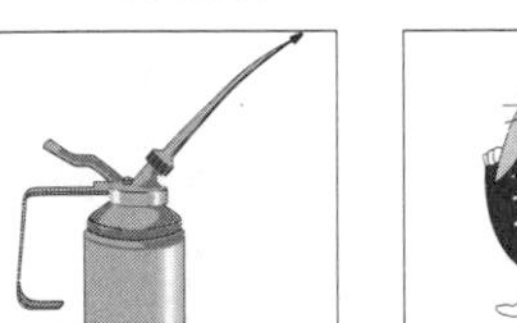

31C046

31C047

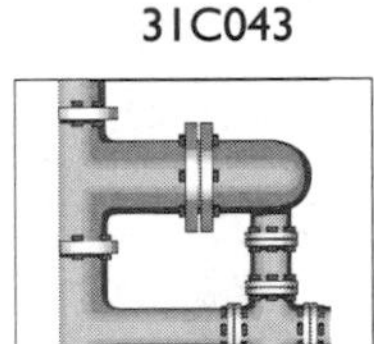

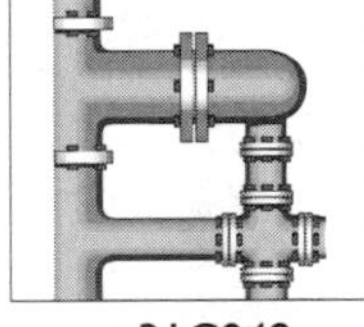

31C048

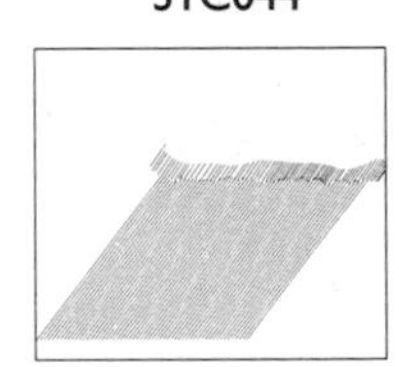

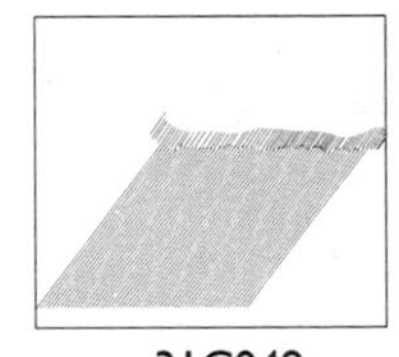

31C049

31C050

31C051

31C052

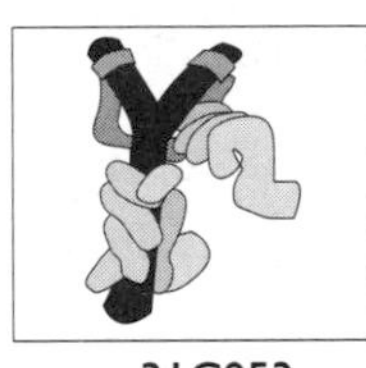

31C053

31C054

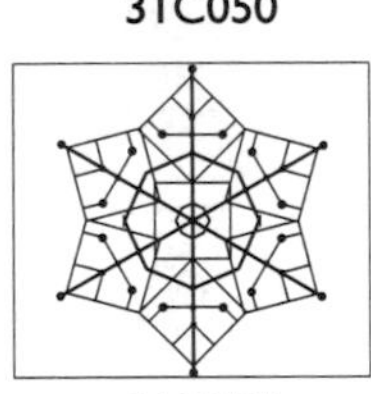

31C055

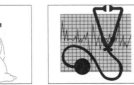

31C056

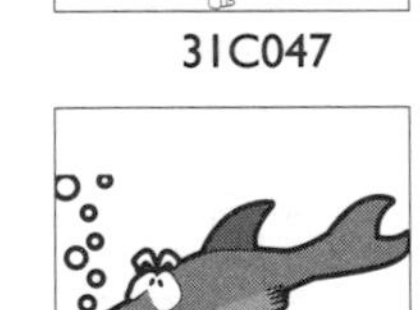

31C057

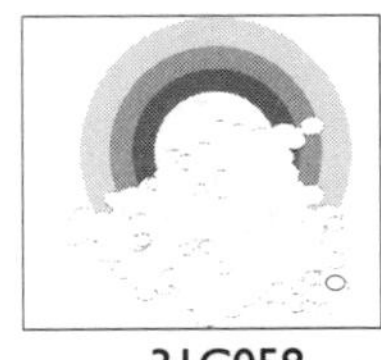

31C058

31C059

31C060

Miscellaneous
Divers
Varios
Verschiedenes

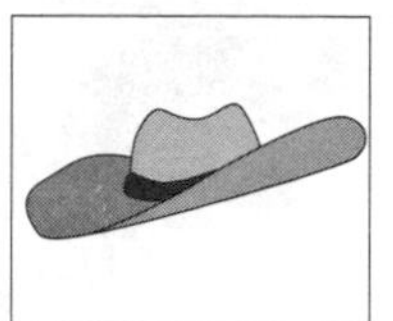
31C061

Miscellaneous
Divers
Varios
Verschiedenes

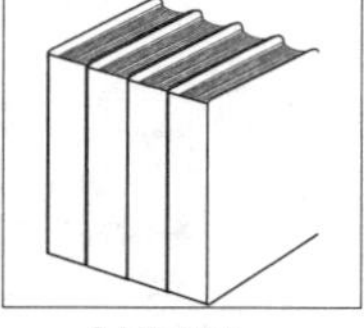
31D001

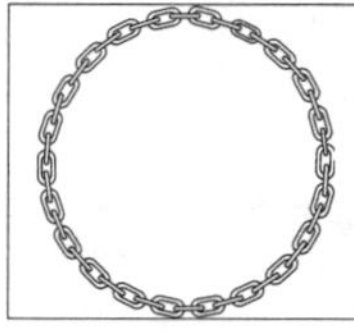
31D002

31D003

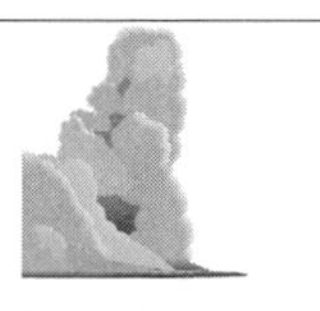
31D004

31D005

31D006

31D007

31D008

31D009

31D010

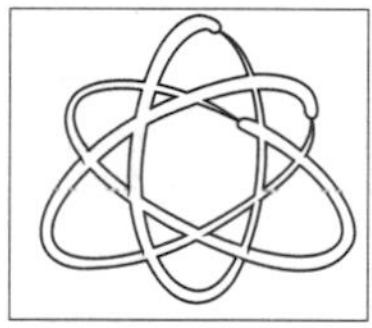
31D011

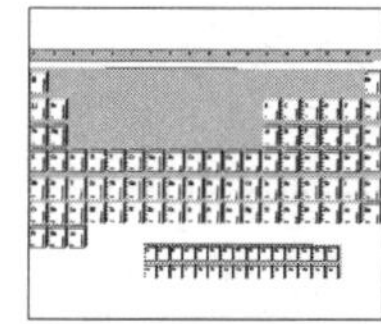
31D012

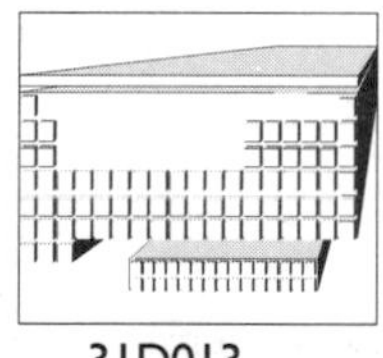
31D013

31D014

31D015

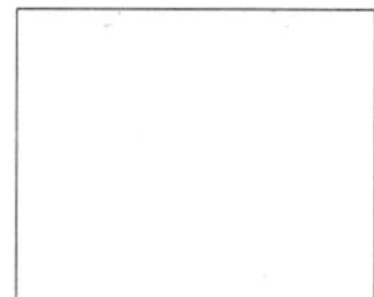
31D016

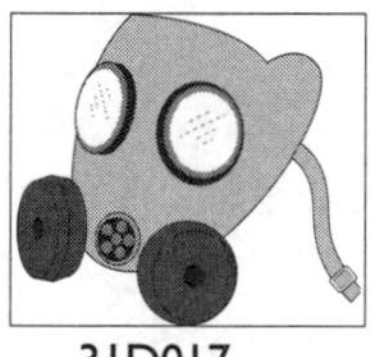
31D017

31D018

31D019

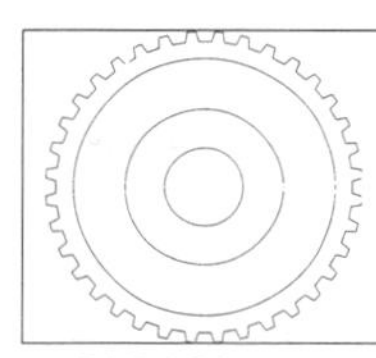
31D020

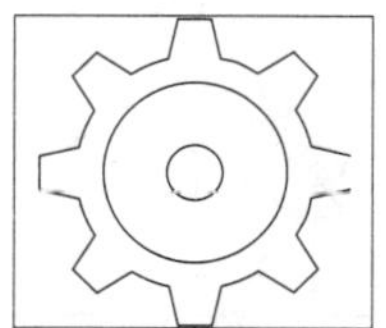
31D021

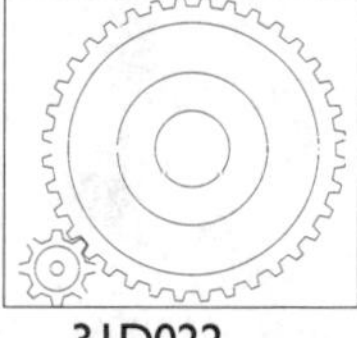
31D022

31D023

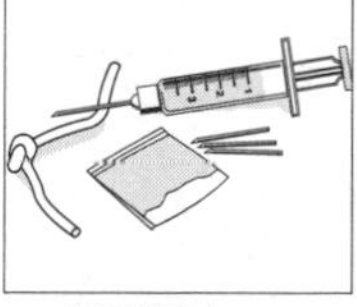
31D024

31D025

Miscellaneous
Divers
Varios
Verschiedenes

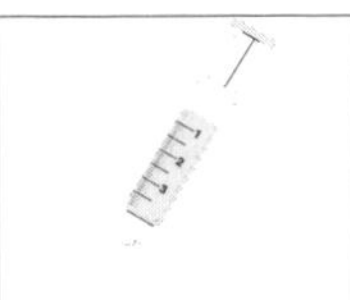
31D026

31D027

31D028

31D029

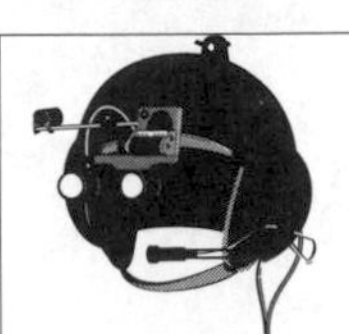
31D030

31D031

31D032

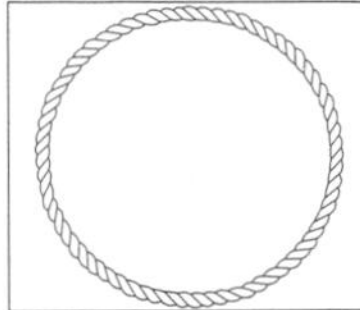
31D033

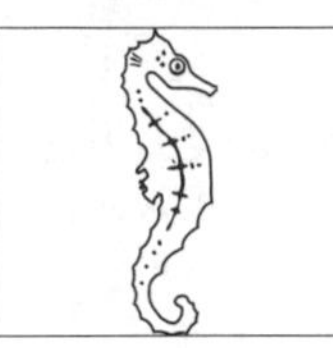
31D034

31D035

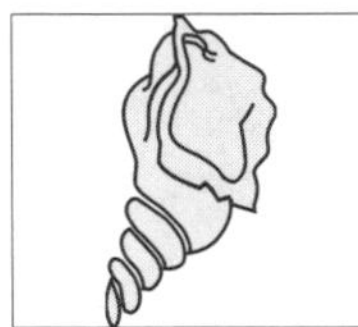
31D036

31D038

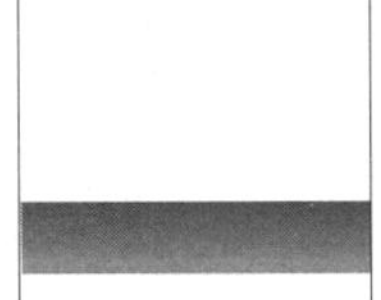
31D039

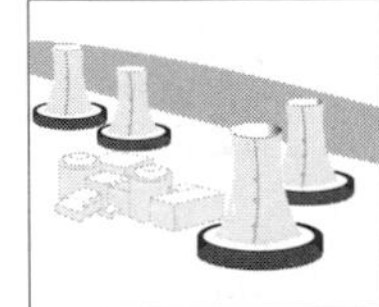
31D040

31D041

31D042

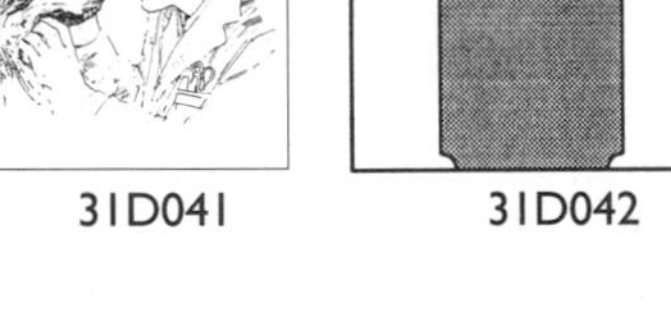

Miscellaneous
Divers
Varios
Verschiedenes

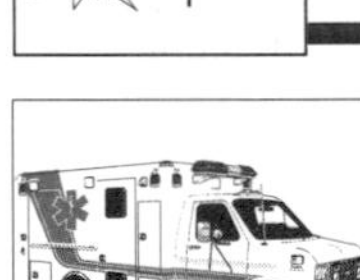
31E001

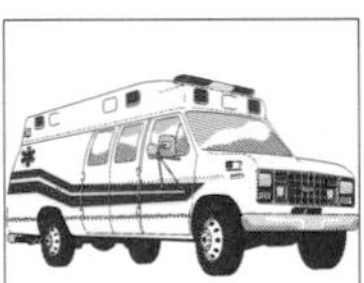
31E002

31E003

31E004

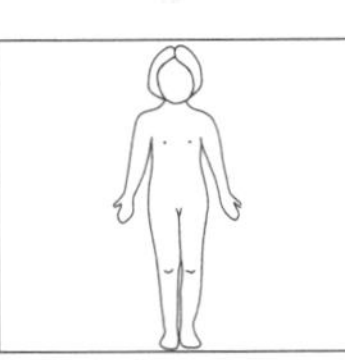
31E005

31E007

31E008

31E009

31E010

Miscellaneous
Divers
Varios
Verschiedenes

31E011

31E012

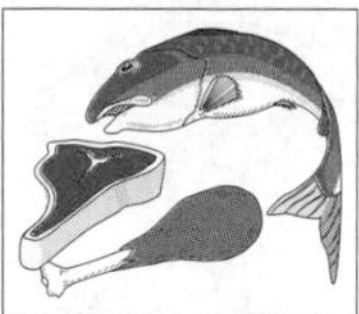

31E013

31E014

31E015

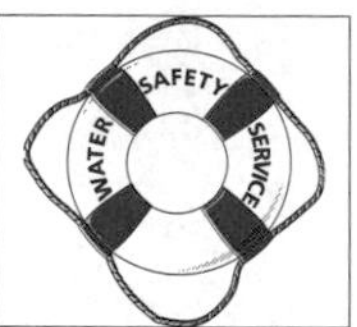

31E016

Just Say NO!

31E017

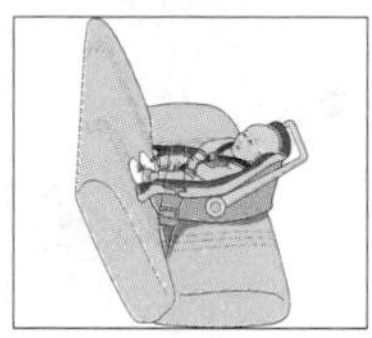

31E018

31E019

31E020

Miscellaneous
Divers
Varios
Verschiedenes

31F001

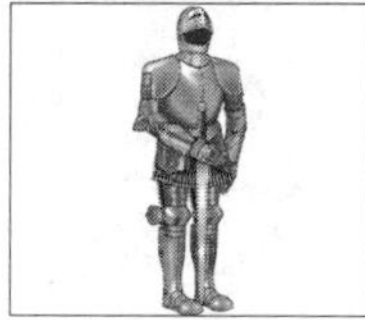

31F002

31F003

31F004

31F005

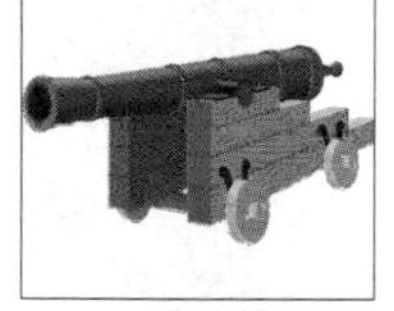

31F006

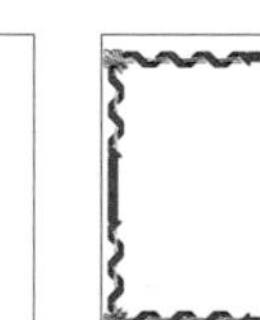

31F007

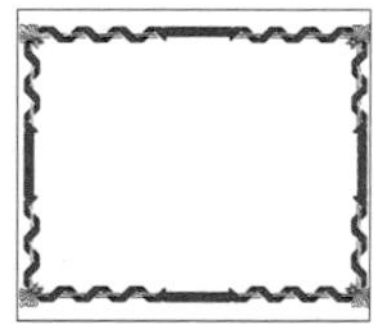

31F008

31F009

31F010

31F011

31F012

31F013

31F014

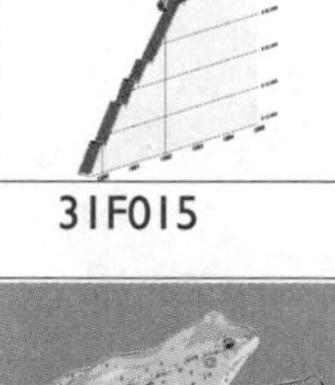

31F015

31F016

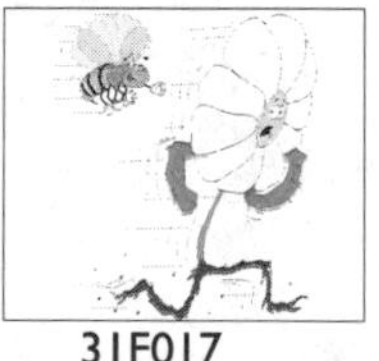

31F017

31F018

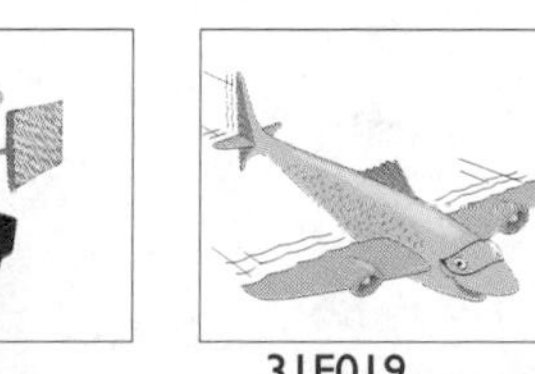

31F019

31F020

Miscellaneous
Divers
Varios
Verschiedenes

31F021

31F022

31F023

31F024

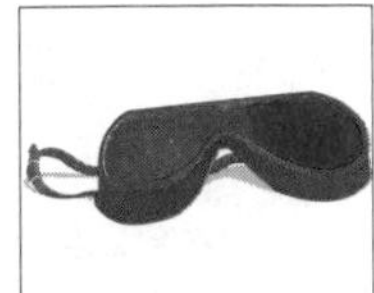
31F025

31F026

31F027

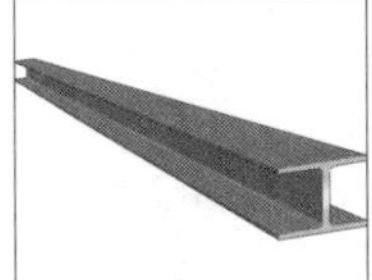
31F028

31F029

31F030

31F031

31F032

31F033

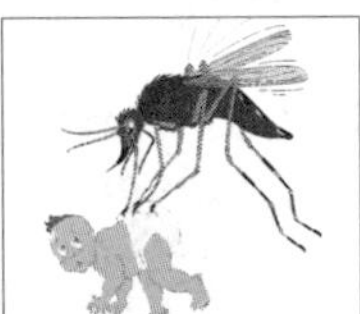
31F034

31F035

31F036

31F037

31F038

31F039

31F040

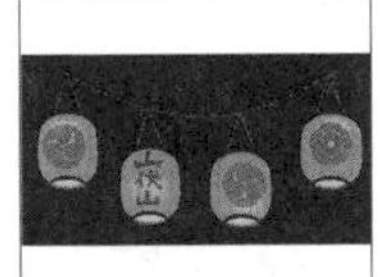
31F041

31F042

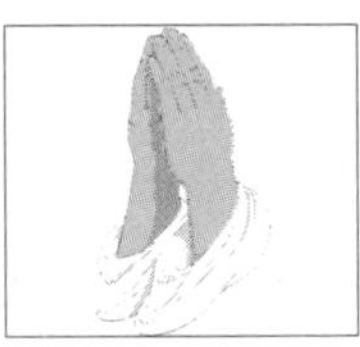
31F043

31F044

31F045

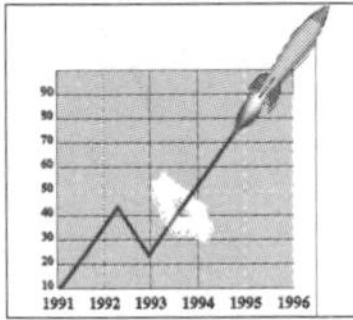

31F046

31F047

31F048

31F049

31F050

31F051

31F052

31F053

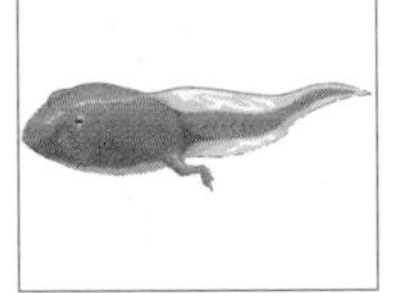
31F054

31F055

Miscellaneous
Divers
Varios
Verschiedenes

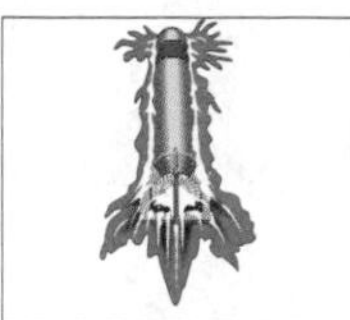
31F056

31F057

31F058

31F059

31F060

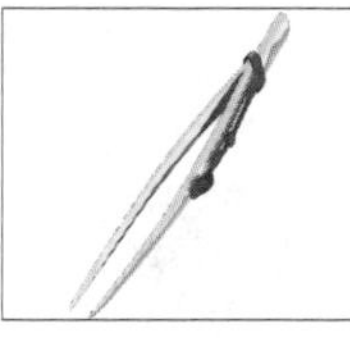
31F061

31F062

31F063

31F064

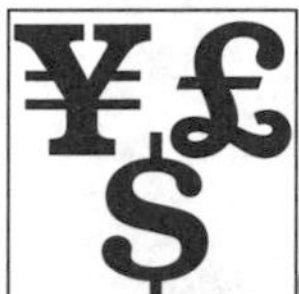

Money
Monnaies
Dinerios
Geld

32A001

32A002

32A003

32A004

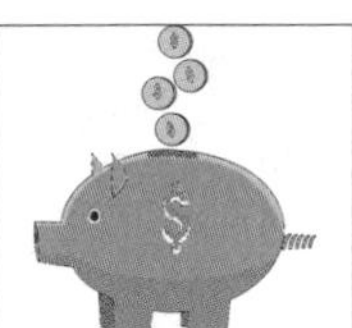
32A005

32A006

32A007

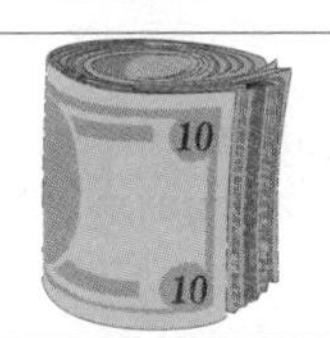

32A008

32A009

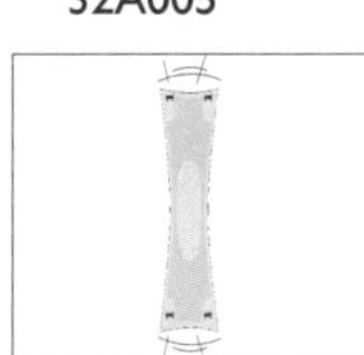
32A010

32A011

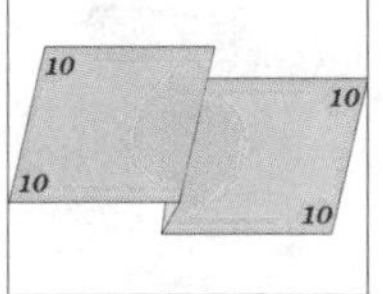

32A012

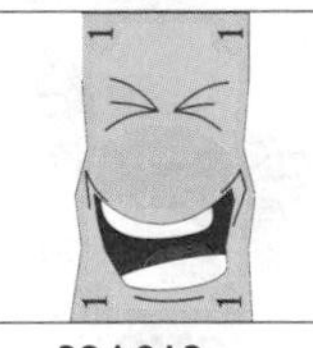
32A013

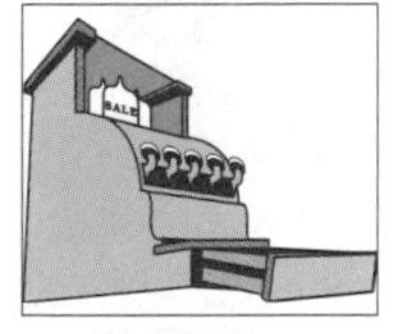

32A014

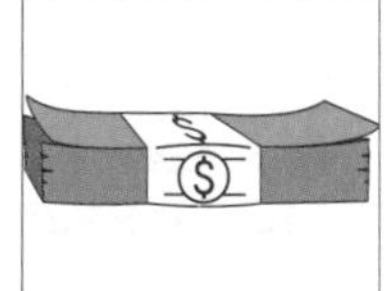
32A015

32A016

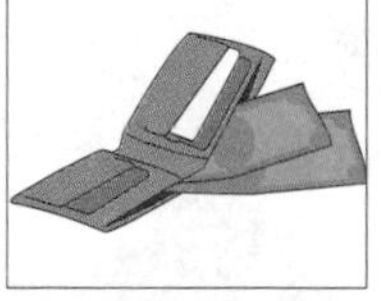
32A017

32A018

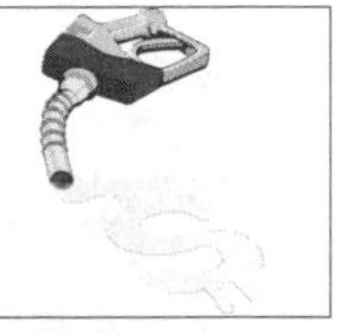
32A019

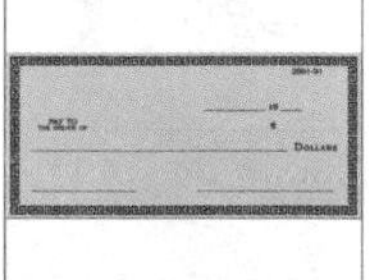

32A020

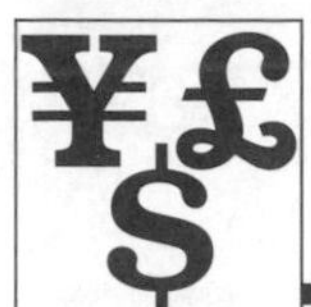

Money
Monnaies
Dinerios
Geld

32A021

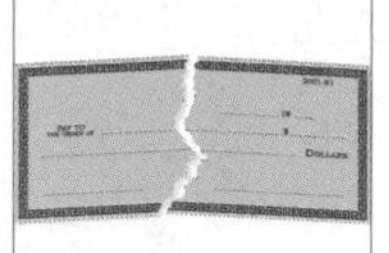
32A022

32A023

32A024

32A025

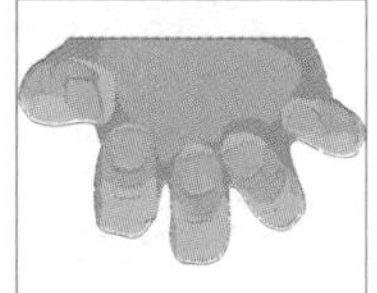
32A026

32A027

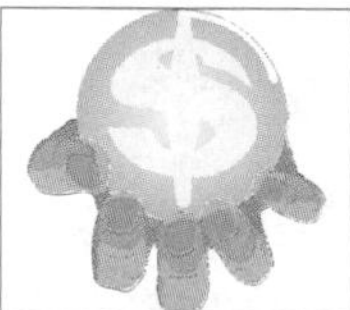
32A028

32A029

32A030

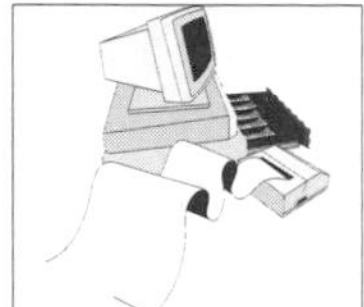
32A031

32A032

32A033

32A034

32A035

32A036

32A037

32A038

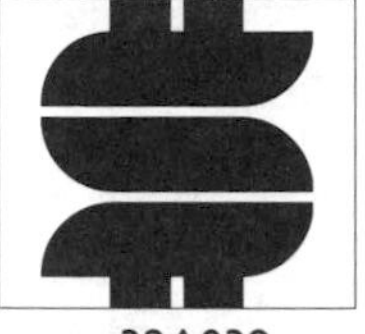
32A039

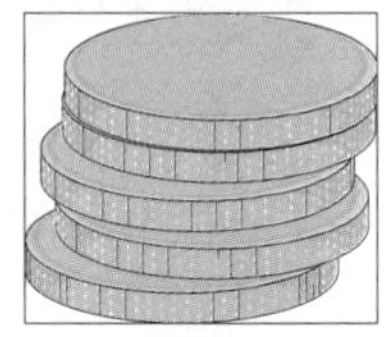
32A040

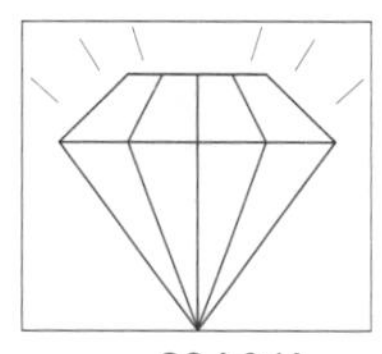
32A041

32A042

32A043

32A044

32A045

32A046

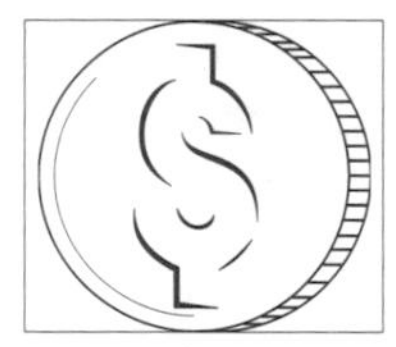
32A047

32A048

32A049

32A050

32A051

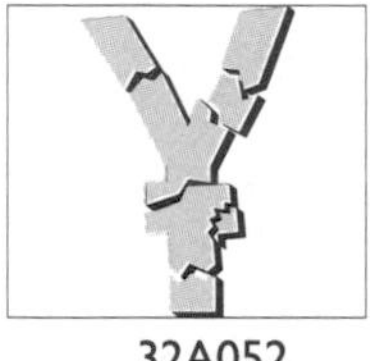
32A052

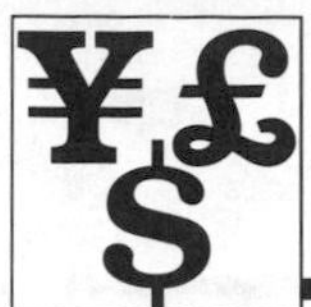

Money
Monnaies
Dinerios
Geld

32B001

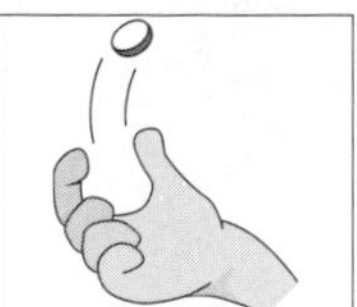

32B002

32B003

32B004

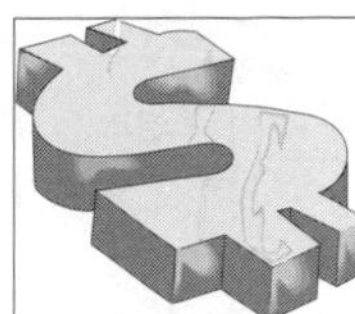

32B005

32B006

32B007

32B008

32B009

32B010

32B011

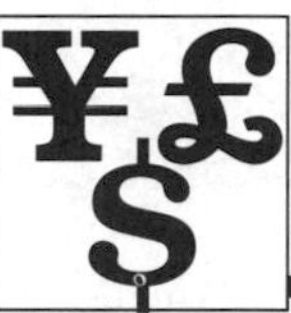

Money
Monnaies
Dinerios
Geld

32C001

32C002

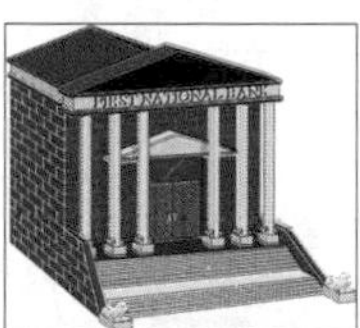

32C004

32C005

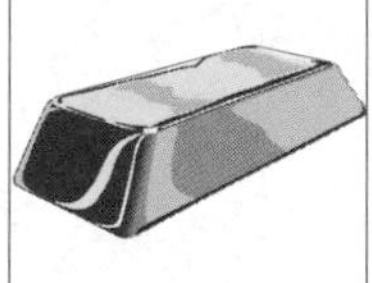

32C006

32C007

32C008

32C009

32C011

32C013

32C014

32C015

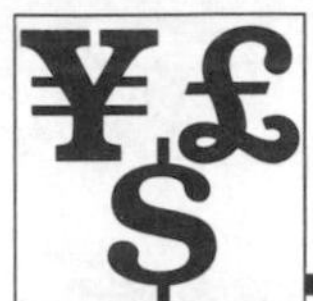

Money
Monnaies
Dineros
Geld

32C016

32C017

32C018

32C020

32C021

32C022

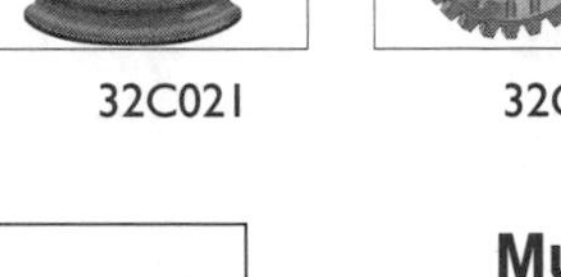

Music
Musique
Música
Musik

33A001

33A002

33A003

33A004

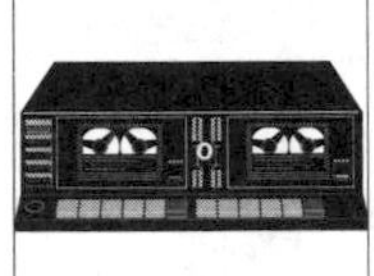
33A005

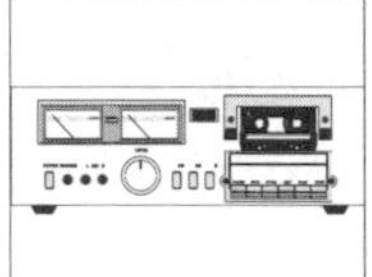
33A006

33A007

33A008

33A009

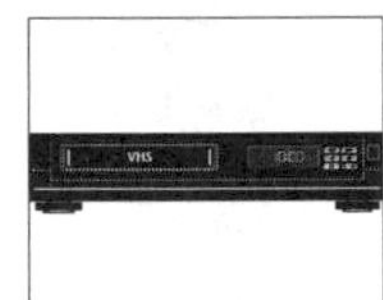

33A010

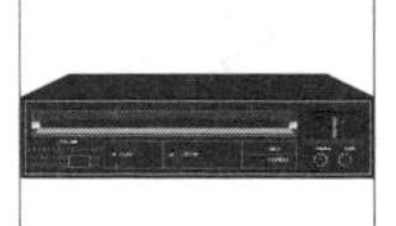
33A011

33A012

33A013

33A014

33A015

33A016

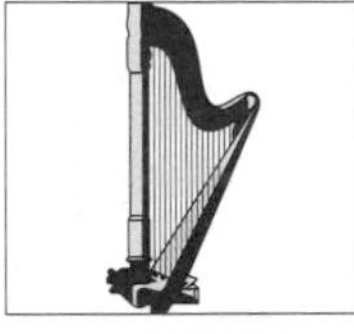
33A017

33A018

33A019

33A020

Music
Musique
Música
Musik

33A021

33A022

33A023

33A024

33A025

33A026

33A027

33A028

33A029

33A030

33A031

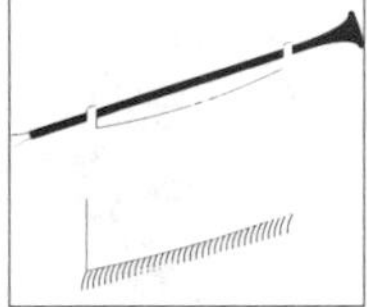
33A032

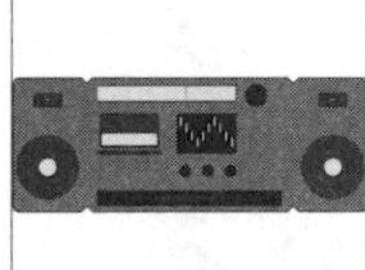
33A033

33A034

33A035

33A036

33A037

33A038

33A039

Music
Musique
Música
Musik

33B001

33B002

33B003

33B004

33B005

33B006

33B007

33B008

33B009

33B010

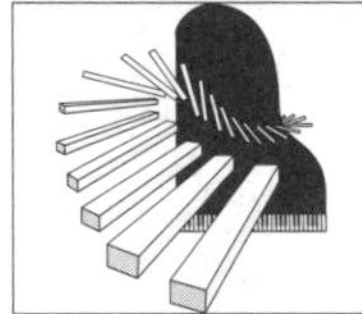
33B011

33B012

33B013

33B014

33B015

33B016

People
Gens
Gente
Leute

Business
Affaires
Negocios
Wirtschaft

34A001

34A002

34A003

34A004

34A005

34A006

34A007

34A008

34A009

34A010

People
Gens
Gente
Leute

Business
Affaires
Negocias
Wirtschaft

34A011

34A012

34A013

34A014

34A015

34A016

34A017

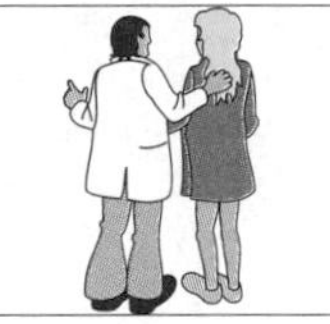
34A018

34A019

People
Gens
Gente
Leute

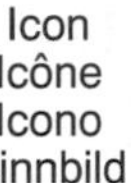

Icon
Icône
Icono
Sinnbild

34B002

34B003

34B004

34B005

34B006

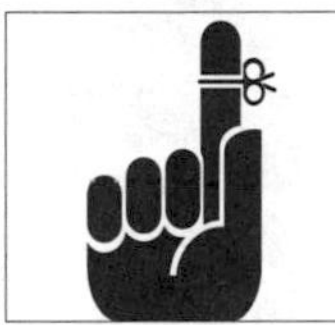
34B007

34B008

34B009

34B010

34B011

34B012

34B013

34B014

34B015

34B016

34B017

34B018

34B019

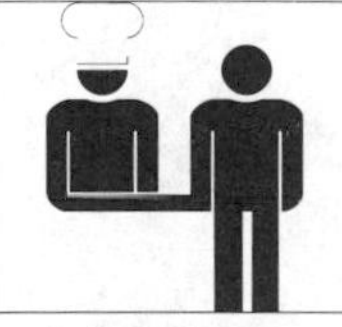
34B020

People
Gens
Gente
Leute

Icon
Icône
Icono
Sinnbild

34B021

34B022

34B023

34B024

34B025

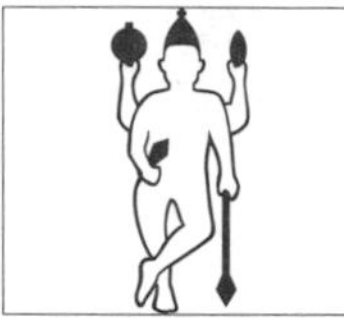

34B026

34B027

People
Gens
Gente
Leute

Miscellaneous
Divers
Varios
Verschiedenes

34C001

34C002

34C003

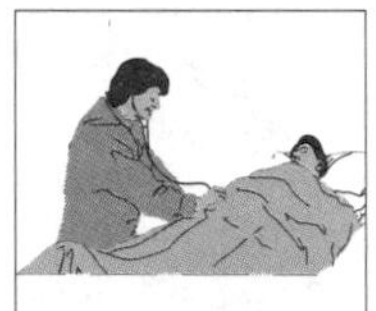

34C004

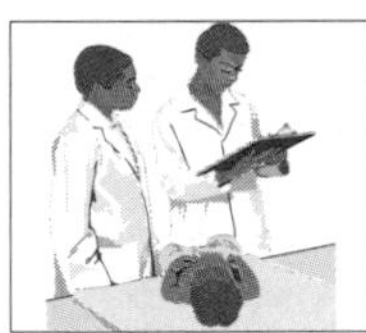

34C005

34C006

34C007

34C008

34C009

34C010

34C011

34C012

34C013

34C014

34C015

34C016

34C017

34C018

34C019

34C020

People
Gens
Gente
Leute

Miscellaneous
Divers
Varios
Verschiedenes

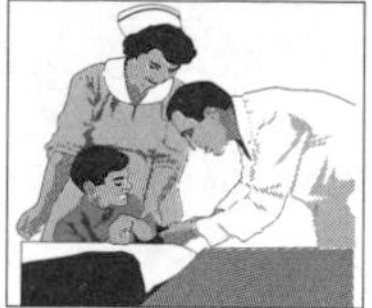

34C021

34C022

34C023

34C024

People
Gens
Gente
Leute

Business
Affaires
Negocios
Wirtschaft

34D001

34D002

34D003

34D004

34D005

34D006

34D007

34D008

34D009

34D010

People
Gens
Gente
Leute

Humor
Humor
Humorismo
Humor

34E001

34E002

34E003

34E004

34E005

34E006

34E007

34E008

34E009

34E010

34E011

34E012

34E013

34E014

34E015

34E016

34E017

34E018

34E019

34E020

34E021

34E022

34E023

34E024

People
Gens
Gente
Leute

Icon
Icône
Icono
Sinnbild

34F001

34F002

34F003

34F004

34F005

People
Gens
Gente
Leute

Icon
Icône
Icono
Sinnbild

34F006

34F007

34F008

34F009

34F010

34F011

34F012

34F013

34F014

People
Gens
Gente
Leute

Miscellaneous
Divers
Varios
Verschiedenes

34G001

34G002

34G003

34G004

34G005

34G006

34G007

34G008

34G009

34G010

34G011

34G012

34G013

34G014

34G015

34G016

People
Gens
Gente
Leute

34H004

34H010

34H005

34H006

34H003

34H001

34H007

34H011

34H008

34H009

34H002

People
Gens
Gente
Leute

34J001

34I001

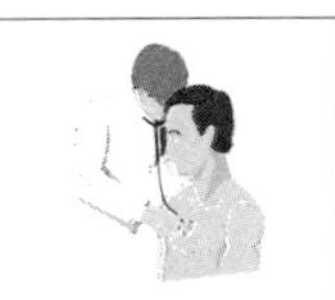

34I002

34I003

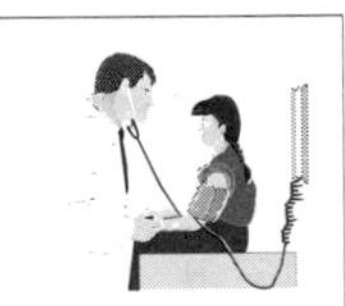

34I004

34I005

34I006

34J002

3JI003

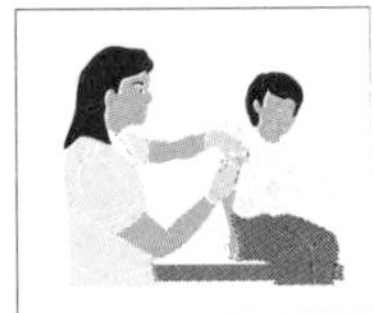

34I007

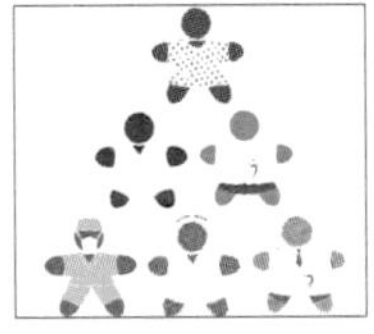

34I008

34I009

People
Gens
Gente
Leute

34K001

34K002

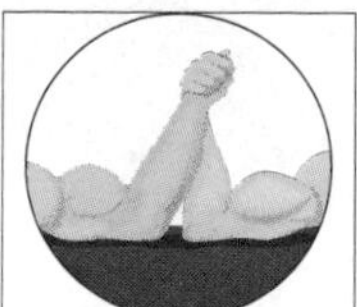
34K003

34K004

34K005

34K006

34K007

34K008

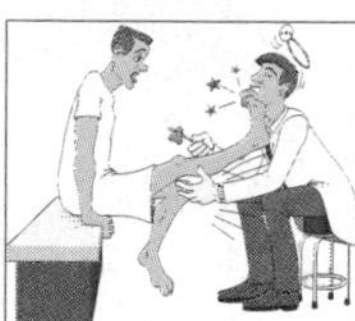
34K009

34K010

34K011

34K012

34K013

34K014

34K015

34K016

Plant
Botanique
Plantas
Pflanze

35A002

35A003

35A004

35A005

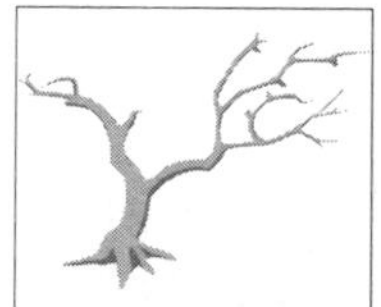
35A006

35A007

35A008

35A009

35A010

Plants
Botanique
Plantas
Pflanzen

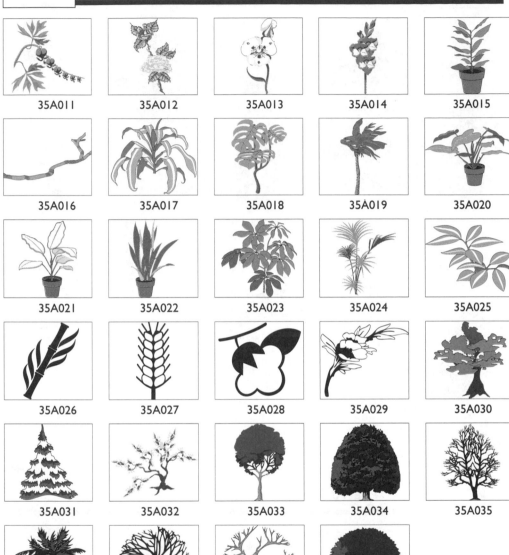

35A011	 35A012	 35A013	 35A014	 35A015
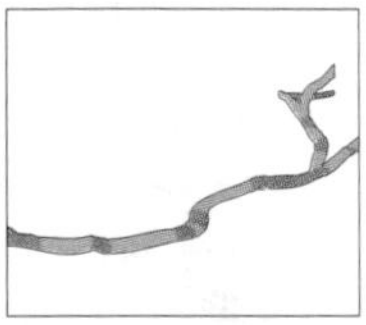 35A016	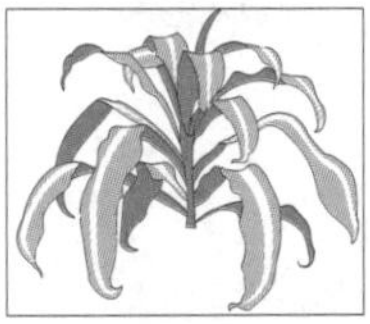 35A017	 35A018	 35A019	 35A020
 35A021	 35A022	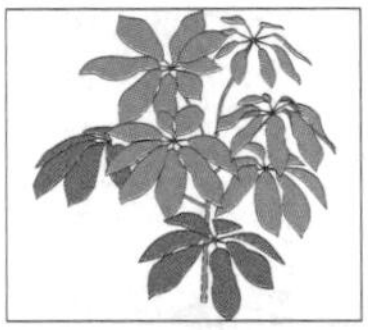 35A023	 35A024	 35A025
 35A026	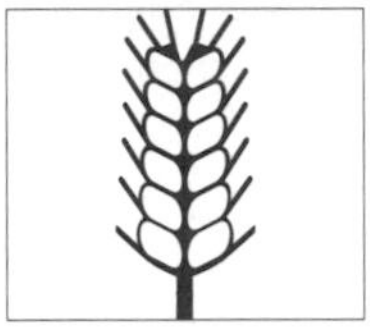 35A027	 35A028	 35A029	 35A030
 35A031	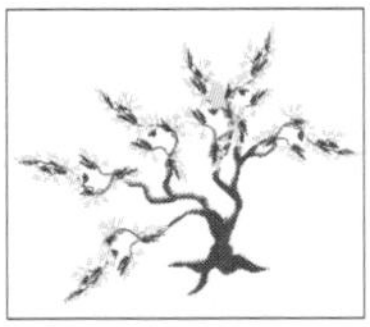 35A032	 35A033	 35A034	 35A035
 35A036	 35A037	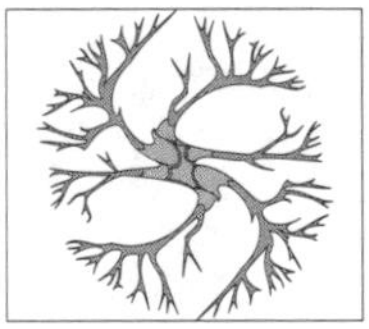 35A038	 35A039	

Plants
Botanique
Plantas
Pflanzen

35B001

35B002

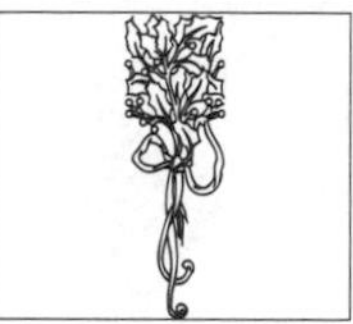

35B003

35B004

35B005

35B006

35B007

35B008

35B009

35B010

35B011

Plants
Botanique
Plantas
Pflanzen

35C001

35C002

35C003

35C004

35C005

35C006

35C007

35C008

35C009

35C010

35C011

35C012

35C013

35C014

35C015

Plants
Botanique
Plantas
Pflanzen

35C016

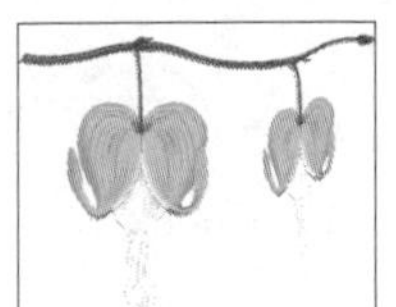
35C017

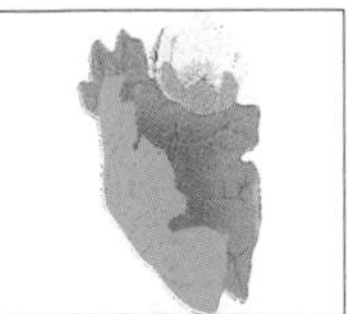
35C018

35C019

35C020

35C021

35C022

35C023

35C024

35C025

35C026

35C027

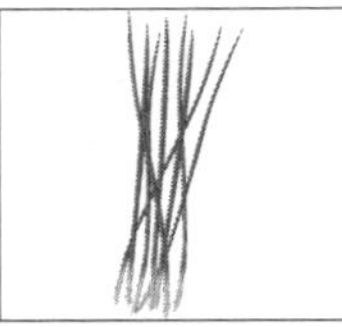
35C028

35C029

35C030

35C031

35C032

35C033

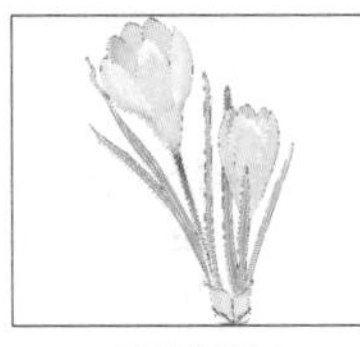
35C034

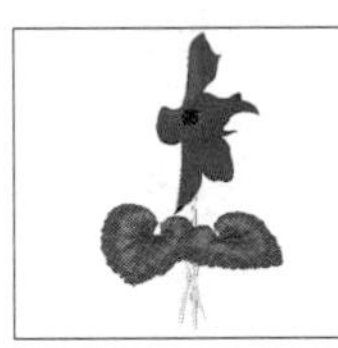
35C035

35C036

35C037

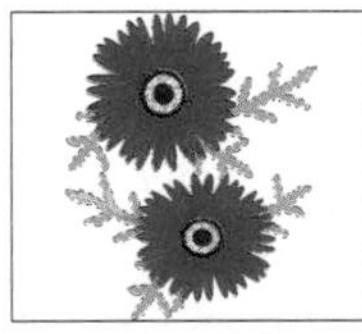
35C038

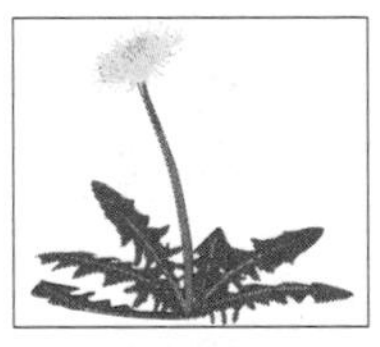
35C039

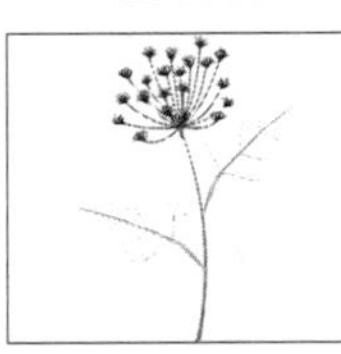
35C040

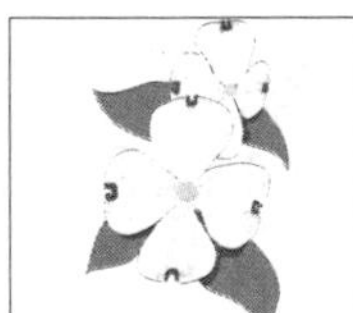
35C041

35C042

35C043

35C044

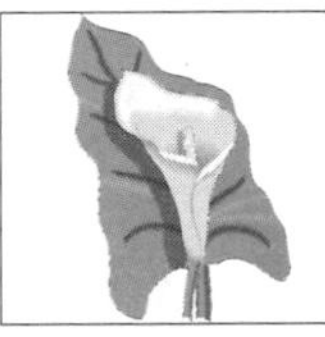
35C045

35C046

35C047

35C048

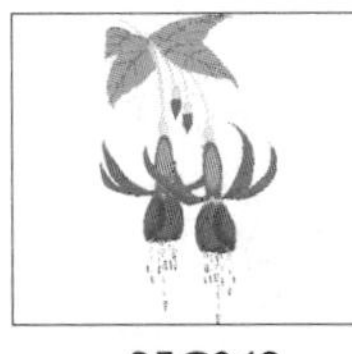
35C049

35C050

Plants
Botanique
Plantas
Pflanzen

 35C051	 35C052	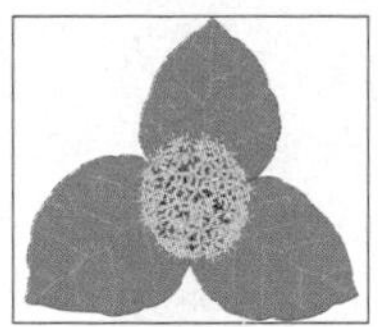 35C053	 35C054	 35C055
 35C056	 35C057	 35C058	 35C059	 35C060
 35C061	 35C062	 35C063	 35C064	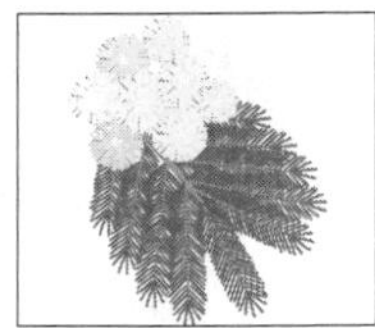 35C065
 35C066	 35C067	 35C068	 35C069	 35C070
 35C071	 35C072	 35C073	 35C074	 35C075
 35C076	 35C077	 35C078	 35C079	 35C080
 35C081	 35C082	 35C083	 35C084	 35C085

Plants
Botanique
Plantas
Pflanzen

35C086

35C087

35C088

35C089

35C090

35C091

35C092

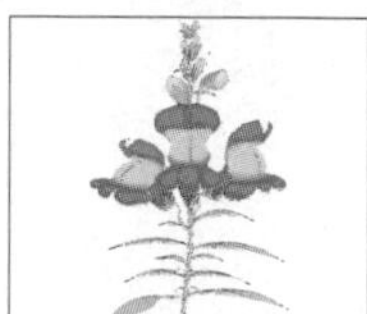
35C093

35C094

35C095

35C096

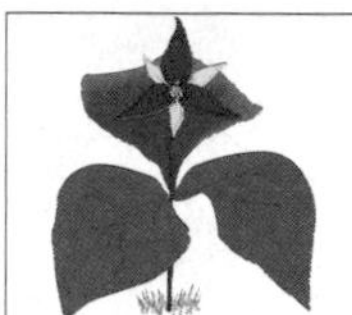
35C097

35C098

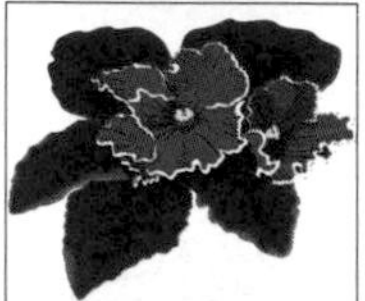
35C099

35C100

35C101

35C102

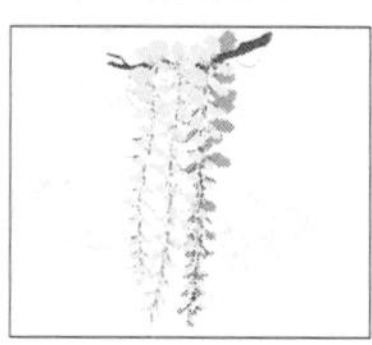
35C103

Reptile
Reptile
Reptil
Reptilie

36A001

36A002

36A003

36A004

36A005

36A006

36A007

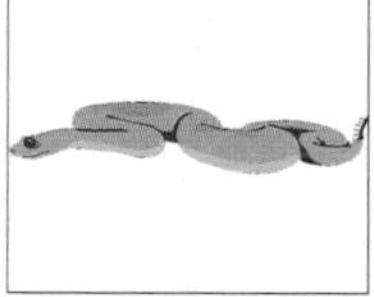
36A008

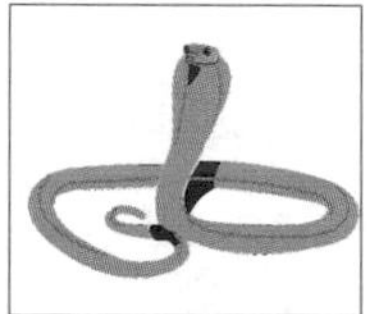
36A009

36A010

Reptile
Reptile
Reptil
Reptilie

36A011

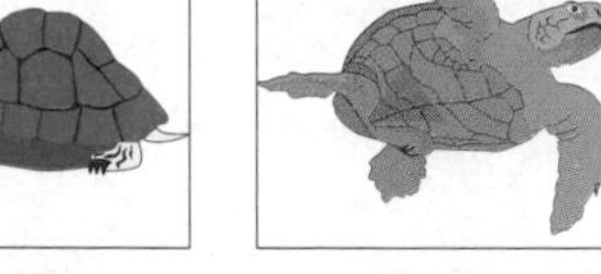
36A012

Reptile
Reptile
Reptil
Reptilie

36B001

36B002

36B003

36B004

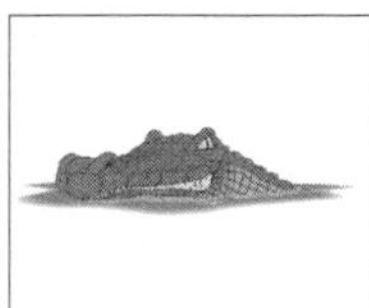
36B005

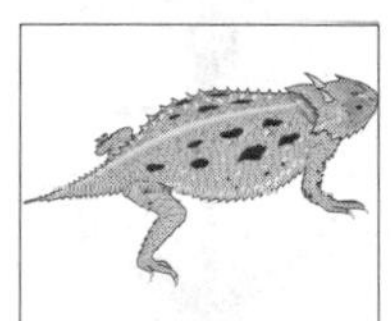
36B006

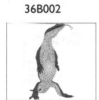

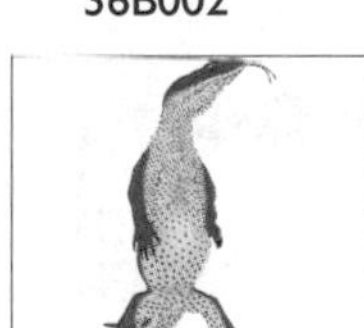
36B007

36B008

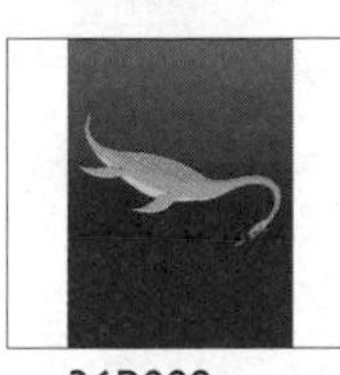
36B009

36B010

36B011

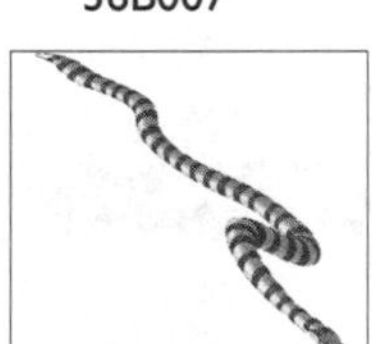
36B012

36B013

36B014

36B015

36B016

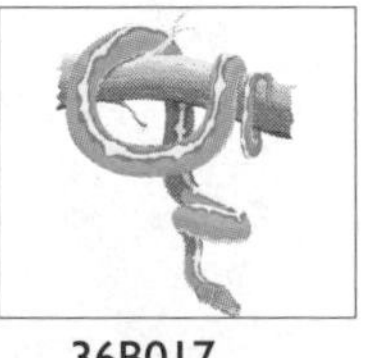
36B017

36B018

36B019

36B020

Ship
Bateau
Barco
Schiff

37A001

37A002

37A003

37A004

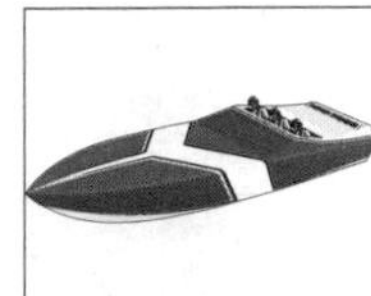
37A005

37A006

37A007

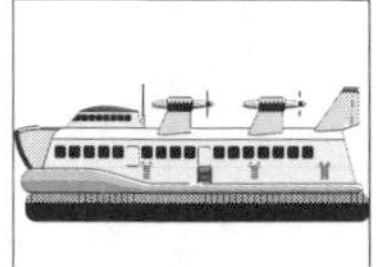
37A008

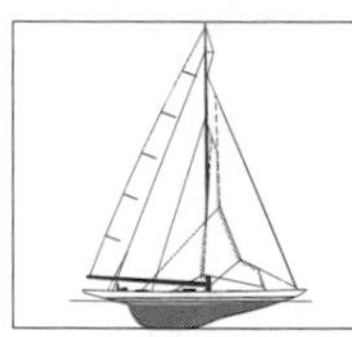
37A009

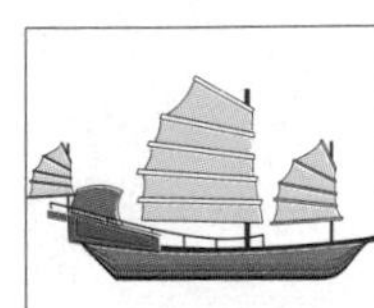
37A010

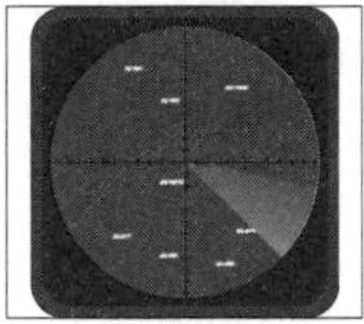
37A011

37A012

37A013

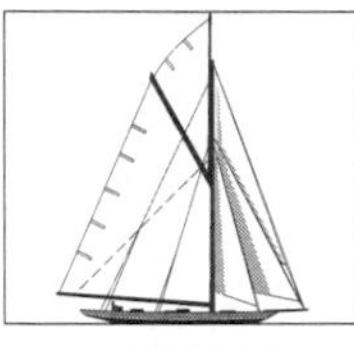
37A014

37A015

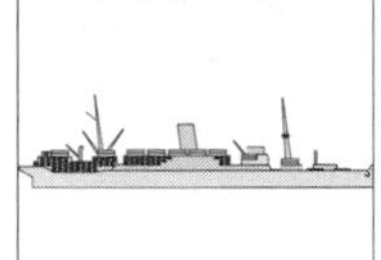
37A016

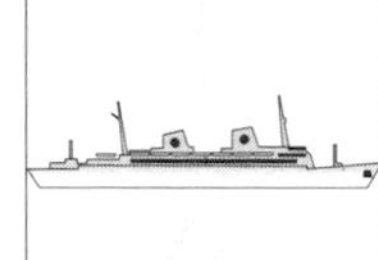
37A017

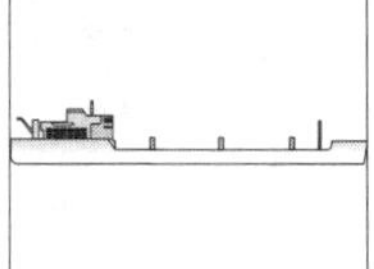
37A018

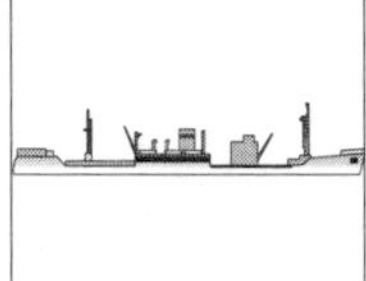
37A019

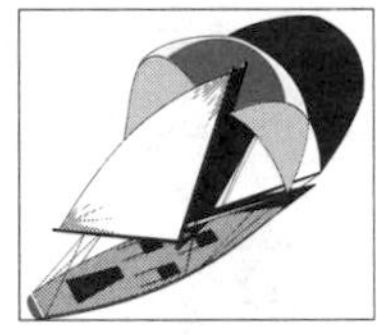
37A020

37A021

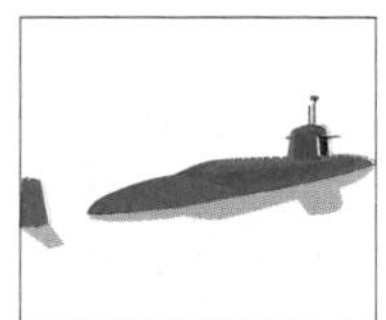
37A022

37A023

37A024

37A025

37A026

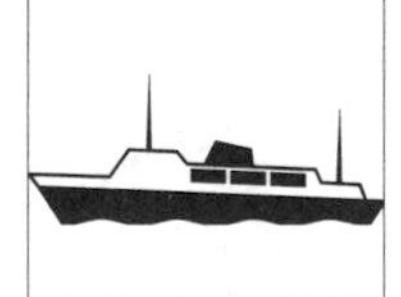
37A027

37A028

37A029

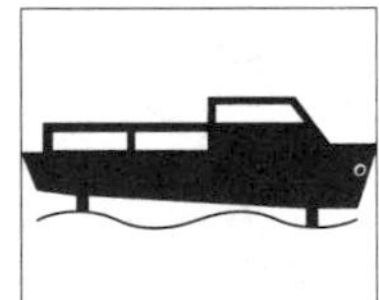
37A030

37A031

37A032

37A033

Ship
Bateau
Barco
Schiff

 37B001	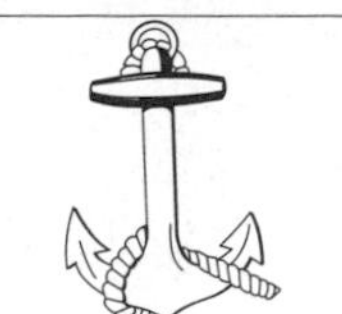 37B003	 37B004	 37B005	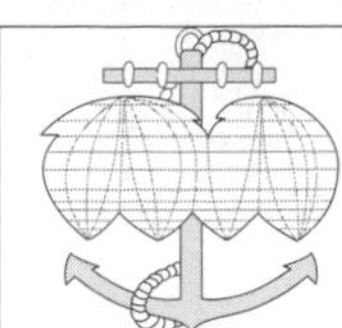 37B006
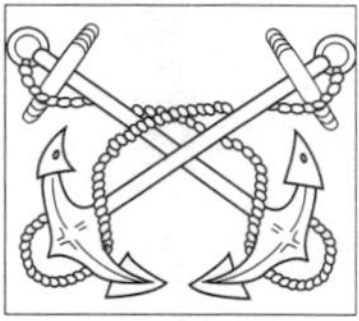 37B007	 37B008	 37B009	 37B002	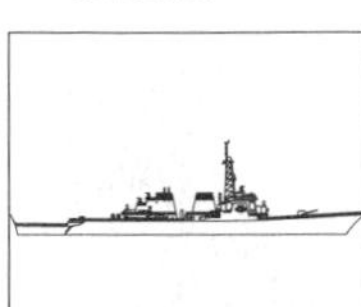 37B010
 37B011	 37B012	 37B013	 37B014	 37B015
 37B016	 37B017	 37B018	 37B019	 37B020
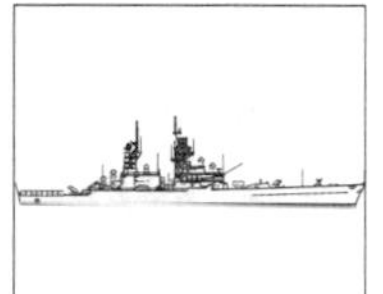 37B021	 37B022	 37B023	 37B024	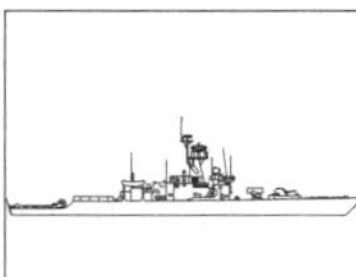 37B025
 37B026	 37B027	 37B028	 37B029	 37B030
 37B031	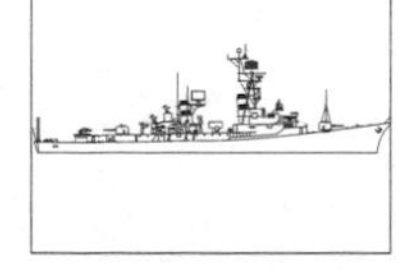 37B032	 37B033	 37B034	 37B035

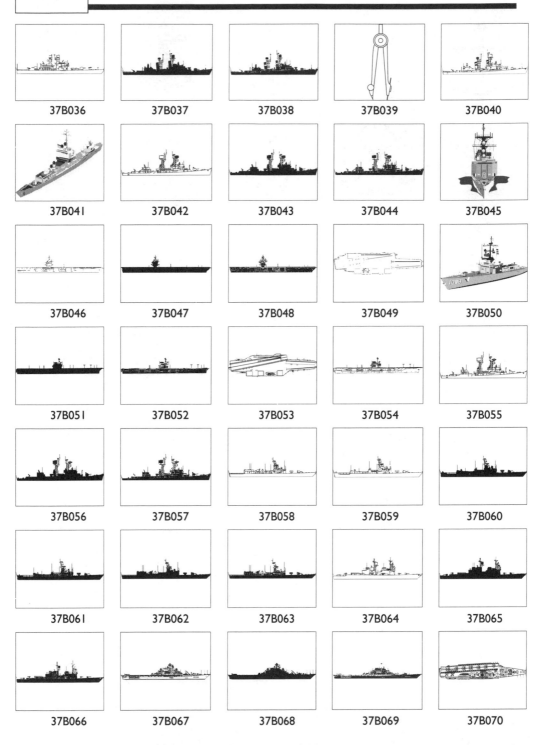

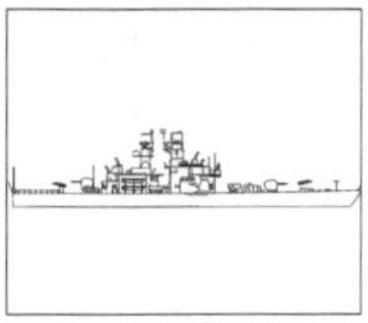

Ship
Bateau
Barco
Schiff

37B036	 37B037	 37B038	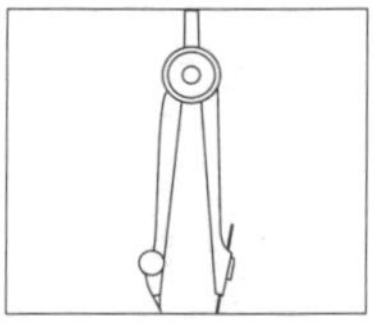 37B039	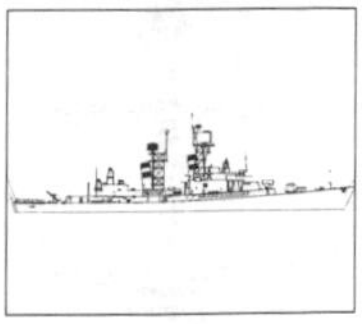 37B040
 37B041	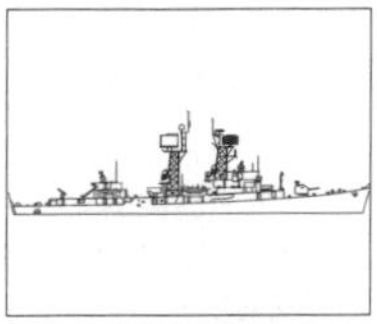 37B042	 37B043	 37B044	 37B045
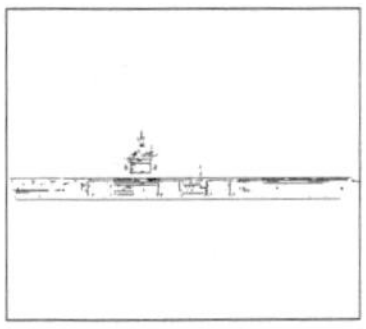 37B046	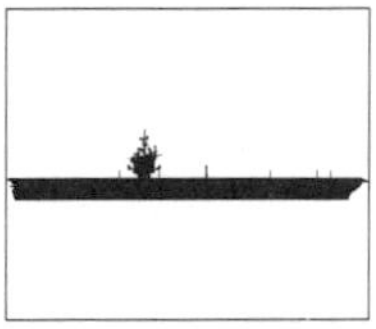 37B047	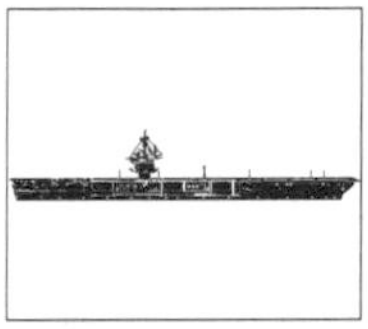 37B048	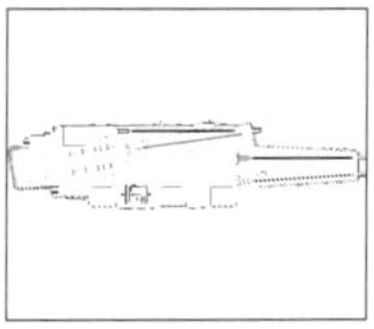 37B049	 37B050
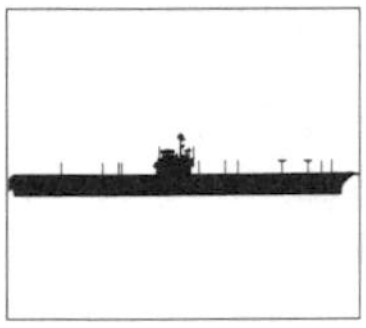 37B051	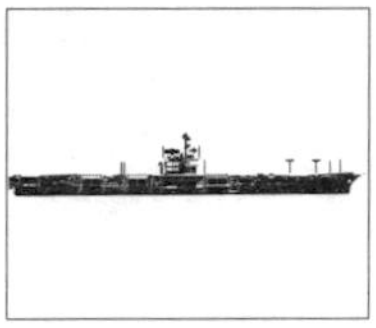 37B052	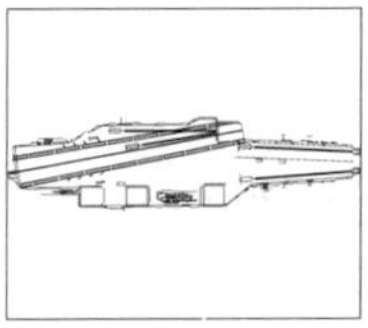 37B053	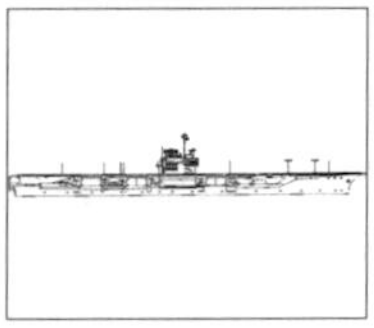 37B054	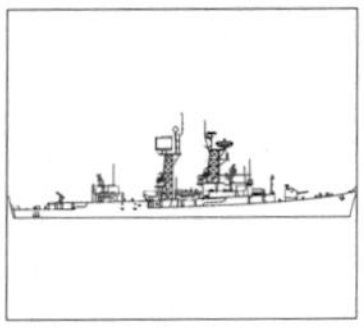 37B055
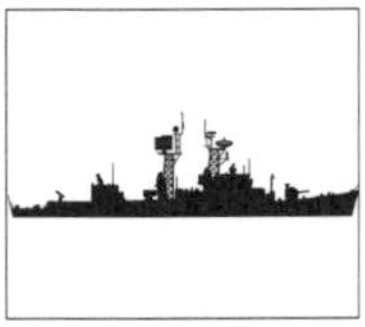 37B056	 37B057	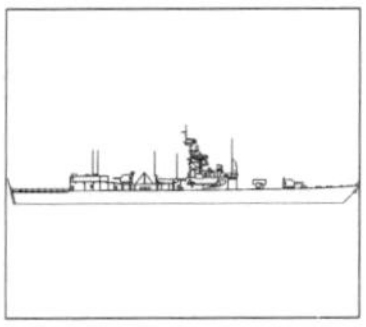 37B058	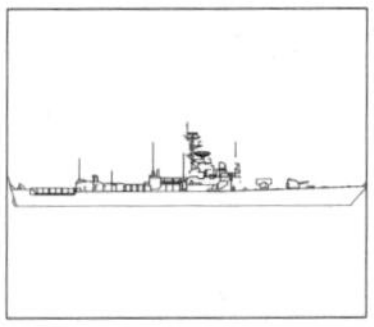 37B059	 37B060
 37B061	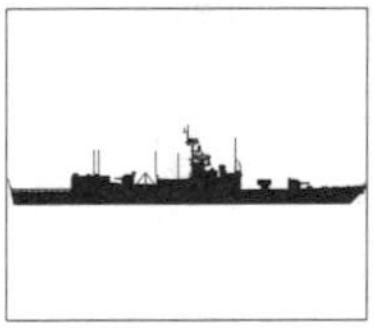 37B062	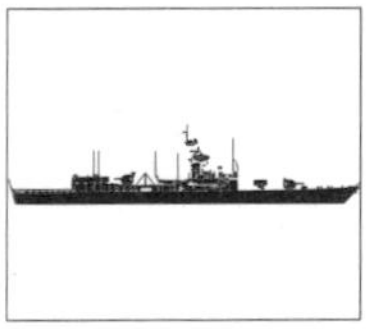 37B063	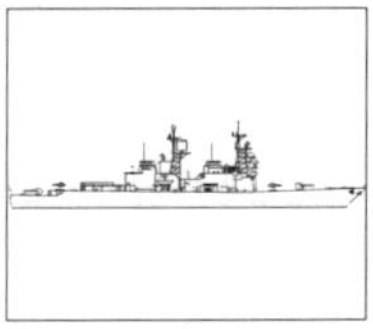 37B064	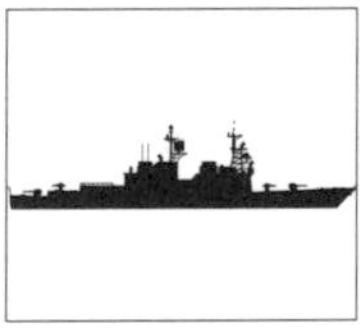 37B065
 37B066	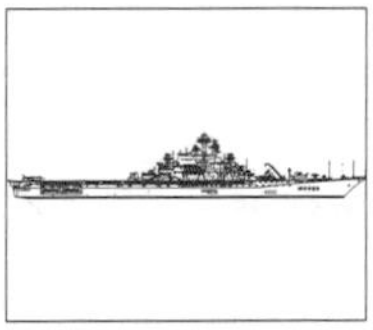 37B067	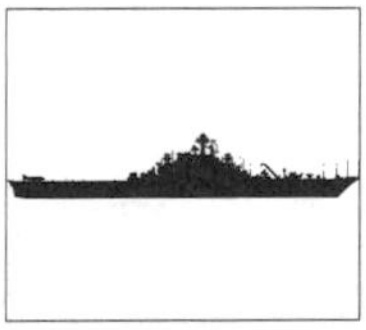 37B068	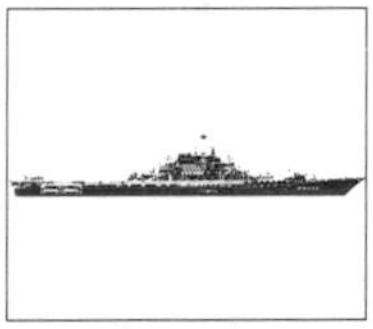 37B069	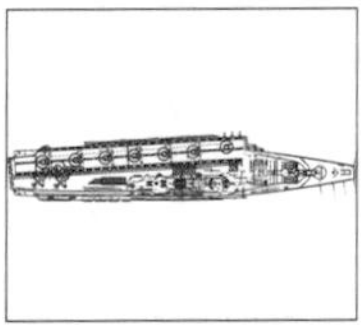 37B070

Ship
Bateau
Barco
Schiff

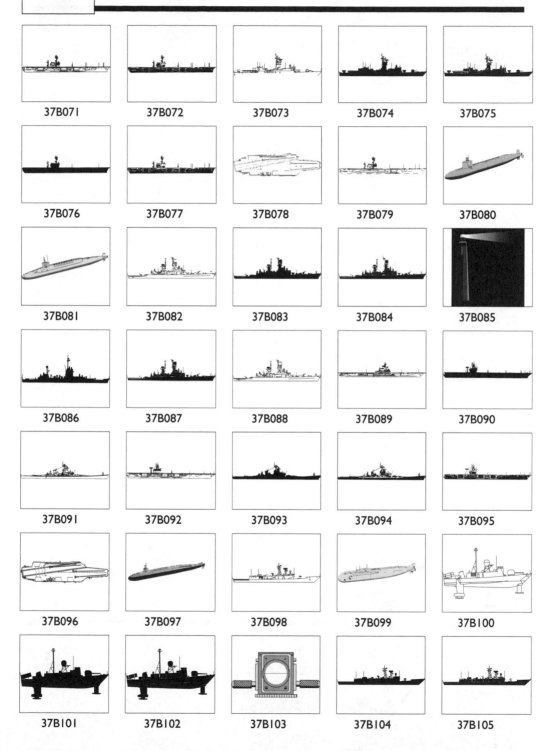

37B071	37B072	37B073	37B074	37B075
37B076	37B077	37B078	37B079	37B080
37B081	37B082	37B083	37B084	37B085
37B086	37B087	37B088	37B089	37B090
37B091	37B092	37B093	37B094	37B095
37B096	37B097	37B098	37B099	37B100
37B101	37B102	37B103	37B104	37B105

Ship
Bateau
Barco
Schiff

37B106

37B107

37B108

37B109

37B110

37B111

37B112

37B113

37B114

37B115

37B116

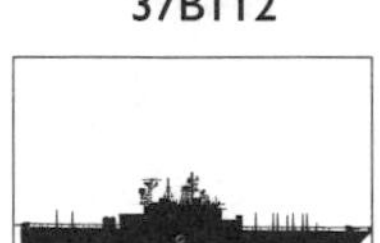

37B117

37B118

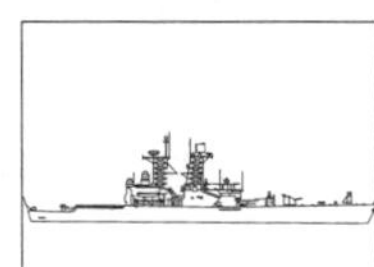

37B119

37B120

37B121

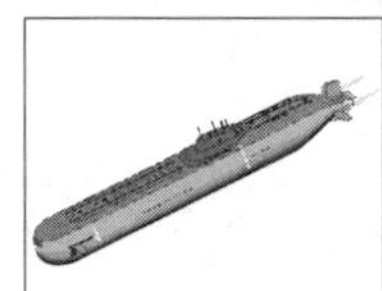
37B122

37B123

37B124

37B125

37B126

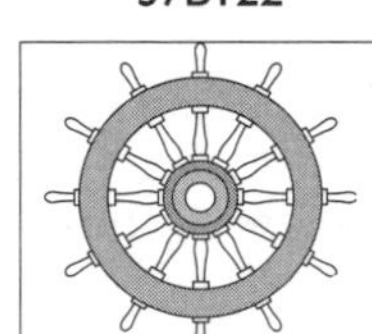
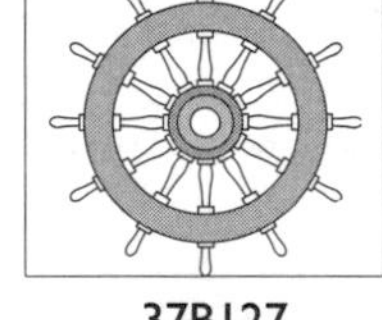
37B127

Ship
Bateau
Barco
Schiff

37C001

37C002

37C003

37C004

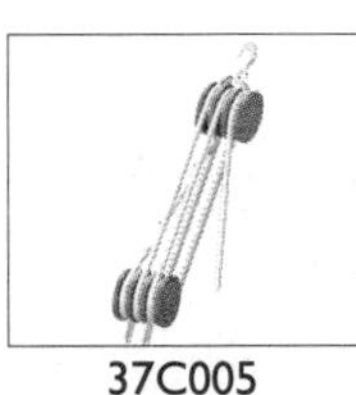
37C005

Ship
Bateau
Barco
Schiff

37C006

37C007

37C008

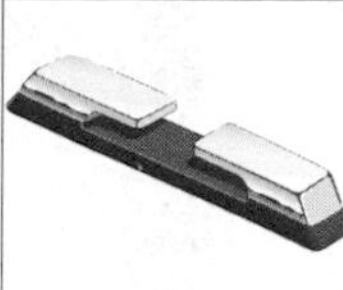
37C009

37C010

37C011

37C012

37C013

37C014

37C015

37C016

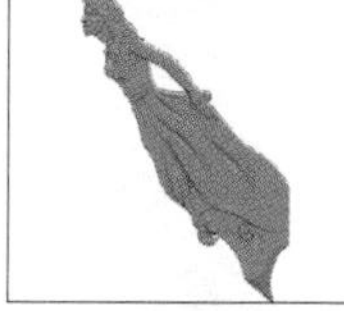
37C017

37C018

37C019

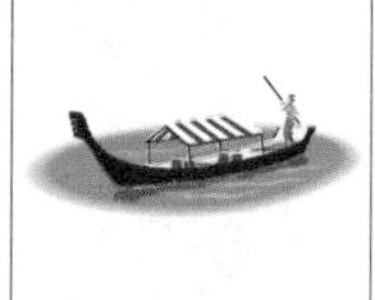
37C020

37C021

37C022

37C023

37C024

37C025

37C026

37C027

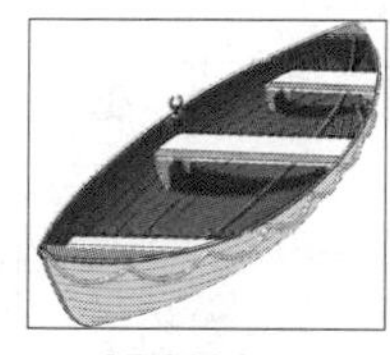
37C028

37C029

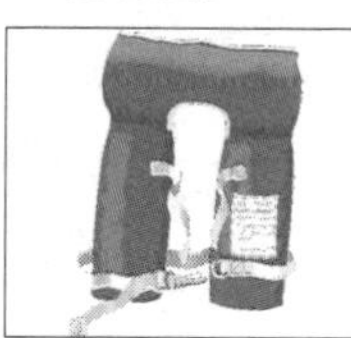
37C030

37C031

37C032

37C033

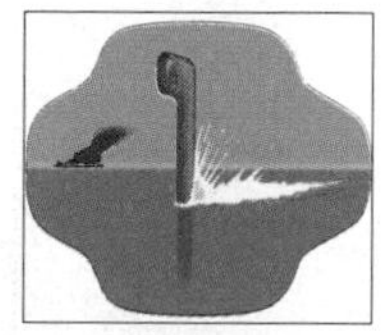
37C034

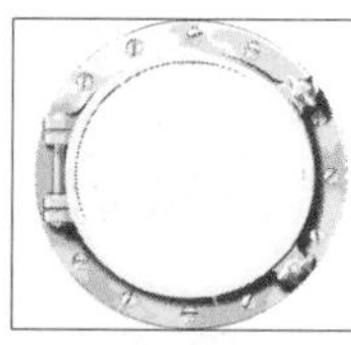
37C035

37C036

37C037

37C038

37C039

37C040

Ship
Bateau
Barco
Schiff

37C041

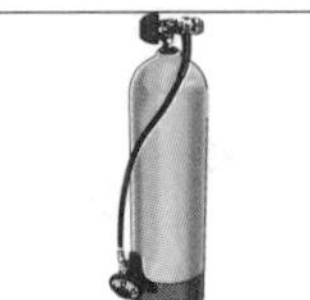
37C042

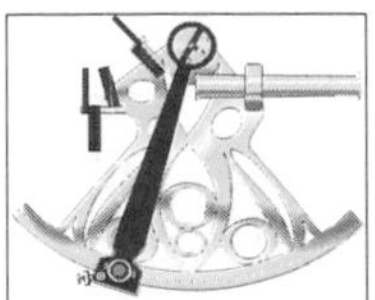
37C043

37C044

37C045

37C046

37C047

37C048

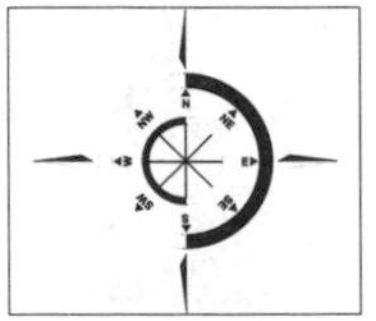
37C049

37C050

37C051

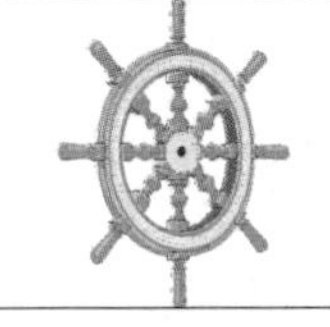
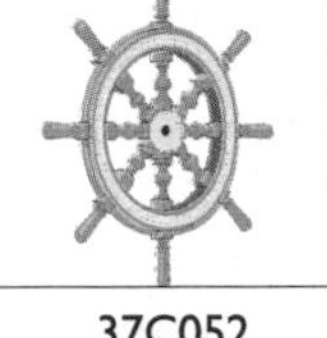
37C052

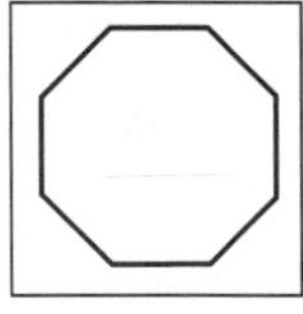

Sign
Panneau
Signos
Schild

Business
Affaires
Negocios
Wirtschaft

38A001

38A002

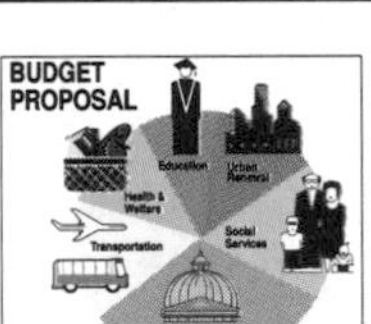

38A003

38A004

38A005

38A006

38A007

38A008

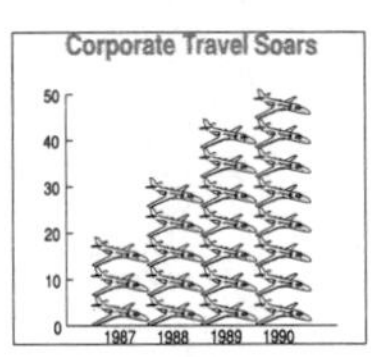

38A009

38A010

38A011

38A012

38A013

38A014

38A015

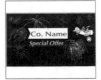

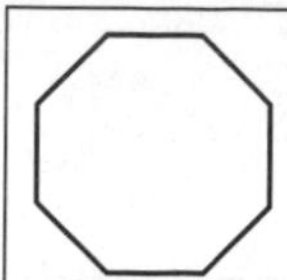

Sign
Panneau
Signos
Schild

Business
Affaires
Negocios
Wirtschaft

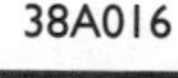

38A016

38A017

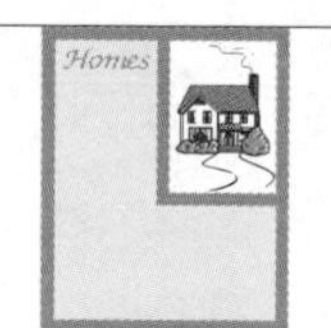

38A018

38A019

38A020

38A021

38A022

38A023

38A024

38A025

38A026

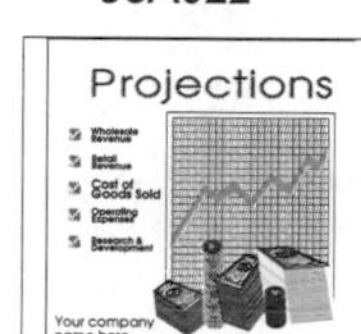

38A027

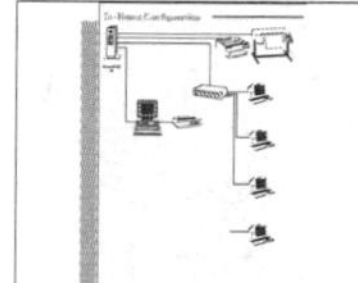

38A028

38A029

38A030

38A031

38A032

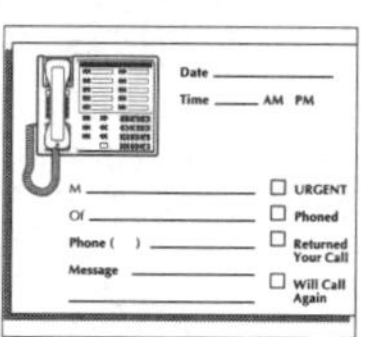

38A033

38A034

38A035

38A036

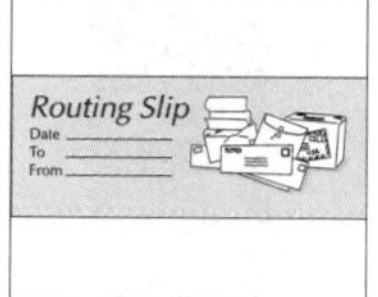

38A037

38A038

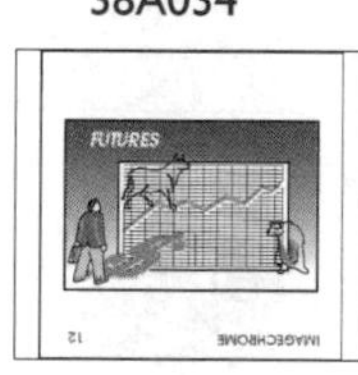

38A039

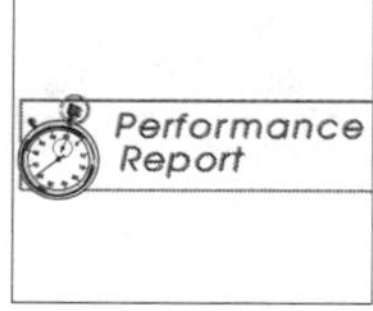

38A040

38A041

38A042

38A043

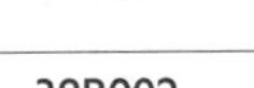

38B001 38B002 38B003 38B004 38B005

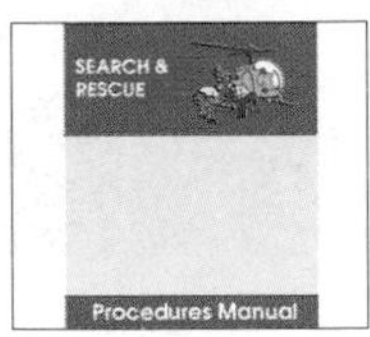

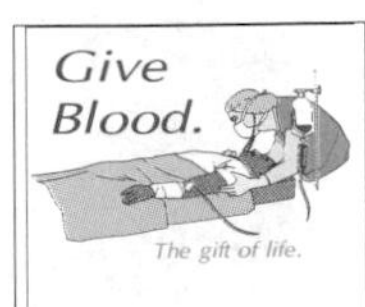

38B006 38B007 38B008 38B009 38B010

38B011 38B012 38B013 38B014 38B015

38B016 38B017 38B018 38B019 38B020

38B021 38B022 38B023 38B024 38B025

38B026 38B027 38B028 38B029 38B030

38B031 38B032 38B033 38B034 38B035

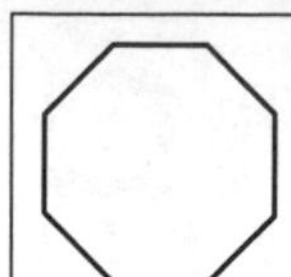

Sign
Panneau
Signos
Schild

Miscellaneous
Divers
Varios
Verschiedenes

38B036

38B037

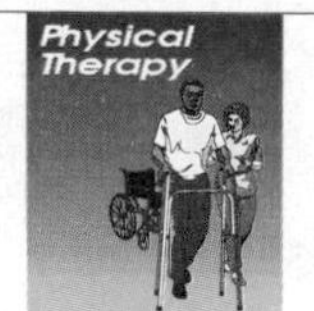

38B038

38B039

38B040

38B041

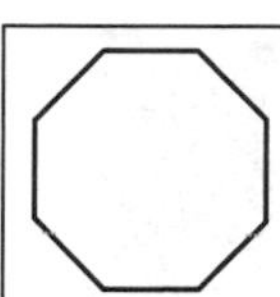

Sign
Panneau
Signos
Schild

Icon
Icône
Icono
Sinnbilder

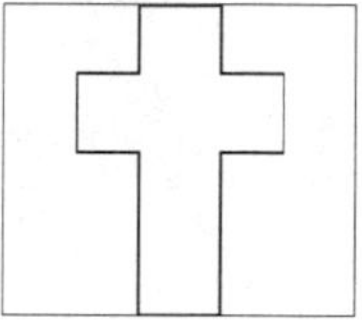

38C001

38C002

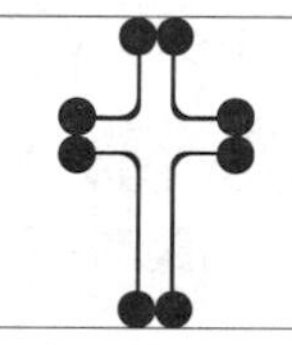

38C003

38C004

38C005

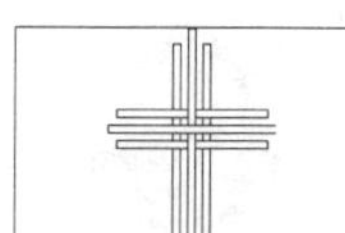

38C006

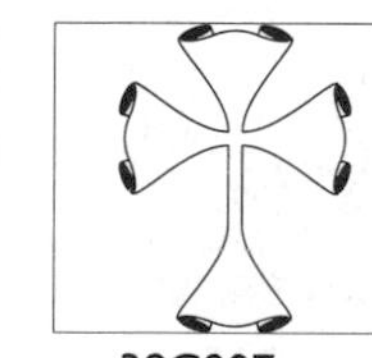

38C007

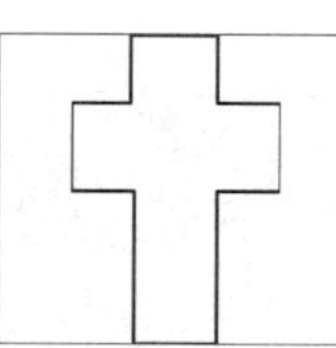

38C008

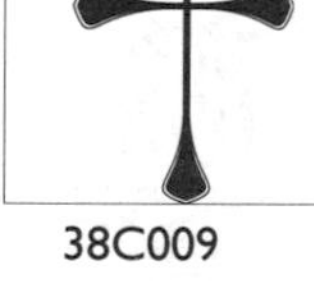

38C009

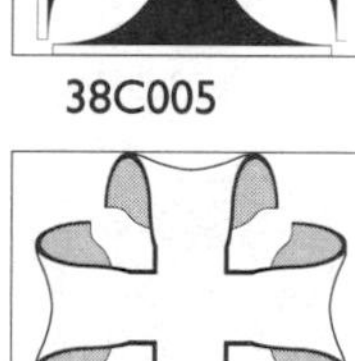

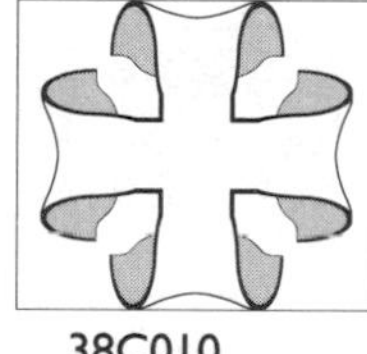

38C010

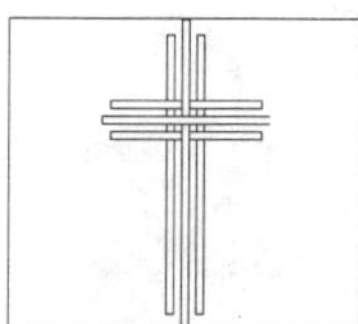

38C011

38C012

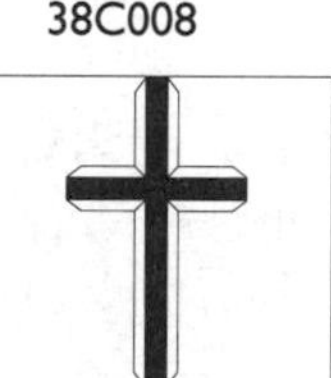

38C013

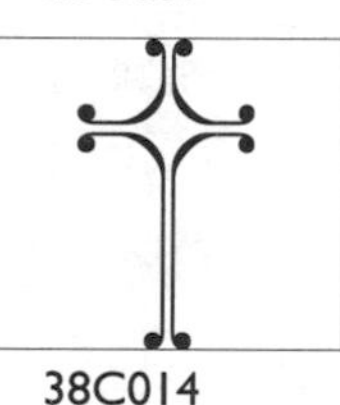

38C014

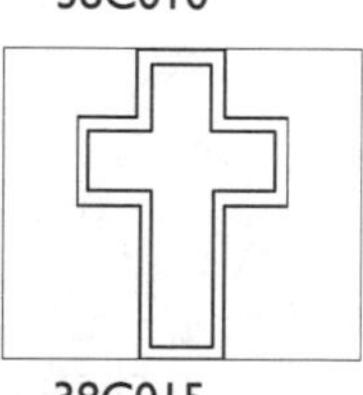

38C015

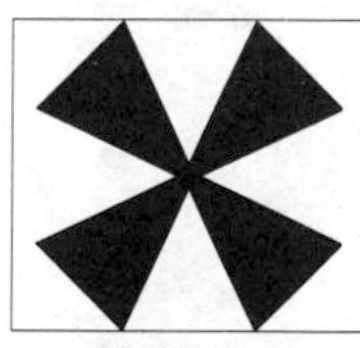

38C016

38C017

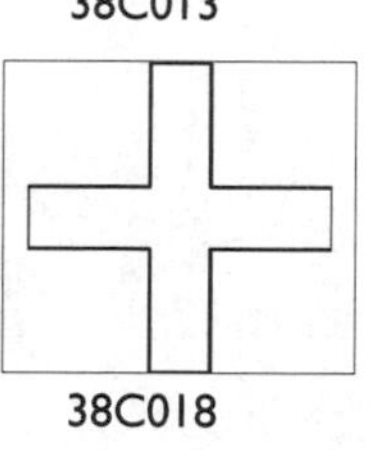

38C018

38C019

38C020

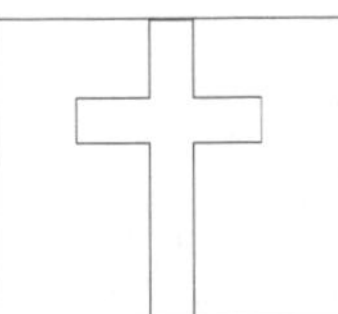
38C021

38C022

38C023

38C024

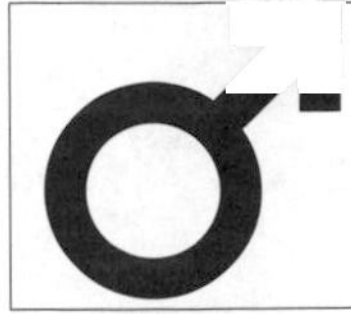
38C025

38C026

38C027

38C028

38C029

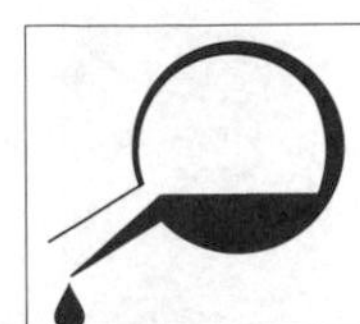
38C030

38C031

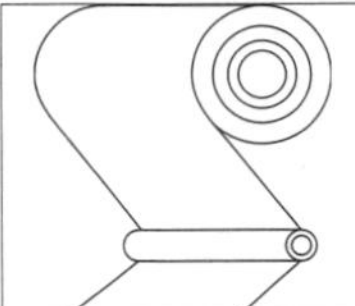
38C032

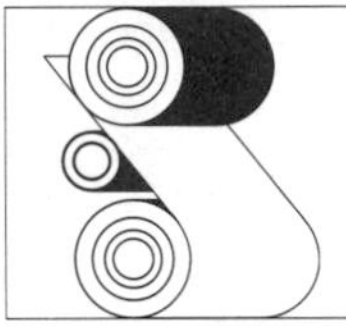
38C033

38C034

38C035

38C036

38C037

38C038

38C039

38C040

38C041

38C042

38C043

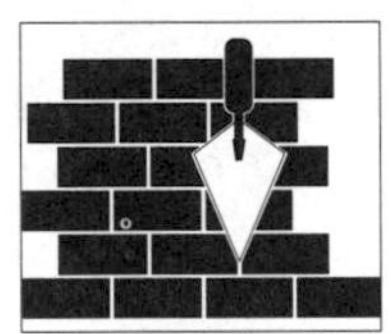
38C044

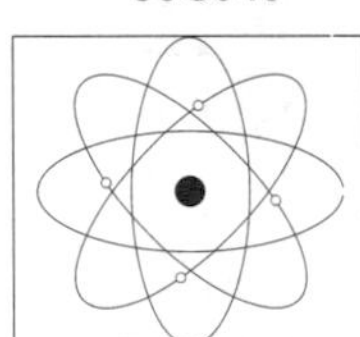
38C045

38C046

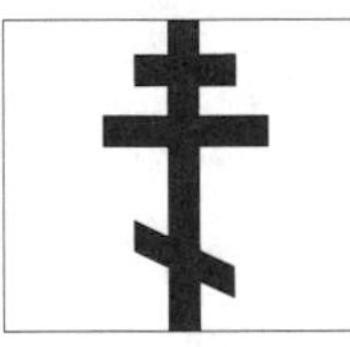
38C047

38C048

38C049

38C050

38C051

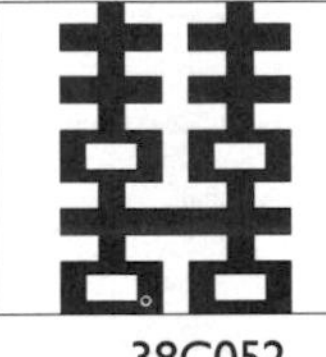
38C052

38C053

38C054

38C055

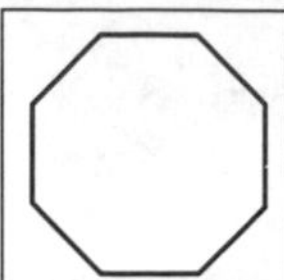

Sign
Panneau
Signos
Schild

Icon
Icône
Icono
Sinnbilder

38C056

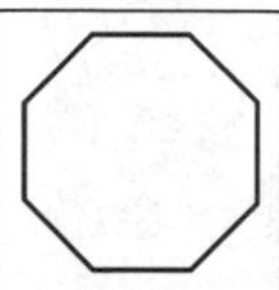

Sign
Panneau
Signos
Schild

Miscellaneous
Divers
Varios
Verschiedenes

38D001

38D002

38D004

38D005

38D006

38D007

38D009

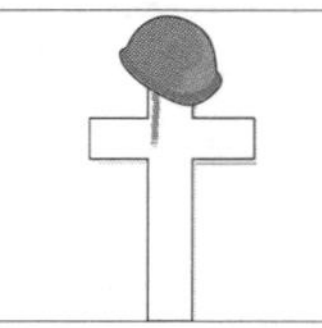
38D010

38D011

38D012

38D013

38D014

38D015

38D016

38D017

38D018

38D019

38D020

38D021

38D023

38D024

38D025

38D026

38D027

38D028

38D029

38D030

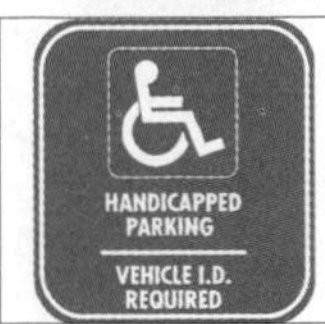

38D031

38D032

38D033

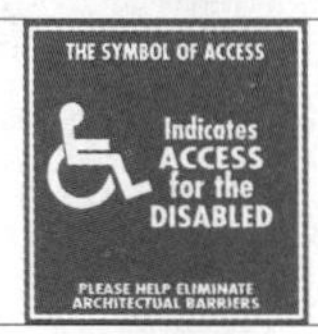

38D034

38D035

38D036

38D037

38D038

38D039

38D040

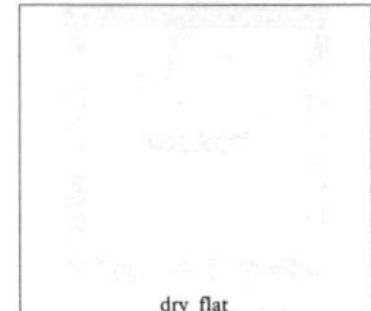
dry flat
38D041

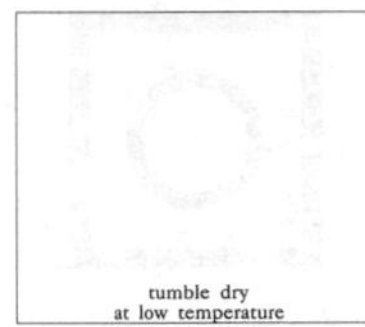
tumble dry
at low temperature
38D042

tumble dry
at medium to high
temperature
38D043

hang to dry
38D044

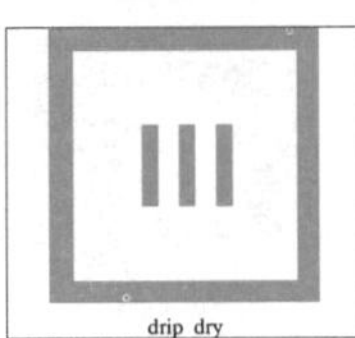
drip dry
38D045

do not dry clean
38D046

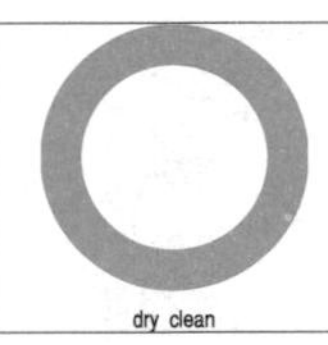
dry clean
38D047

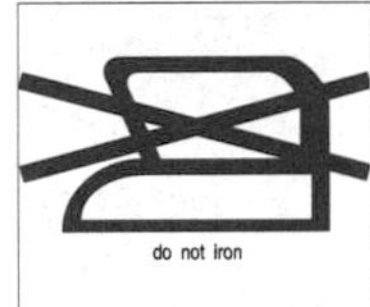
do not iron
38D048

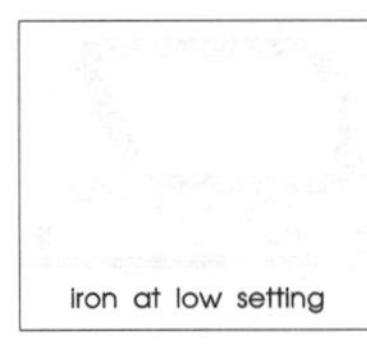
iron at low setting
38D049

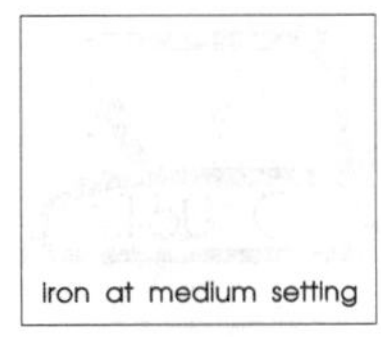
iron at medium setting
38D050

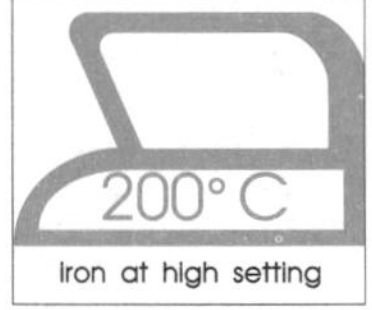

iron at high setting
38D051

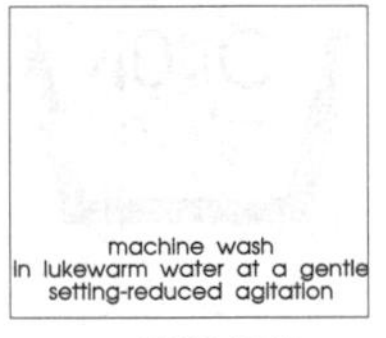
machine wash
in lukewarm water at a gentle
setting-reduced agitation
38D052

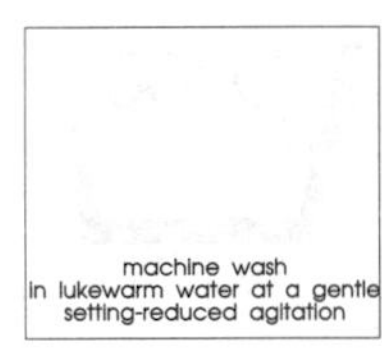
machine wash
in lukewarm water at a gentle
setting-reduced agitation
38D053

do not wash
38D054

38D055

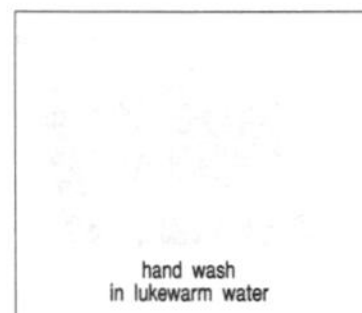
hand wash
in lukewarm water
38D056

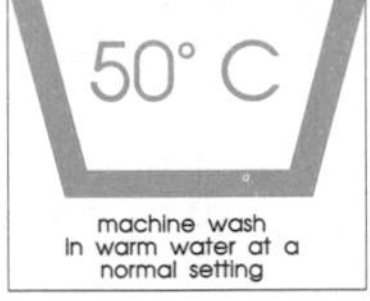

machine wash
in warm water at a
normal setting
38D057

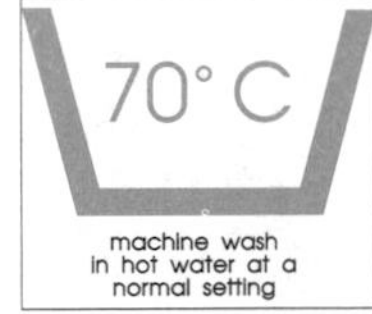

machine wash
in hot water at a
normal setting
38D058

do not use chlorine bleach
38D059

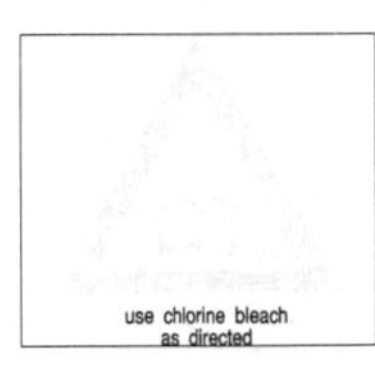
use chlorine bleach
as directed
38D060

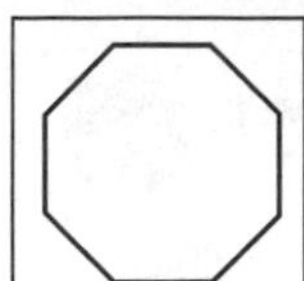

Sign
Panneau
Signos
Schild

Miscellaneous
Divers
Varios
Verschiedenes

38D061

38D062

38D063

38D064

38D065

38D066

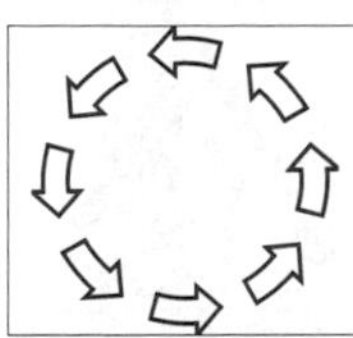
38D067

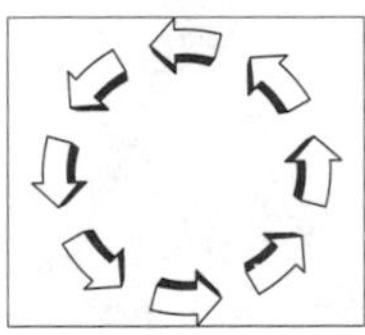
38D068

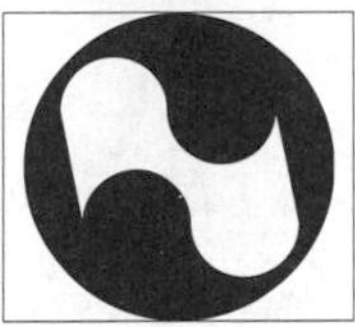
38D069

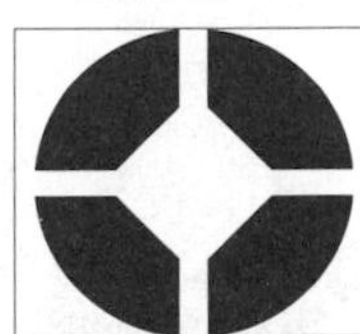
38D070

38D071

38D072

38D073

38D074

38D075

38D076

38D077

38D078

38D079

38D080

38D081

38D082

38D083

38D084

38D085

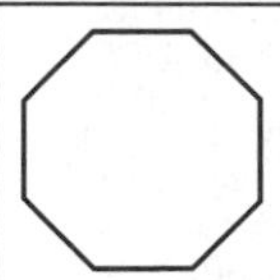

Sign
Panneau
Signos
Schild

Traffic
Signalisation
Traffico
Verkher

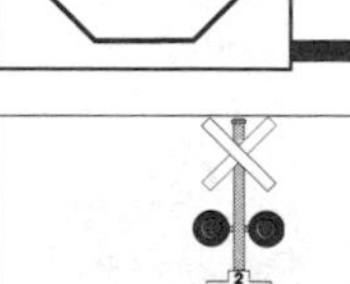

38E001

38E002

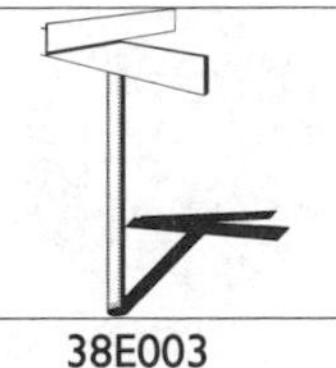
38E003

38E004

DRIVE SAFELY

38E005

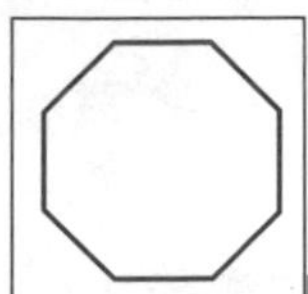

Sign
Panneau
Signos
Schild

Traffic
Signalisation
Traffico
Verkher

38E006

38E007

38E008

38E009

38E010

38E011

38E012

38E013

38E014

38E015

KEEP LEFT EXCEPT TO PASS
38E016

38E017

38E018

38E019

38E020

38E021

38E022

38E023

38E024

38E025

38E026

38E027

38E028

38E029

38E030

38E031

38E032

38E033

38E034

SLOWER
TRAFFIC
MAY USE
SHOULDER
TO PERMIT
PASSING

38E035

SLOWER TRAFFIC KEEP LEFT
38E036

38E037

38E038

38E039

38E040

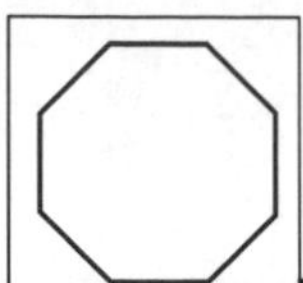

Sign
Panneau
Signos
Schild

Traffic
Signalisation
Traffico
Verkher

38E041

38E042

38E043

38E044

38E045

38E046

38E047

38E048

38E049

38E050

38E051

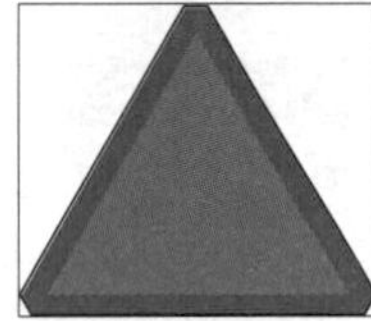
38E052

38E053

38E054

38E055

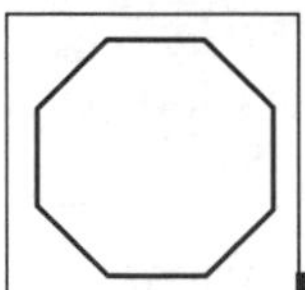

Sign
Panneau
Signos
Schild

Warnings
Avertissement
Aviso
Warnungen

38F001

38F002

38F003

38F004

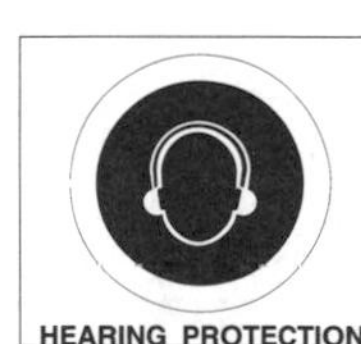

38F005

38F006

38F007

38F008

38F009

38F010

38F011

38F012

38F013

38F014

38F015

DANGER NO SMOKING, MATCHES OR OPEN LIGHTS	DANGER AUTHORIZED PERSONNEL ONLY	DANGER CONSTRUCTION AREA	DANGER CORROSIVE MATERIALS	DANGER DO NOT CROSS CONVEYOR
38F016	38F017	38F018	38F019	38F020
DANGER DO NOT ENTER	DANGER DO NOT TOUCH MACHINES	DANGER EYE PROTECTION REQUIRED	DANGER EAR PROTECTION REQUIRED	DANGER ELECTRICAL HAZARD
38F021	38F022	38F023	38F024	38F025
DANGER FALLING MATERIAL	DANGER FLAMMABLE LIQUIDS	DANGER FLAMMABLE	DANGER FLOOR SLIPPERY WHEN WET	DANGER GASOLINE
38F026	38F027	38F028	38F029	38F030
DANGER HARD HAT AREA	DANGER HIGH VOLTAGE	DANGER KEEP OUT	DANGER KEEP GATE CLOSED	DANGER KEEP HANDS CLEAR
38F031	38F032	38F033	38F034	38F035
DANGER MOVING MACHINERY	DANGER NO ADMITTANCE	DANGER NO SMOKING	DANGER TOXIC VAPORS	DANGER POISON
38F036	38F037	38F038	38F039	38F040
DANGER RESTRICTED AREA	DANGER THIS AREA IS CLOSED OFF	DANGER THIS MACHINE STARTS AUTOMATICALLY	DANGER EXPLOSIVES	DANGER BREATHING MASK REQUIRED
38F041	38F042	38F043	38F044	38F045
CAUTION CHEMICAL STORAGE	CAUTION DO NOT WALK ON CONVEYORS	CAUTION EAR PROTECTION REQUIRED	CAUTION EYE PROTECTION REQUIRED	CAUTION FIRE LANE KEEP CLEAR AT ALL TIMES
38F046	38F047	38F048	38F049	38F050

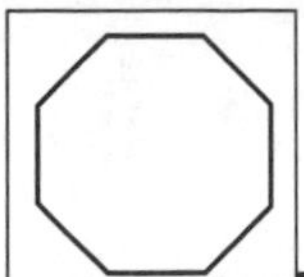

Sign
Panneau
Signos
Schild

Warnings
Avertissement
Aviso
Warnungen

CAUTION FLAMMABLE LIQUIDS	CAUTION FOOT PROTECTION REQUIRED	CAUTION HAZARDOUS MATERIAL STORAGE	CAUTION HAZARDOUS WASTE STORAGE	CAUTION LOW HEAD ROOM
38F051	38F052	38F053	38F054	38F055
CAUTION MEN WORKING ABOVE	CAUTION MEN WORKING BELOW	CAUTION NO SMOKING BEYOND THIS POINT	CAUTION OPEN DOOR SLOWLY	CAUTION THIS EQUIPMENT STARTS AND STOPS AUTOMATICALLY
38F056	38F057	38F058	38F059	38F060
CAUTION WATCH YOUR STEP	CAUTION DO NOT HANDLE CHEMICALS WITHOUT PROPER PROTECTION	CAUTION WET PAINT	CAUTION RESPIRATOR REQUIRED BEYOND THIS POINT	CAUTION KEEP HANDS CLEAR
38F061	38F062	38F063	38F064	38F065
CAUTION DO NOT TOUCH	CAUTION AVOID SKIN CONTACT	CAUTION COMPUTER CONTROLLED DO NOT INTERFERE	CAUTION DO NOT WEAR JEWELRY OR LOOSE CLOTHING WHEN OPERATING	CAUTION THIS DOOR MUST BE KEPT CLOSED
38F066	38F067	38F068	38F069	38F070
SAFETY FIRST KEEP THIS AREA SAFE AND CLEAN	SAFETY FIRST KEEP ALL AISLES CLEAR	SAFETY FIRST GOGGLES REQUIRED	SAFETY FIRST ALL INJURIES NO MATTER HOW SLIGHT MUST BE REPORTED TO YOUR FOREMAN AT ONCE AND BE TREATED AT THE FIRST AID ROOM	SAFETY FIRST DO NOT ENTER UNLESS WEARING SAFETY EQUIPMENT
38F071	38F072	38F073	38F074	38F075
SAFETY FIRST DON'T TRY TO LIFT MORE THEN YOU ARE ABLE	SAFETY FIRST EYE PROTECTION REQUIRED	SAFETY FIRST REPORT ALL UNSAFE CONDITIONS TO YOUR FOREMAN	SAFETY FIRST THE SAFE WAY IS THE BEST WAY	SAFETY FIRST DON'T TAKE CHANCES
38F076	38F077	38F078	38F079	38F080
SAFETY FIRST CLEAN RESTROOMS MEAN GOOD HEALTH	SAFETY FIRST CLEAN UP SPILLS	SAFETY FIRST EAR PROTECTION REQUIRED	SAFETY FIRST DON'T TAKE CHANCES	SAFETY FIRST NO SMOKING
38F081	38F082	38F083	38F084	38F085

NOTICE
ALL VISITORS MUST GET PASS AT OFFICE

38F086

NOTICE
AUTHORIZED PERSONNEL ONLY

38F087

NOTICE
DO NOT BLOCK DOOR

38F088

NOTICE
FOOD AND DRINK PROHIBITED

38F089

NOTICE
HELP KEEP THIS PLACE CLEAN

38F090

NOTICE
HARD HATS MUST BE WORN IN THIS AREA

38F091

NOTICE
KEEP THIS PASSAGEWAY CLEAR

38F092

NOTICE
NO SMOKING

38F093

NOTICE
NO LOITERING

38F094

NOTICE
NO TRESPASSING

38F095

NOTICE
PLEASE WIPE YOUR FEET

38F096

NOTICE
THESE DOORS MUST BE KEPT CLOSED

38F097

NOTICE
THE USE OF ALCOHOL ON THE PREMISES WILL MEAN IMMEDIATE DISMISSAL

38F098

NOTICE
EMERGENCY EXIT

38F099

NOTICE
RESTRICTED AREA AUTHORIZED EMPLOYEES ONLY

38F100

FLAMMABLE

38F101

38F102

38F103

38F104

38F105

38F106

38F107

38F108

38F109

38F110

38F111

38F112

38F113

38F114

38F115

38F116

DANGER
RADIATION AREA DO NOT ENTER

38F117

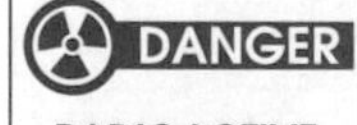

38F118

38F119

DANGER
FULL BODY SUIT REQUIRED IN THIS AREA

38F120

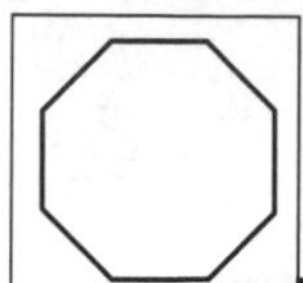

Sign
Panneau
Signos
Schild

Warnings
Avertissement
Aviso
Warnungen

38F121

38F122

38F123

38F124

38F125

38F126

38F127

38F128

38F129

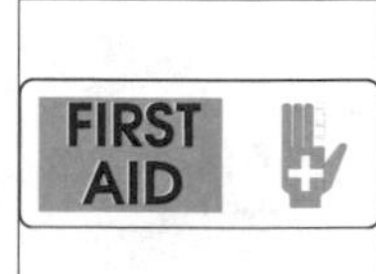

38F130

38F131

38F132

38F133

38F134

38F135

38F136

38F137

38F138

38F139

38F140

38F141

38F142

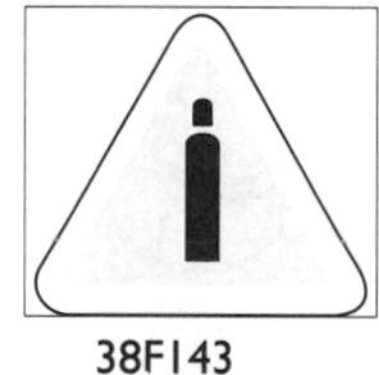

38F143

38F144

38F145

38F146

38F147

38F148

38F149

38F150

38F151

38F152

38F153

38F154

38F155

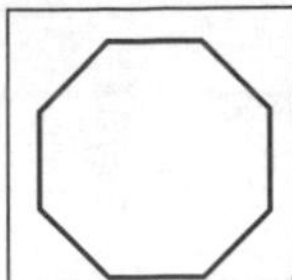

Sign
Panneau
Signos
Schild

Warnings
Avertissement
Aviso
Warnungen

38F156

38F157

38F159

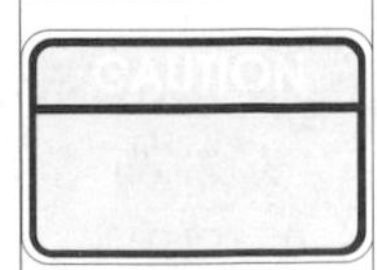

38F160

38F161

38F162

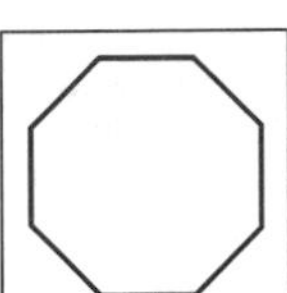
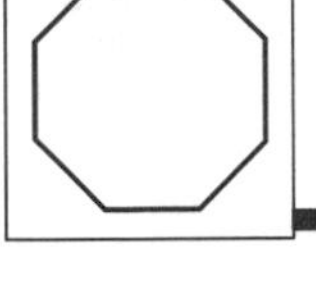

Sign
Panneau
Signos
Schild

38G013

38G002

38G017

38G014

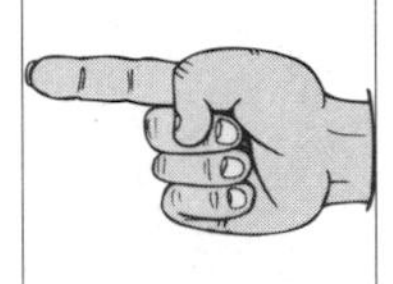
38G018

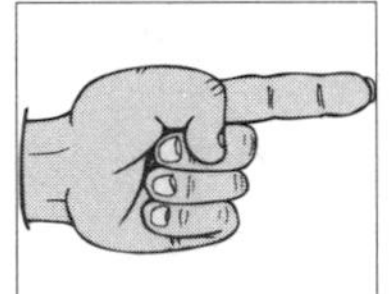
38G019

38G003

38G004

38G005

38G006

38G007

38G020

38G008

38G021

38G015

38G016

38G022

38G009

38G010

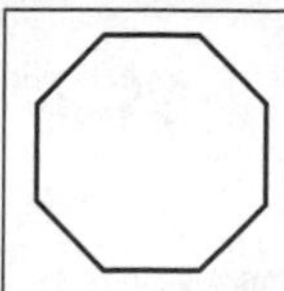

Sign
Panneau
Signos
Schild

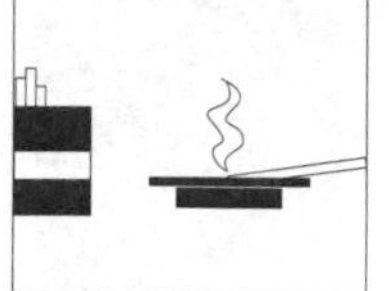
38G023

38G024

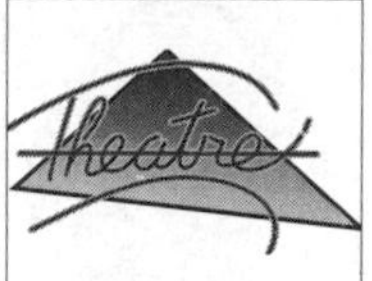

38G025

38G011

38G012

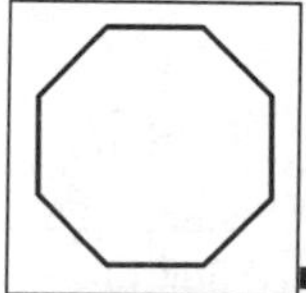

Sign
Panneau
Signos
Schild

38H001

38H002

38H003

38H004

38H005

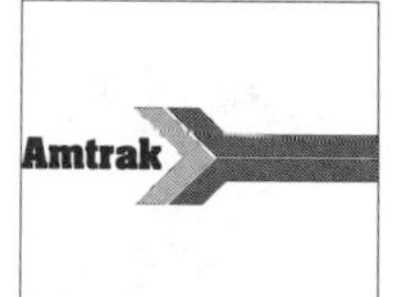

38H006

38H007

38H008

38H009

38H010

38H011

38H012

38H013

38H014

38H015

38H016

38H017

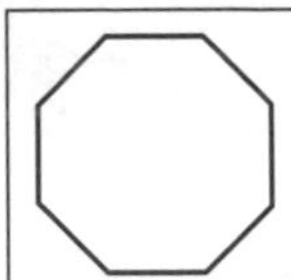

Sign
Panneau
Signos
Schild

381002

381001

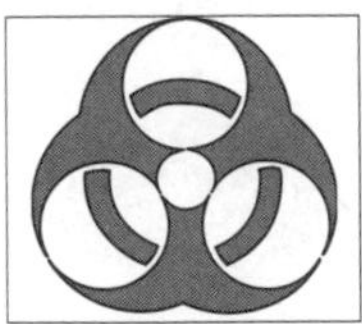

381025

381026

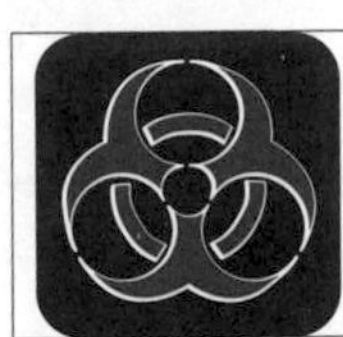

381027

381003

381004

381005

381006

381007

381008

381009

381028

381010

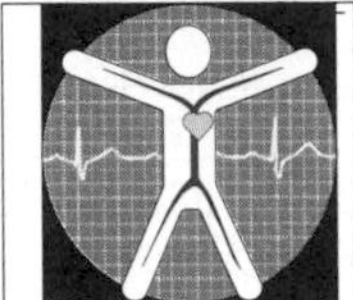

381011

381012

381013

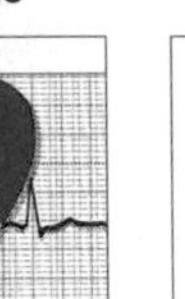

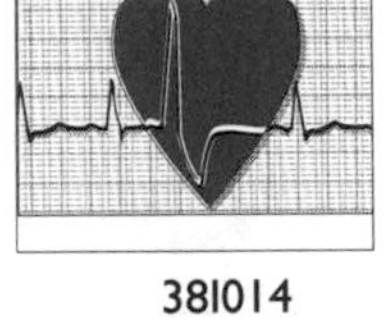

381014

381015

381029

381030

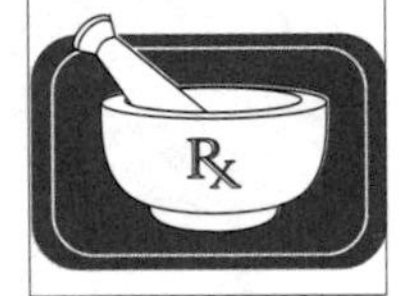

381016

381031

381017

381032

381033

381019

381020

381021

381022

381023

381024

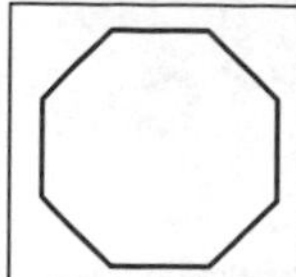

Sign
Panneau
Signos
Schild

38J001

38J002

38J003

38J004

38J005

38J006

38J007

Simple Border
Cadres Simples
Marcos Simples
Enfacher Rahmen

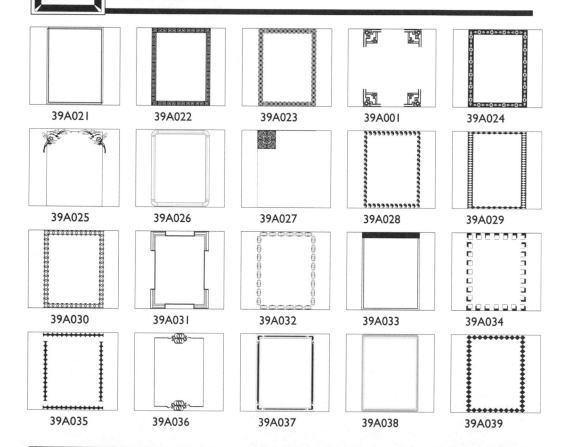

39A021 39A022 39A023 39A001 39A024

39A025 39A026 39A027 39A028 39A029

39A030 39A031 39A032 39A033 39A034

39A035 39A036 39A037 39A038 39A039

Simple Border
Cadres Simples
Marcos Simples
Enfacher Rahmen

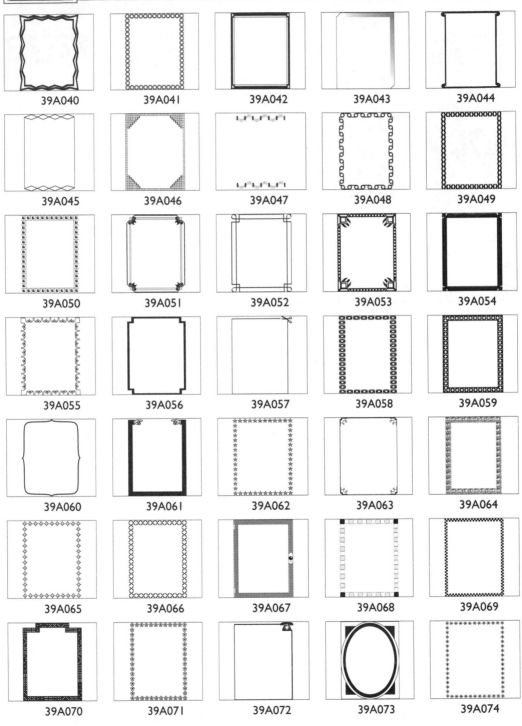

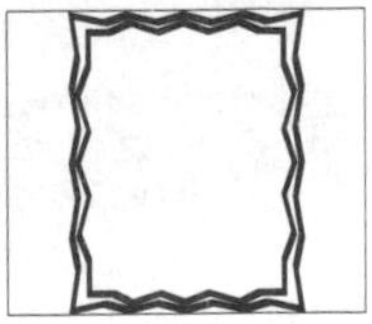

39A040	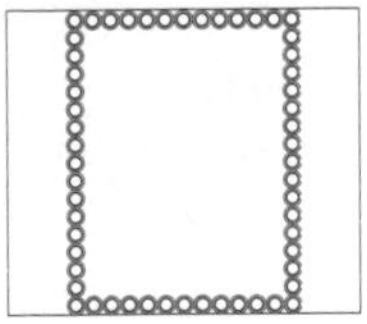 39A041	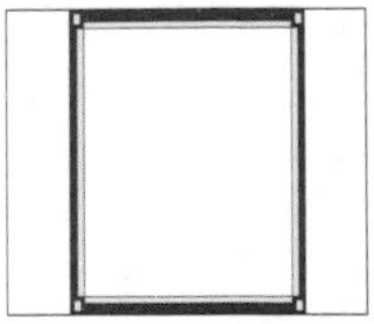 39A042	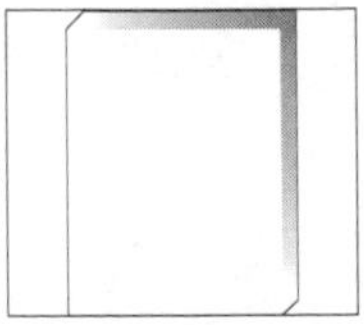 39A043	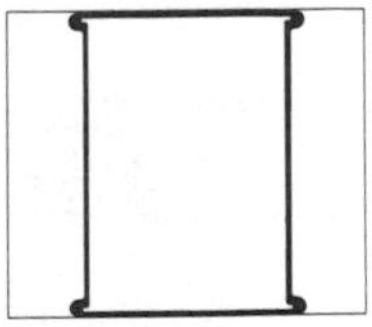 39A044
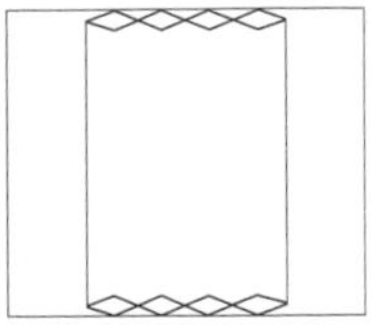 39A045	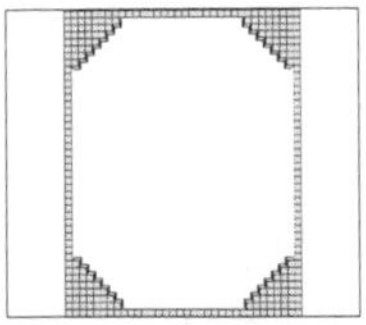 39A046	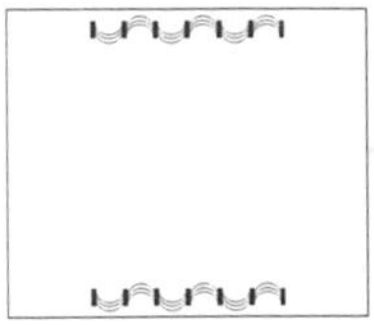 39A047	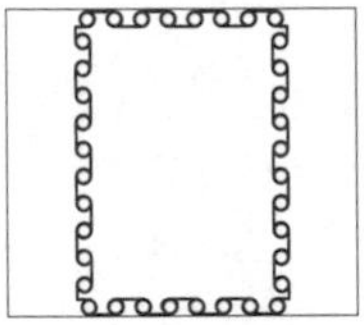 39A048	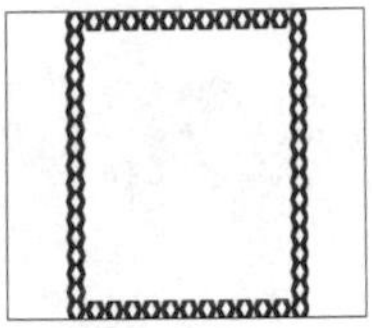 39A049
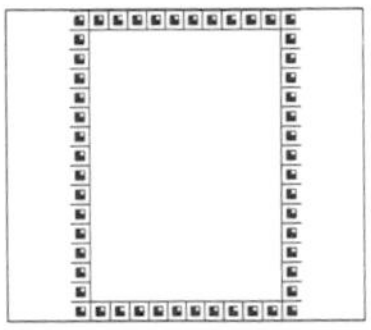 39A050	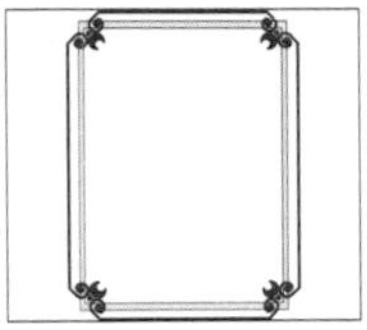 39A051	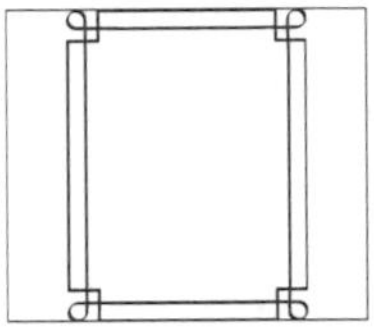 39A052	 39A053	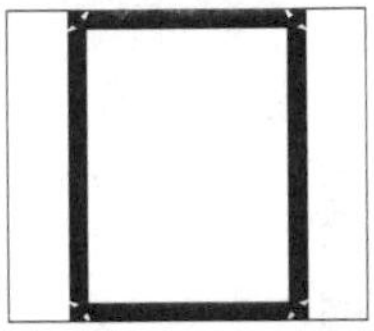 39A054
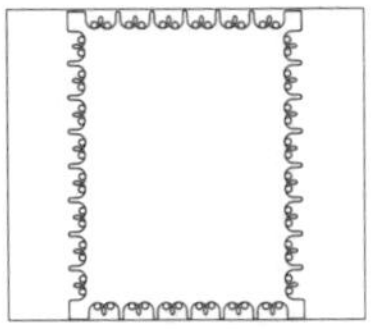 39A055	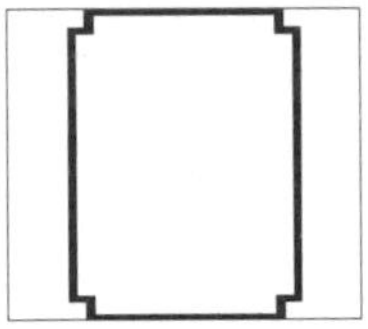 39A056	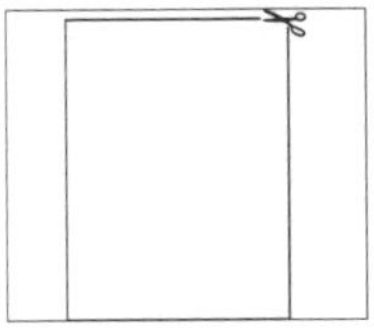 39A057	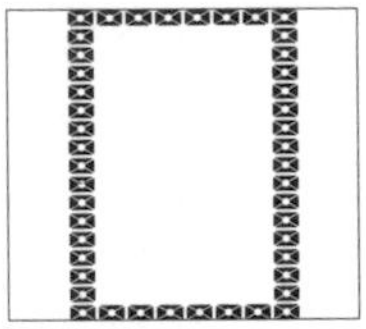 39A058	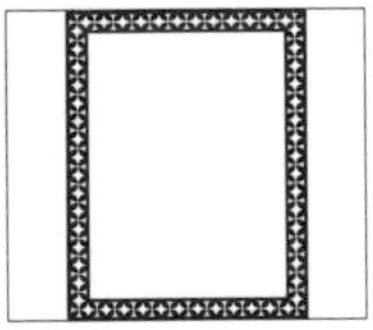 39A059
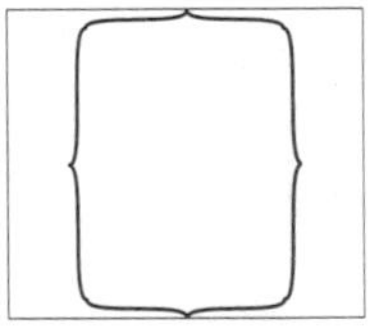 39A060	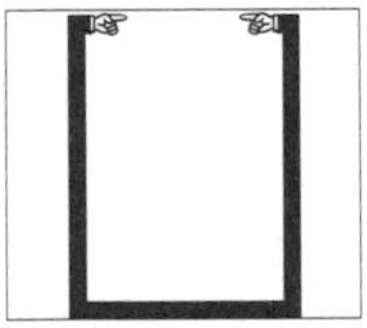 39A061	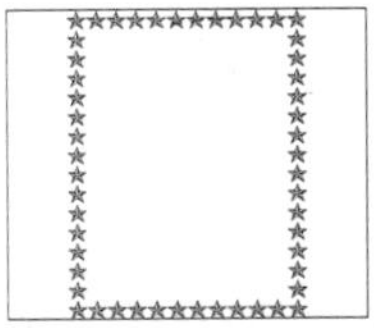 39A062	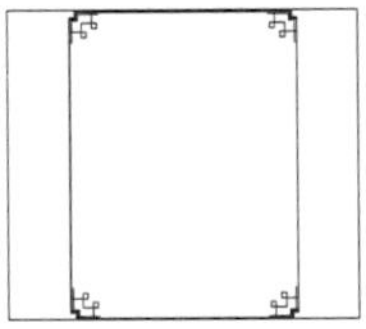 39A063	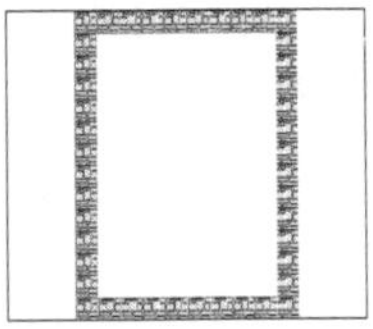 39A064
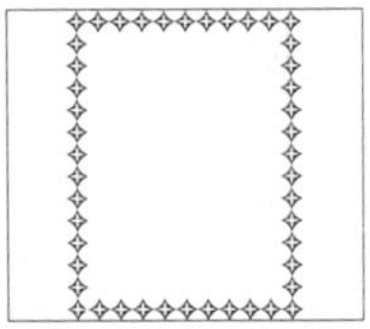 39A065	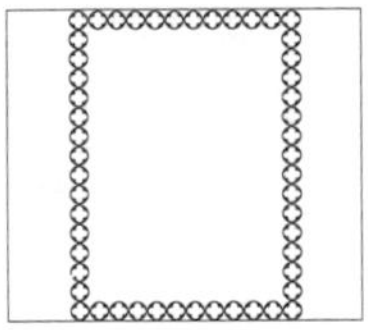 39A066	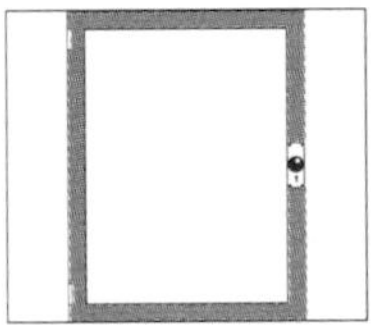 39A067	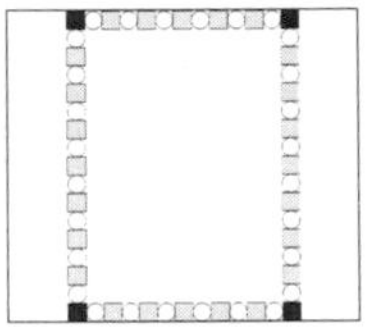 39A068	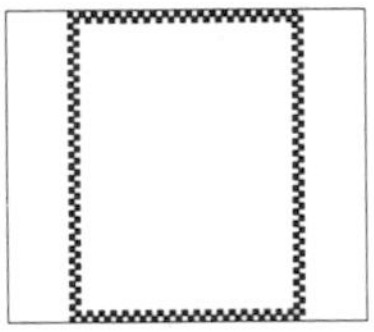 39A069
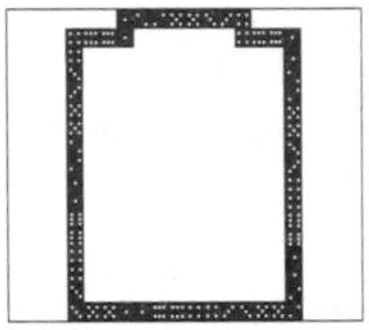 39A070	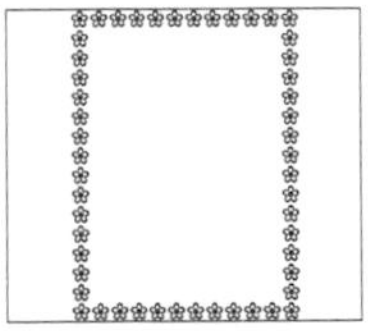 39A071	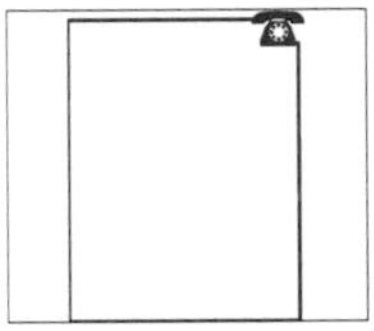 39A072	 39A073	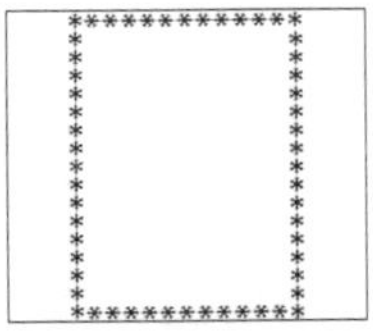 39A074

Simple Border
Cadres Simples
Marcos Simples
Enfacher Rahmen

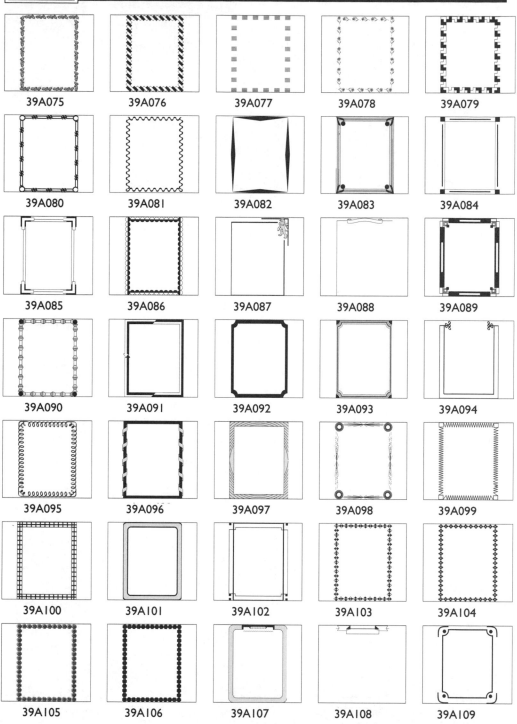

39A075	39A076	39A077	39A078	39A079
39A080	39A081	39A082	39A083	39A084
39A085	39A086	39A087	39A088	39A089
39A090	39A091	39A092	39A093	39A094
39A095	39A096	39A097	39A098	39A099
39A100	39A101	39A102	39A103	39A104
39A105	39A106	39A107	39A108	39A109

Simple Border
Cadres Simples
Marcos Simples
Enfacher Rahmen

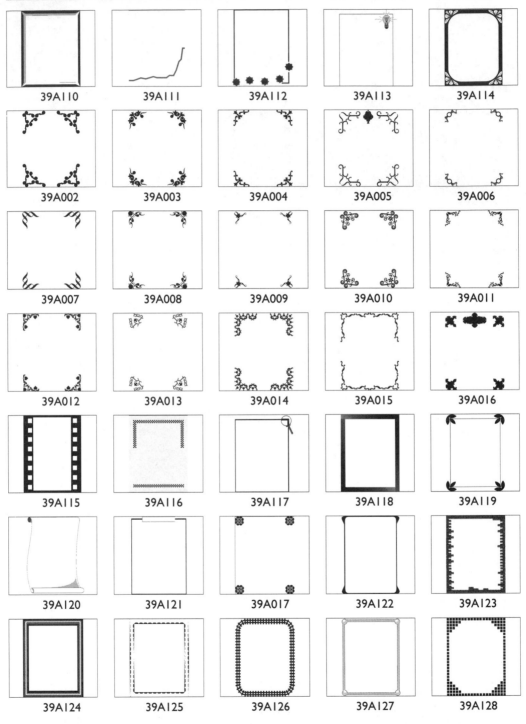

39A110	39A111	39A112	39A113	39A114
39A002	39A003	39A004	39A005	39A006
39A007	39A008	39A009	39A010	39A011
39A012	39A013	39A014	39A015	39A016
39A115	39A116	39A117	39A118	39A119
39A120	39A121	39A017	39A122	39A123
39A124	39A125	39A126	39A127	39A128

Simple Border
Cadres Simples
Marcos Simples
Enfacher Rahmen

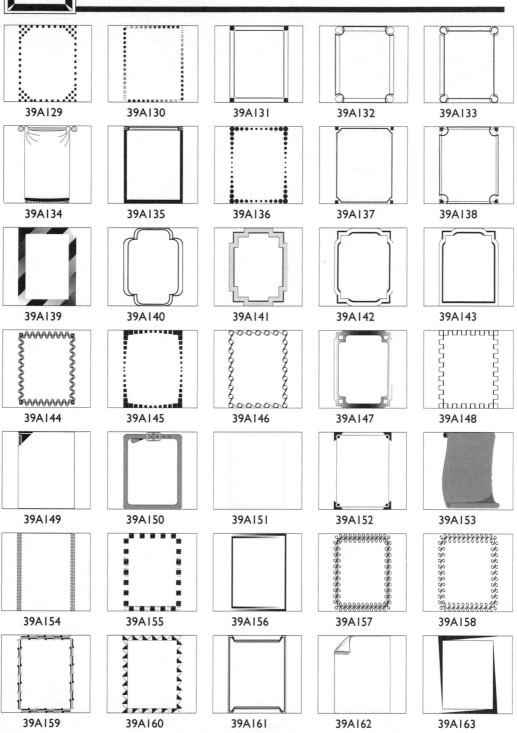

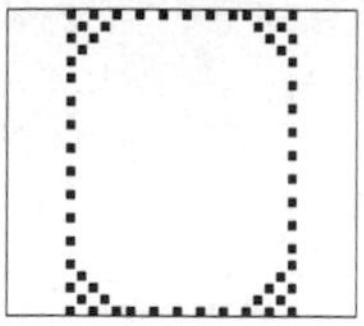

39A129 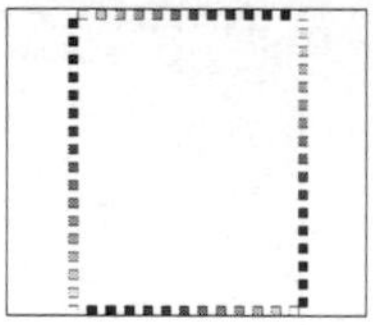 39A130 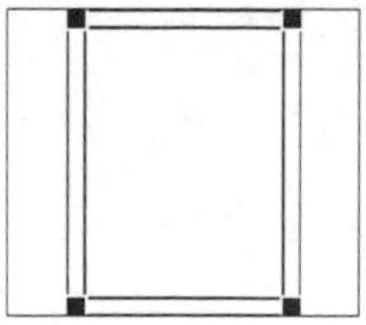 39A131 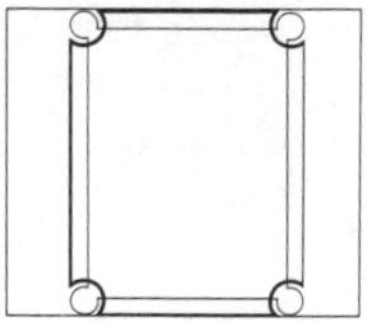 39A132 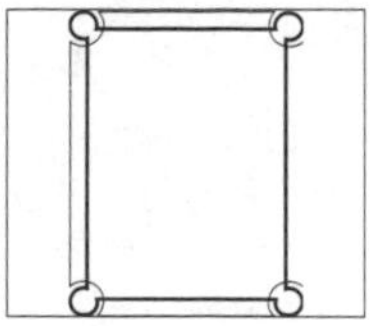 39A133

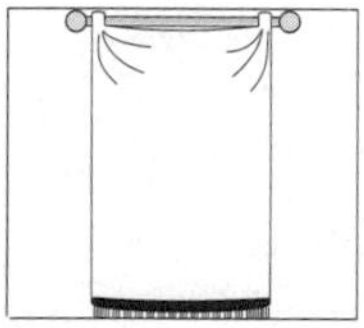

39A134 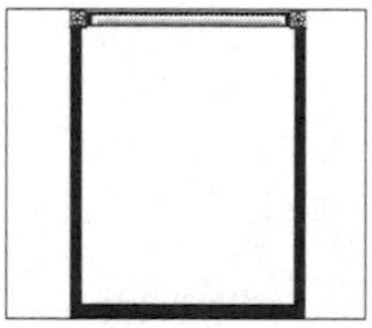 39A135 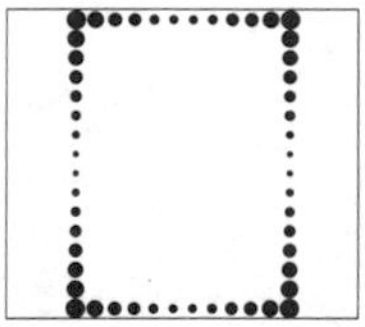 39A136 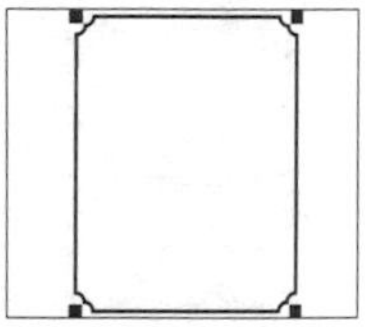 39A137 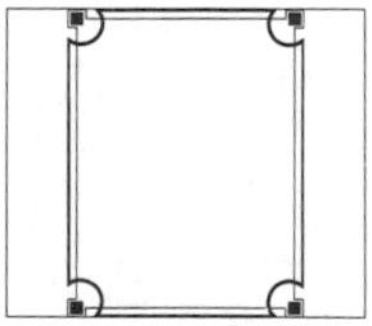 39A138

39A139 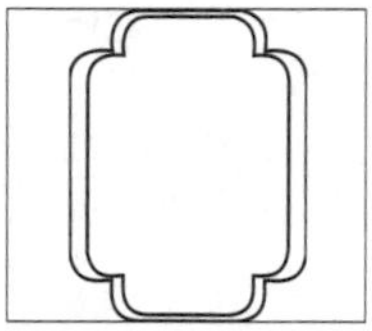 39A140 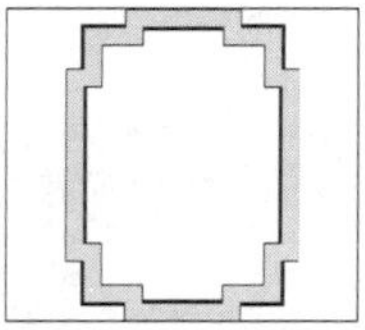 39A141 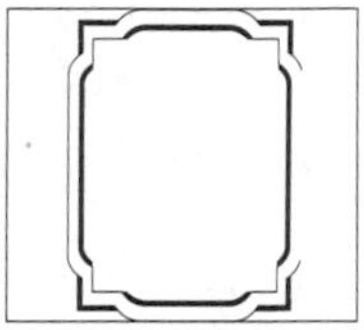 39A142 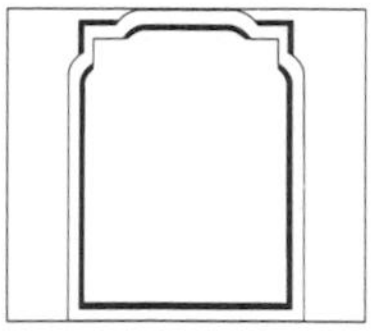 39A143

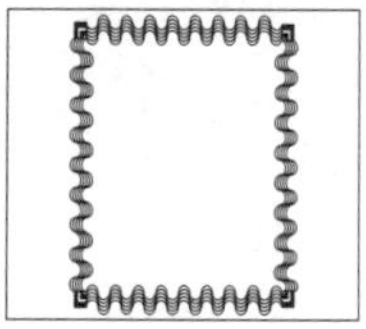

39A144 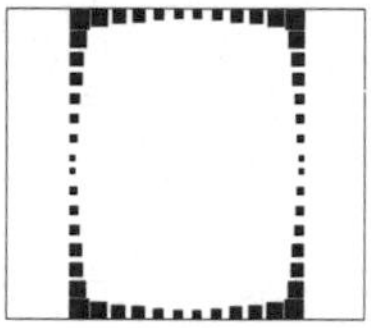 39A145 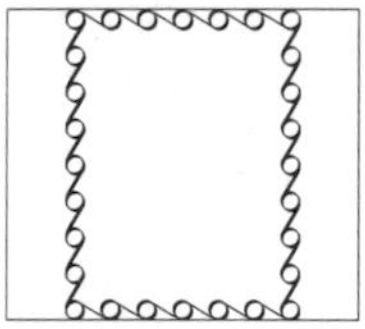 39A146 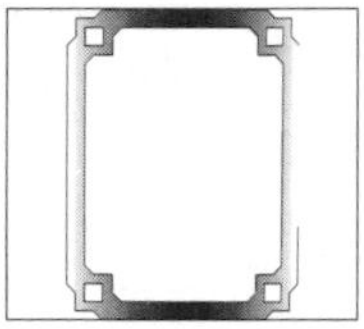 39A147 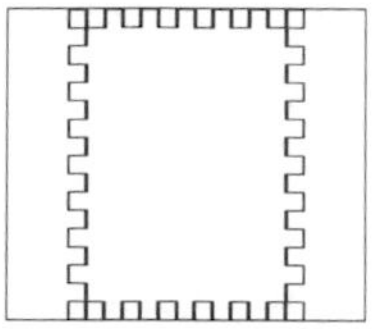 39A148

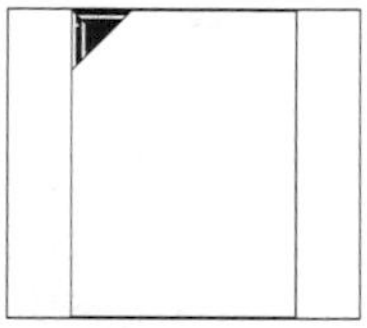

39A149 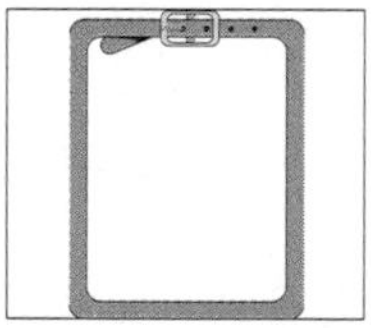 39A150 39A151 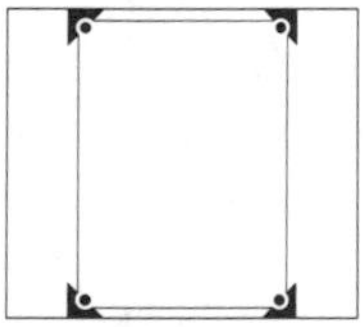 39A152 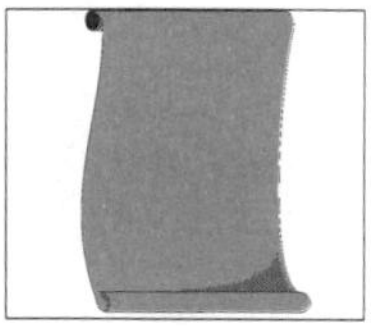 39A153

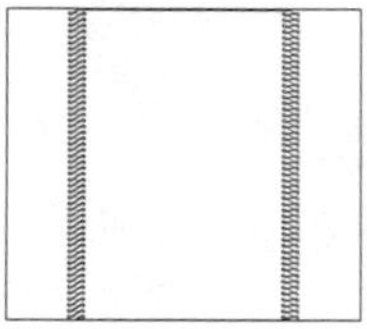

39A154  39A155 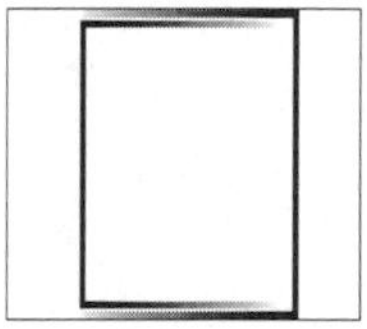 39A156 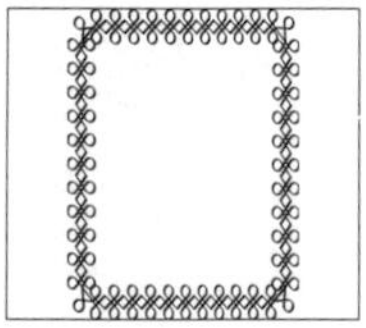 39A157 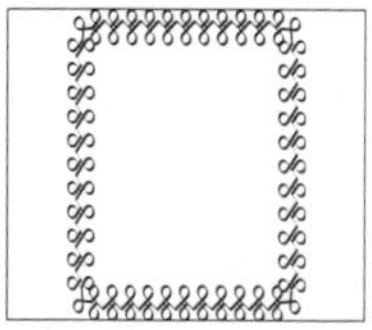 39A158

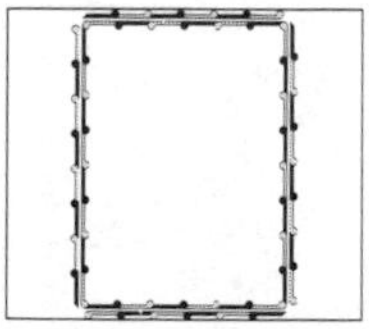

39A159 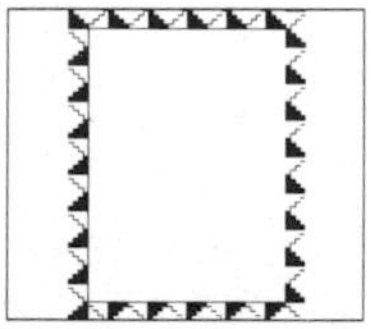 39A160 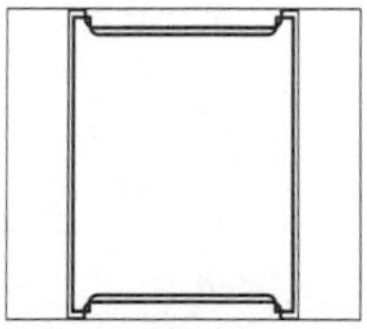 39A161 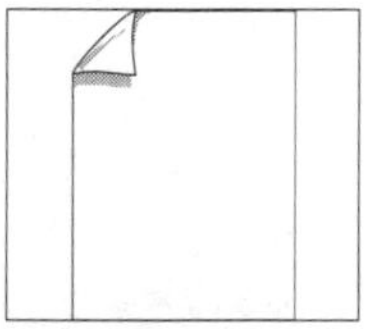 39A162  39A163

Simple Border
Cadres Simples
Marcos Simples
Enfacher Rahmen

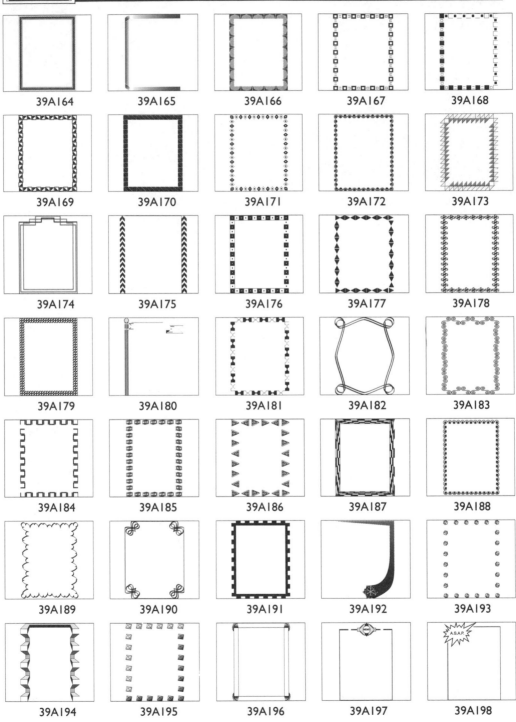

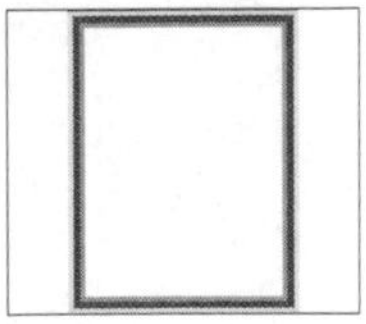

39A164 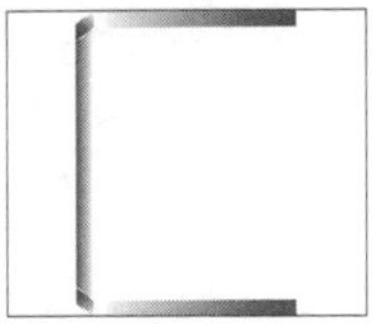 39A165 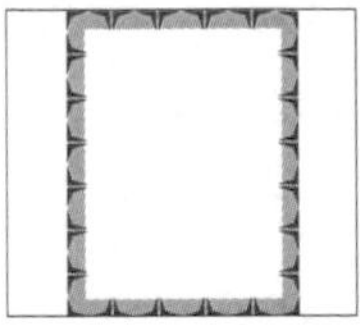 39A166 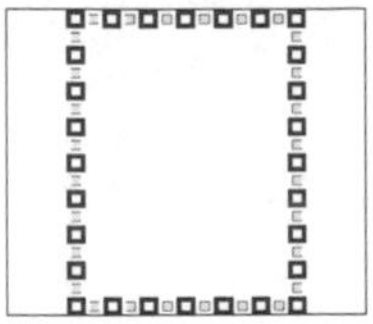 39A167 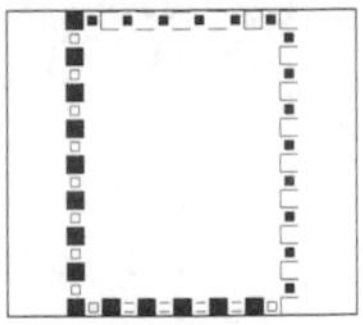 39A168

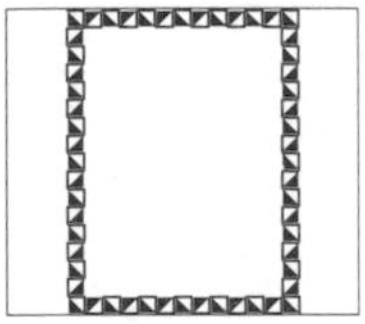

39A169 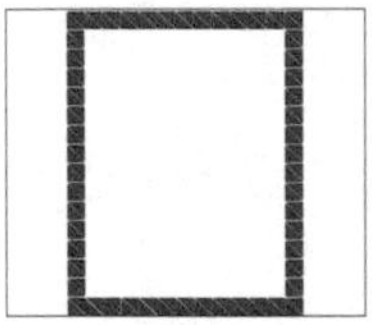 39A170 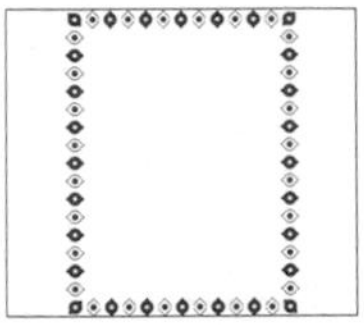 39A171 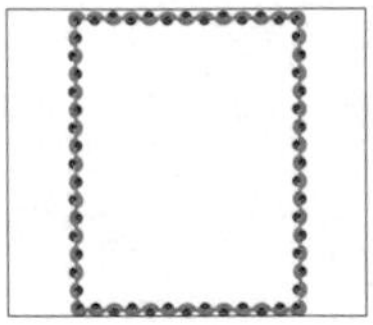 39A172 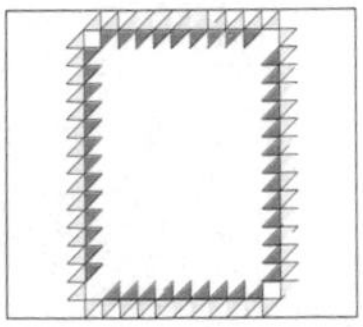 39A173

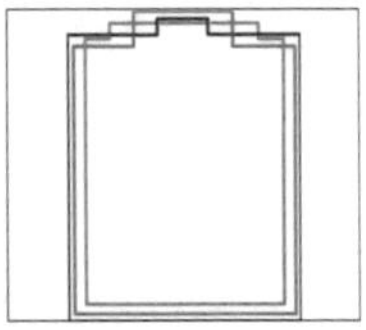

39A174 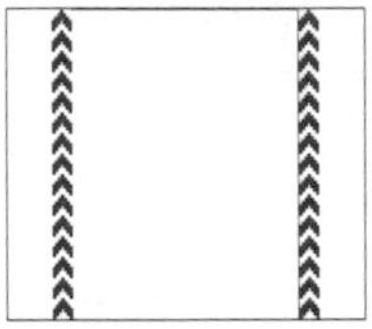 39A175 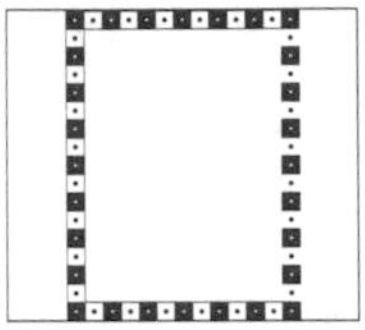 39A176  39A177 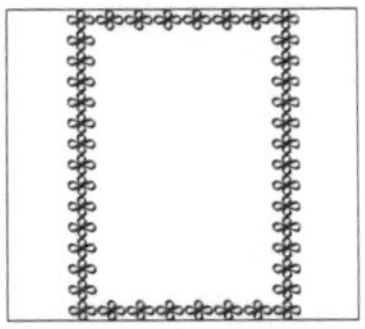 39A178

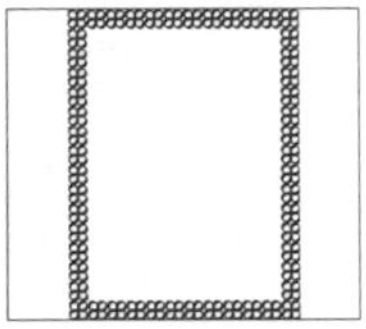

39A179 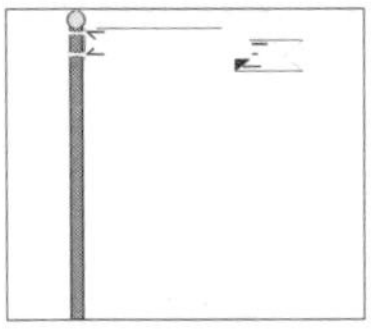 39A180 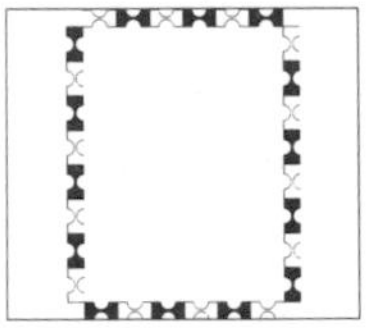 39A181 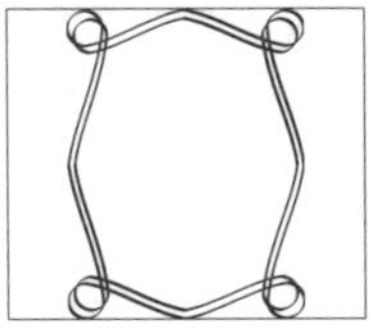 39A182 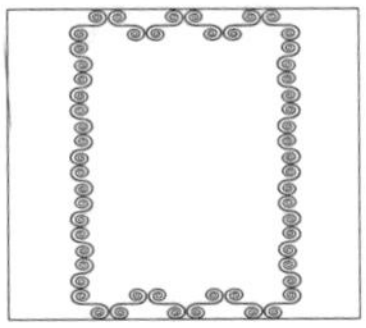 39A183

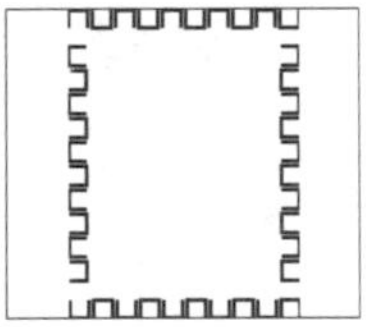

39A184 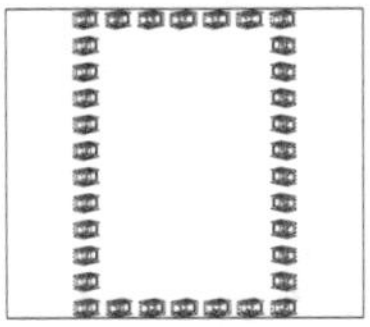 39A185 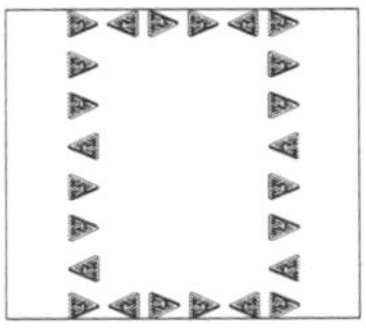 39A186  39A187 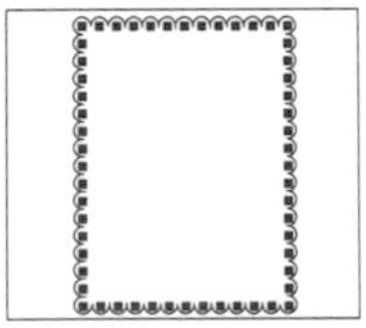 39A188

39A189  39A190 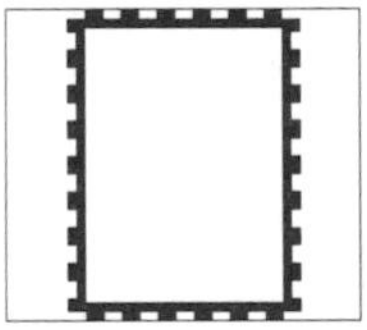 39A191 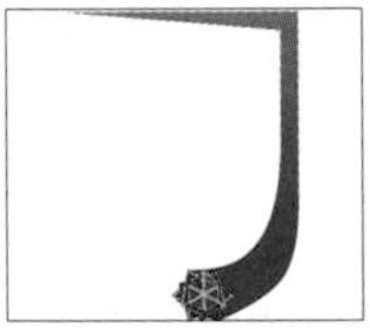 39A192 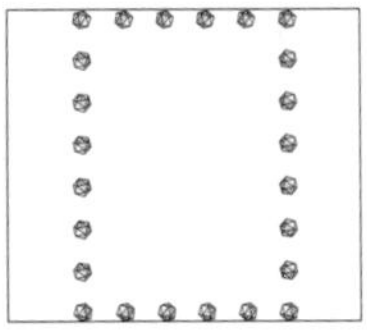 39A193

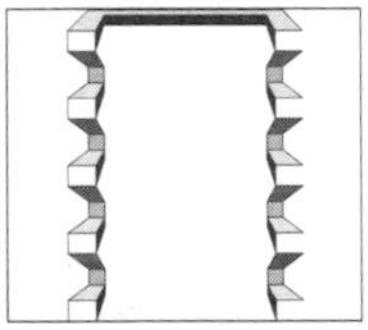

39A194 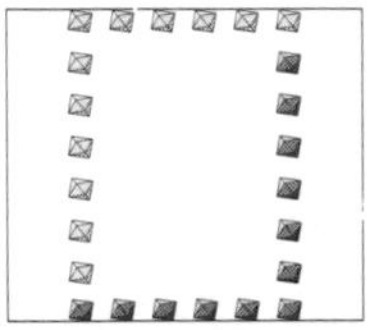 39A195 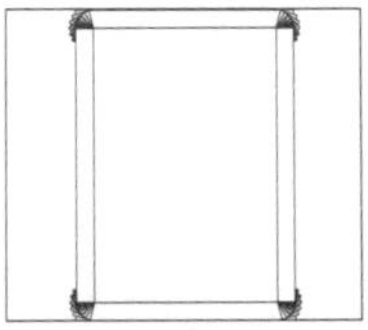 39A196 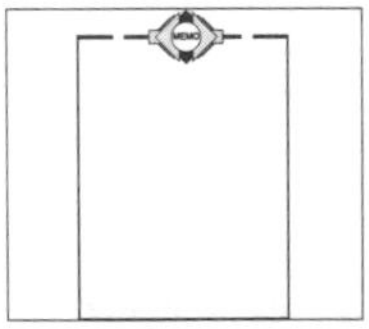 39A197  39A198

Simple Border
Cadres Simples
Marcos Simples
Enfacher Rahmen

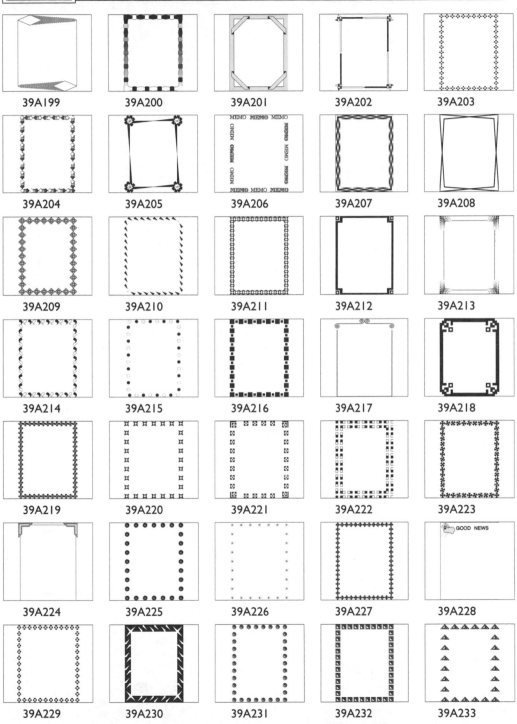

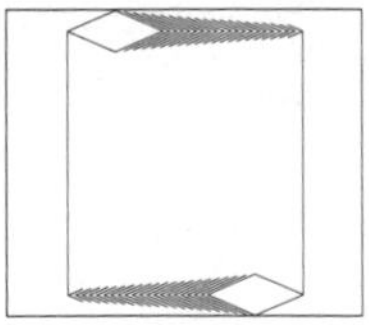

39A199	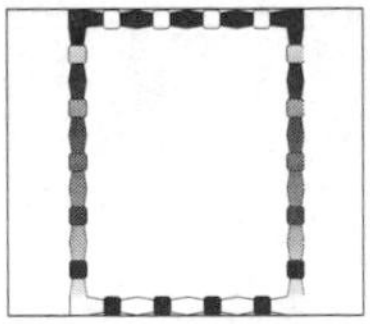 39A200	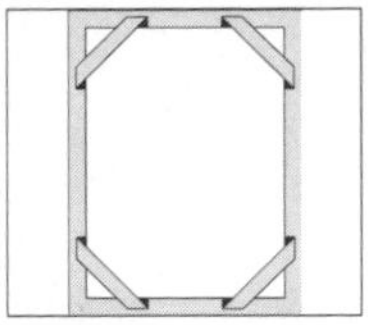 39A201	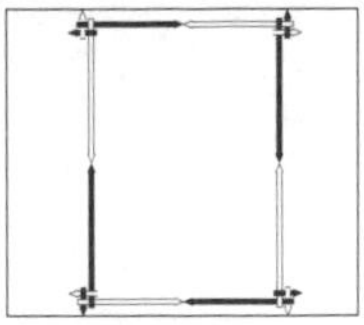 39A202	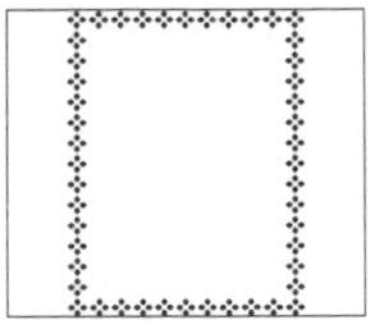 39A203
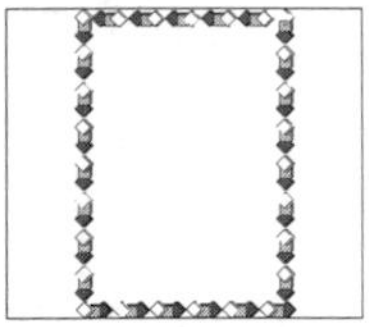 39A204	 39A205	39A206	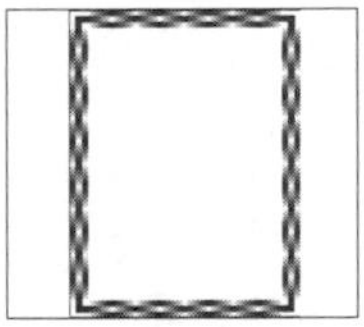 39A207	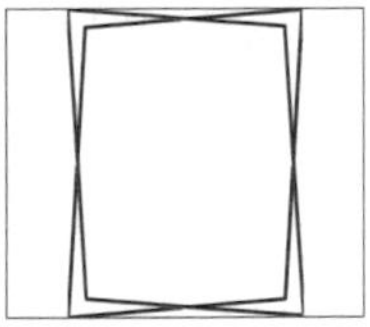 39A208
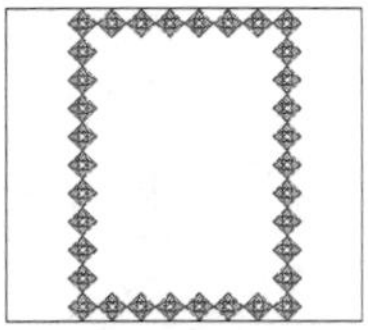 39A209	 39A210	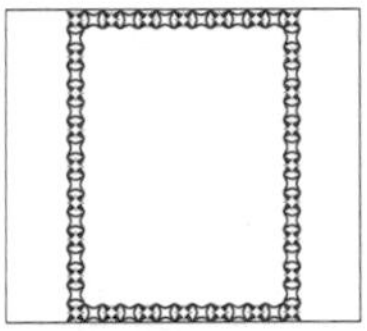 39A211	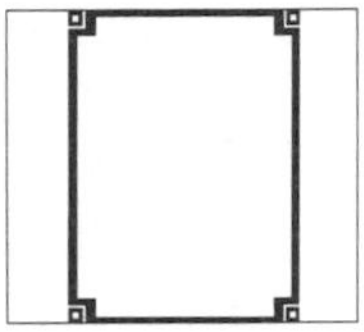 39A212	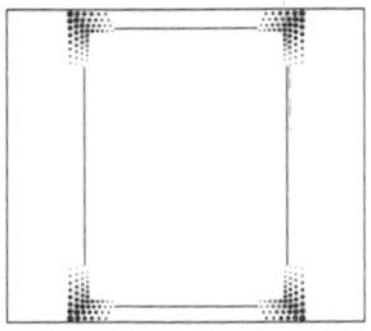 39A213
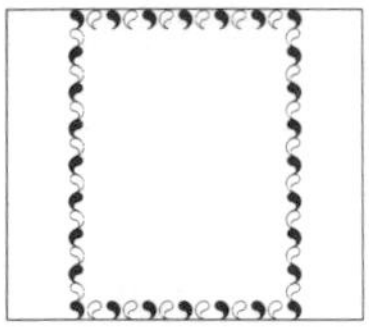 39A214	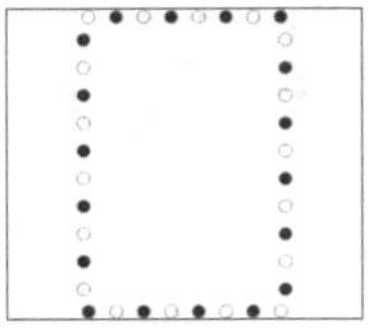 39A215	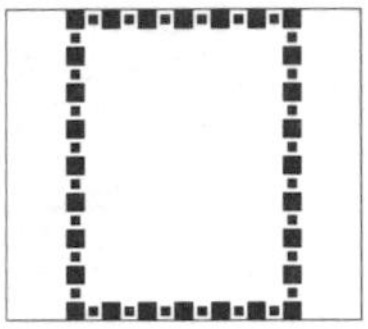 39A216	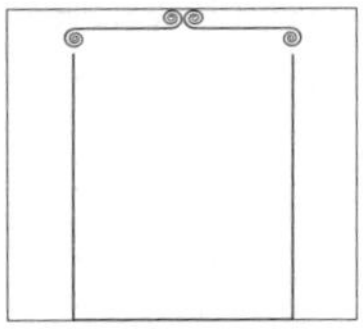 39A217	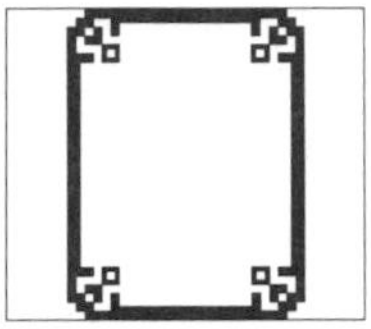 39A218
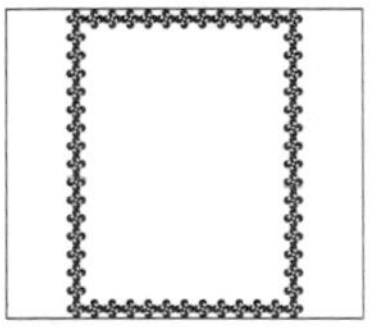 39A219	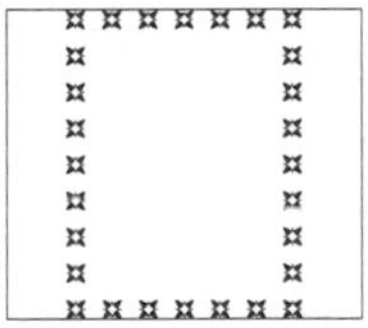 39A220	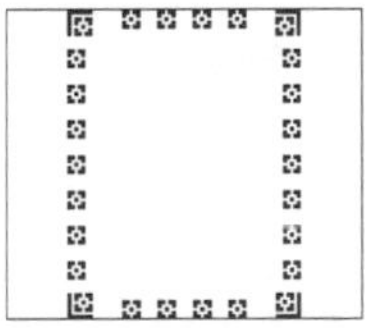 39A221	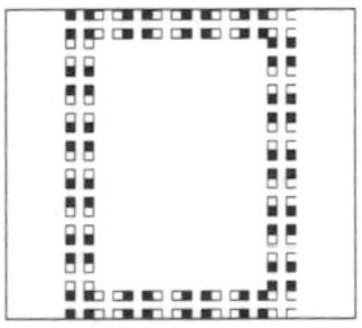 39A222	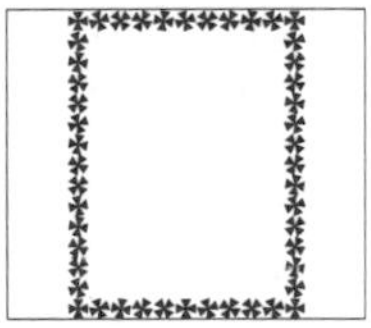 39A223
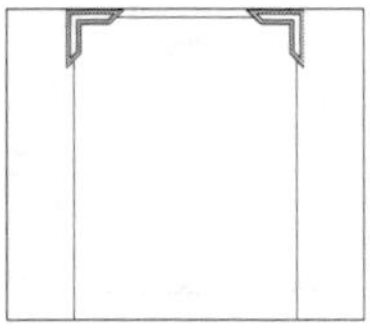 39A224	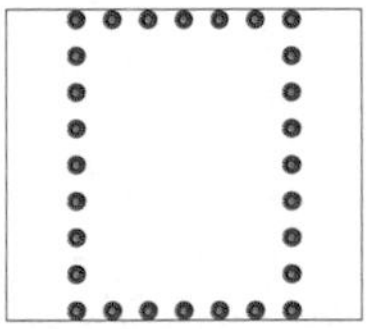 39A225	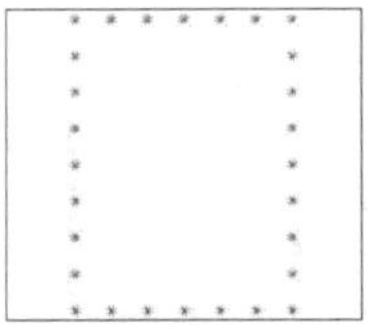 39A226	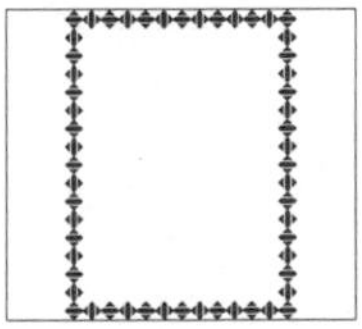 39A227	39A228
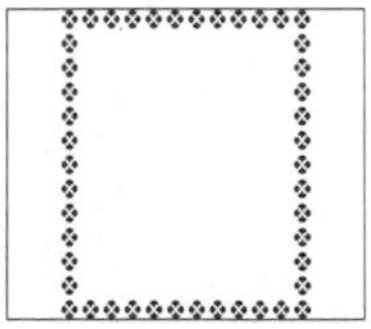 39A229	 39A230	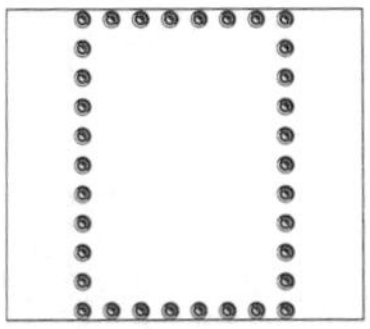 39A231	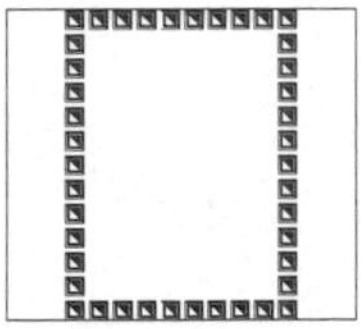 39A232	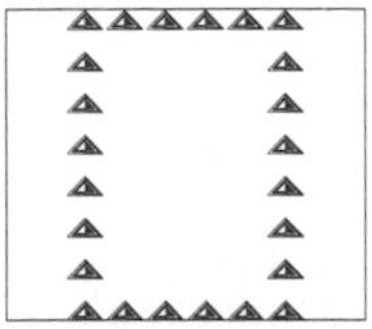 39A233

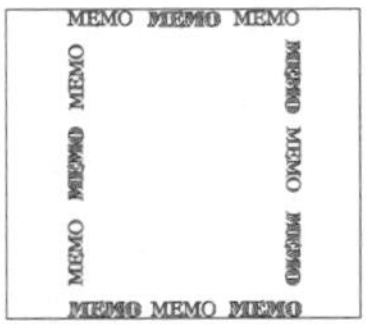

Simple Border
Cadres Simples
Marcos Simples
Enfacher Rahmen

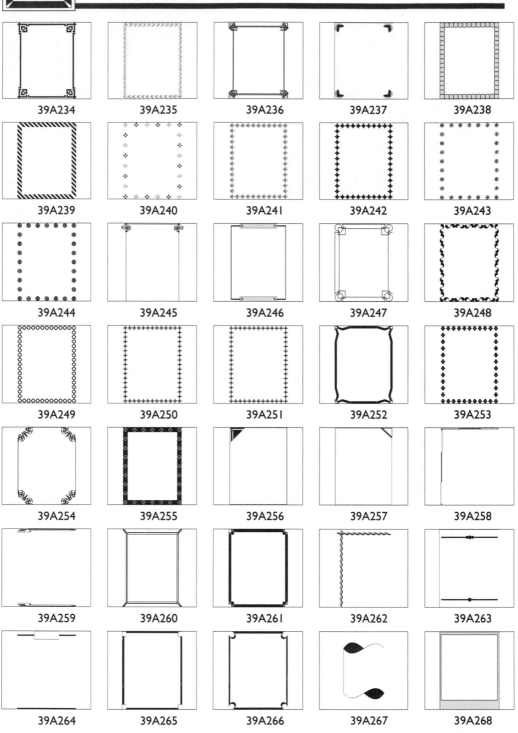

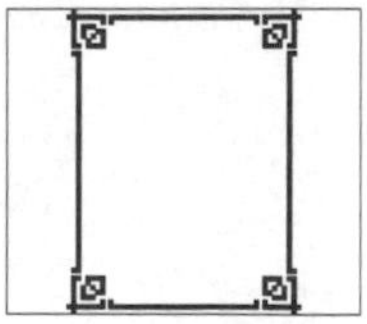

39A234	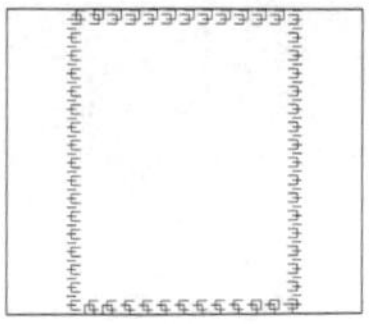 39A235	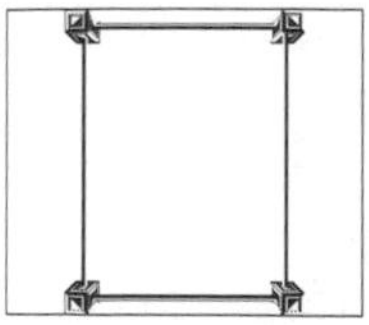 39A236	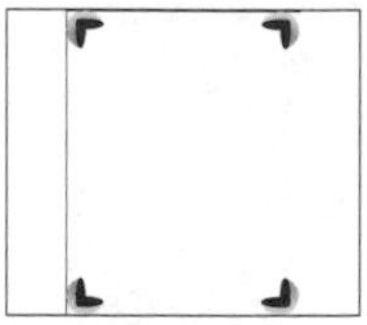 39A237	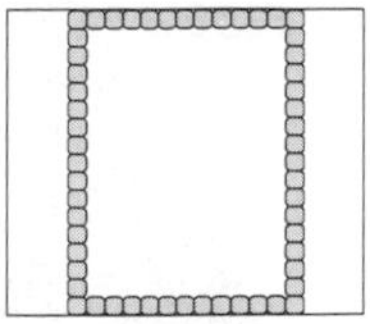 39A238
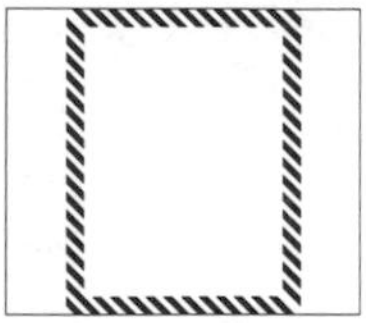 39A239	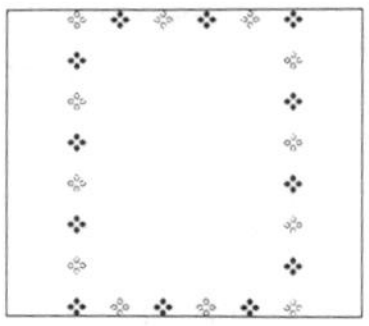 39A240	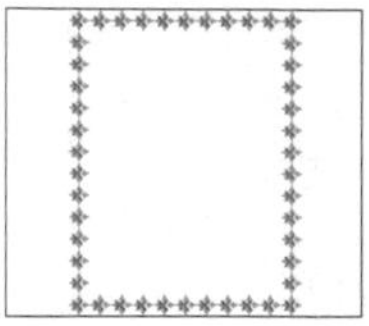 39A241	 39A242	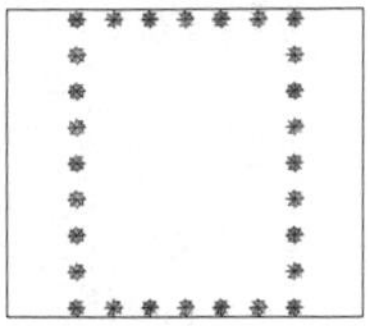 39A243
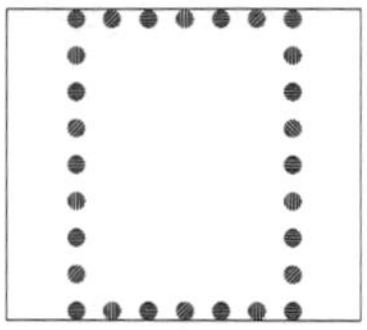 39A244	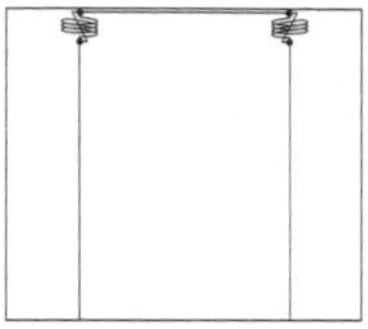 39A245	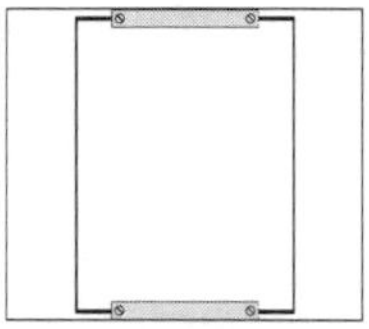 39A246	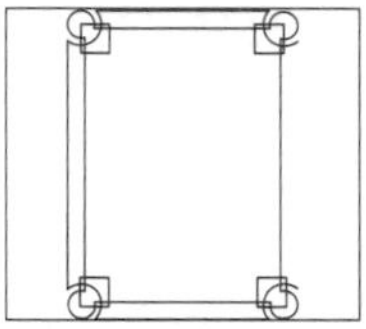 39A247	 39A248
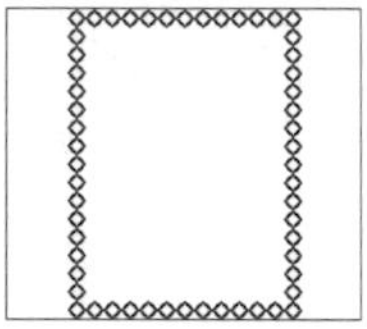 39A249	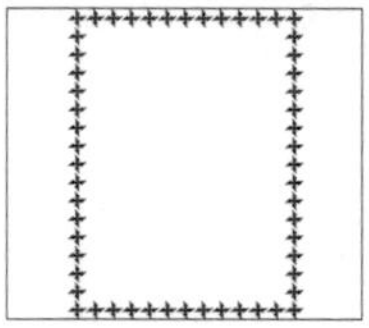 39A250	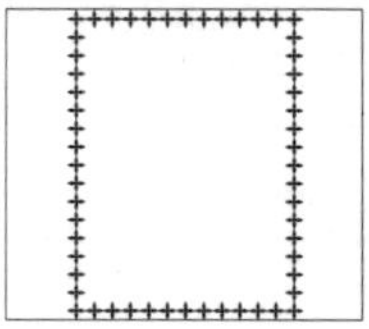 39A251	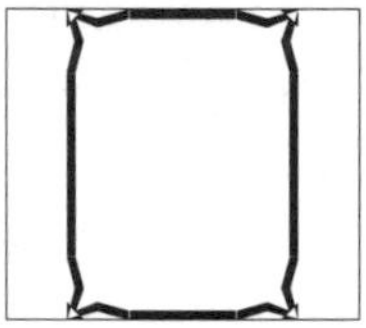 39A252	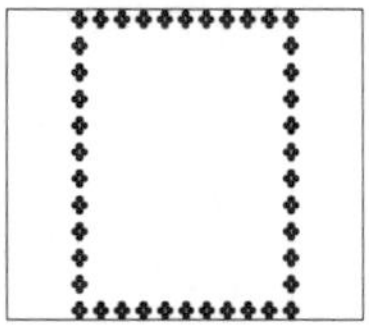 39A253
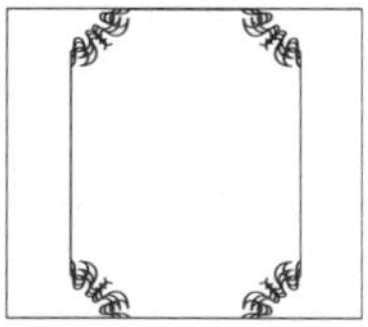 39A254	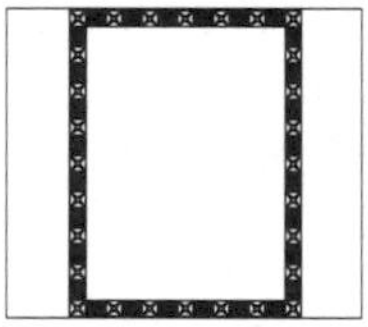 39A255	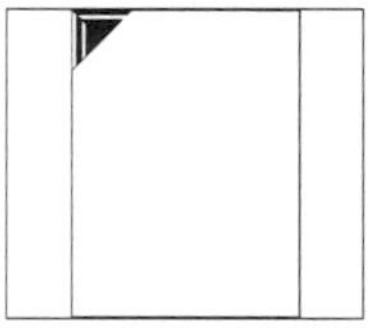 39A256	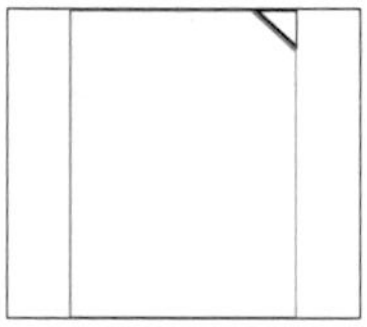 39A257	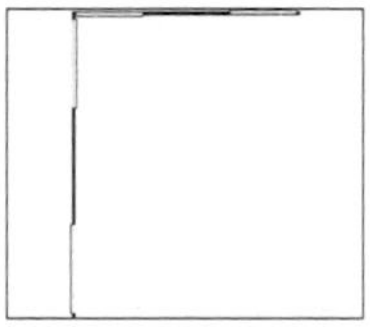 39A258
 39A259	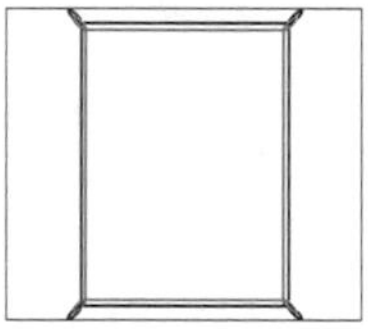 39A260	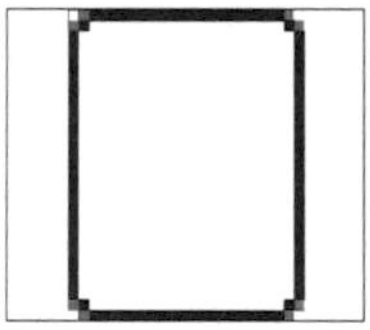 39A261	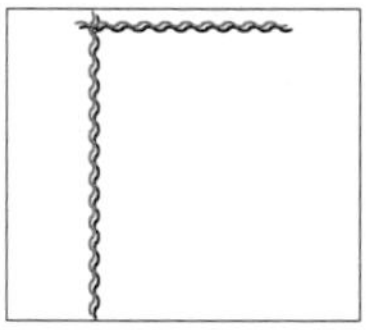 39A262	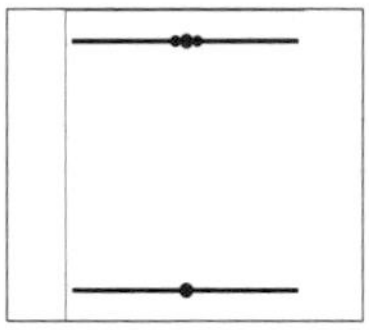 39A263
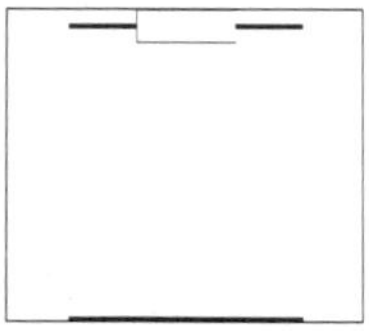 39A264	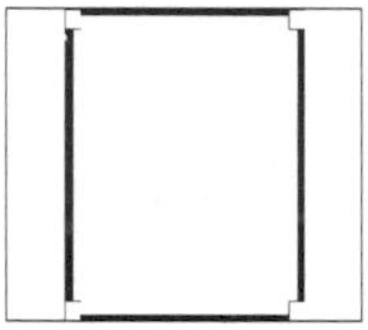 39A265	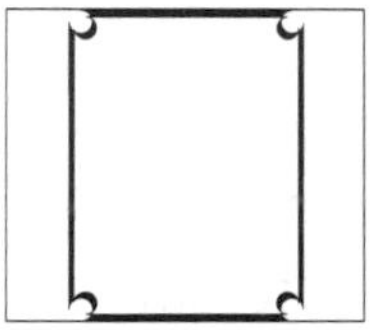 39A266	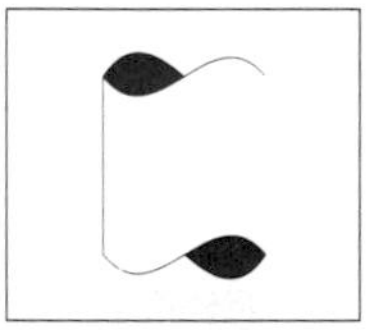 39A267	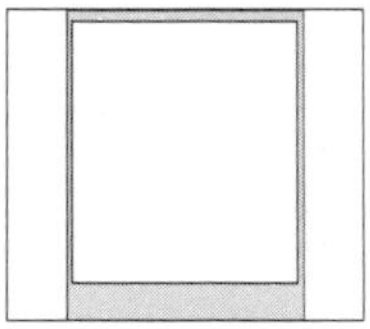 39A268

Simple Border
Cadres Simples
Marcos Simples
Enfacher Rahmen

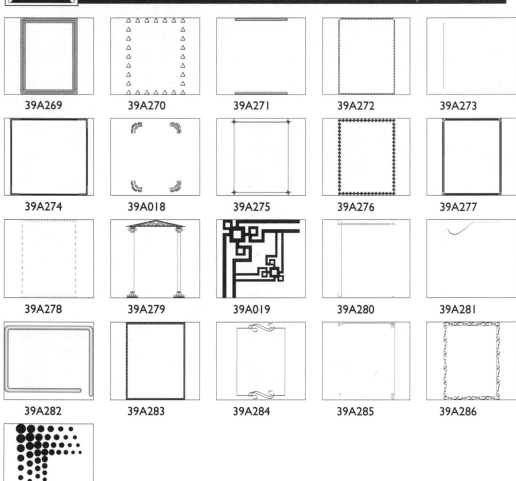

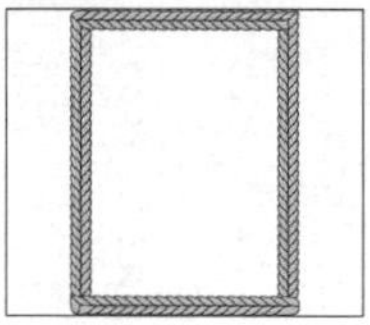

39A269 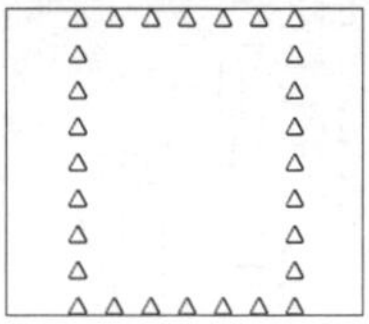 39A270  39A271 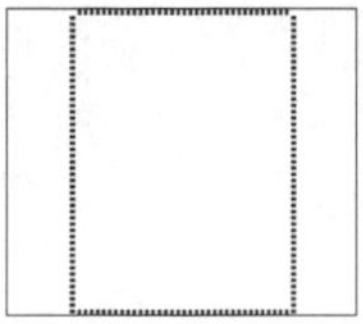 39A272 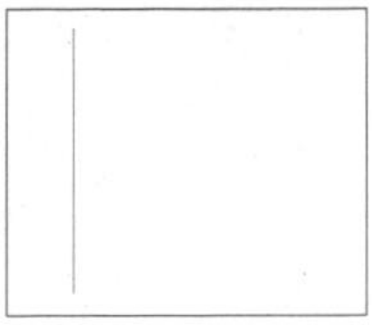 39A273

39A274 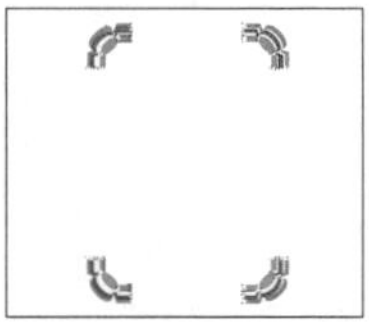 39A018 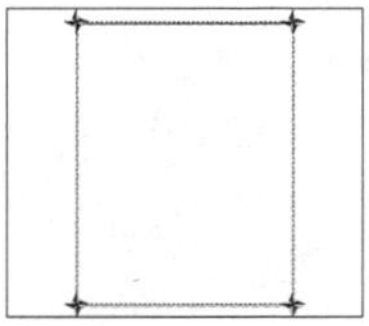 39A275 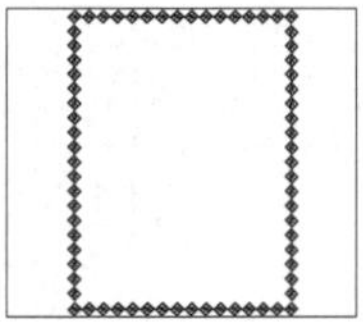 39A276 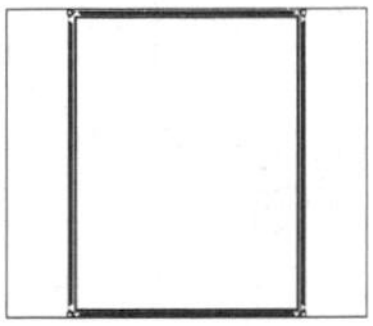 39A277

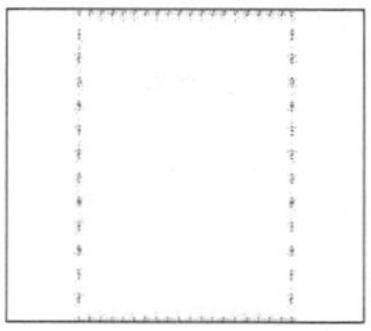

39A278 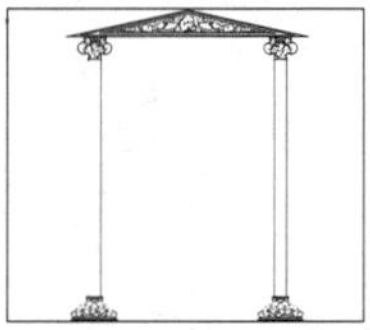 39A279 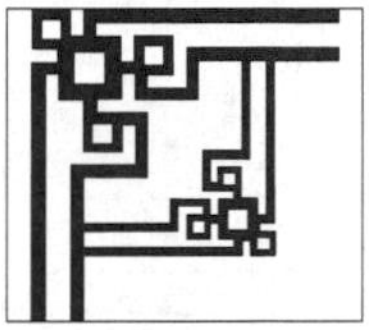 39A019 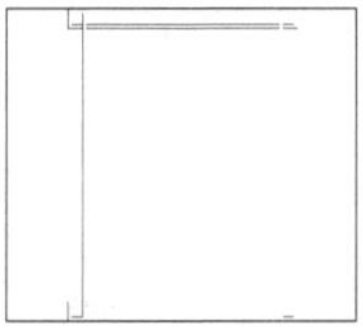 39A280 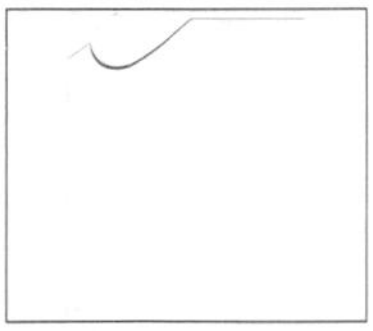 39A281

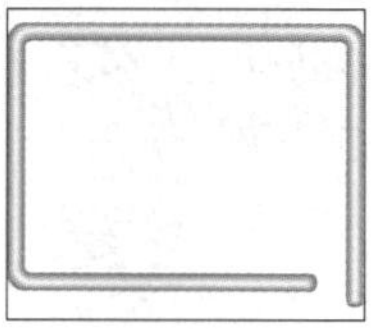

39A282 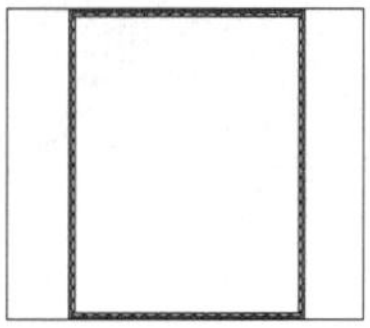 39A283 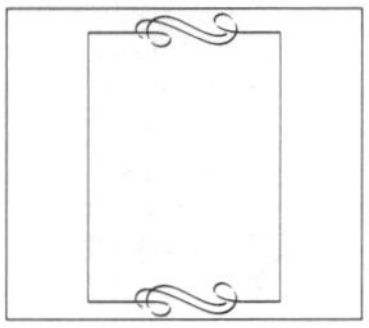 39A284 39A285  39A286

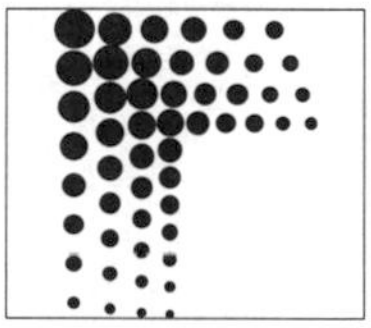

39A020

Simple Border
Cadres Simples
Marcos Simples
Enfacher Rahmen

39B001

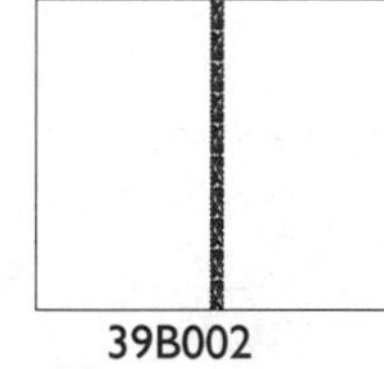

39B002

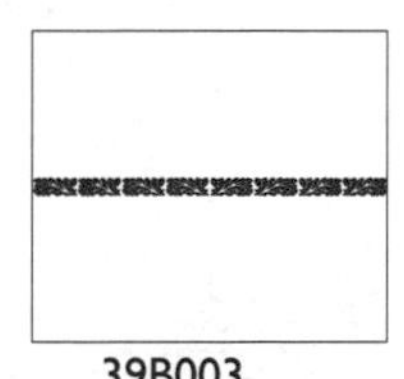

39B003

39B073

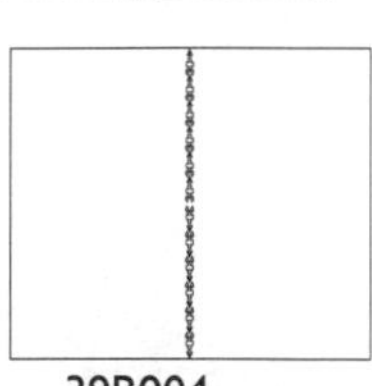

39B004

Simple Border
Cadres Simples
Marcos Simples
Enfacher Rahmen

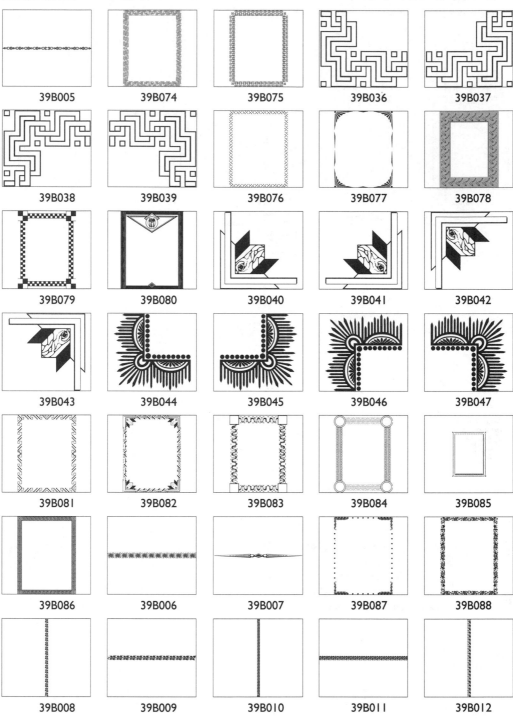

39B005 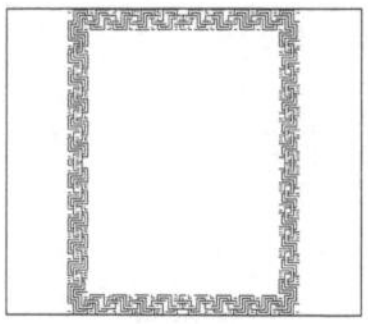 39B074 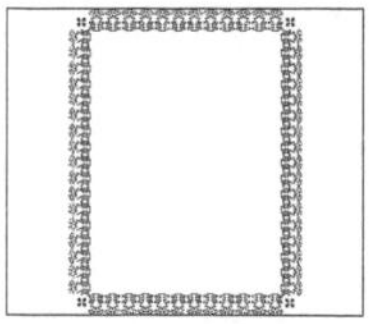 39B075  39B036  39B037

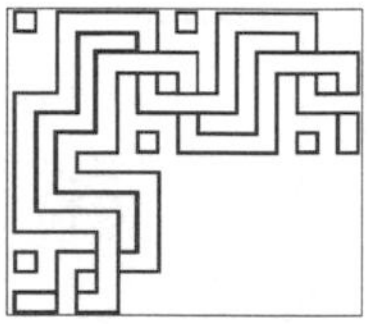

39B038  39B039 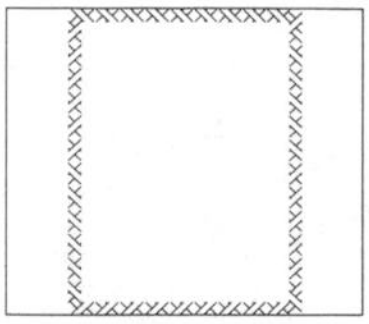 39B076 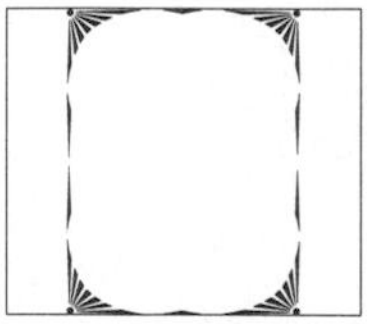 39B077 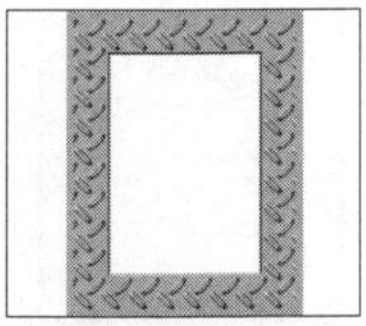 39B078

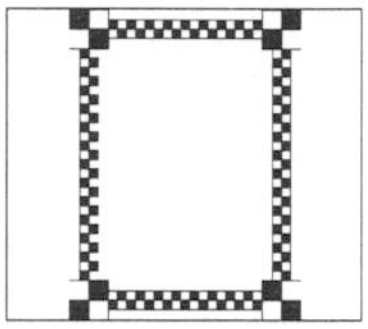

39B079  39B080 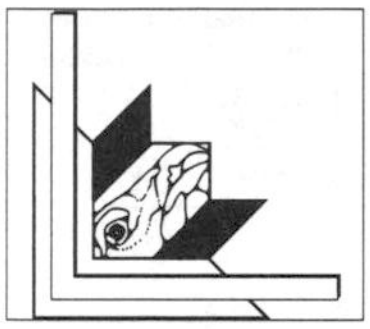 39B040 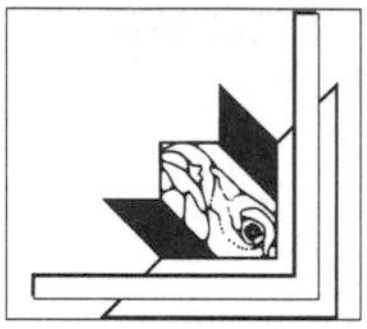 39B041 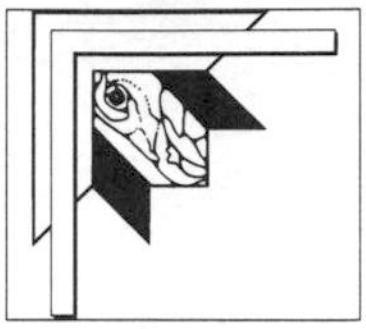 39B042

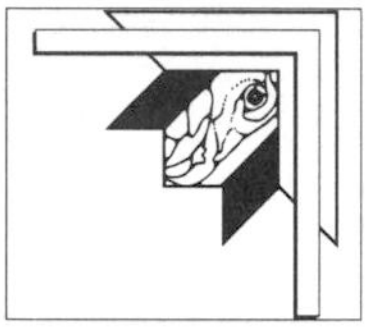

39B043  39B044  39B045  39B046  39B047

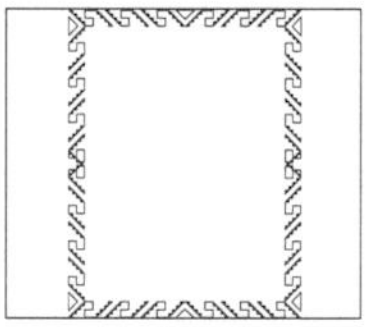

39B081  39B082 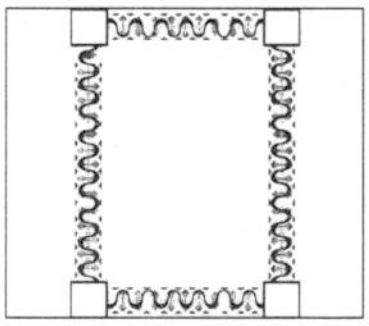 39B083 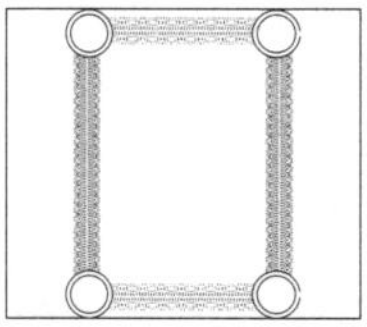 39B084 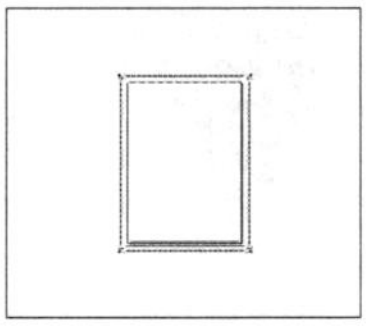 39B085

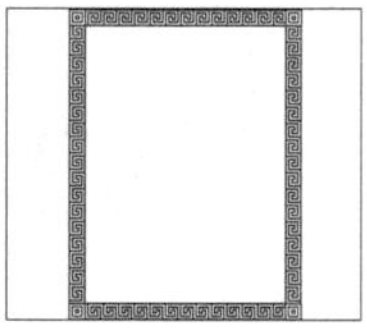

39B086 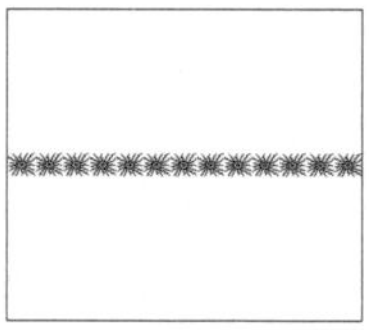 39B006 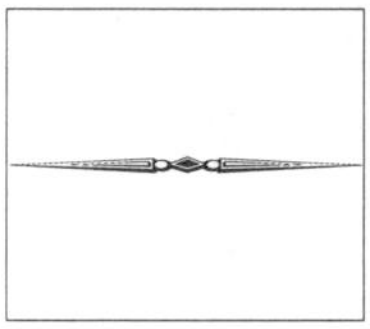 39B007 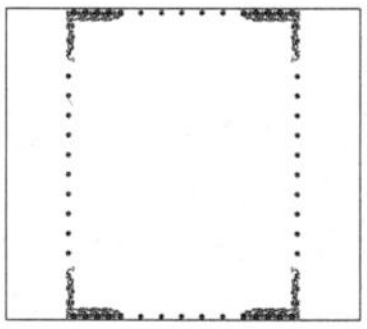 39B087 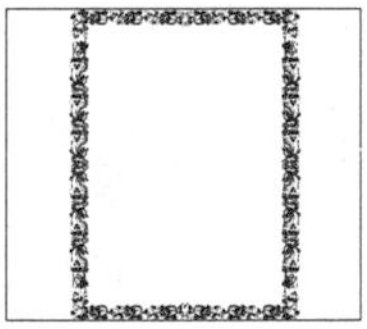 39B088

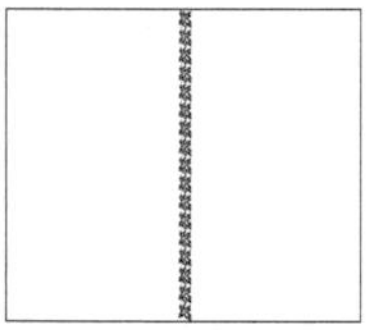

39B008 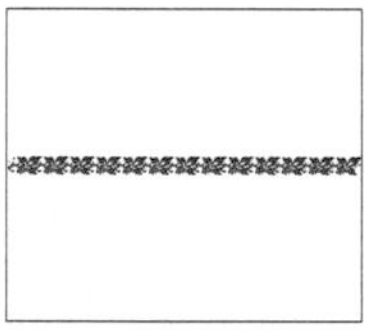 39B009 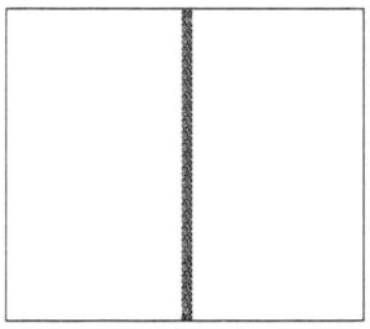 39B010 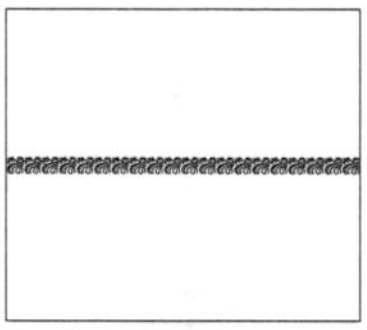 39B011 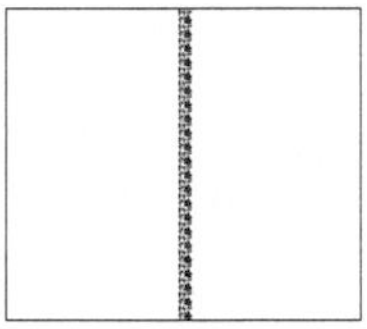 39B012

Simple Border
Cadres Simples
Marcos Simples
Enfacher Rahmen

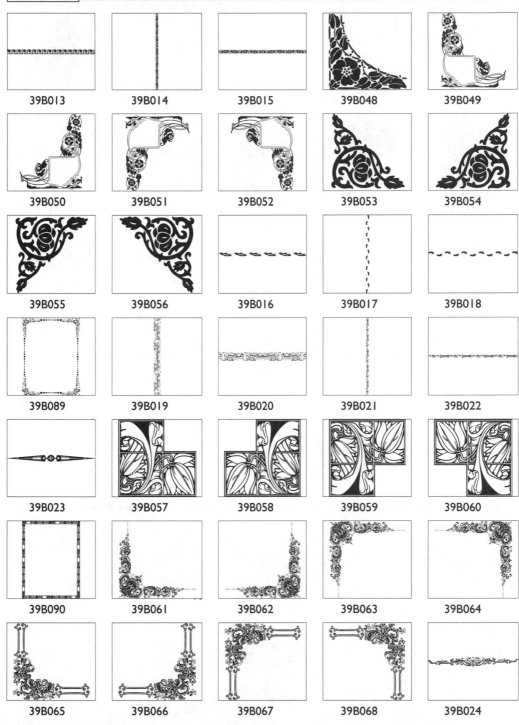

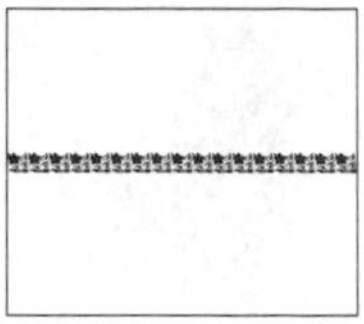

39B013	 39B014	 39B015	 39B048	 39B049
 39B050	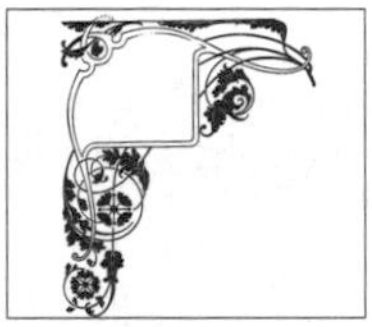 39B051	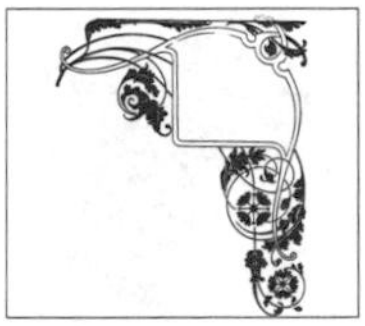 39B052	 39B053	 39B054
 39B055	 39B056	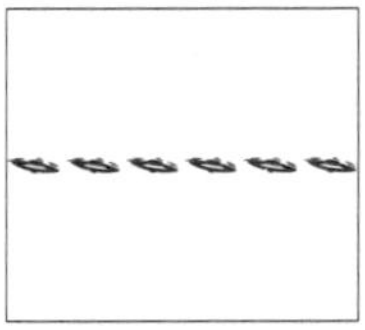 39B016	 39B017	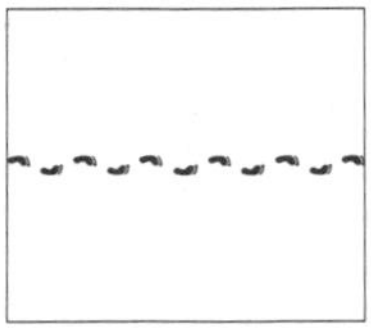 39B018
 39B089	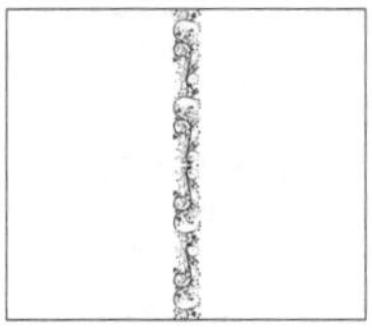 39B019	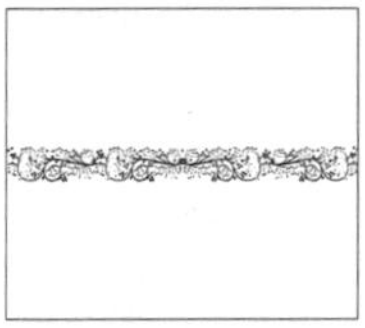 39B020	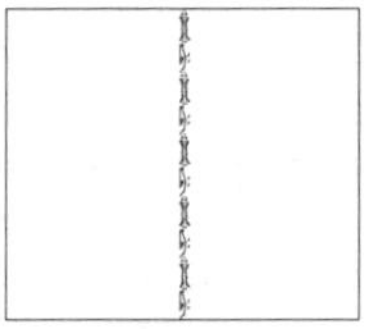 39B021	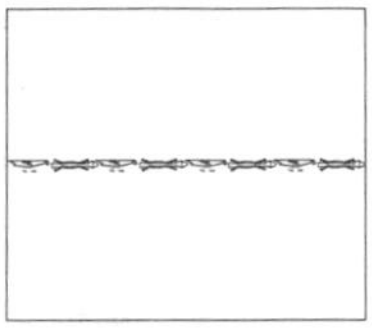 39B022
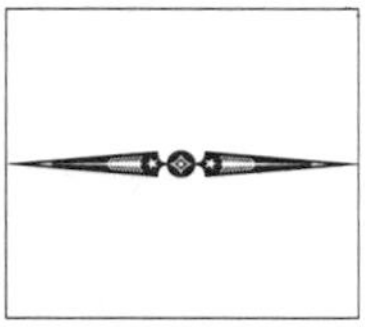 39B023	 39B057	 39B058	 39B059	 39B060
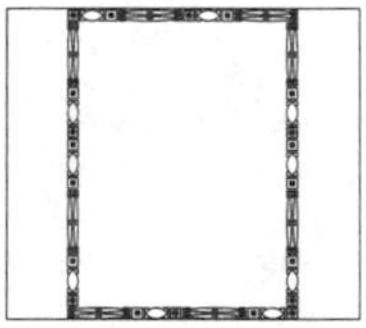 39B090	 39B061	 39B062	 39B063	 39B064
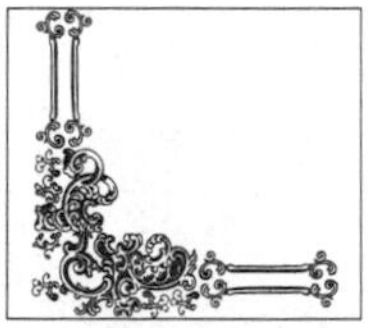 39B065	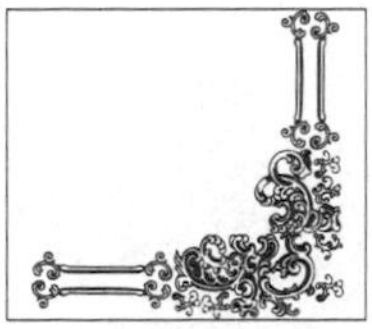 39B066	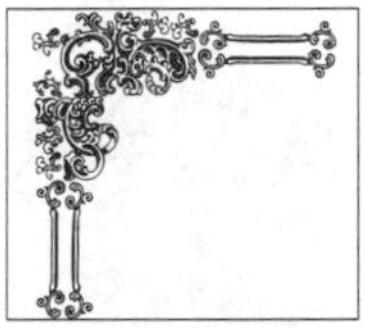 39B067	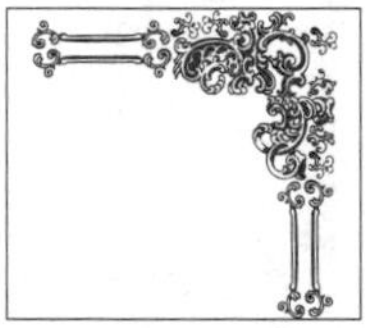 39B068	 39B024

Simple Border
Cadres Simples
Marcos Simples
Enfacher Rahmen

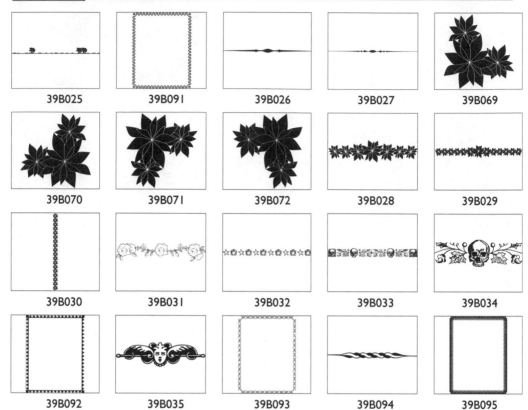

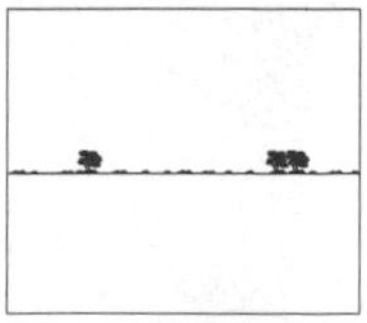

39B025 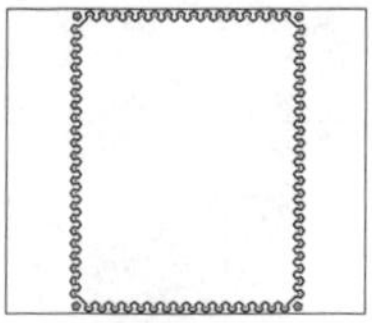 39B091 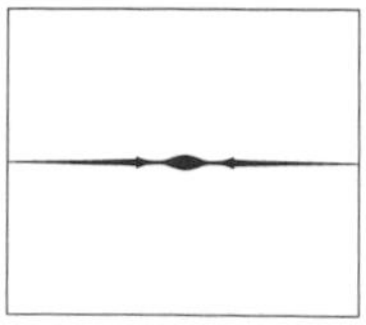 39B026 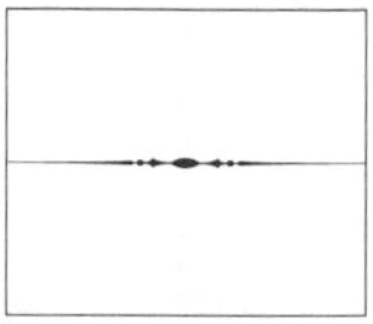 39B027  39B069

39B070  39B071  39B072  39B028 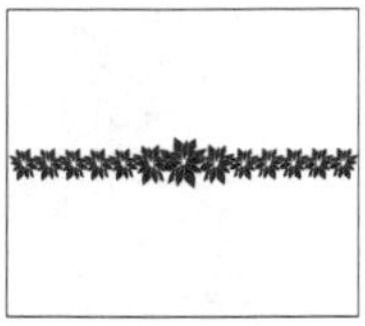 39B029

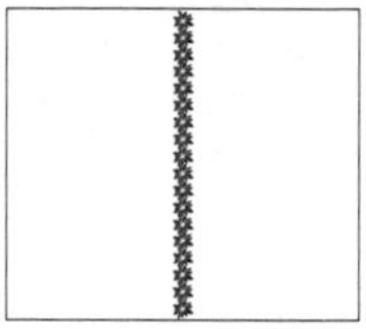

39B030  39B031 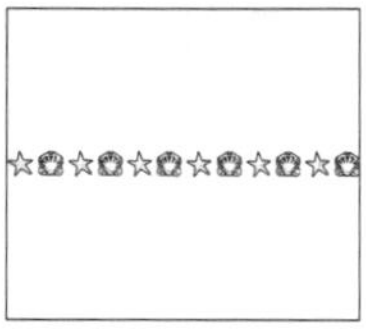 39B032 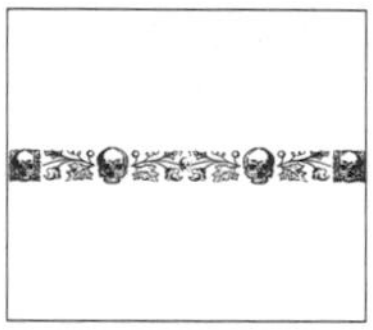 39B033  39B034

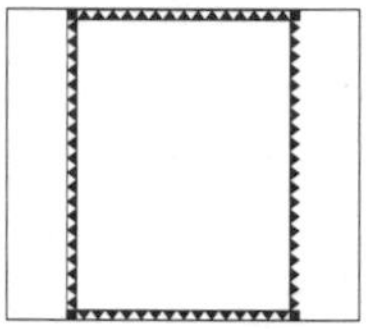

39B092  39B035 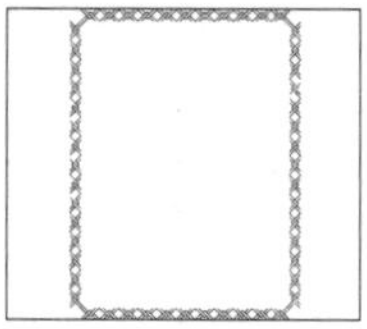 39B093 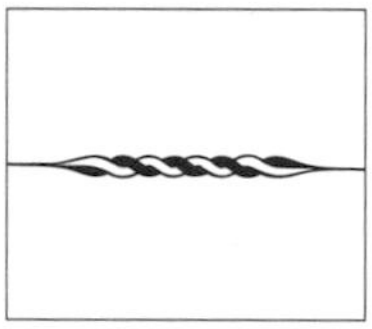 39B094 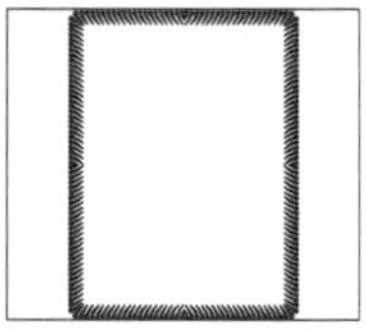 39B095

Simple Border
Cadres Simples
Marcos Simples
Enfacher Rahmen

39C001

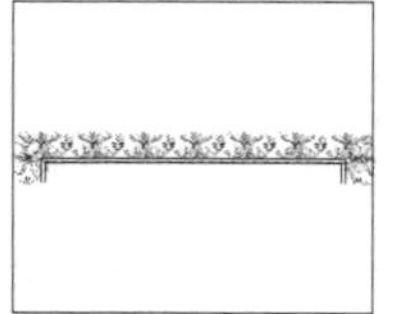
39C002

39C003

39C004

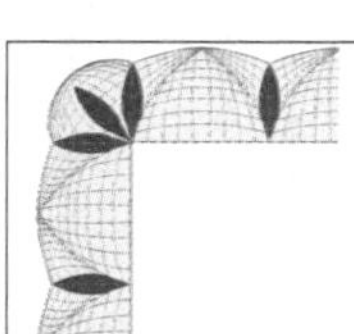
39C005

39C006

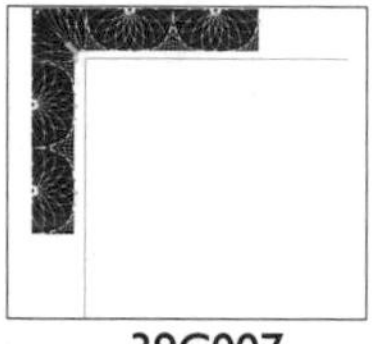
39C007

39C008

Space
Espace
Espacio
Weltall

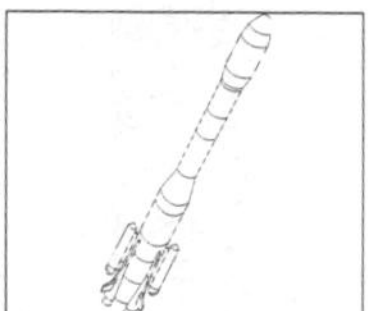
40A001

40A002

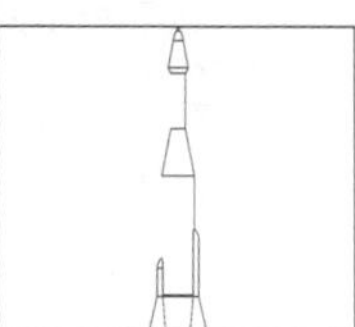
40A003

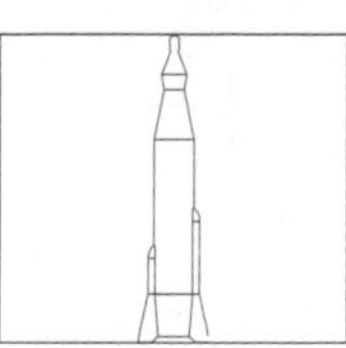
40A004

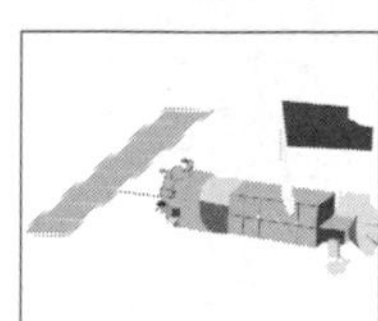
40A005

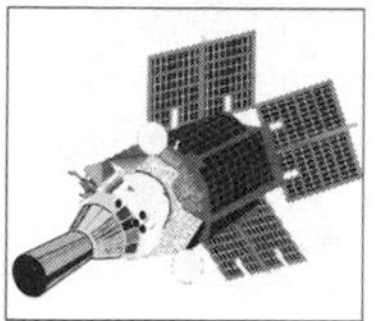
40A006

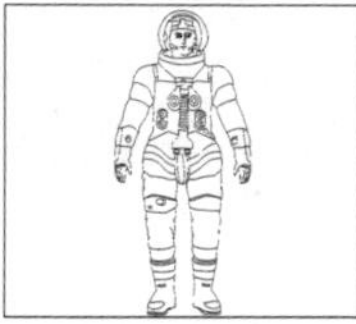
40A007

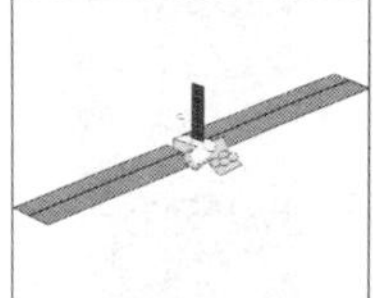
40A008

40A009

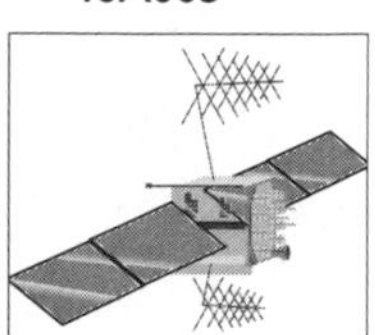
40A010

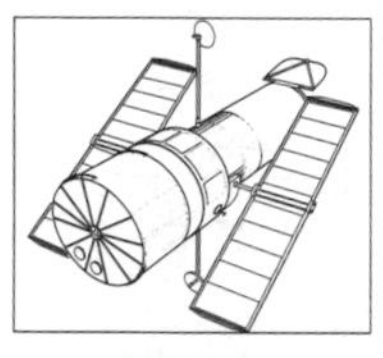
40A011

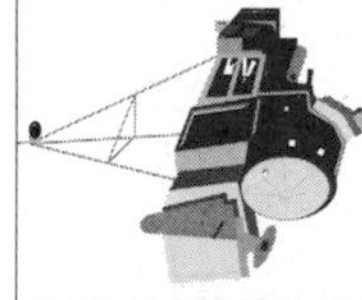
40A012

40A013

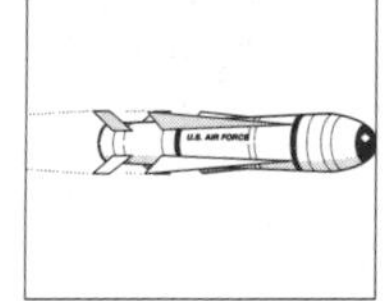
40A014

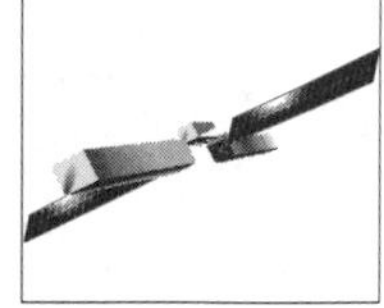
40A015

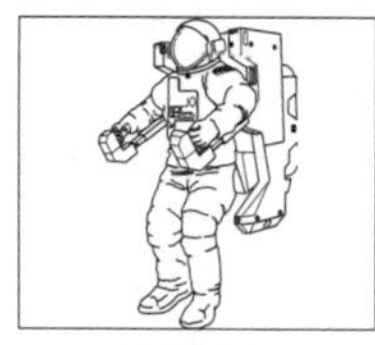
40A016

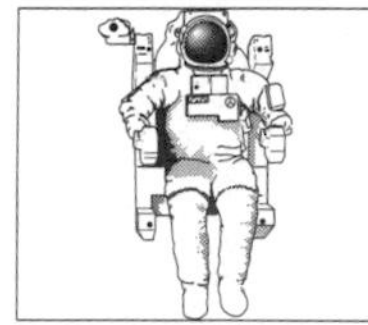
40A017

40A021

40A022

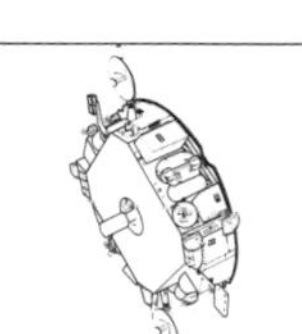
40A023

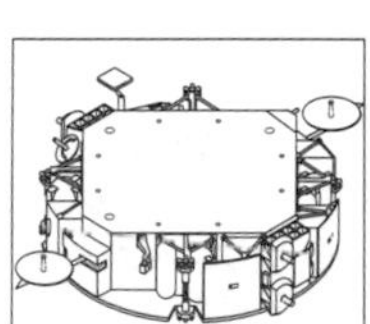
40A024

40A025

40A026

40A027

40A028

40A029

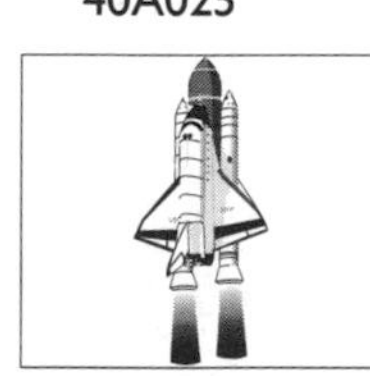
40A030

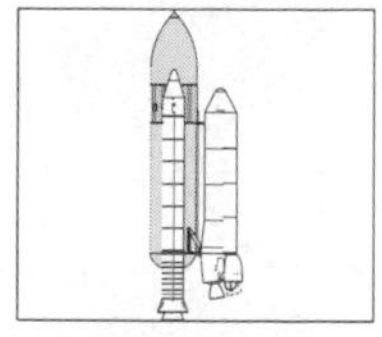
40A031

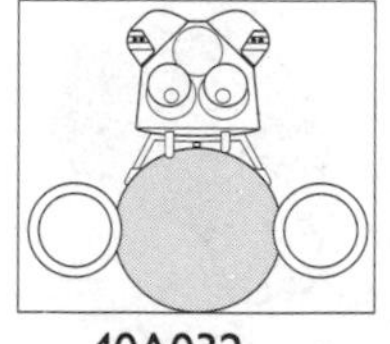
40A032

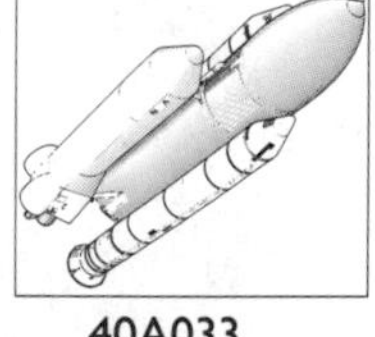
40A033

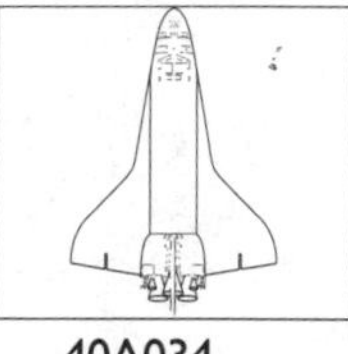
40A034

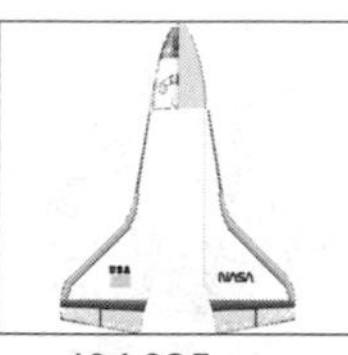
40A035

Space
Espace
Espacio
Weltall

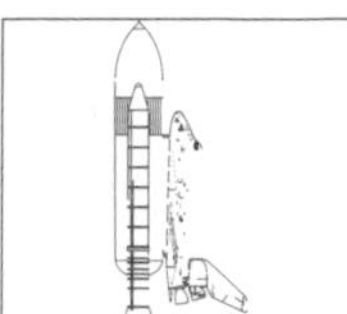	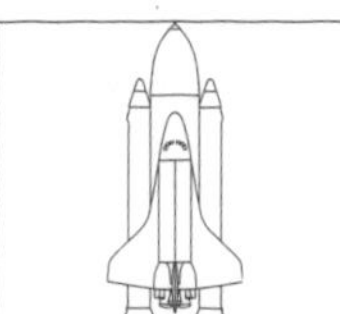	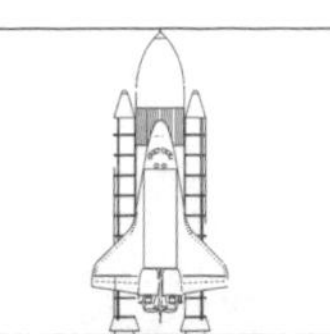	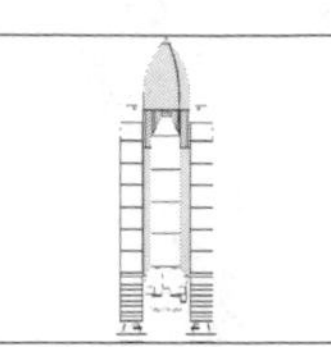	
40A036	40A037	40A038	40A039	40A040
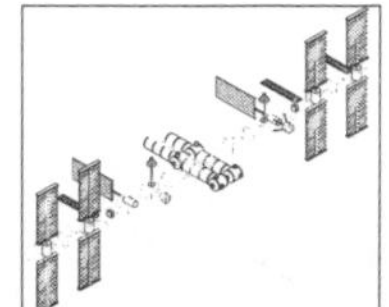	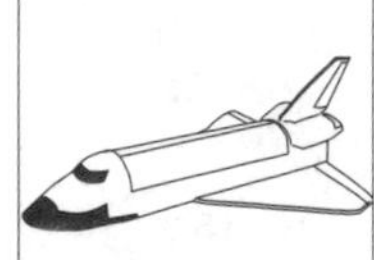		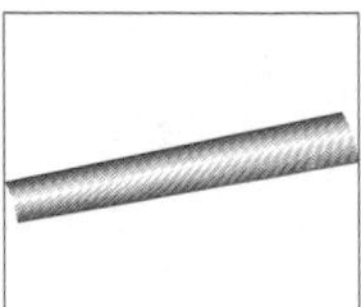	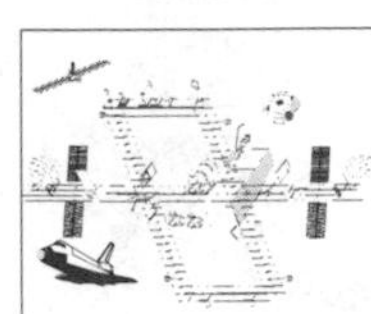
40A041	40A042	40A043	40A044	40A045
	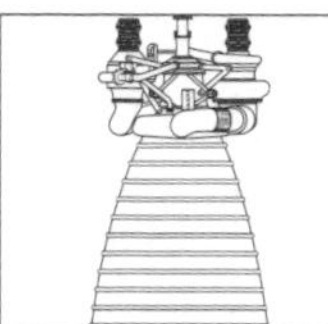	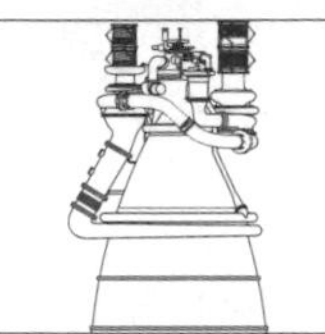	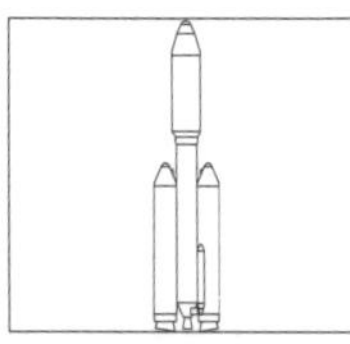	
40A046	40A047	40A048	40A049	40A050
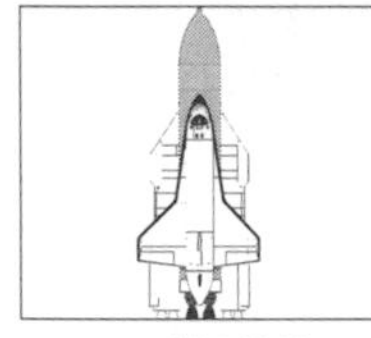	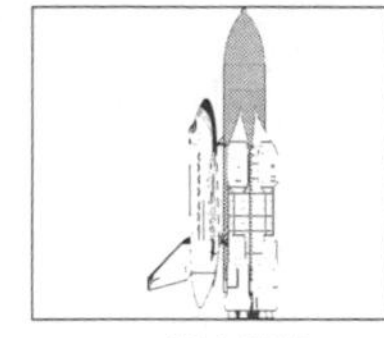	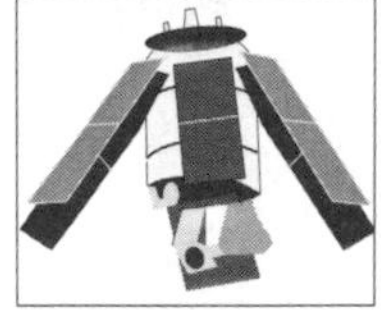 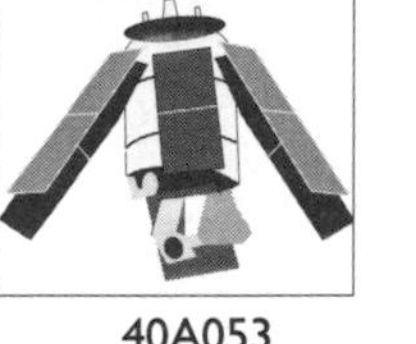		
40A051	40A052	40A053		

Sports
Sports
Desportes
Sport

COREL

	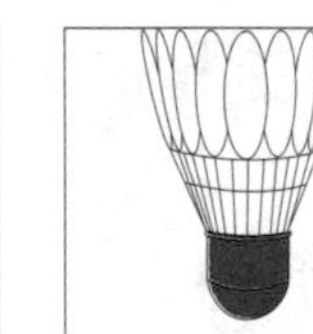	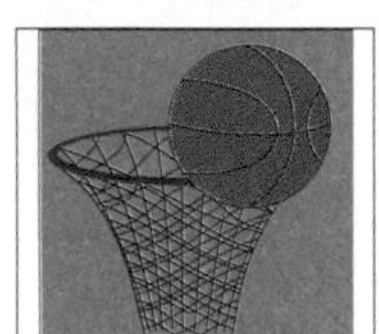	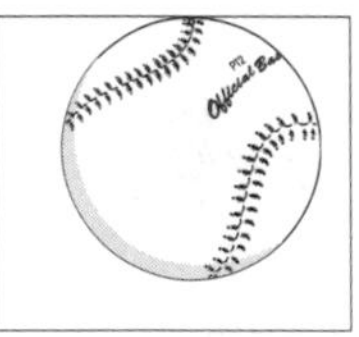	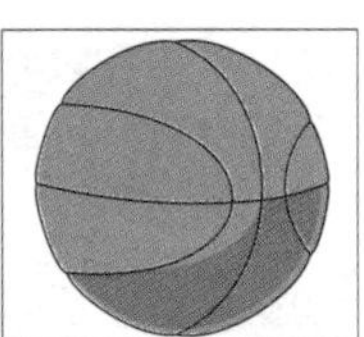
41A001	41A002	41A003	41A004	41A005
			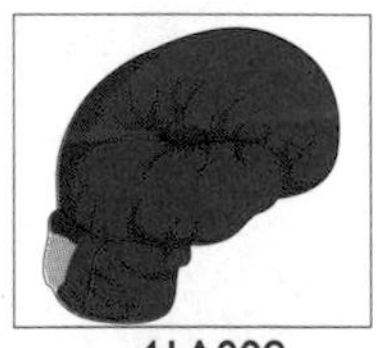	
41A006	41A007	41A008	41A009	41A010

Sports
Sports
Desportes
Sport

 41A011	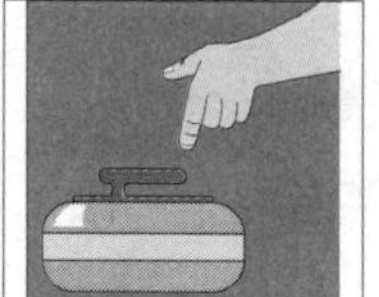 41A012	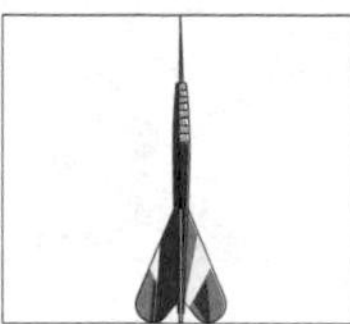 41A013	 41A014	 41A015
 41A016	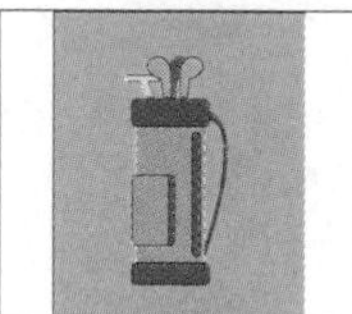 41A017	 41A018	 41A019	 41A020
 41A021	 41A022	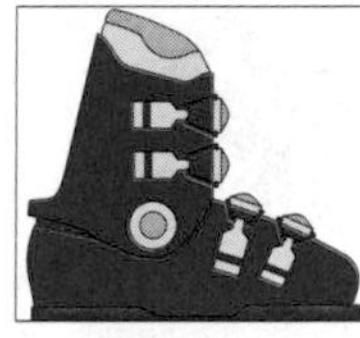 41A023	 41A024	 41A025
 41A026	 41A027	 41A028	 41A029	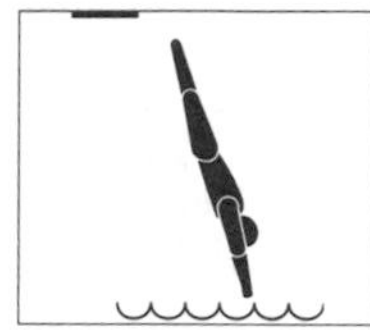 41A030
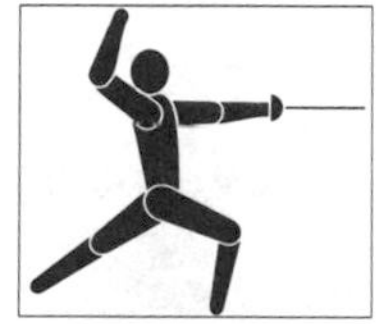 41A031	 41A032	 41A033	 41A034	 41A035
 41A036	 41A037	 41A038	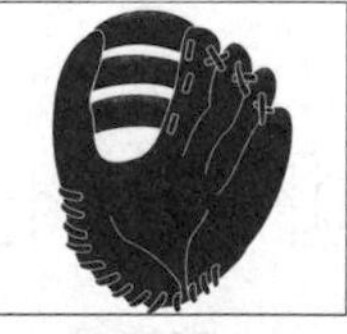 41A039	 41A040
 41A041	 41A042	 41A043	 41A044	 41A045

Sports
Sports
Desportes
Sport

41A046

41A047

41A048

41A049

41A050

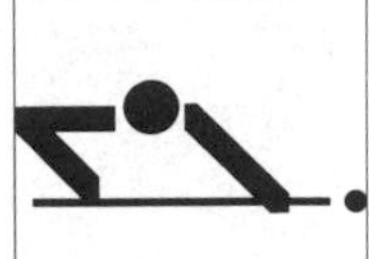
41A051

41A052

41A053

41A054

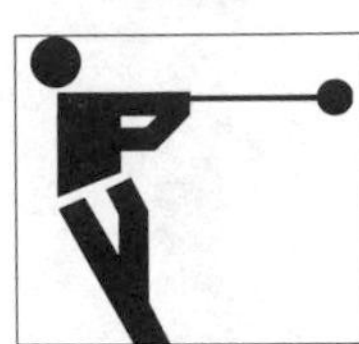
41A055

41A056

41A057

41A058

41A059

41A060

41A061

41A062

41A063

41A064

41A065

41A066

41A067

41A068

41A069

41A070

41A071

41A072

41A073

41A074

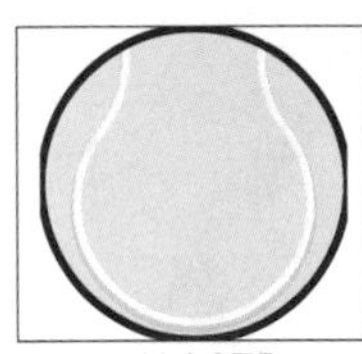
41A075

41A076

41A077

41A078

Sports
Sports
Desportes
Sport

 41B001	41B002	 41B003	 41B004	 41B005
 41B006	 41B007	 41B008	 41B009	 41B010
 41B011	 41B012	 41B013	 41B014	 41B015
 41B016	 41B017	 41B018	 41B019	 41B020
 41B021	 41B022	 41B023	 41B024	 41B025
 41B026	 41B027	 41B028	 41B029	 41B030
 41B031	 41B032	 41B033	 41B034	 41B035

Sports
Sports
Desportes
Sport

41B036

41B037

41B038

41B039

41B040

41B041

41B042

41B043

41B044

41B045

41B046

41B047

41B048

41B049

Sports
Sports
Desportes
Sport

41C001

41C002

41C003

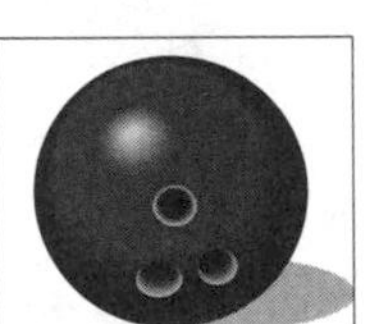
41C004

41C005

41C006

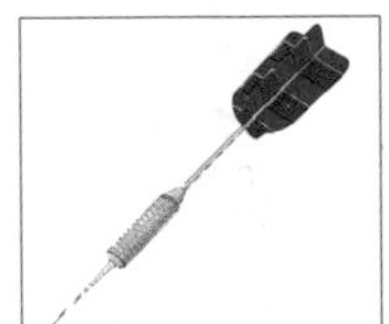
41C007

41C008

41C009

41C010

41C011

41C012

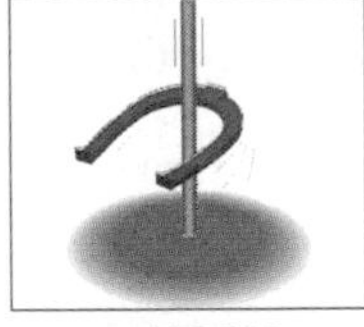
41C013

41C014

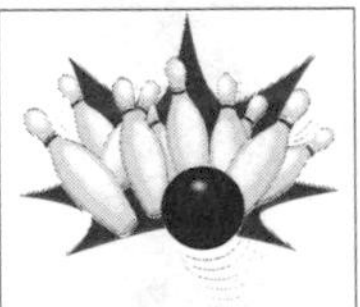
41C015

Theme Border
Cadres Thématiques
Marcos
Thematische Rahmen

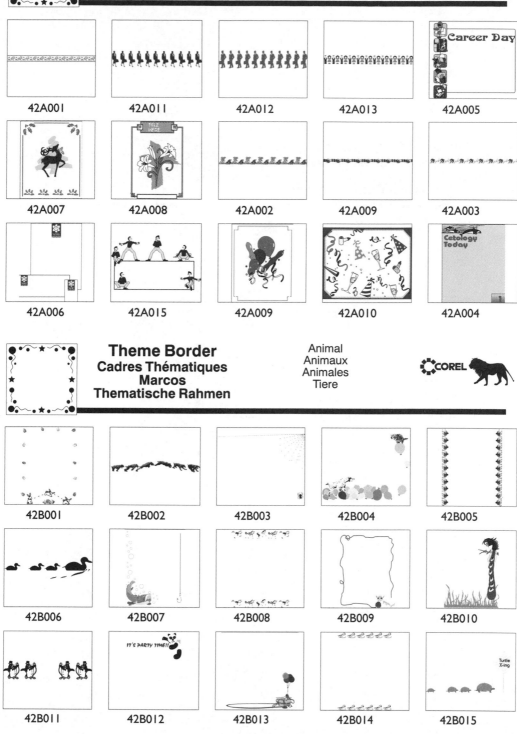

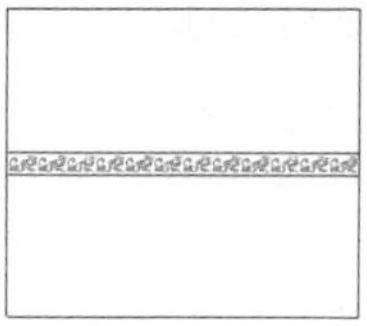

42A001	42A011	42A012	42A013	42A005
42A007	42A008	42A002	42A009	42A003
42A006	42A015	42A009	42A010	42A004

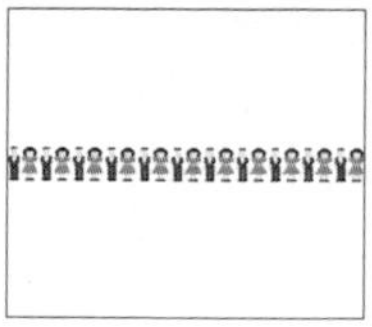

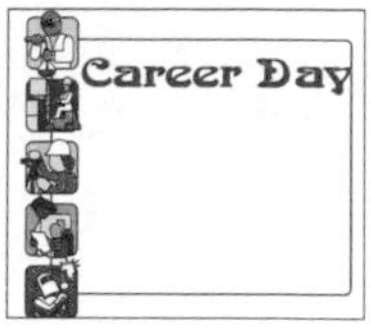

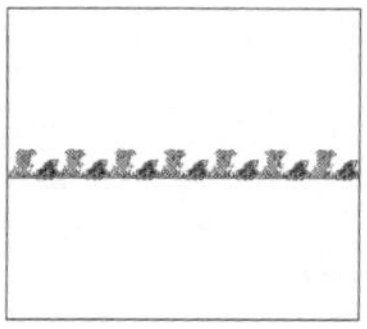

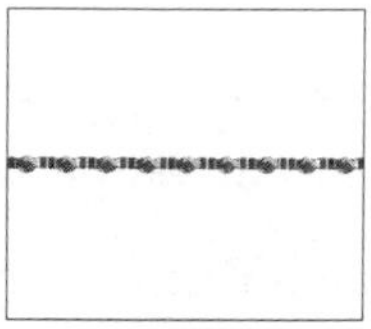

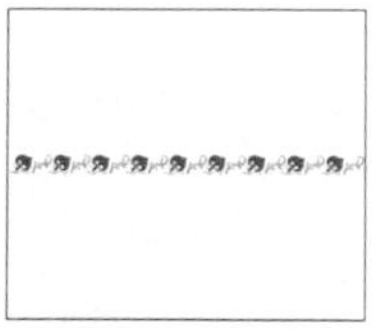

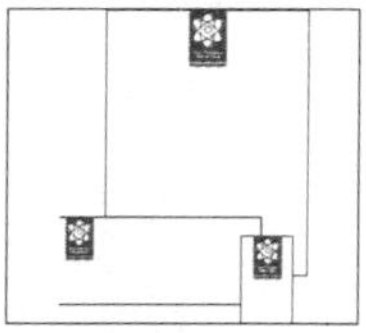

Theme Border
Cadres Thématiques
Marcos
Thematische Rahmen

Animal
Animaux
Animales
Tiere

COREL

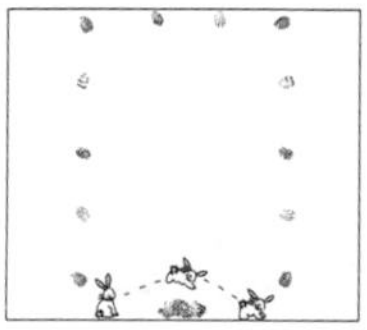

42B001	42B002	42B003	42B004	42B005
42B006	42B007	42B008	42B009	42B010
42B011	42B012	42B013	42B014	42B015

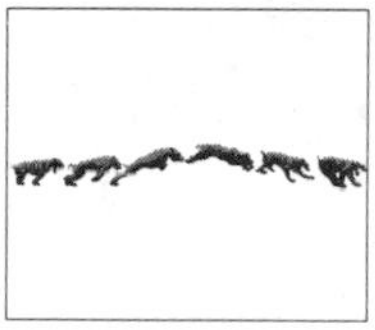

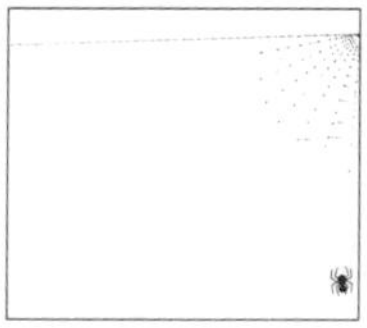

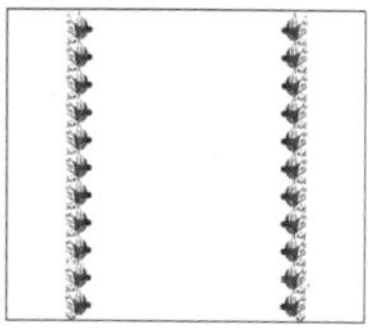

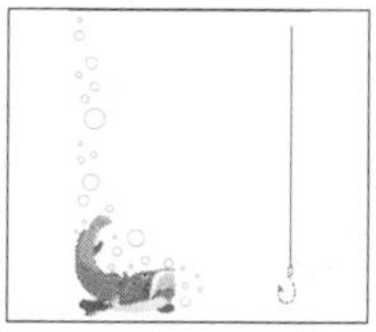

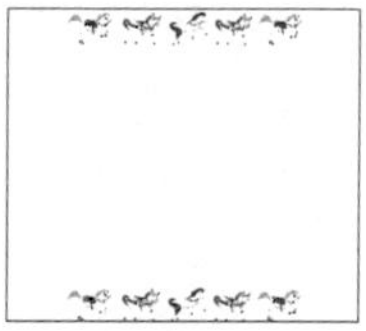

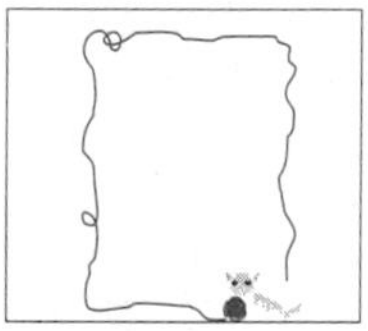

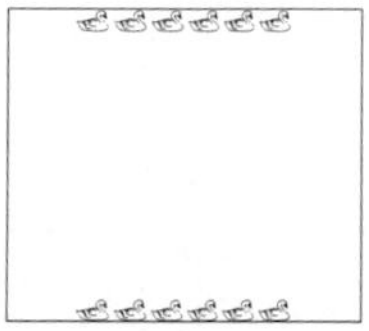

Theme Border
Cadres Thématiques
Marcos
Thematische Rahmen

Animal
Animaux
Animales
Tiere

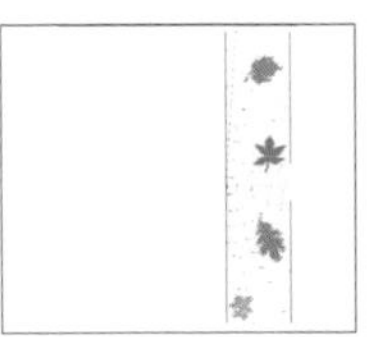

42B016

Theme Border
Cadres Thématiques
Marcos
Thematische Rahmen

Business
Affaires
Negocios
Wirtschaft

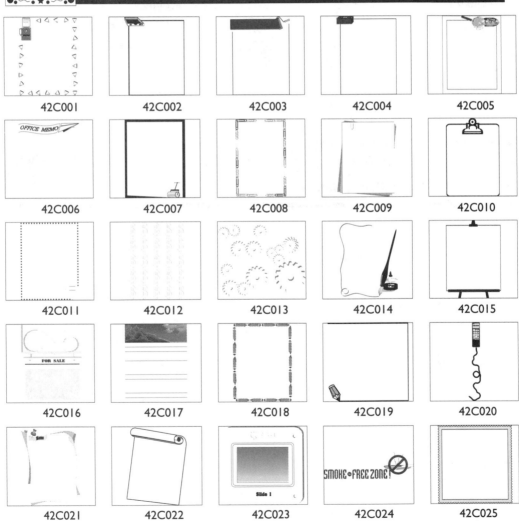

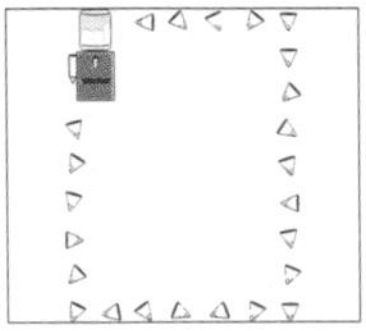

42C001	42C002	42C003	42C004	42C005
42C006	42C007	42C008	42C009	42C010
42C011	42C012	42C013	42C014	42C015
42C016	42C017	42C018	42C019	42C020
42C021	42C022	42C023	42C024	42C025

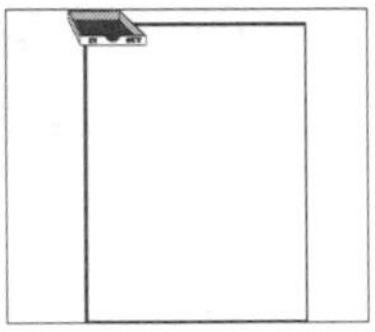

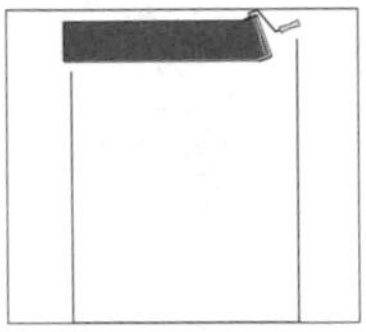

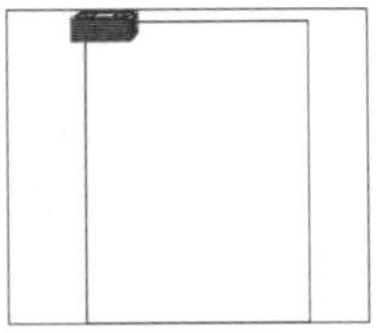

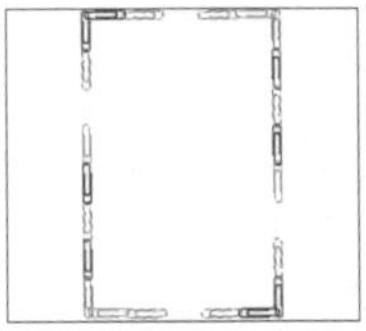

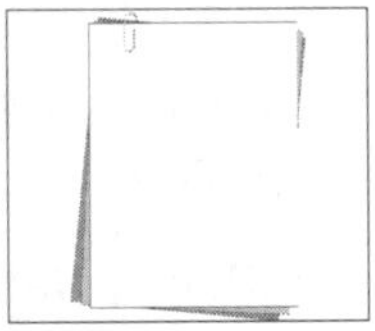

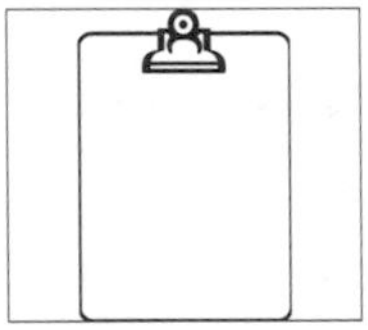

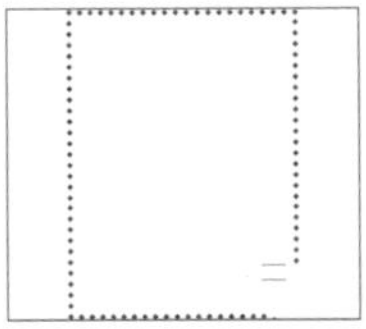

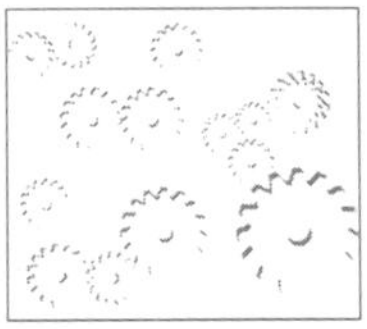

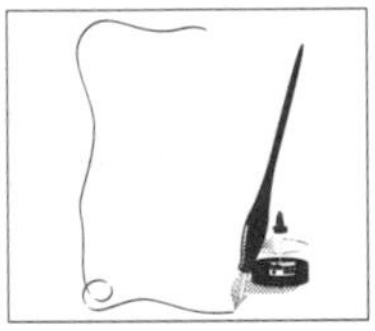

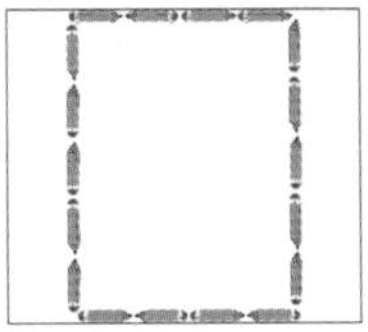

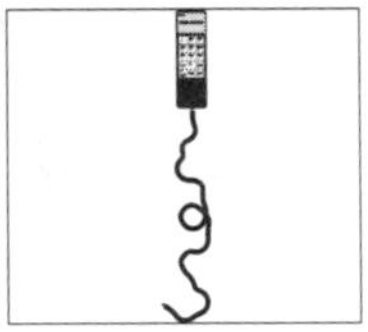

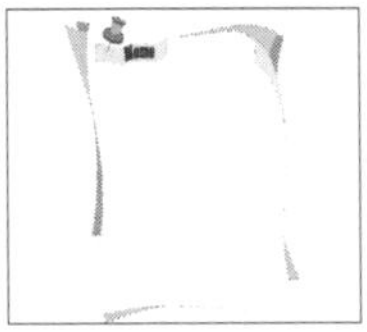

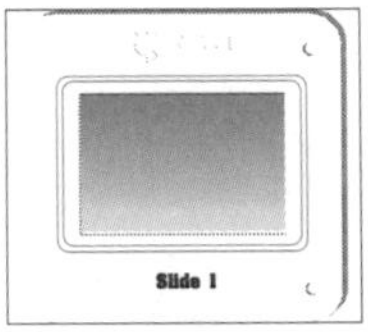

Theme Border
Cadres Thématiques
Marcos
Thematische Rahmen

Business
Affaires
Negocios
Wirtschaft

42C026

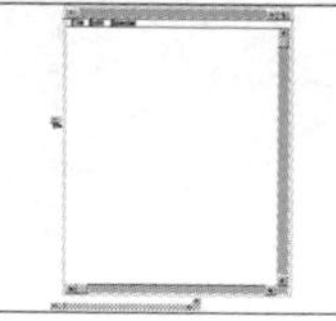
42C027

Theme Border
Cadres Thématiques
Marcos
Thematische Rahmen

Garden
Jardin
Jardin
Garten

42D001

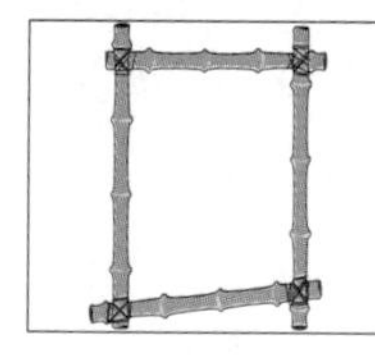
42D002

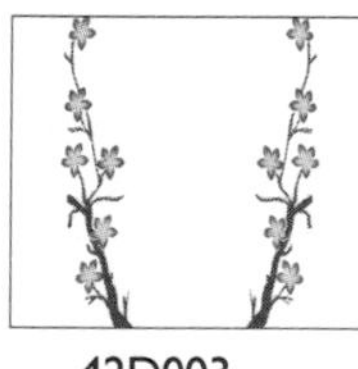
42D003

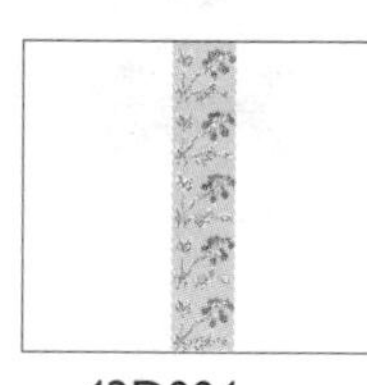
42D004

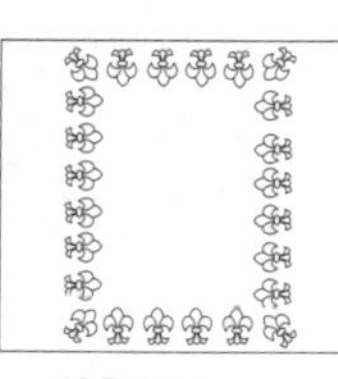
42D005

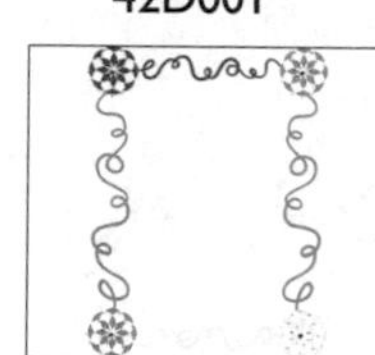
42D006

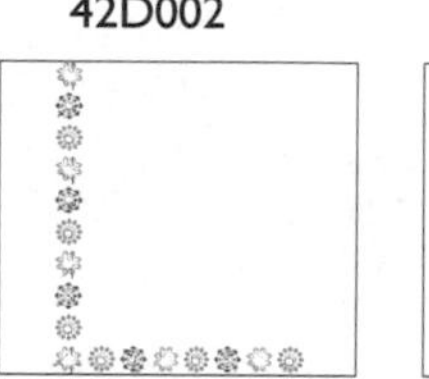
42D007

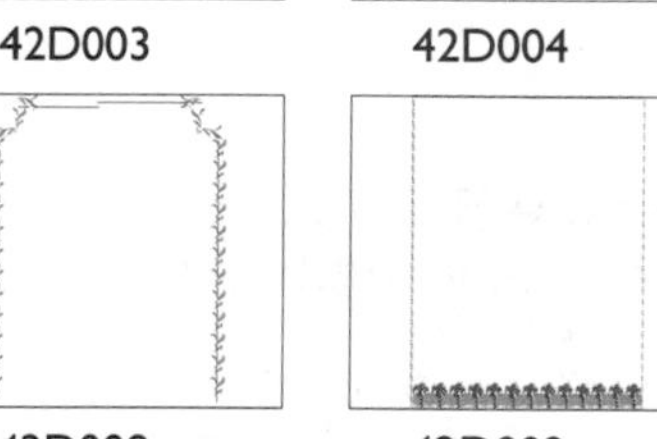
42D008

42D009

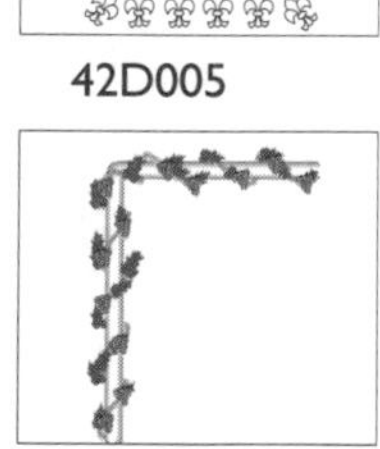
42D010

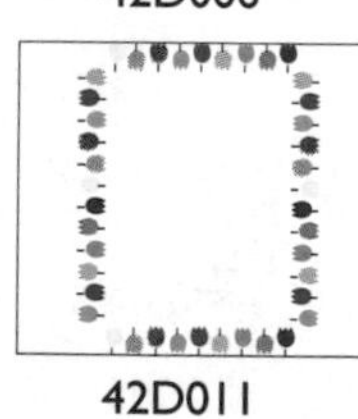
42D011

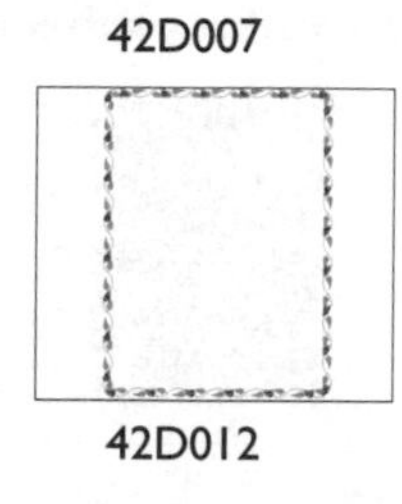
42D012

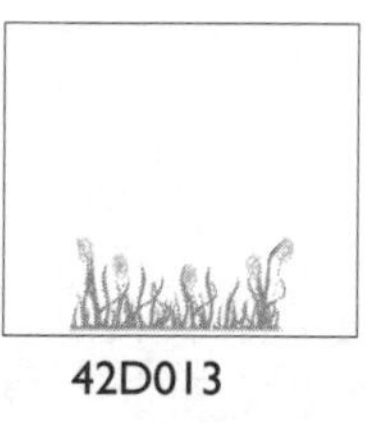
42D013

Theme Border
Cadres Thématiques
Marcos
Thematische Rahmen

Holiday
Festivités
Festivo
Feiertage

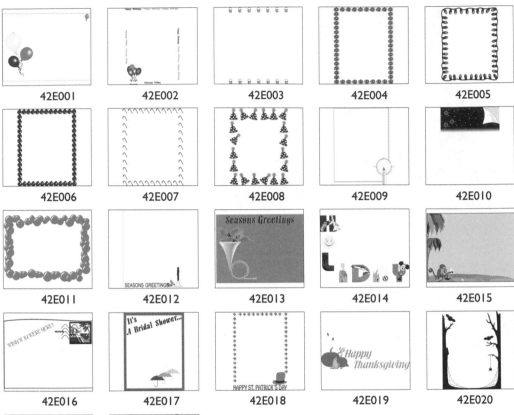

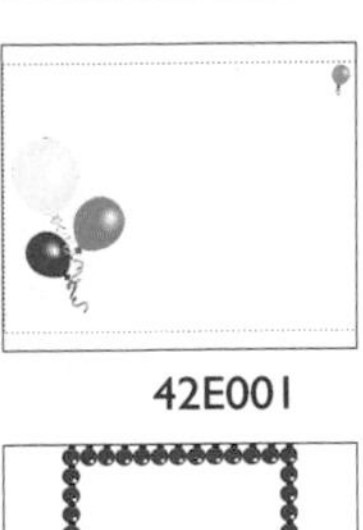
42E001

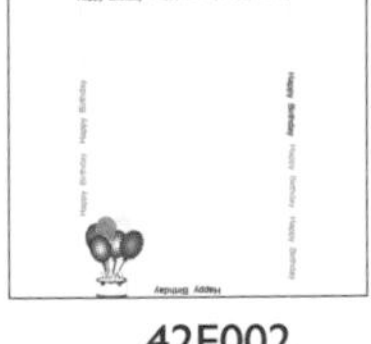
42E002

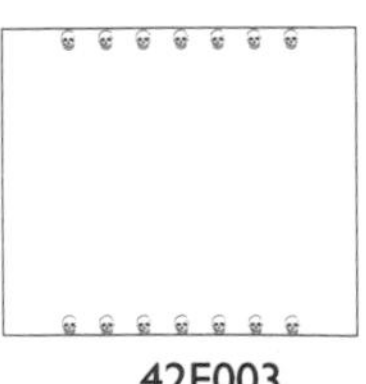
42E003

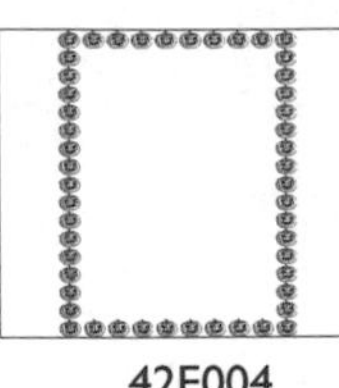
42E004

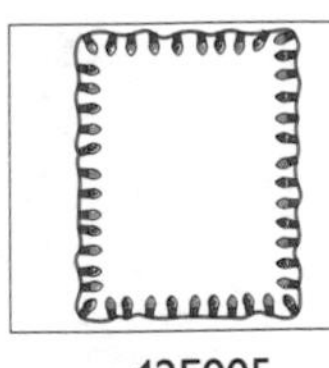
42E005

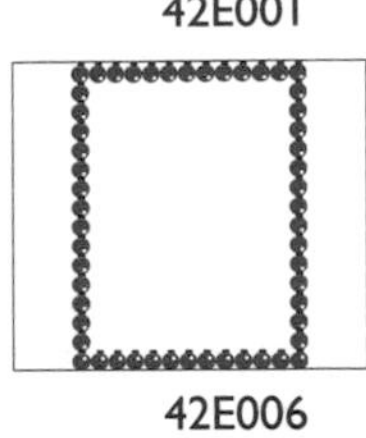
42E006

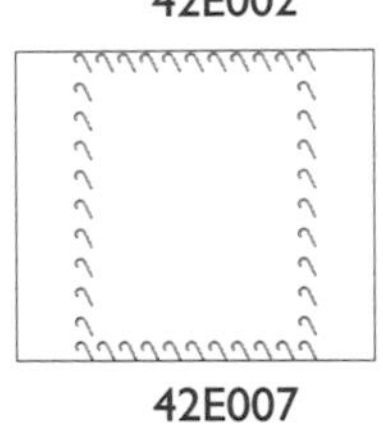
42E007

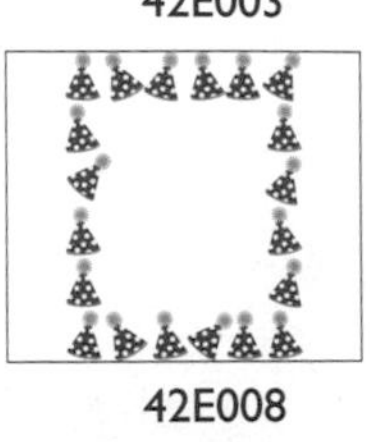
42E008

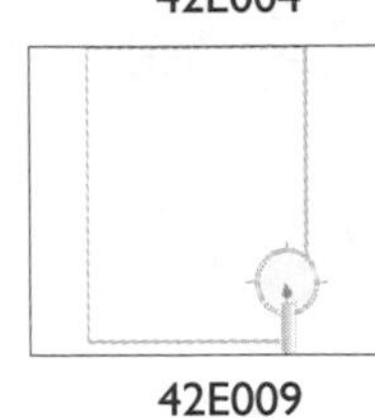
42E009

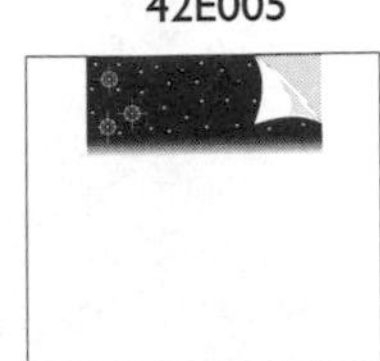
42E010

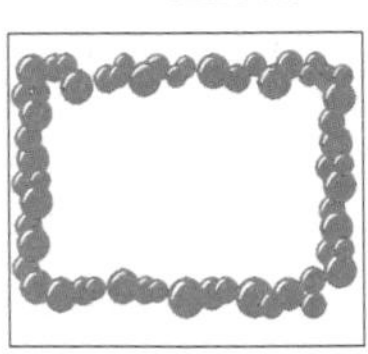
42E011

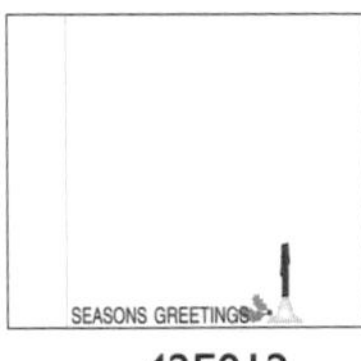

42E012

42E013

42E014

42E015

42E016

42E017

42E018

42E019

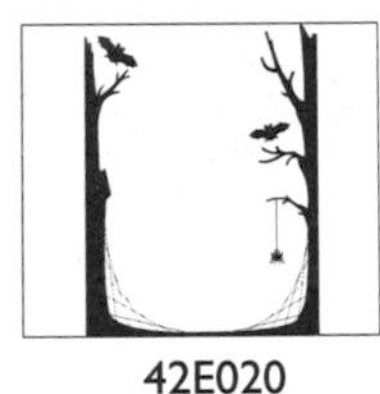
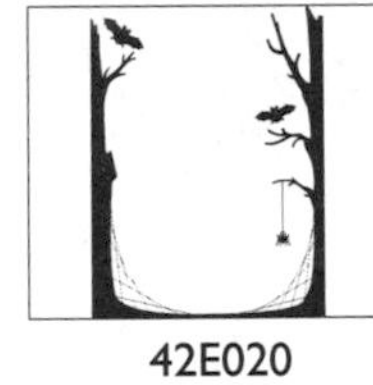
42E020

42E021

42E022

Theme Border
Cadres Thématiques
Marcos
Thematische Rahmen

Leisure
Loisirs
Ocio
Freizeit

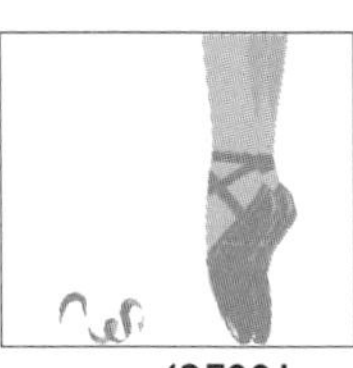
42F001

42F002

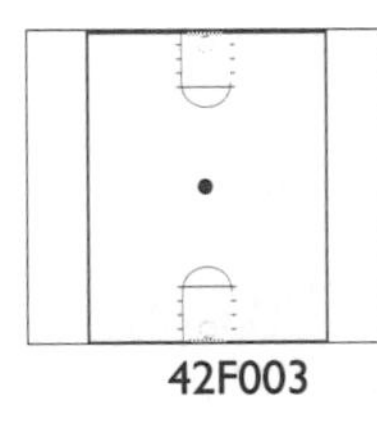
42F003

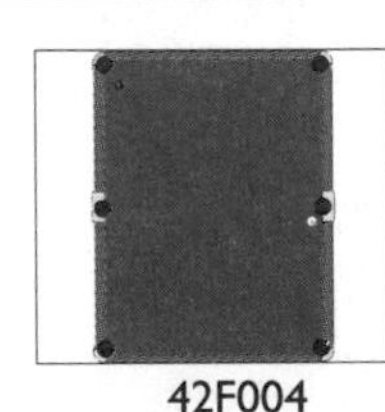
42F004

42F005

Theme Border
Cadres Thématiques
Marcos
Thematische Rahmen

Leisure
Loisirs
Ocio
Freizeit

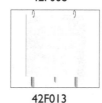

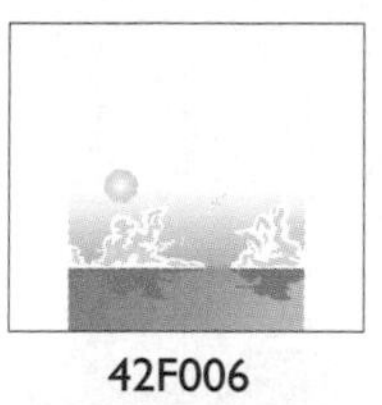
42F006

42F007

42F008

42F009

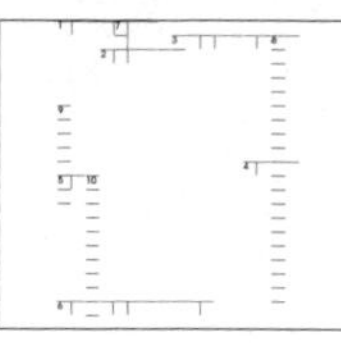
42F010

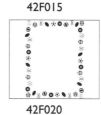

42F011

42F012

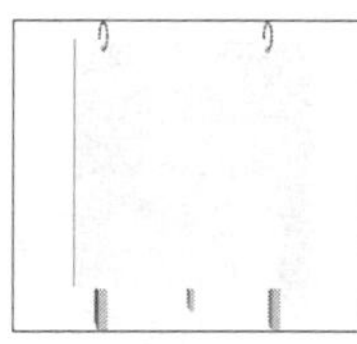
42F013

42F014

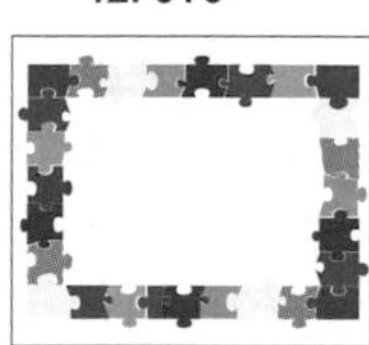
42F015

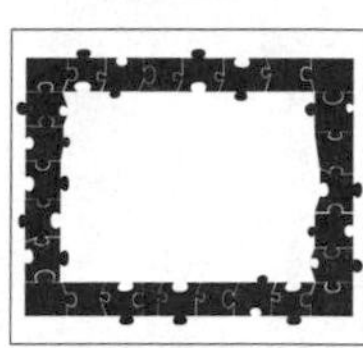
42F016

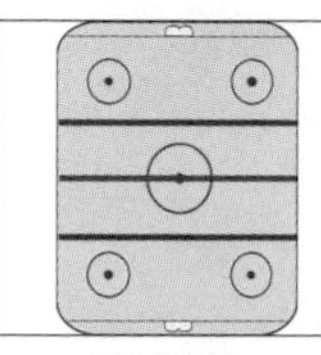
42F017

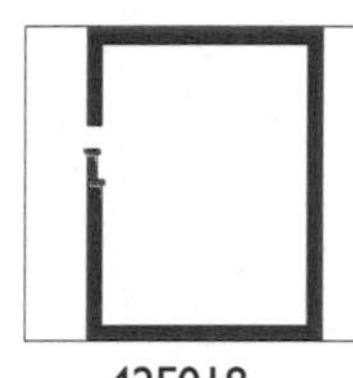
42F018

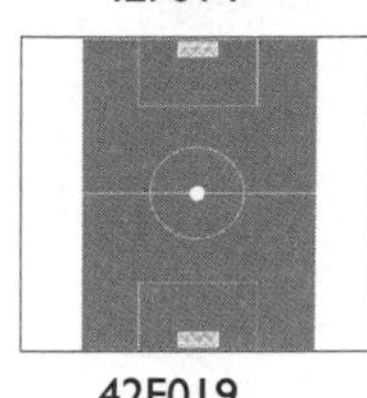
42F019

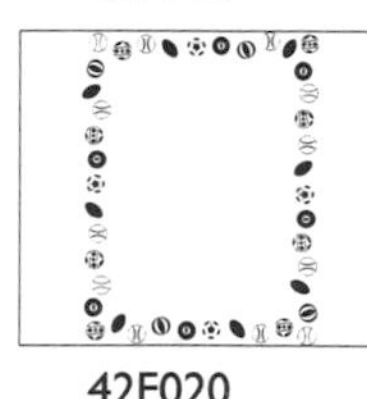
42F020

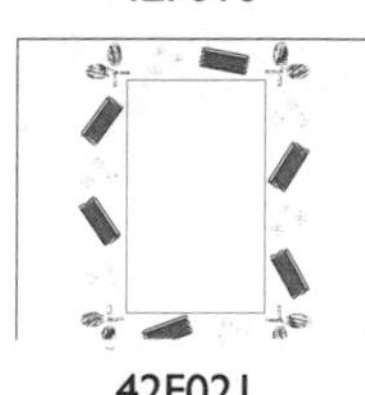
42F021

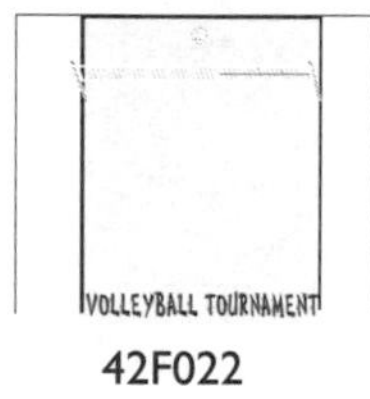
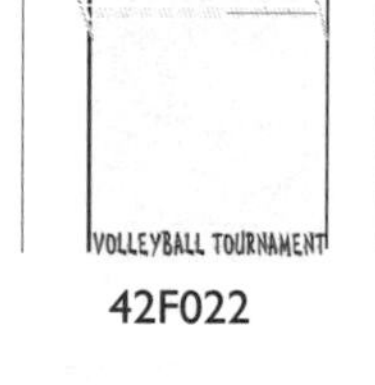

42F022

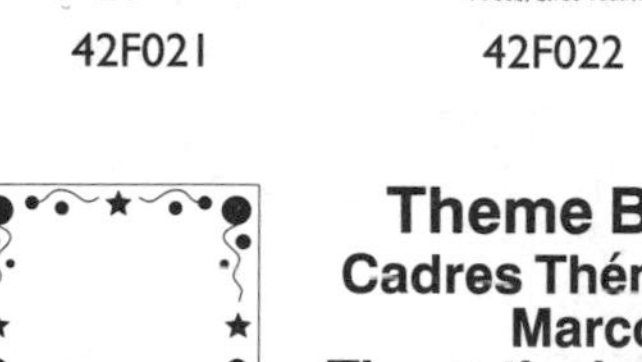

Theme Border
Cadres Thématiques
Marcos
Thematische Rahmen

Miscellaneous
Divers
Varios
Verschiedenes

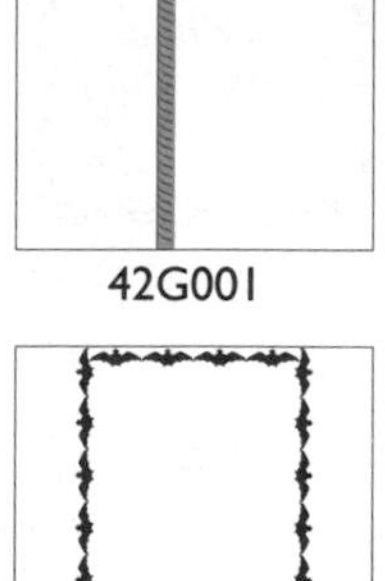
42G001

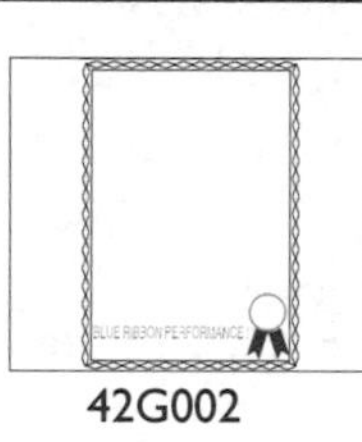
42G002

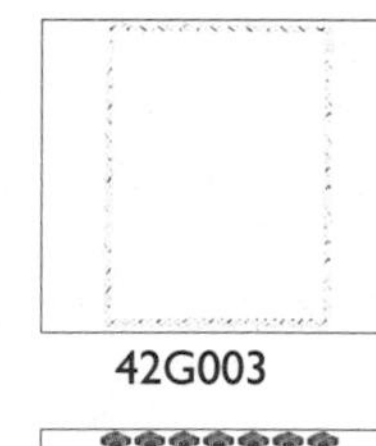
42G003

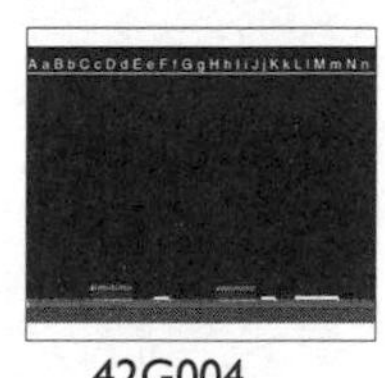
42G004

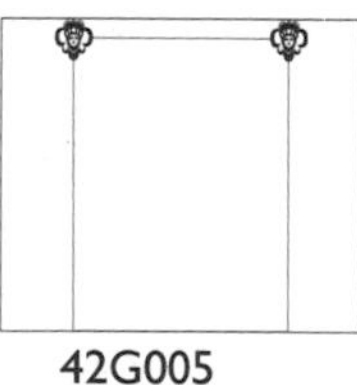
42G005

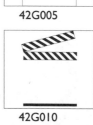

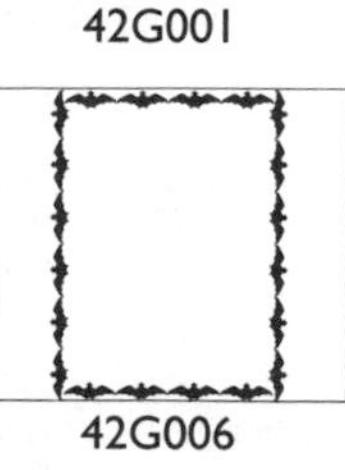
42G006

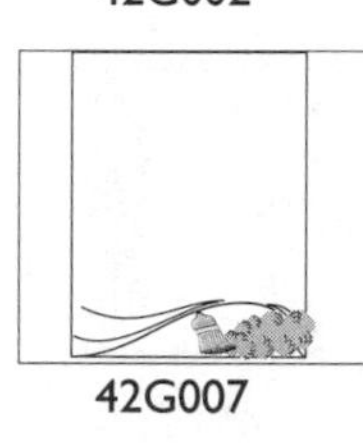
42G007

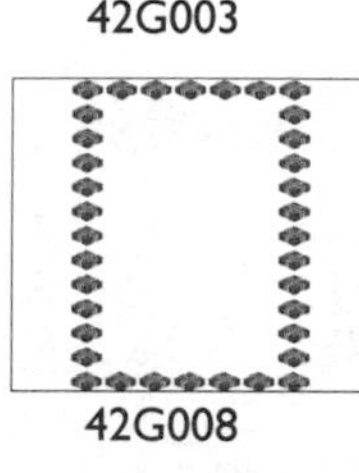
42G008

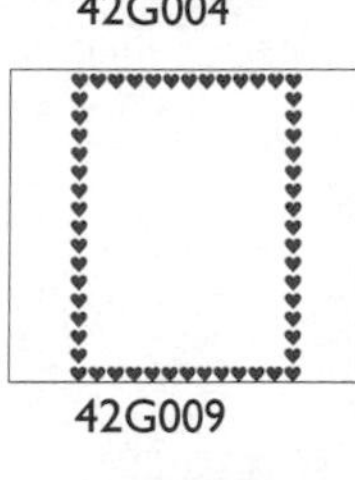
42G009

42G010

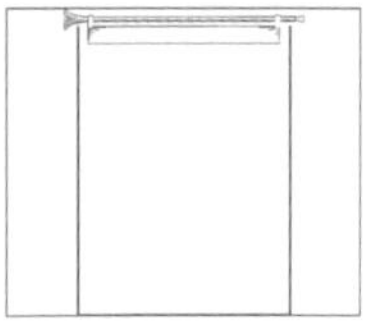

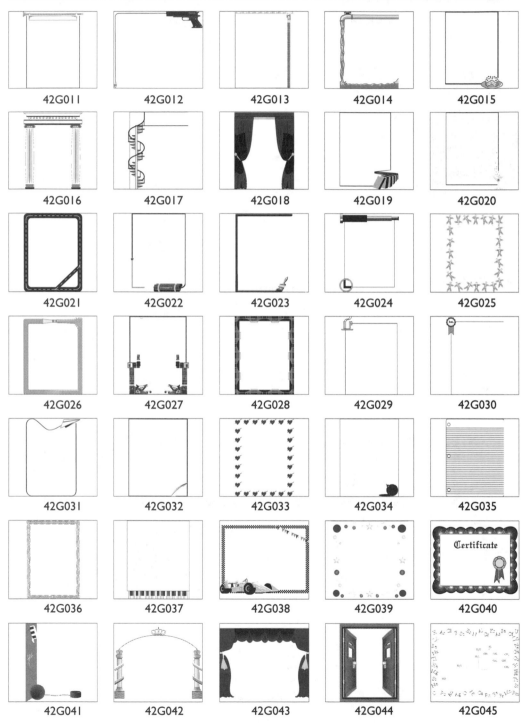

42G011	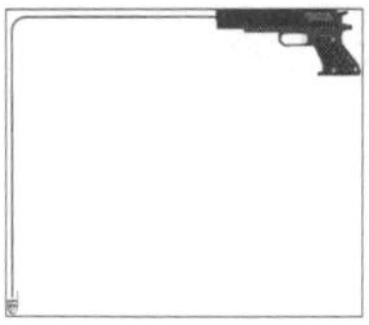 42G012	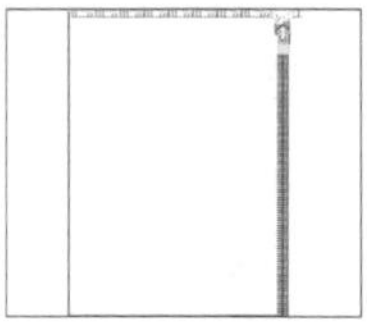 42G013	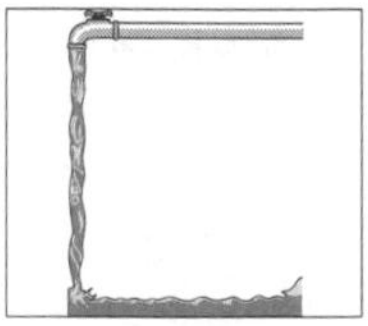 42G014	 42G015
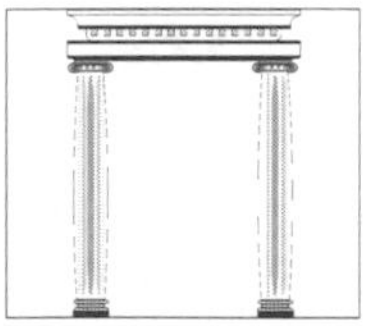 42G016	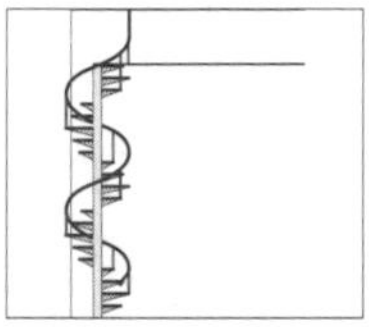 42G017	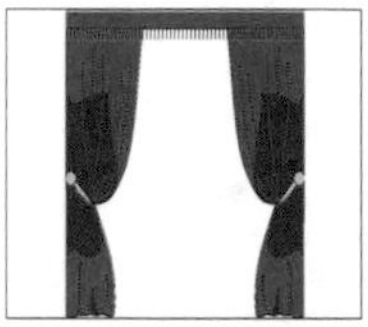 42G018	 42G019	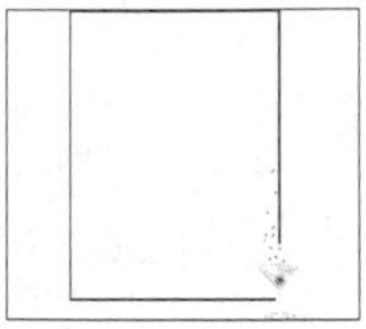 42G020
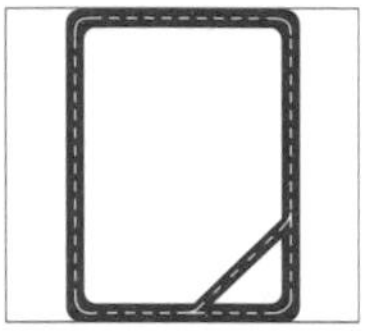 42G021	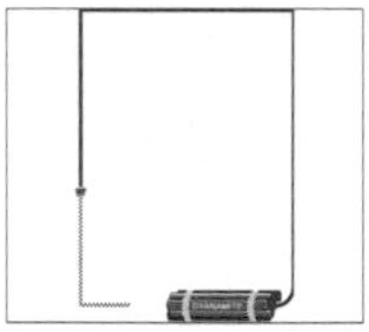 42G022	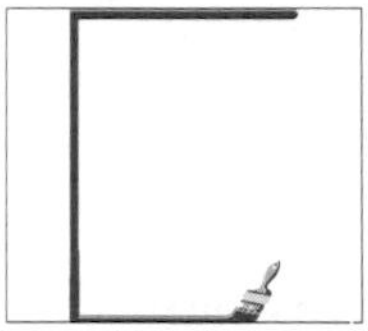 42G023	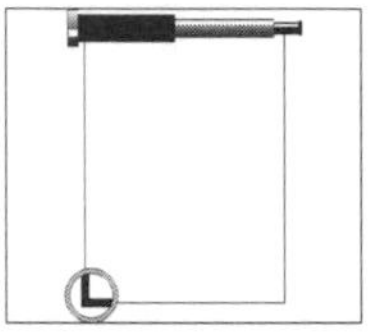 42G024	 42G025
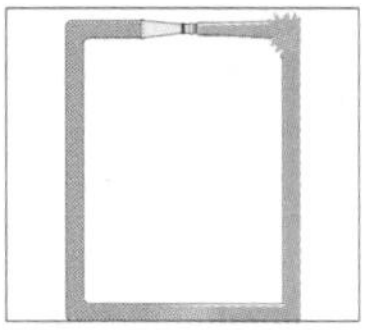 42G026	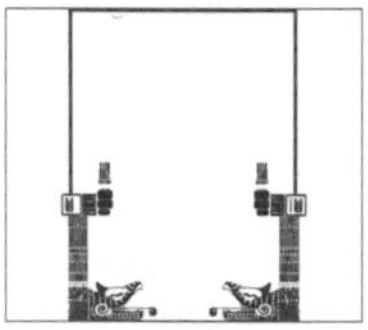 42G027	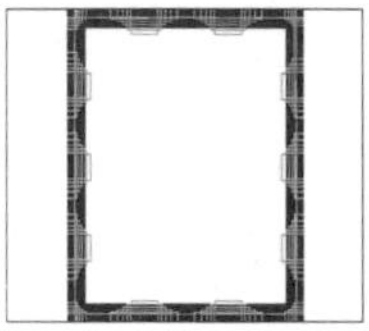 42G028	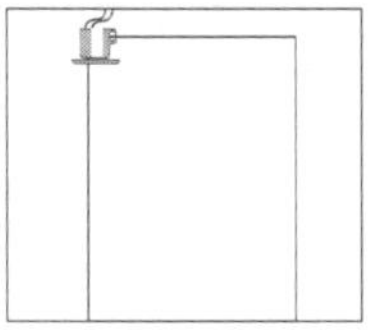 42G029	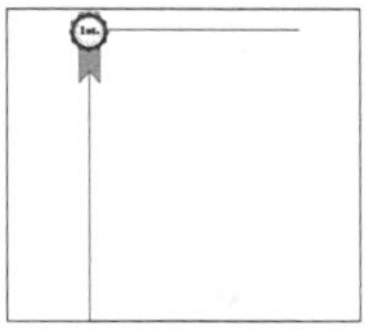 42G030
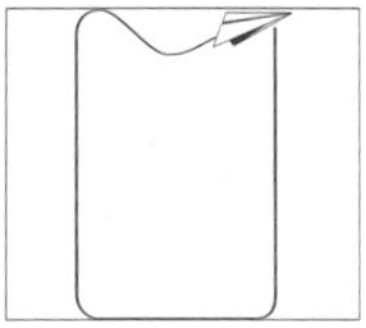 42G031	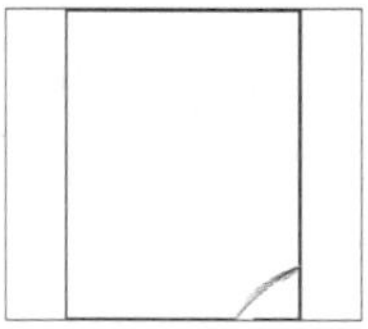 42G032	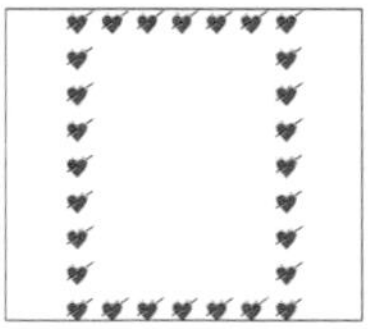 42G033	 42G034	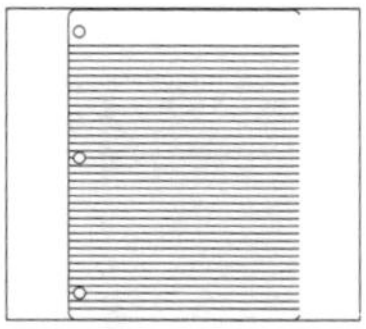 42G035
42G036	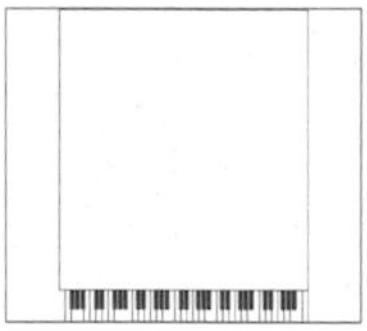 42G037	 42G038	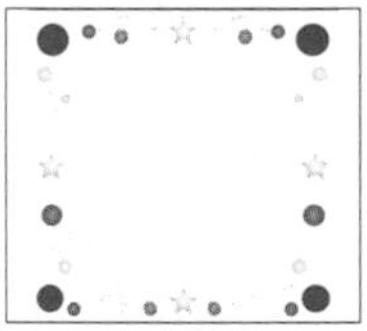 42G039	42G040
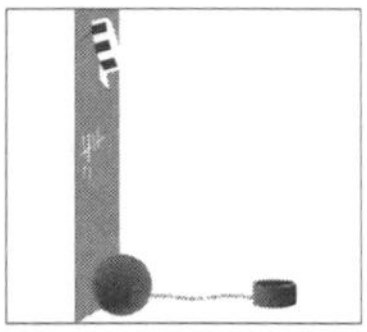 42G041	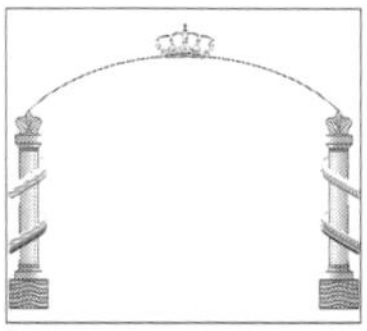 42G042	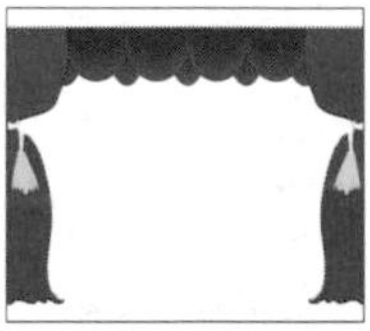 42G043	 42G044	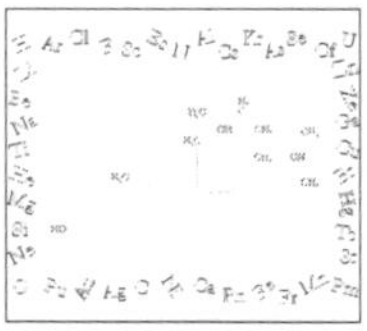 42G045

Theme Border
Cadres Thématiques
Marcos
Thematische Rahmen

Miscellaneous
Divers
Varios
Verschiedenes

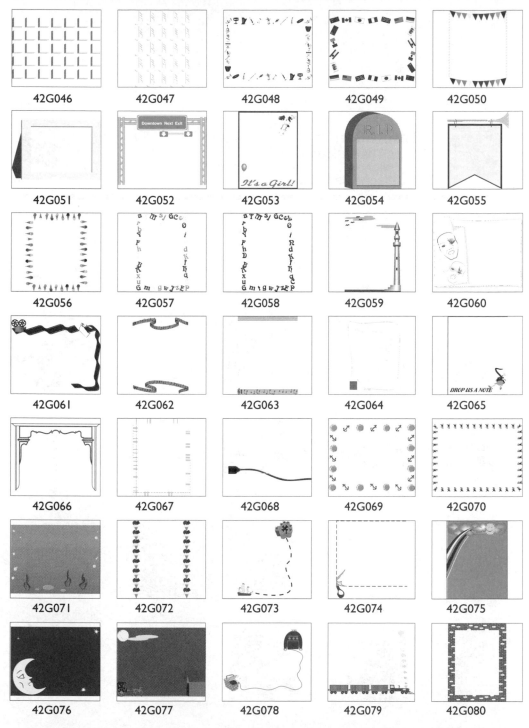

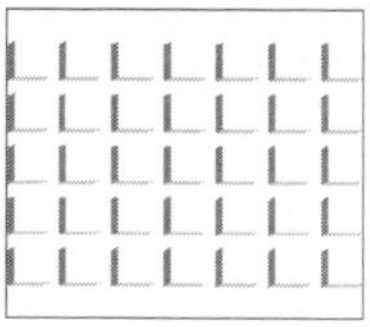

42G046	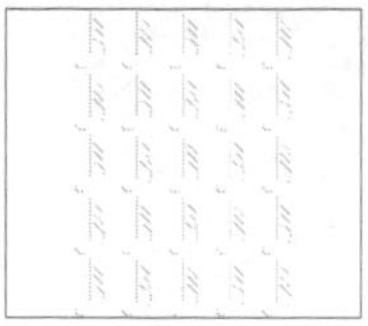 42G047	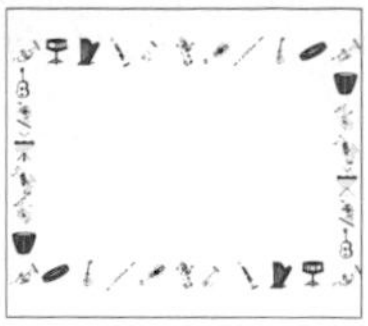 42G048	 42G049	 42G050
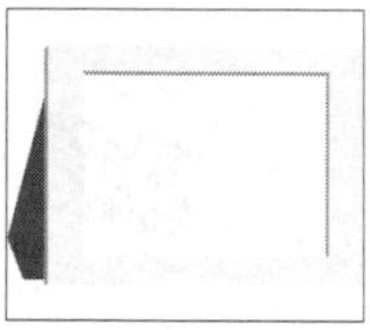 42G051	42G052	42G053	42G054	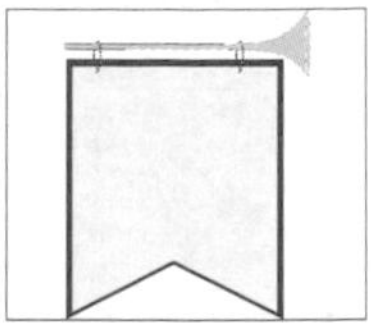 42G055
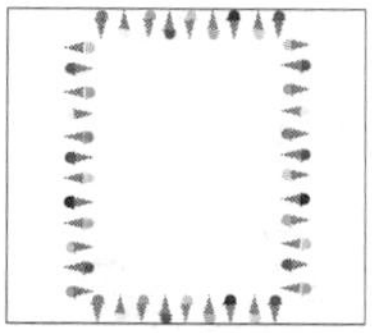 42G056	 42G057	 42G058	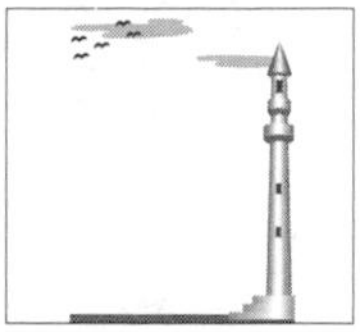 42G059	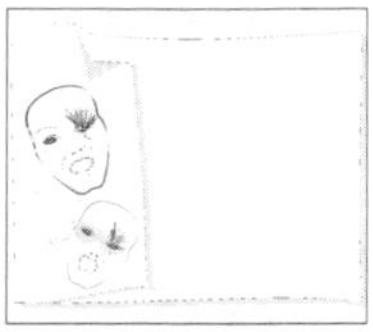 42G060
 42G061	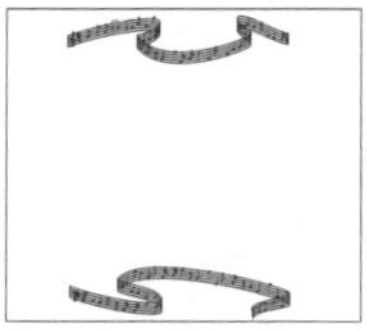 42G062	 42G063	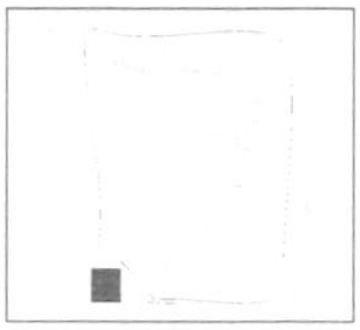 42G064	42G065
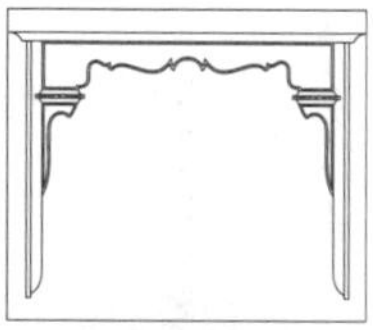 42G066	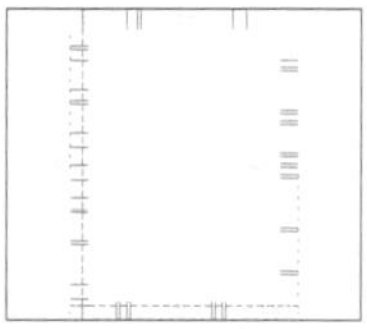 42G067	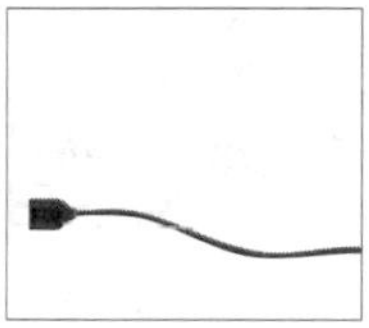 42G068	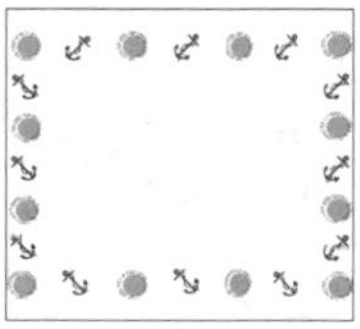 42G069	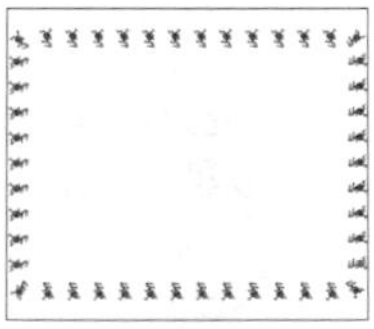 42G070
 42G071	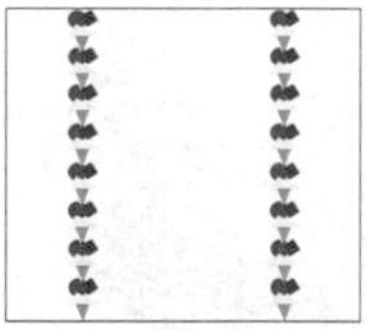 42G072	 42G073	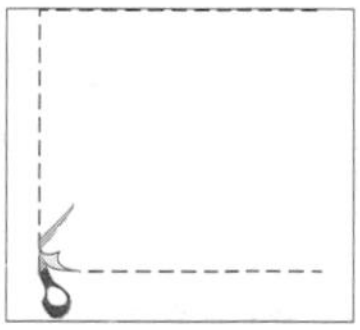 42G074	 42G075
 42G076	 42G077	 42G078	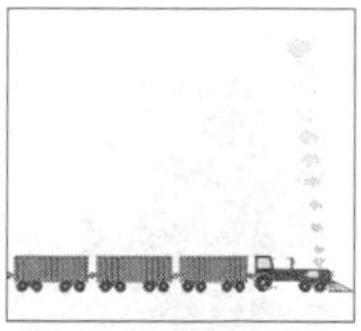 42G079	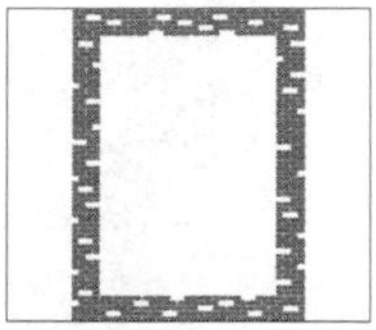 42G080

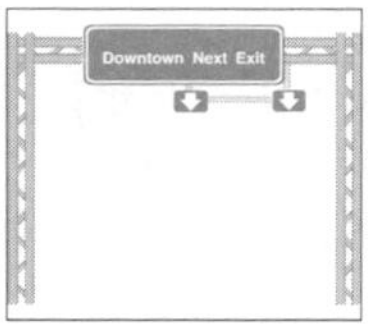

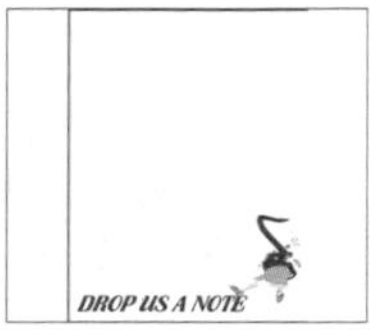

Theme Border
Cadres Thématiques
Marcos
Thematische Rahmen

Miscellaneous
Divers
Varios
Verschiedenes

42G081

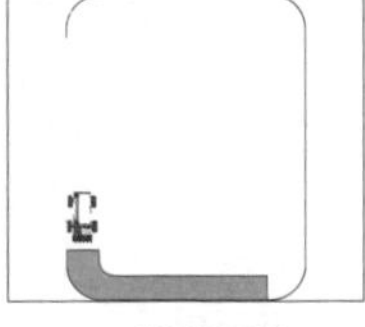

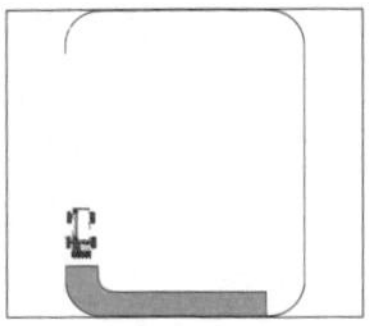

42G082

Theme Border
Cadres Thématiques
Marcos
Thematische Rahmen

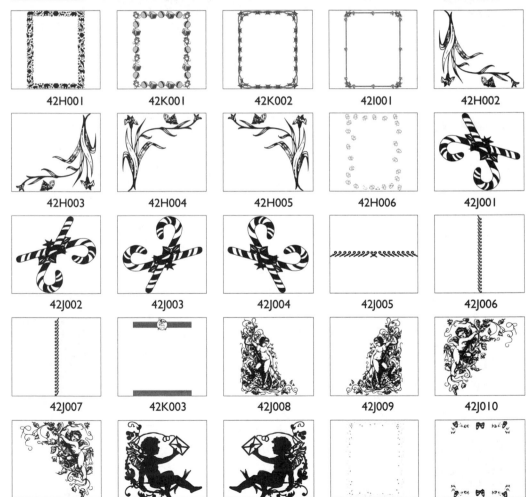

42H001 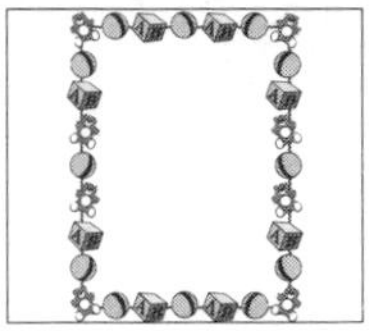 42K001  42K002 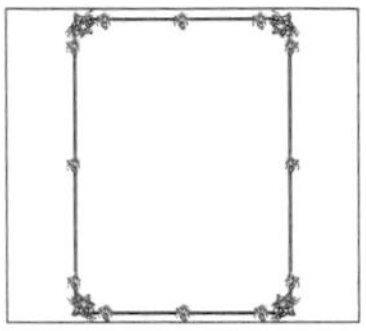 42I001  42H002

42H003  42H004  42H005 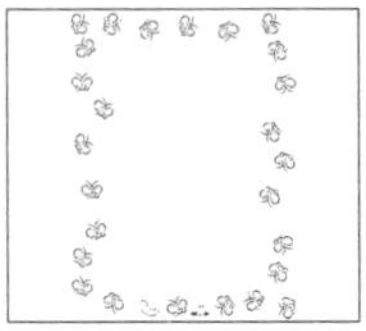 42H006  42J001

42J002  42J003  42J004 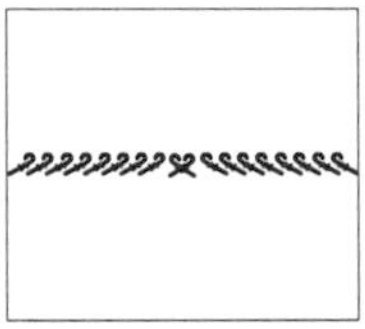 42J005 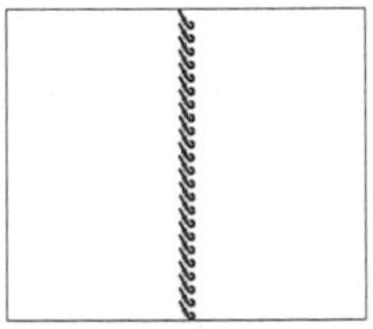 42J006

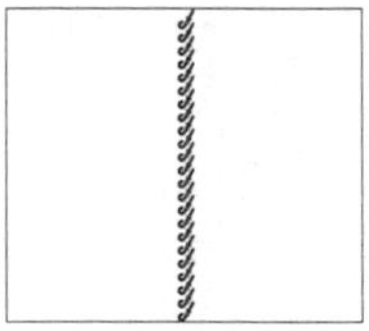

42J007 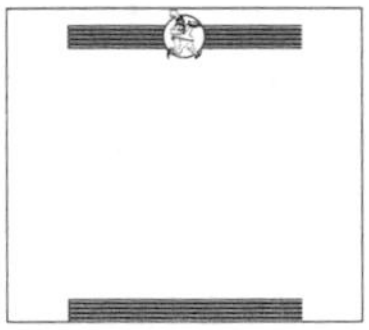 42K003  42J008  42J009  42J010

42J011  42J012  42J013 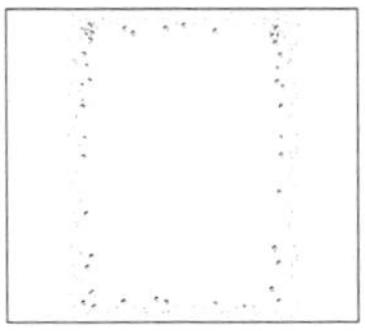 42H007  42K004

Theme Border
Cadres Thématiques
Marcos
Thematische Rahmen

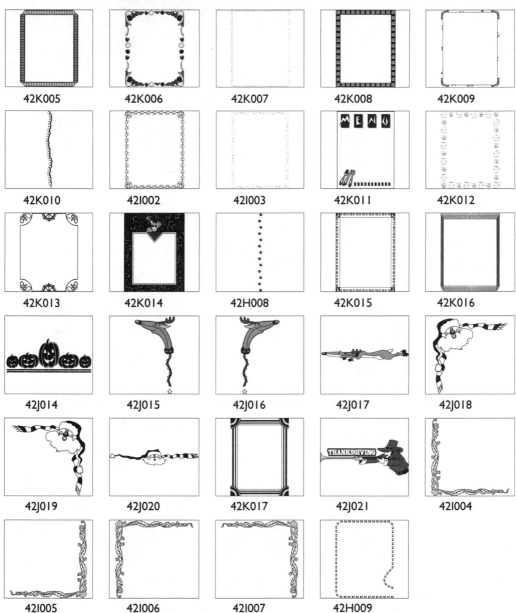

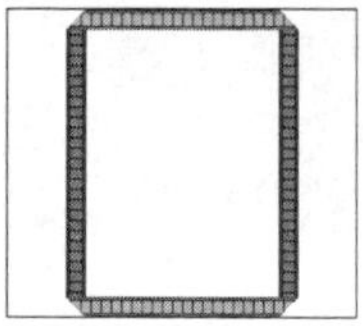

42K005  42K006 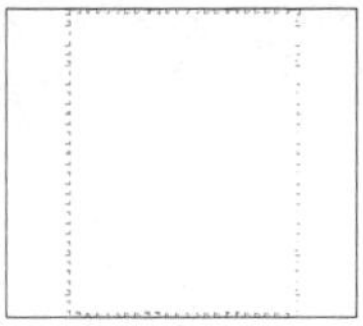 42K007 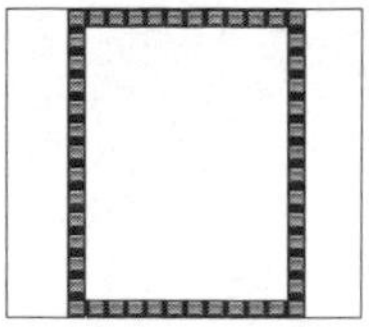 42K008 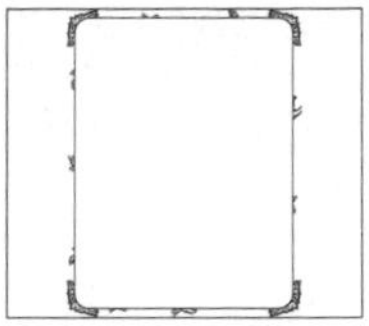 42K009

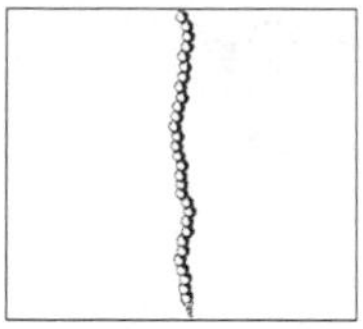

42K010 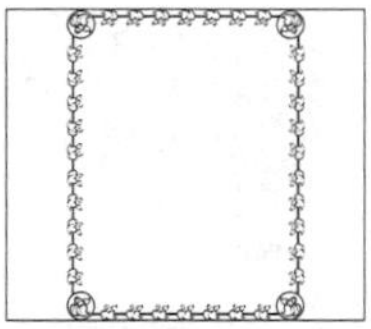 42I002 42I003 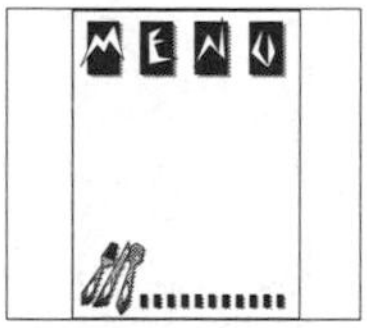 42K011 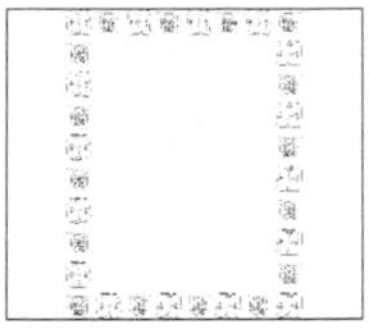 42K012

42K013  42K014 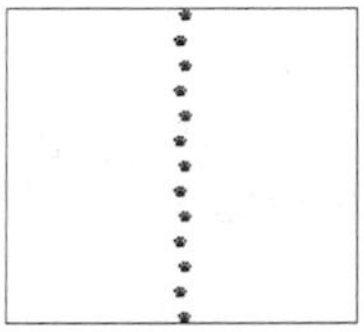 42H008 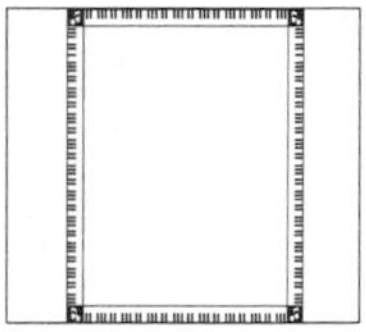 42K015  42K016

42J014 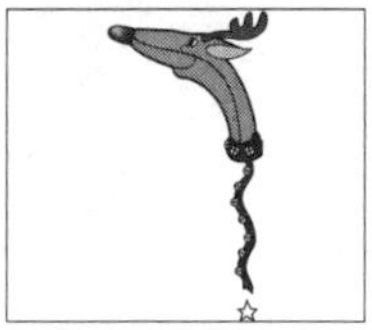 42J015 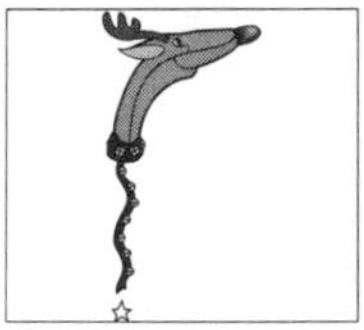 42J016 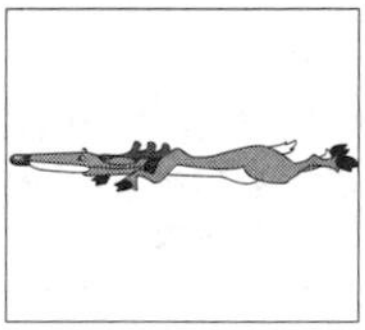 42J017  42J018

42J019 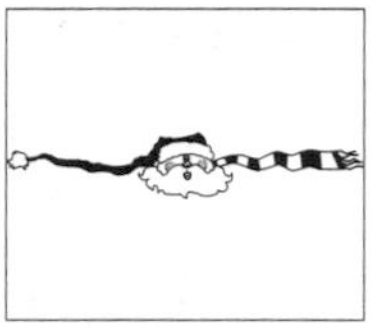 42J020 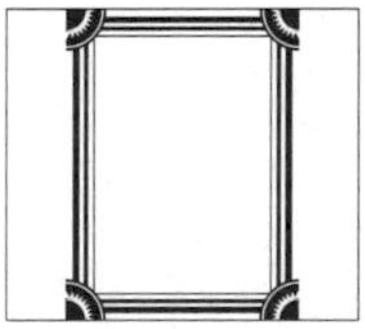 42K017  42J021  42I004

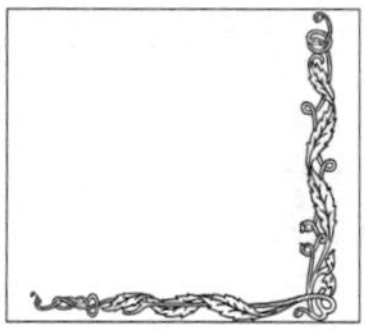

42I005  42I006  42I007 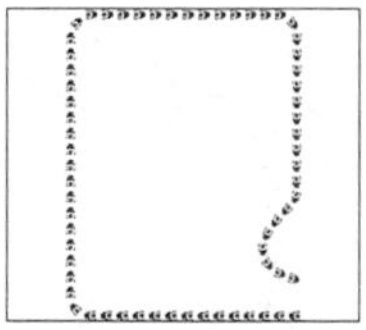 42H009

Theme Border
Cadres Thématiques
Marcos
Thematische Rahmen

Animal
Animaux
Animales
Tiere

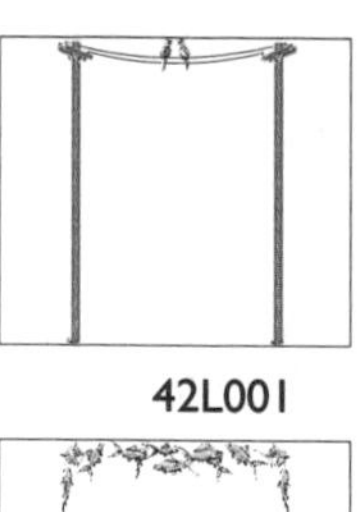

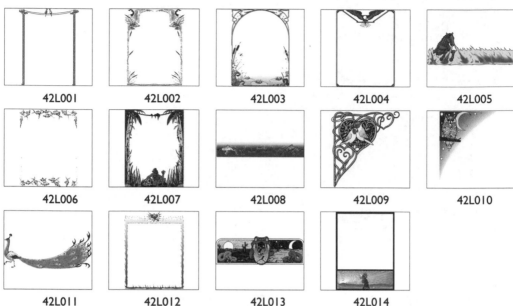

42L001

42L002

42L003

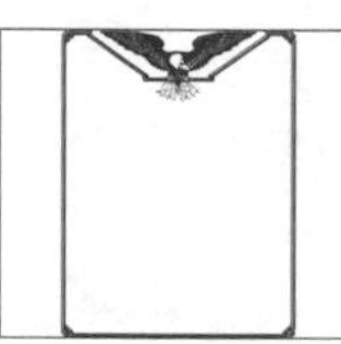

42L004

42L005

42L006

42L007

42L008

42L009

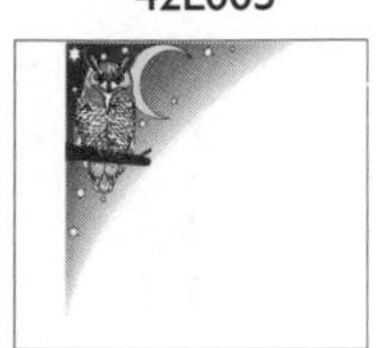

42L010

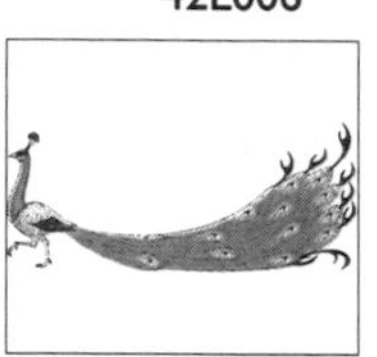

42L011

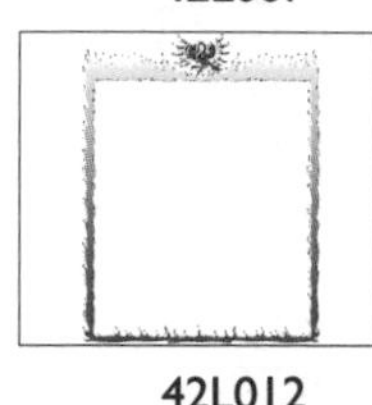

42L012

42L013

42L014

Theme Border
Cadres Thématiques
Marcos
Thematische Rahmen

Garden
Jardin
Jardin
Garten

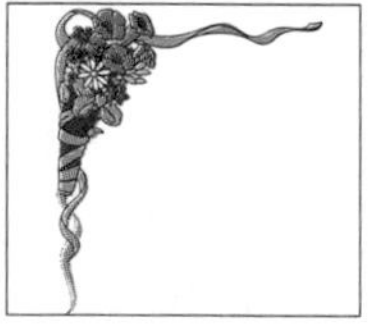

42M001

42M002

42M003

42M004

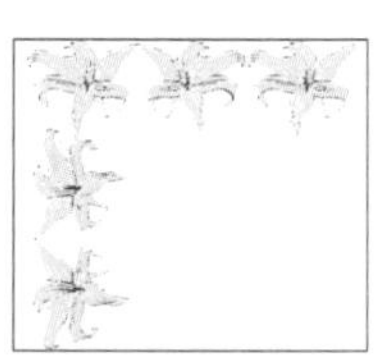

42M005

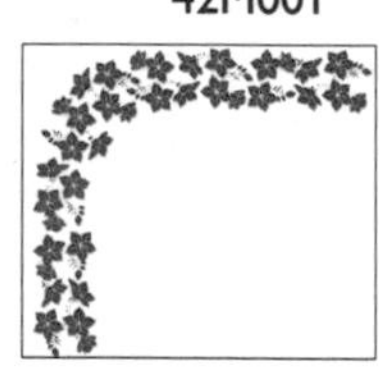

42M006

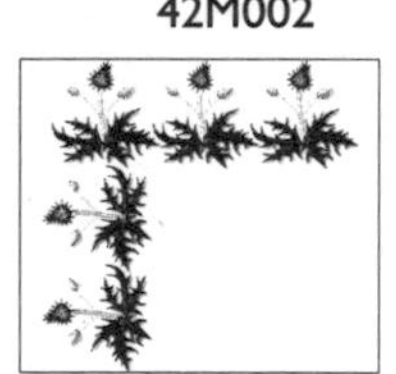

42M007

42M008

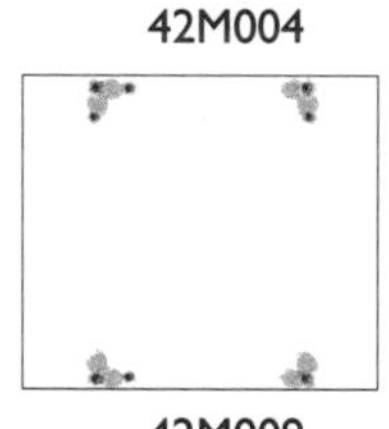

42M009

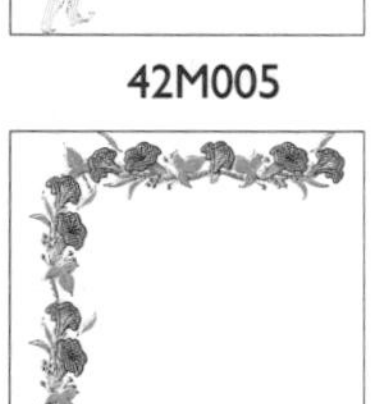

42M010

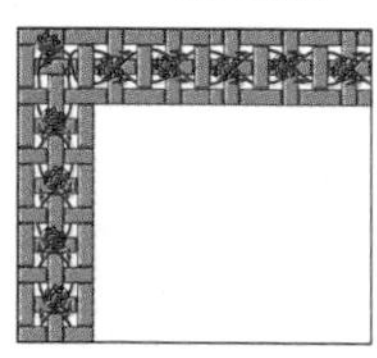

42M011

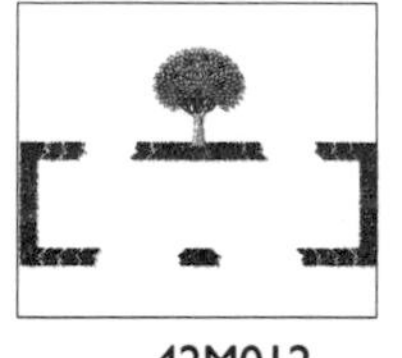

42M012

42M013

42M014

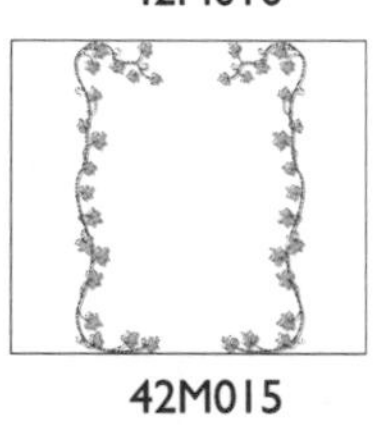

42M015

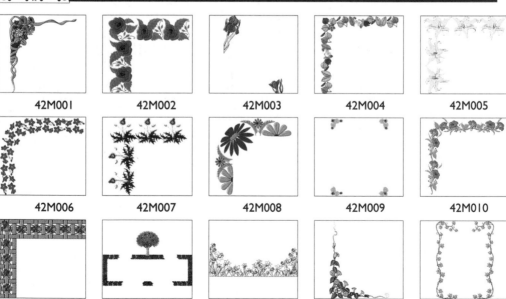

Theme Border
Cadres Thématiques
Marcos
Thematische Rahmen

Garden
Jardin
Jardin
Garten

42M016

42M017

42M018

42M019

42M020

42M021

Theme Border
Cadres Thématiques
Marcos
Thematische Rahmen

Holiday
Festivités
Festivo
Feiertage

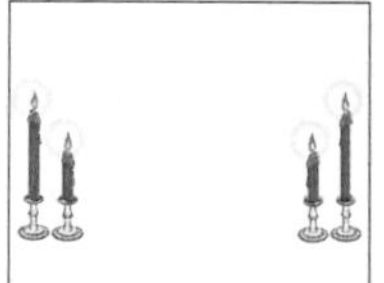
42N001

42N002

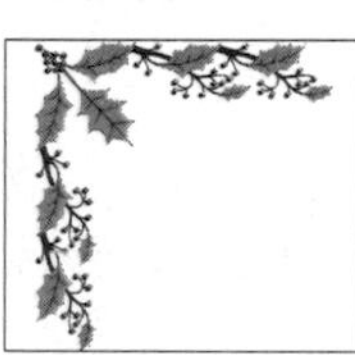
42N003

42N004

42N005

42N006

42N007

Theme Border
Cadres Thématiques
Marcos
Thematische Rahmen

Miscellaneous
Divers
Varios
Verschiedenes

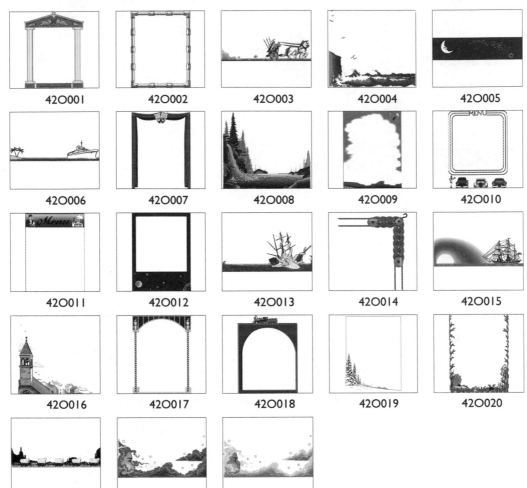

42O001	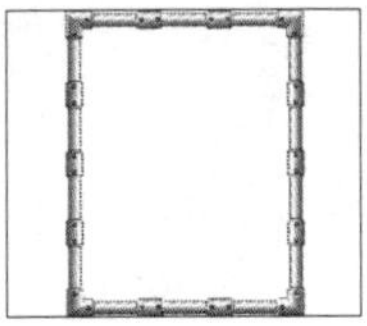 42O002	 42O003	 42O004	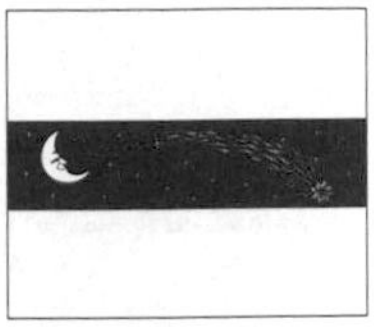 42O005
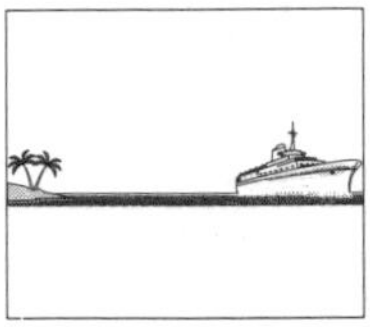 42O006	 42O007	 42O008	 42O009	42O010
42O011	 42O012	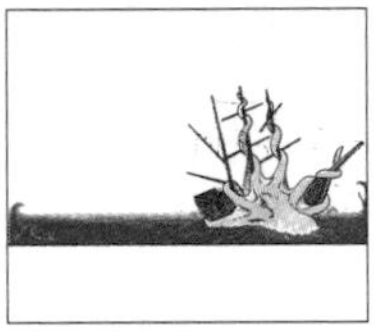 42O013	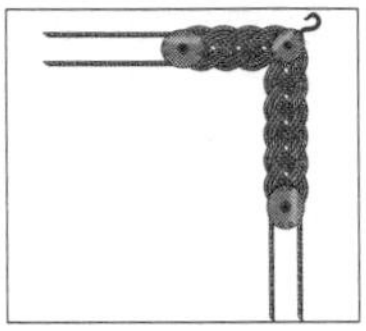 42O014	 42O015
 42O016	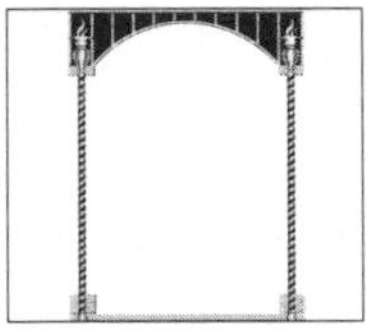 42O017	 42O018	 42O019	 42O020
 42O021	 42O022	 42O023		

Theme Border
Cadres Thématiques
Marcos
Thematische Rahmen

People
Gens
Gente
Leute

42P001

42P002

42P003

42P004

42P005

Theme Border
Cadres Thématiques
Marcos
Thematische Rahmen

People
Gens
Gente
Leute

42P006

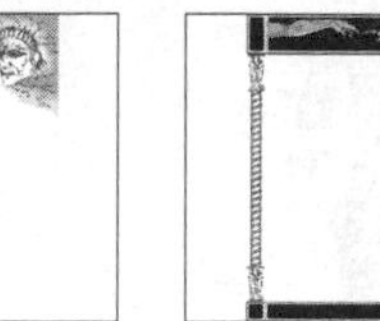
42P007

42P008

42P009

42P010

42P011

42P012

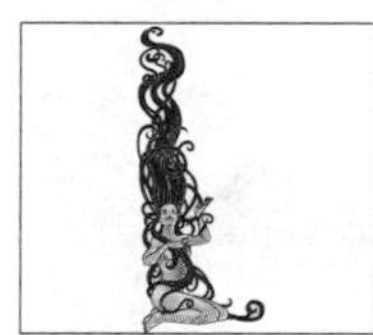
42P013

42P014

42P015

42P016

42P017

42P018

42P019

42P020

42P021

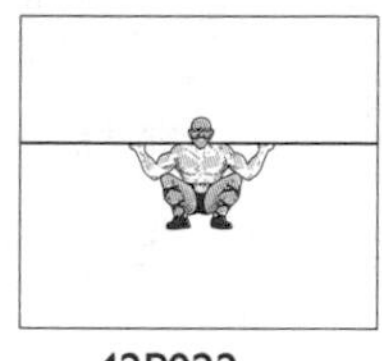

42P022

Tools
Outils
Herramientas
Werkzeuge

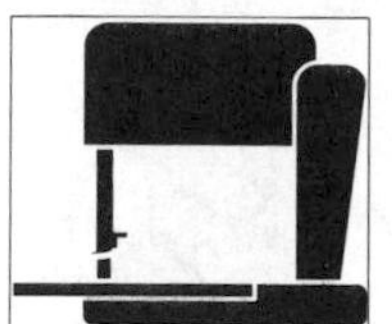
43A001

43A002

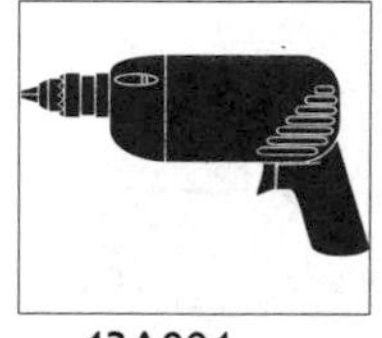
43A004

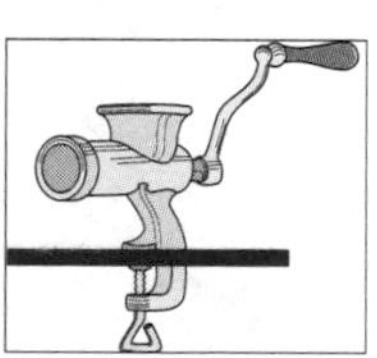
43A005

43A006

43A007

43A008

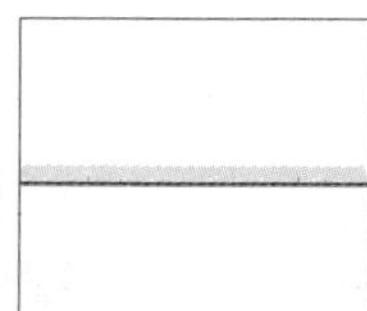
43A009

43A010

Tools
Outils
Herramientas
Werkzeuge

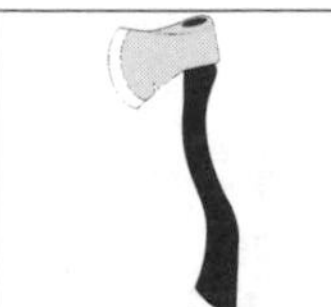
43A011

43A012

43A013

43A014

43A015

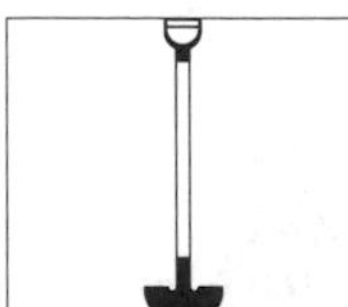
43A016

43A017

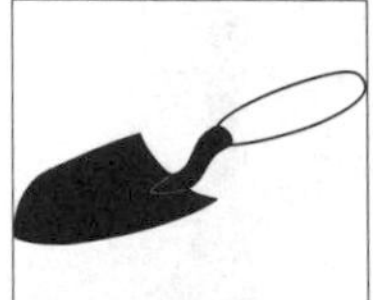
43A018

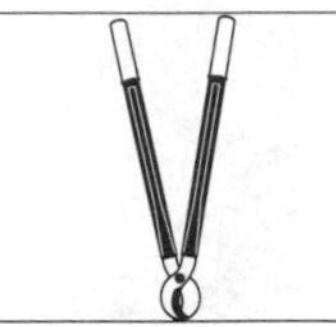
43A019

43A020

43A021

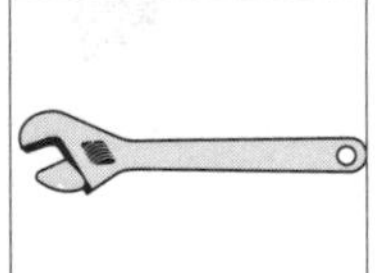
43A022

43A023

43A024

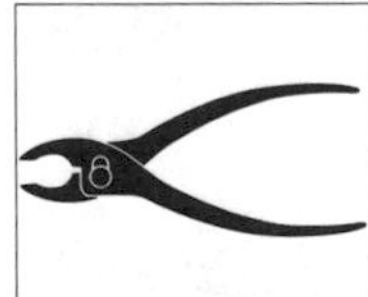
43A025

43A026

43A027

43A028

43A029

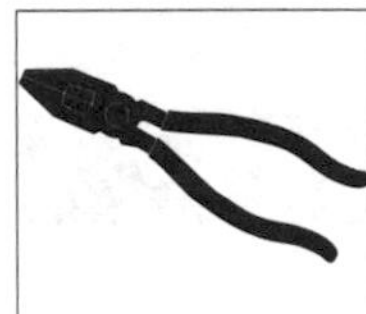
43A030

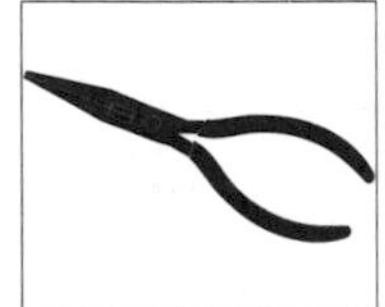
43A031

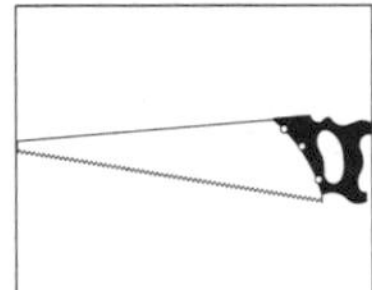
43A032

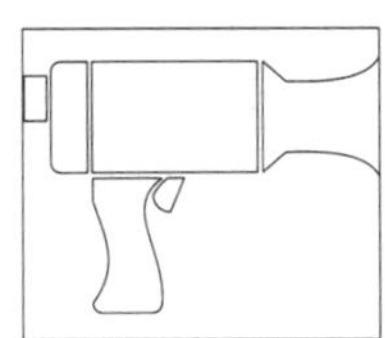
43A033

43A034

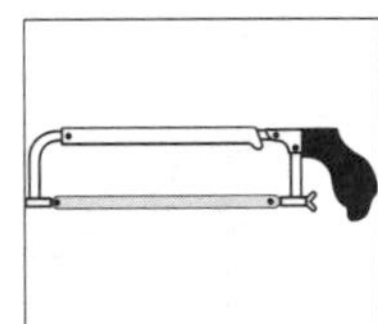
43A035

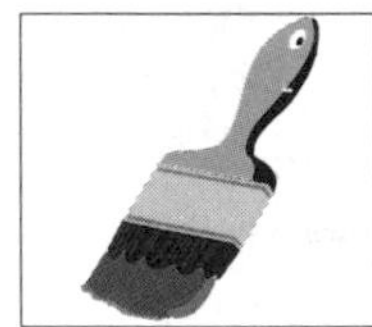
43A036

43A037

43A038

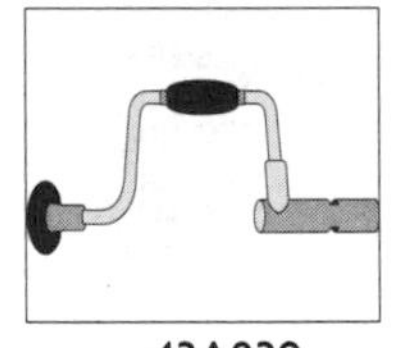
43A039

43A040

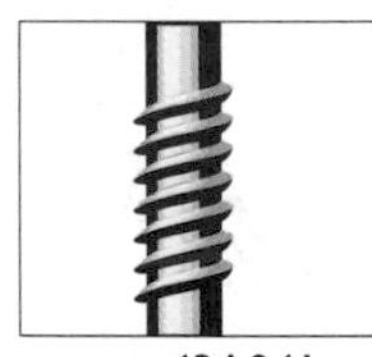
43A041

Tools
Outils
Herramientas
Werkzeuge

43B001

43B002

43B003

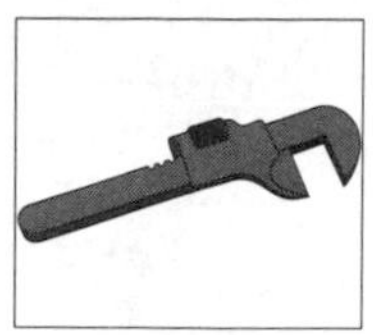
43B004

43B005

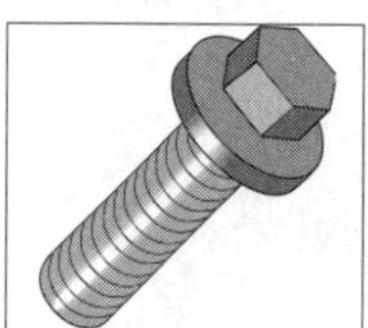
43B006

43B007

Tools
Outils
Herramientas
Werkzeuge

TOTEM GRAPHICS

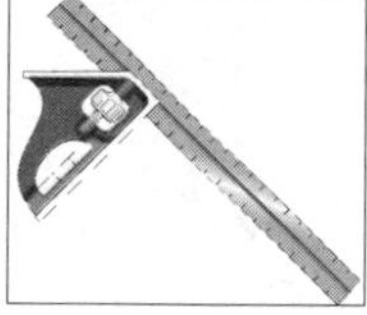
43C001

43C002

43C003

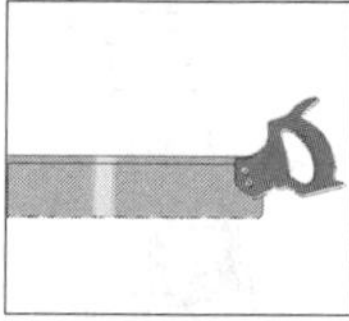
43C004

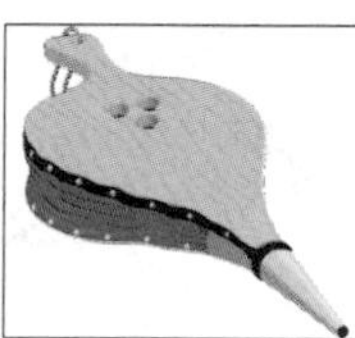
43C005

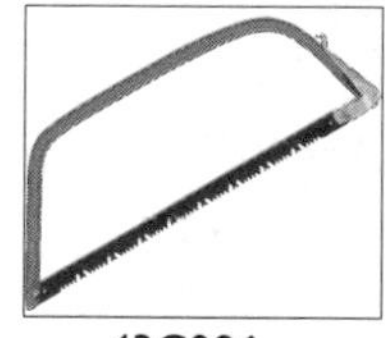
43C006

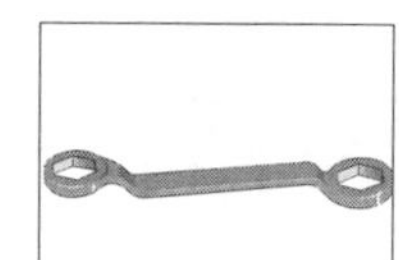

43C007

43C008

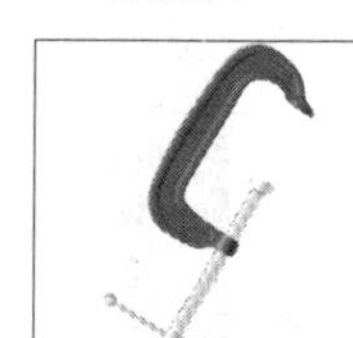
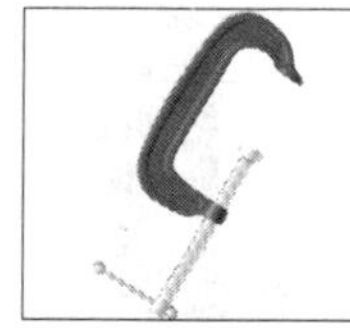
43C009

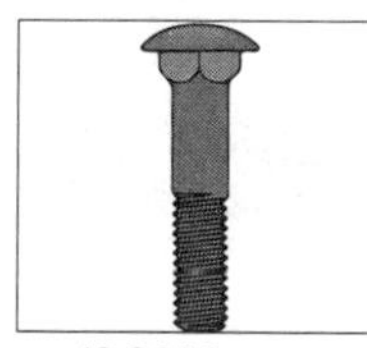
43C010

43C011

43C012

43C013

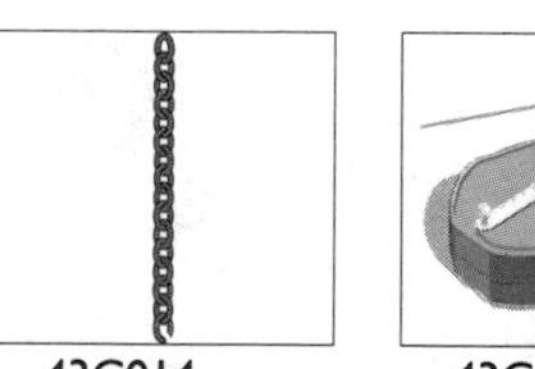
43C014

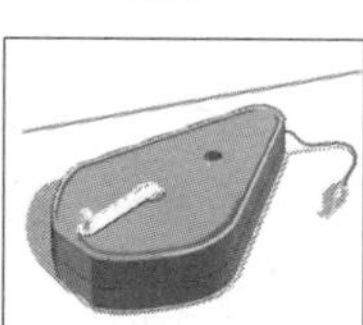
43C015

43C016

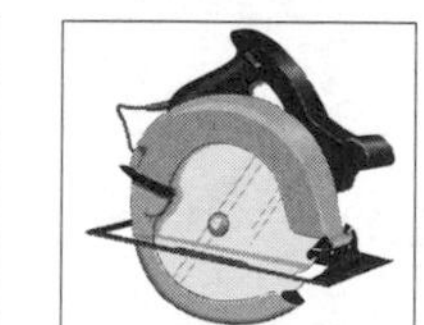
43C017

43C018

43C019

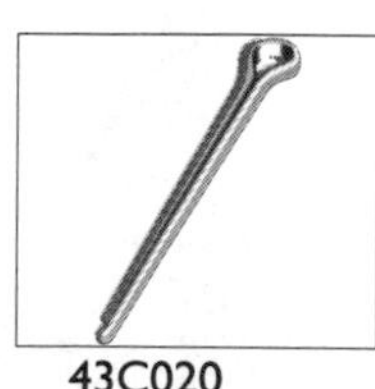
43C020

Tools
Outils
Herramientas
Werkzeuge

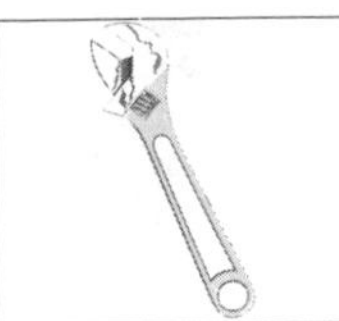
43C021

43C022

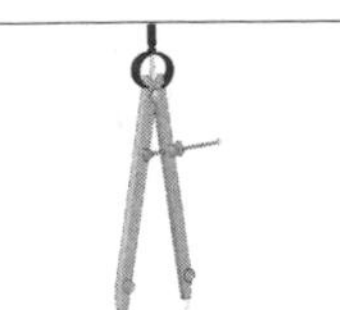
43C023

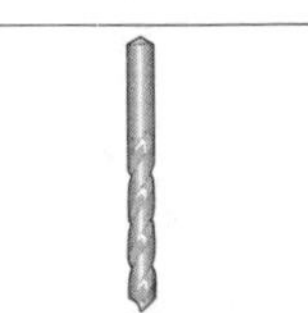
43C024

43C025

43C026

43C027

43C028

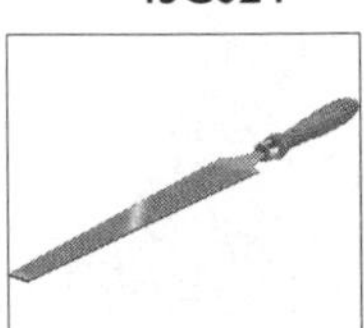
43C029

43C030

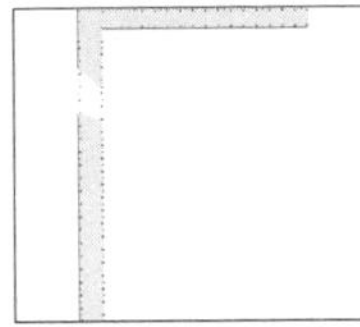
43C031

43C032

43C033

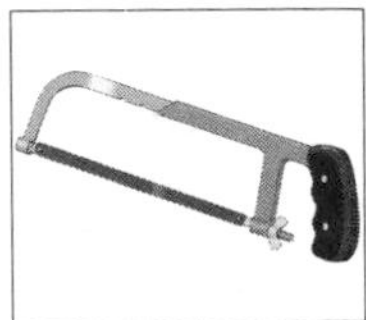
43C034

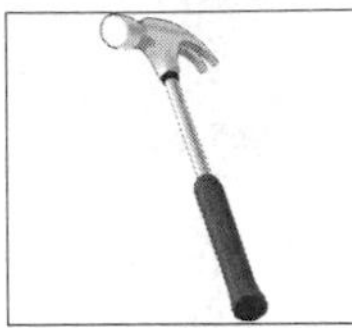
43C035

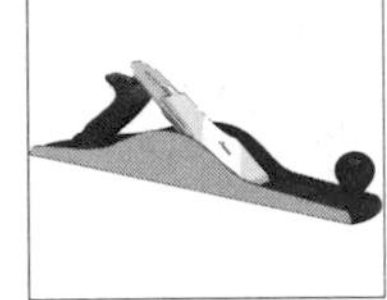
43C036

43C037

43C038

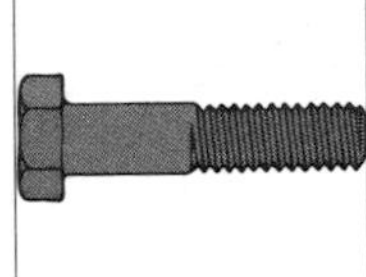
43C039

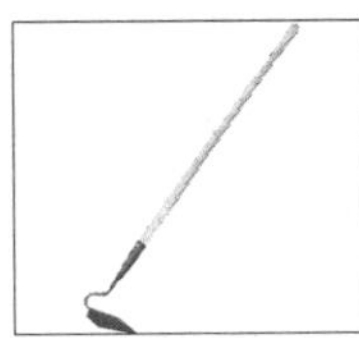
43C040

43C041

43C042

43C043

43C044

43C045

43C046

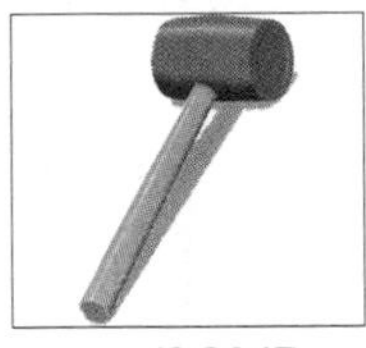
43C047

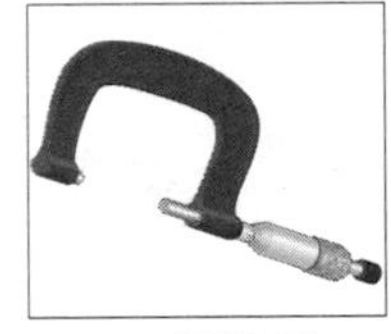
43C048

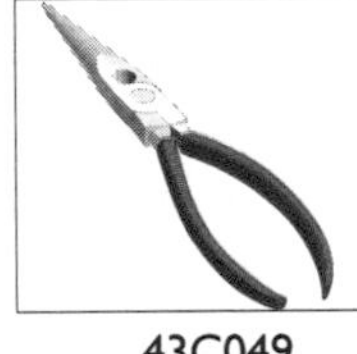
43C049

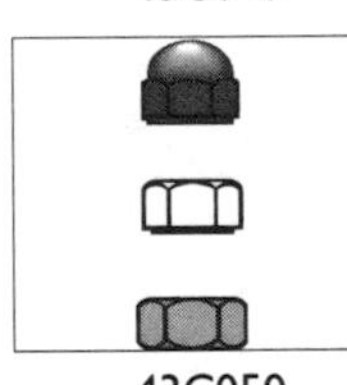
43C050

43C051

43C052

43C053

43C054

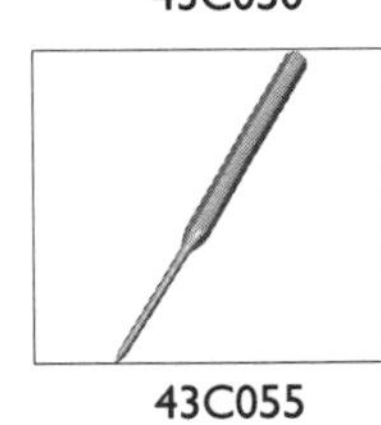
43C055

Tools
Outils
Herramientas
Werkzeuge

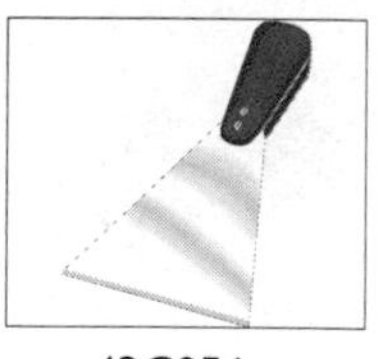
43C056

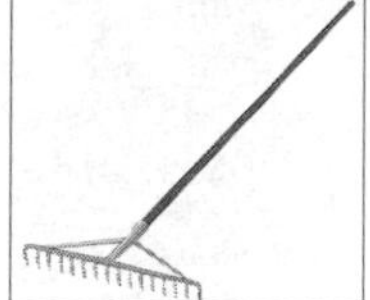
43C057

43C058

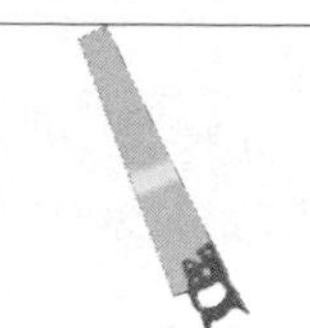
43C059

43C060

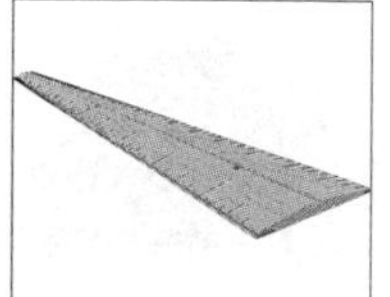
43C061

43C062

43C063

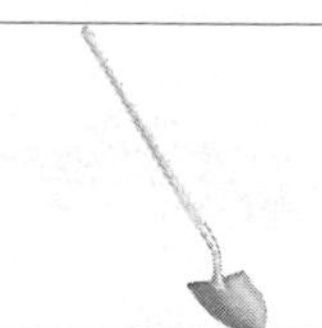
43C064

43C065

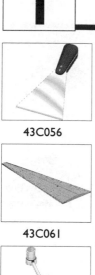

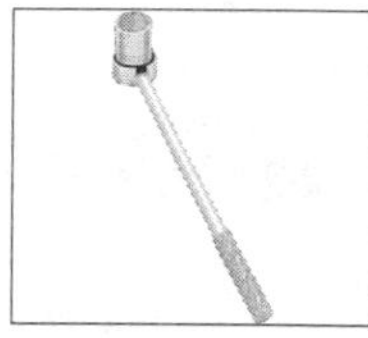
43C066

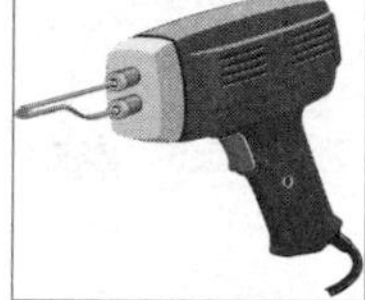
43C067

43C068

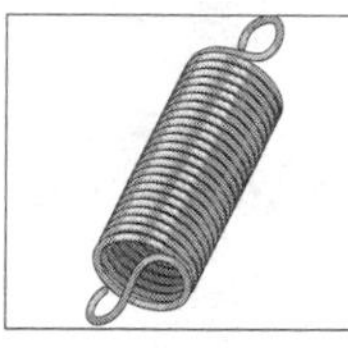
43C069

43C070

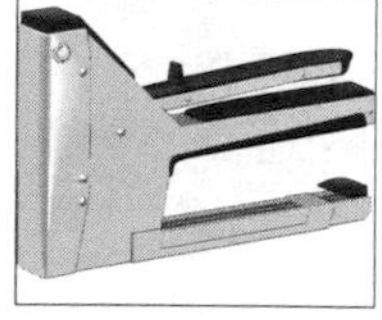
43C071

43C072

43C073

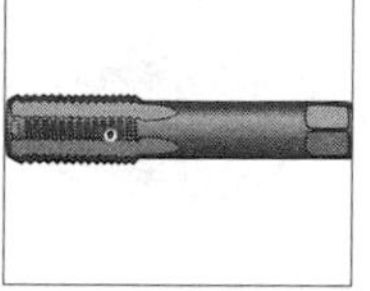
43C074

43C075

43C076

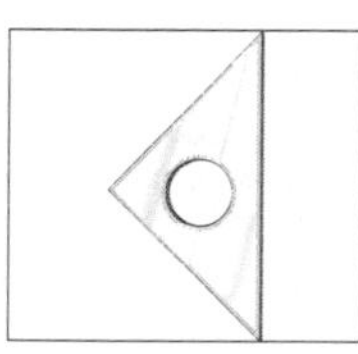
43C077

43C078

43C079

43C080

43C081

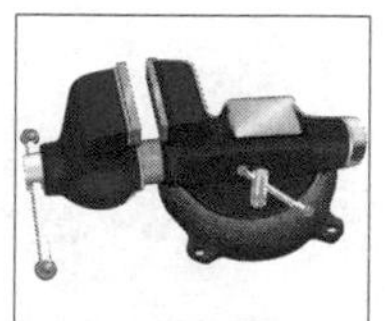
43C082

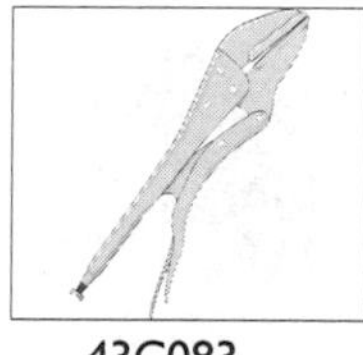
43C083

43C084

43C085

43C086

43C087

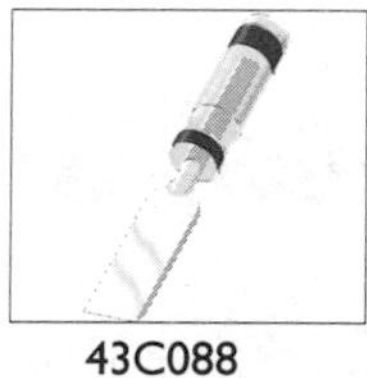
43C088

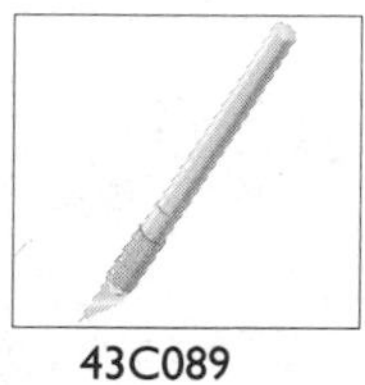
43C089

Vehicle
Véhicule
Véhiculo
Fahrzeuge

Car
Voiture
Cochex
Auto

44A003

44A004

44A001

44A005

44A006

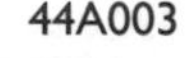

44A007

44A008

44A009

44A002

44A010

44A011

44A012

44A014

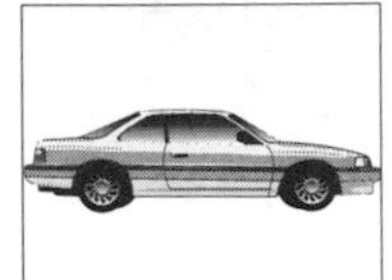

44A015

44A016

44A017

44A018

44A019

44A020

44A021

44A022

44A023

44A024

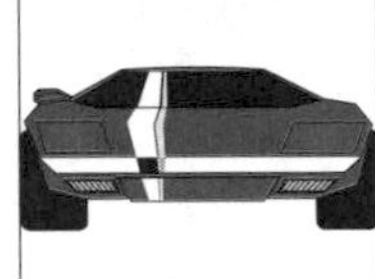

44A025

44A026

44A027

44A028

44A029

44A030

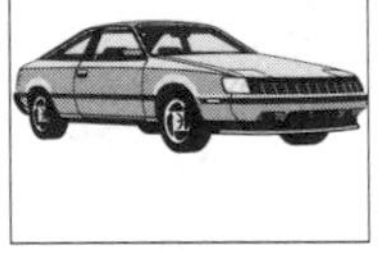

44A031

44A032

44A033

44A034

44A035

Vehicle
Véhicule
Véhiculo
Fahrzeuge

Car
Voiture
Cochex
Auto

44A036

44A037

44A038

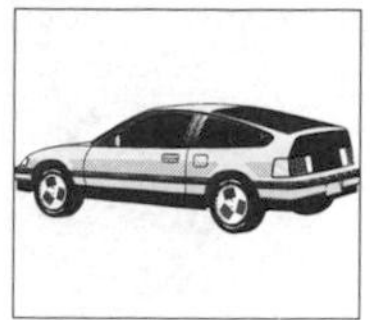

44A039

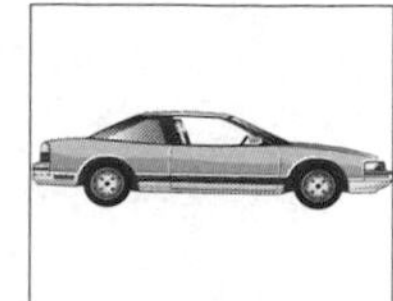

44A040

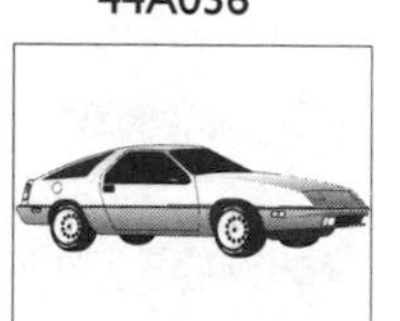

44A041

44A042

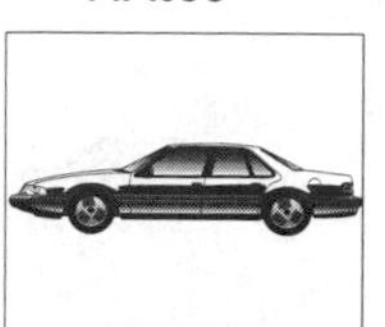

44A043

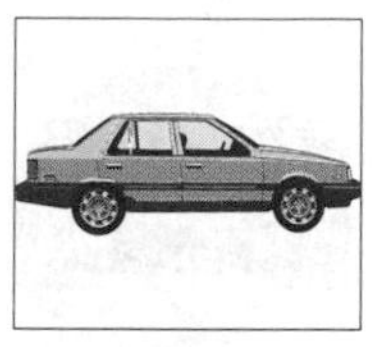

44A044

44A045

44A046

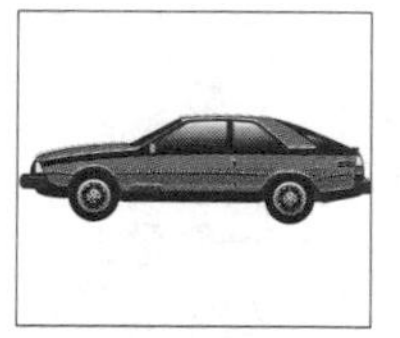

44A047

44A048

44A049 4x4

44A050

44A051

44A052

44A053

44A054

44A055

44A056

44A057

44A058

44A059

44A060

44A061

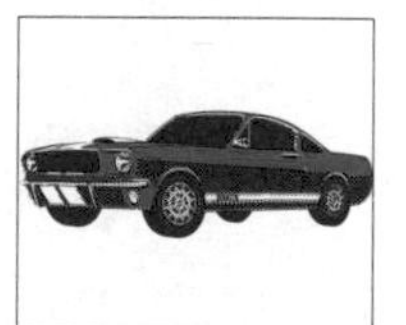

44A062

44A063

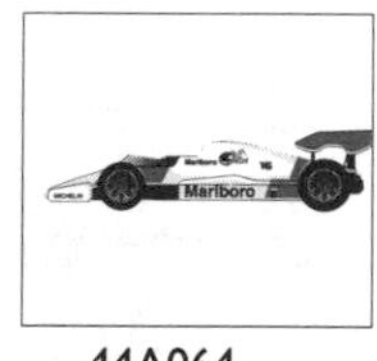

44A064

44A065

44A066

44A067

44A068

44A069

44A070

Vehicle
Véhicule
Véhiculo
Fahrzeuge

Car
Voiture
Cochex
Auto

44A071

44A072

44A073

44A074

44A075

44A076

44A077

44A078

44A079

44A080

44A081

44A082

44A084

44A083

44A085

44A086

44A087

44A088

44A089

44A090

44A091

44A092

44A093

44A094

44A095

44A096

44A097

44A098

44A099

44A100

44A101

44A102

44A103

Vehicle
Véhicule
Véhiculo
Fahrzeuge

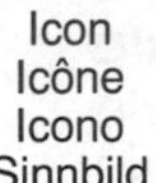

Icon
Icône
Icono
Sinnbild

    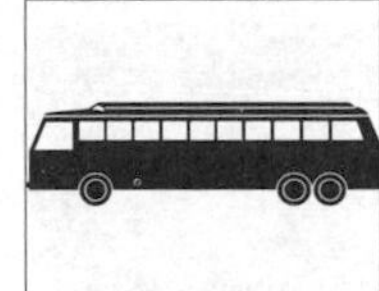

44B001 44B002 44B003 44B004 44B005

44B006 44B007 44B008 44B009 44B010

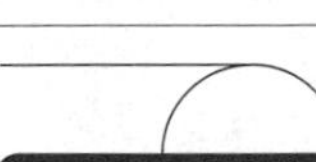  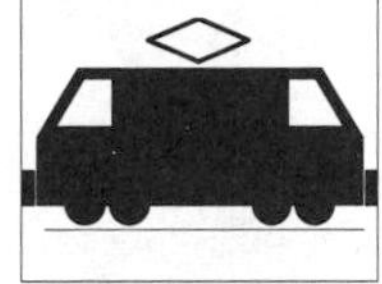 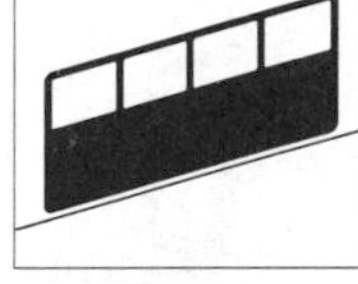 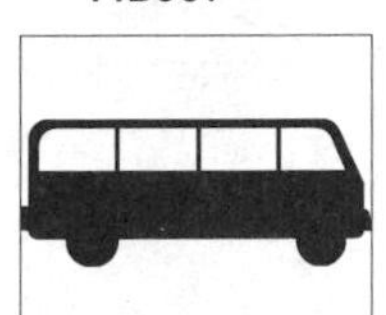 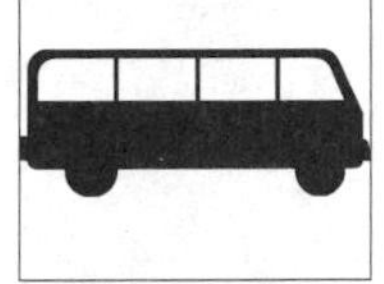 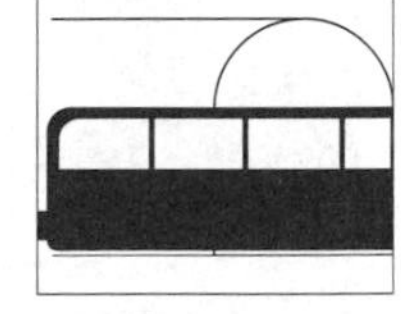

44B011 44B012 44B013 44B014 44B015

44B016 44B017 44B018 44B019 44B020

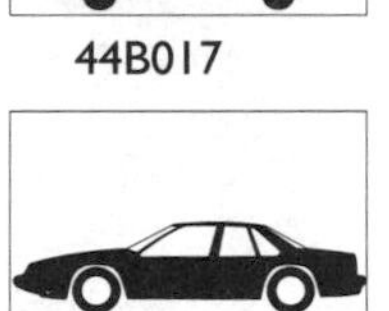 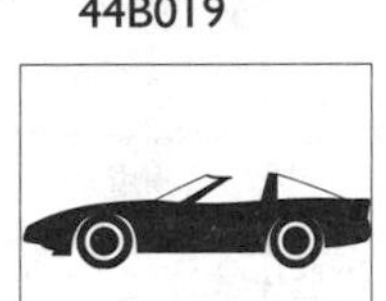

44B021 44B022 44B023 44B024 44B025

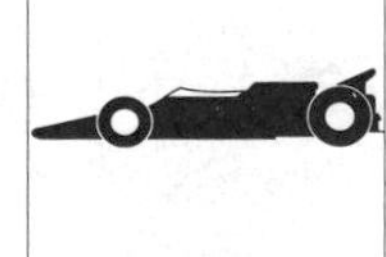   

44B026 44B027 44B028 44B029 44B030

44B031 44B032 44B033

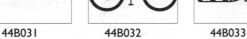

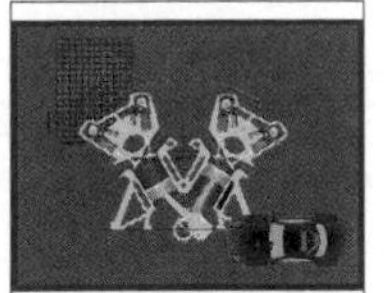
44C001

44C004

44C005

44C006

44C007

44C008

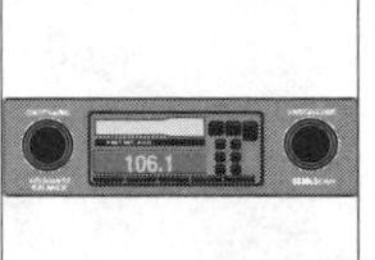

44C009

44C010

44C011

44C012

44C013

44C014

44C015

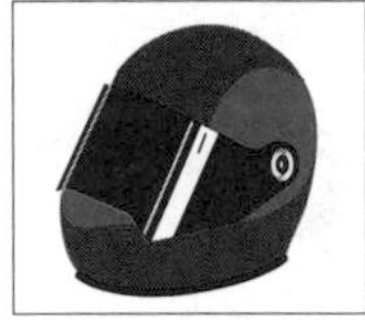
44C016

44C017

44C018

44C019

44C020

44C021

44C022

44C023

44C024

44C025

44C026

44C027

44C028

44C029

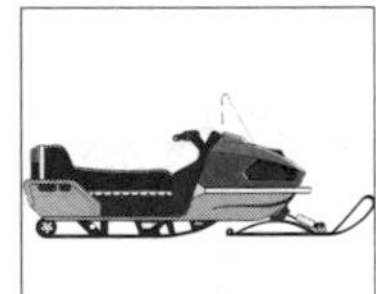
44C030

44C031

44C032

44C033

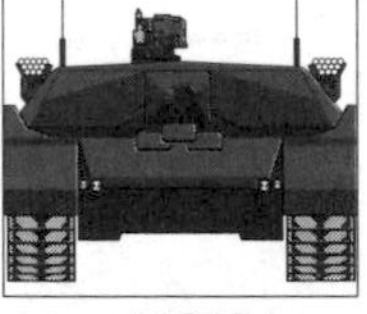
44C034

44C035

Vehicle
Véhicule
Véhiculo
Fahrzeuge

Miscellaneous
Divers
Varios
Verschiedenes

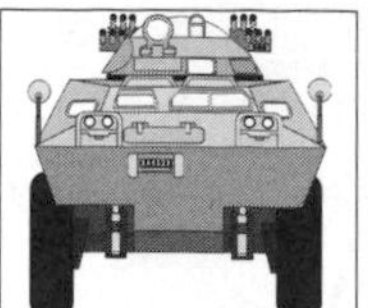

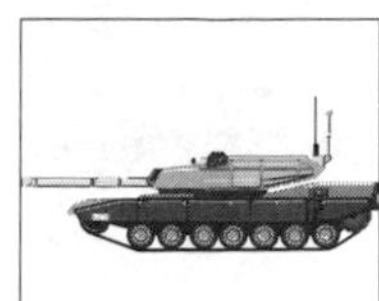

44C036 44C037 44C038 44C039 44C040

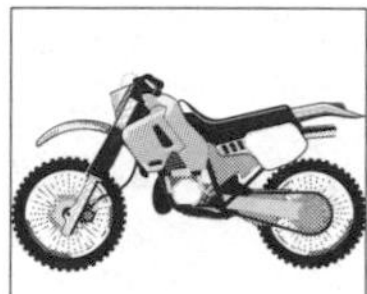

44C041 44C042 44C043 44C044 44C045

Vehicle
Véhicule
Véhiculo
Fahrzeuge

Truck
Camion
Camión
LKW

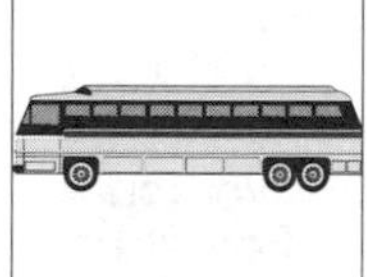

44D002 44D003 44D004 44D005

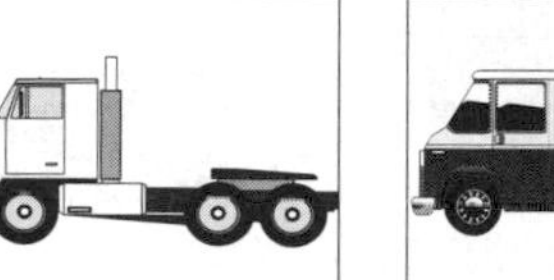
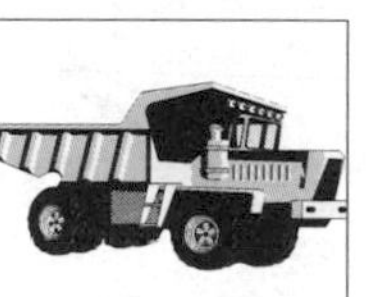
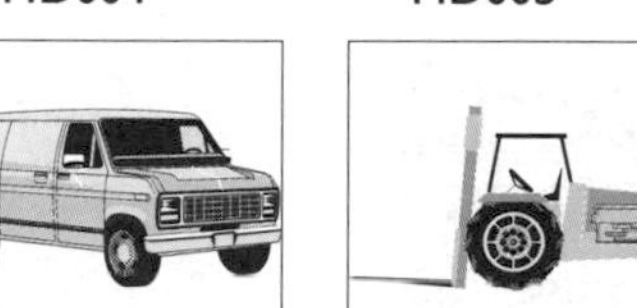

44D006 44D007 44D008 44D009 44D010

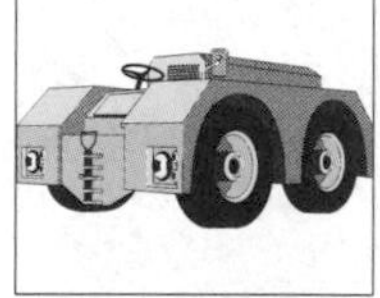
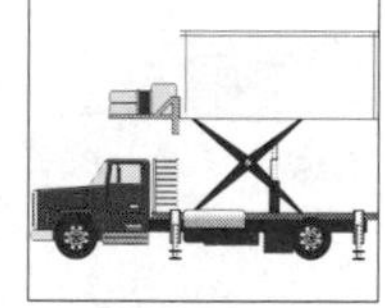

44D011 44D012 44D013 44D014 44D015

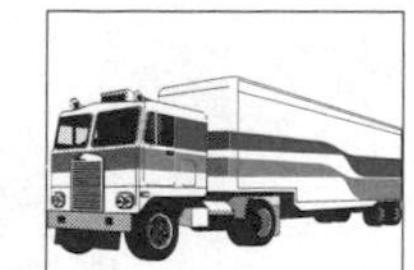

44D016 44D017 44D018 44D019 44D020

Vehicle
Véhicule
Véhiculo
Fahrzeuge

Truck
Camion
Camión
LKW

44D021

44D022

44D023

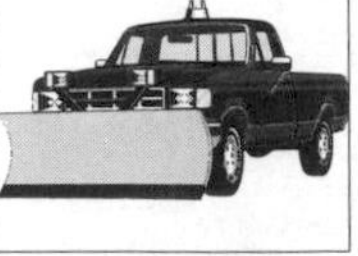
44D024

44D025

44D026

44D027

44D028

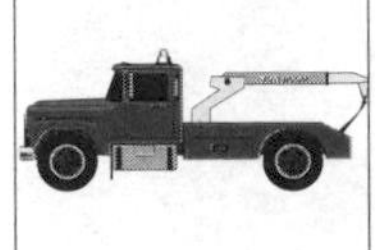
44D029

44D030

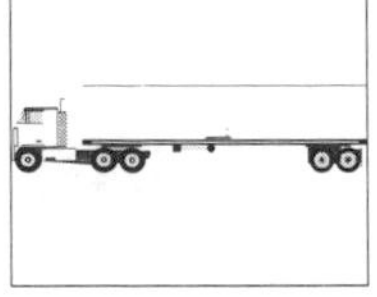
44D031

44D032

44D033

44D034

Vehicle
Véhicule
Véhiculo
Fahrzeuge

44E005

44E001

44E006

44E004

44E007

44E008

44E009

44E002

44E003

44E010

Vehicle
Véhicule
Véhiculo
Fahrzeuge

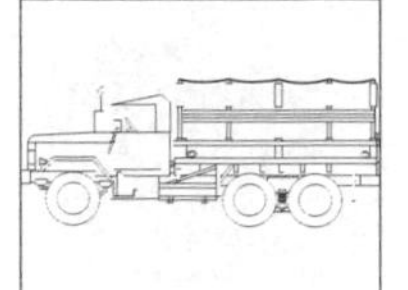  44F004	  44F005	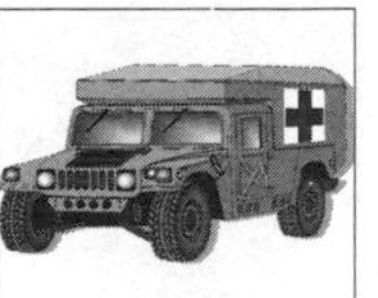 44F006	  44F007	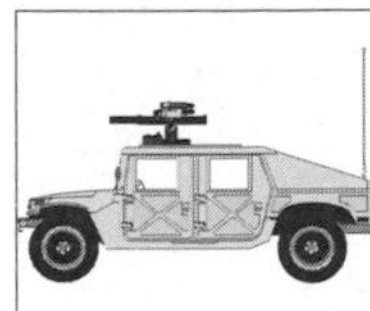 44F008
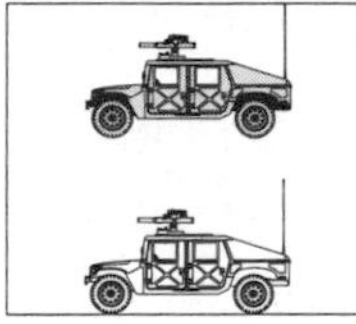 44F009	 44F010 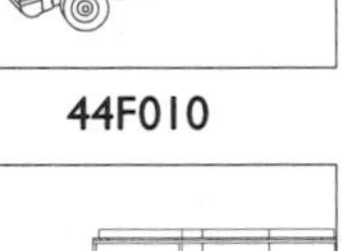	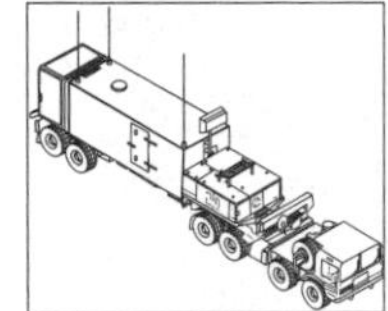 44F011	 44F012	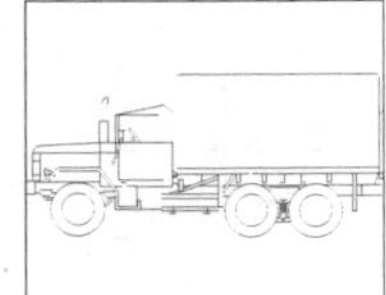 44F013
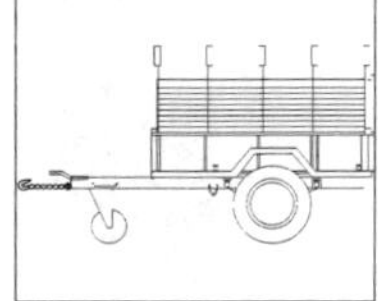 44F014	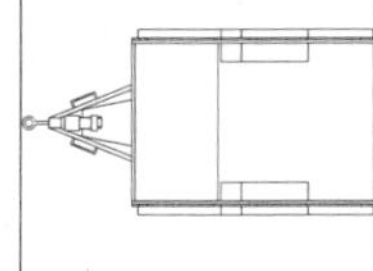 44F001	 44F002	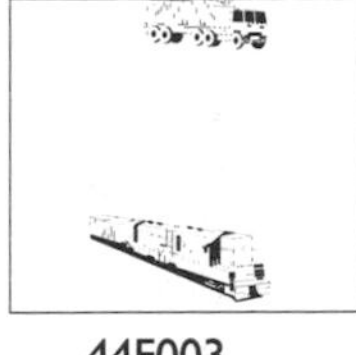 44F003	 44F015
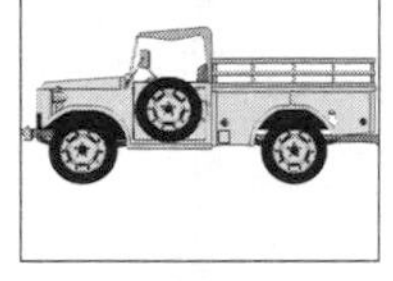 44F016	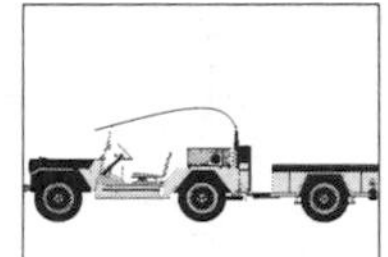  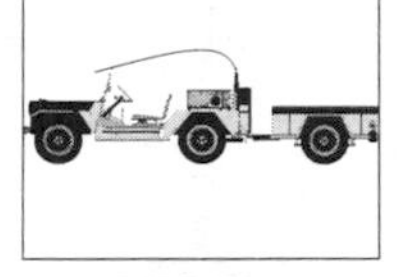 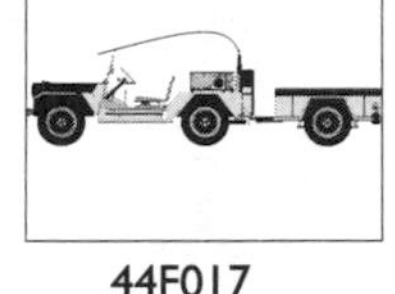 44F017			

Vehicle
Véhicule
Véhiculo
Fahrzeuge

44G011	 44G010	 44G012	 44G008	 44G003
44G007	44G013	 44G014	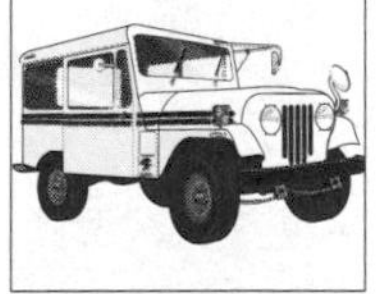 44G004	 44G001

Vehicle
Véhicule
Véhiculo
Fahrzeuge

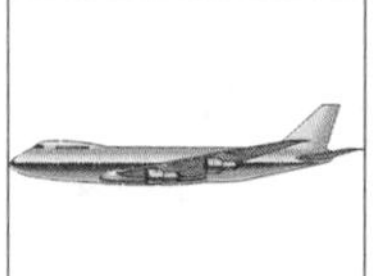

44G002

44G015

44G005

44G006

44G017

44G009

44G016

Weapon
Armes
Arma
Waffe

45A001

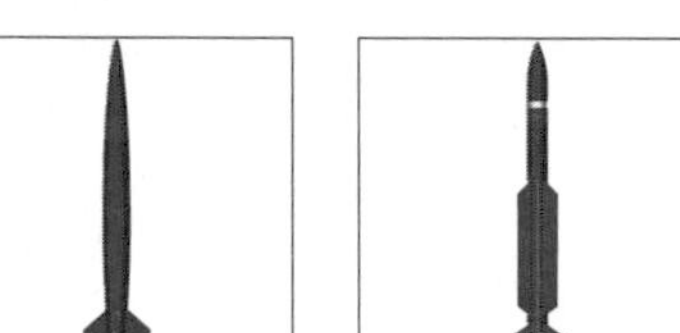

45A002

45A003

45A004

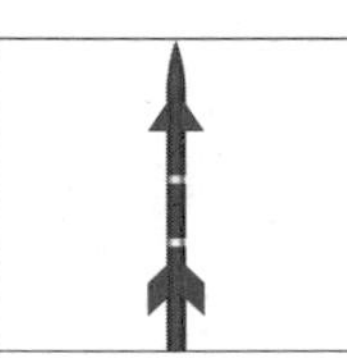

45A005

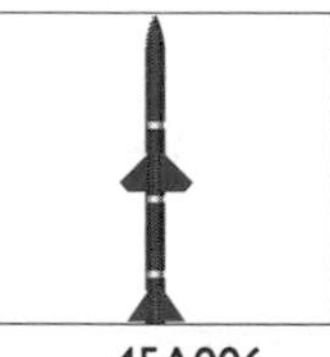

45A006

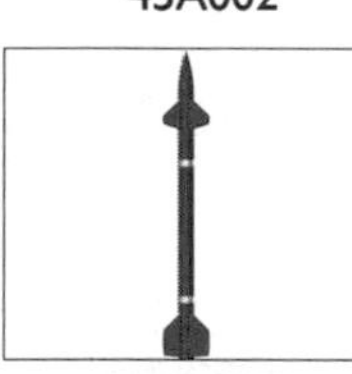

45A007

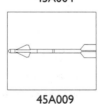

45A008

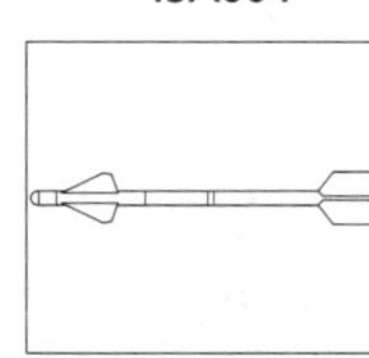

45A009

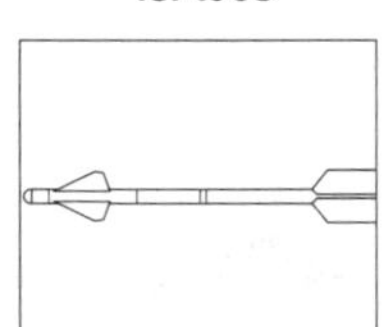

45A010

45A011

45A012

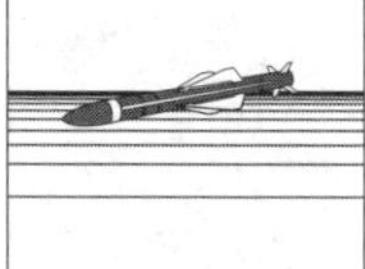

45A013

45A014

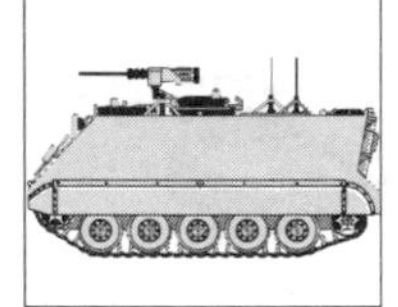

45A015

45A016

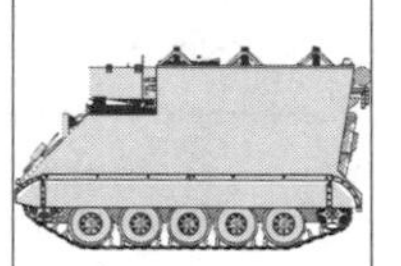

45A017

45A018

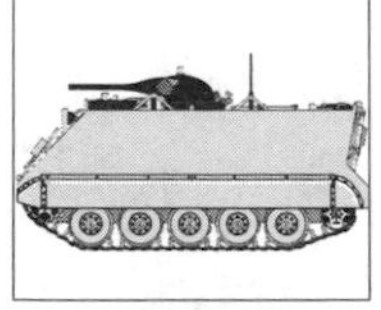

45A019

45A020

Weapon
Armes
Arma
Waffe

45A021 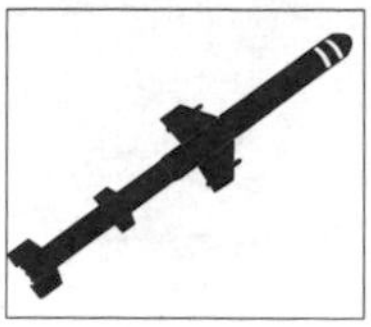 45A022 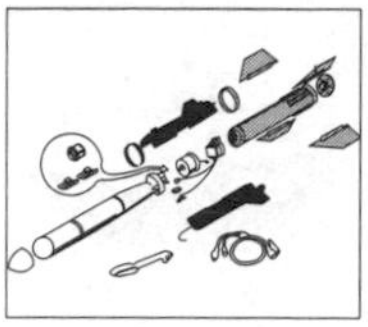 45A023 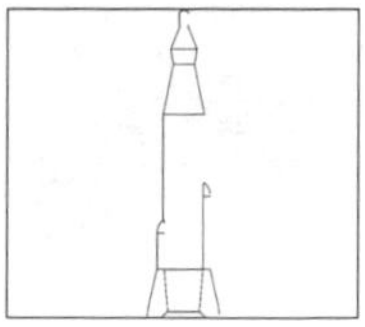 45A024 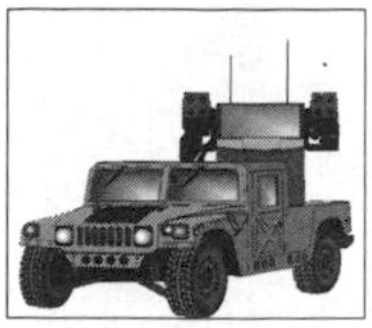 45A025

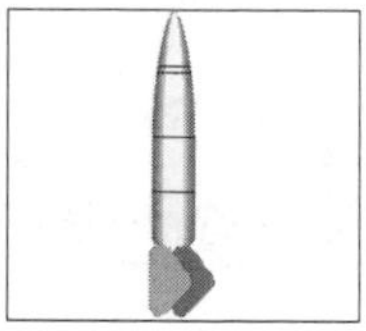

45A026 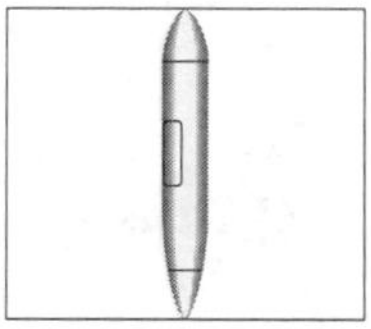 45A027 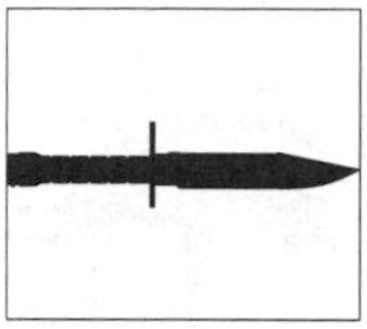 45A028 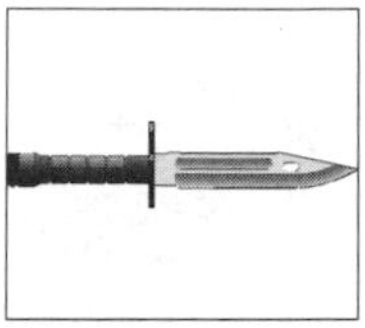 45A029 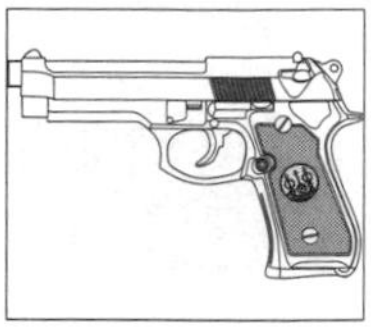 45A030

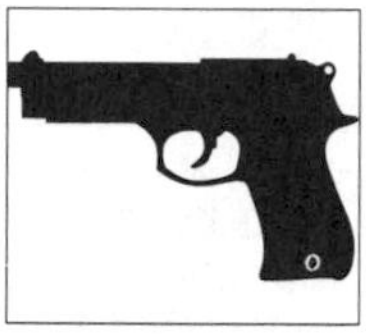

45A031 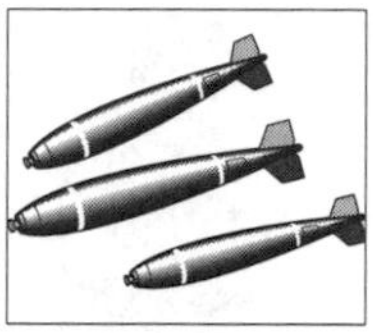 45A032 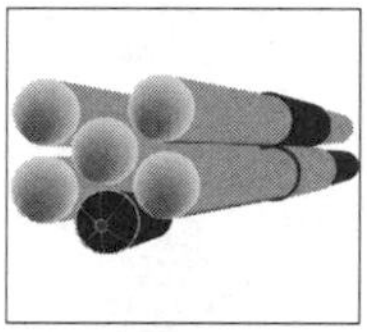 45A033 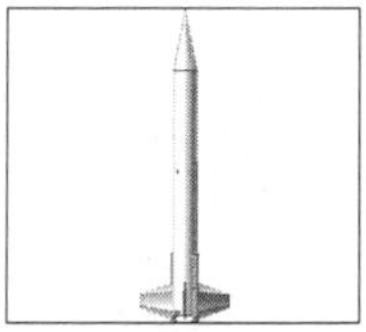 45A034 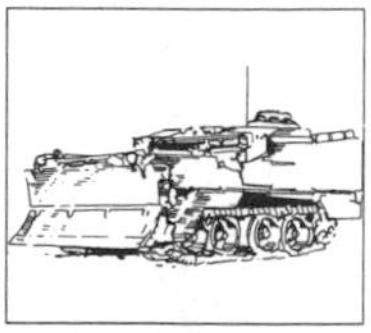 45A035

45A036  45A037  45A038  45A039  45A040

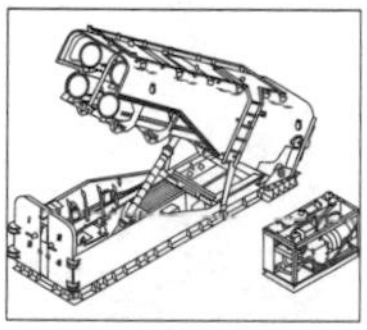

45A041  45A042  45A043  45A044  45A045

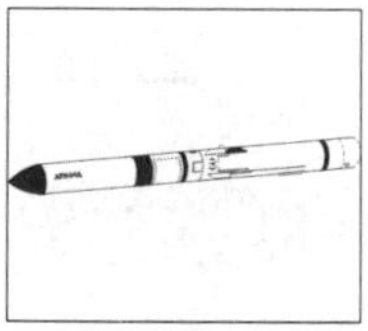

45A046  45A047 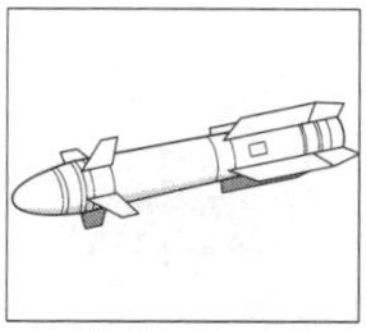 45A048 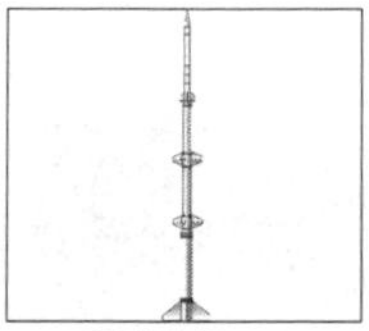 45A049 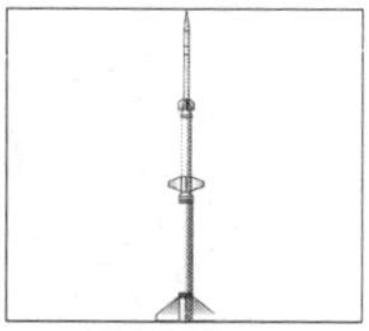 45A050

45A051  45A052 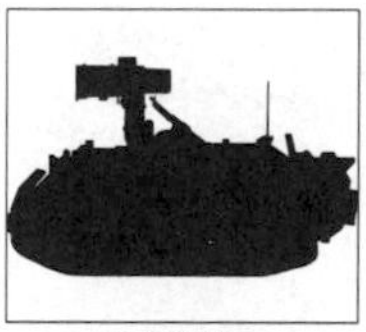 45A053 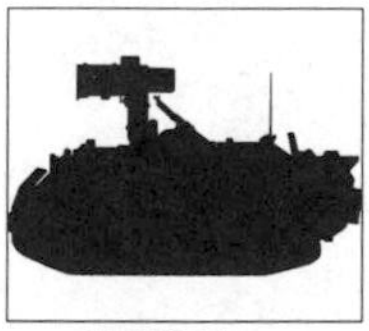 45A054  45A055

Weapon
Armes
Arma
Waffe

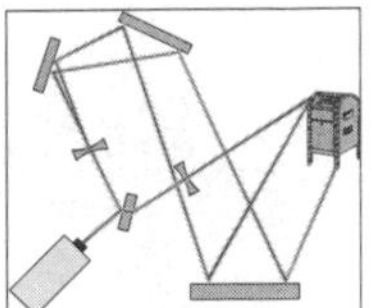
45A056

45A057

45A058

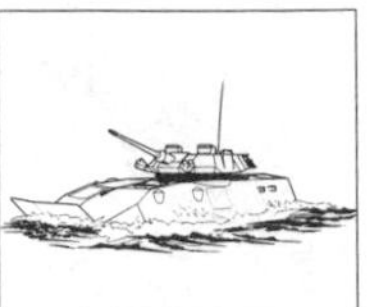
45A059

45A060

45A062

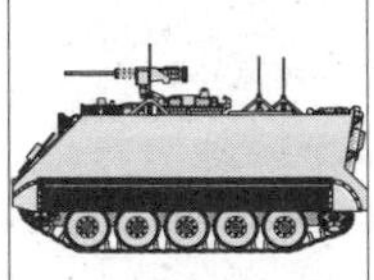
45A063

45A064

45A065

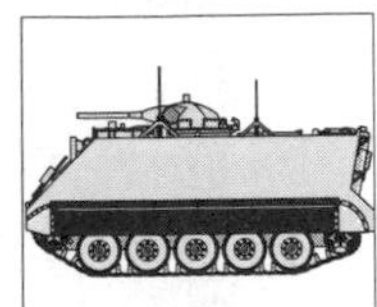
45A066

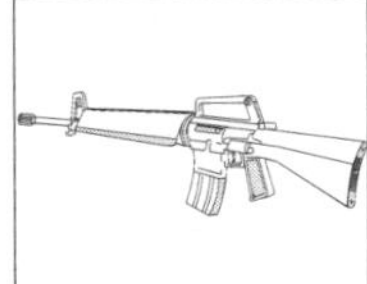
45A067

45A068

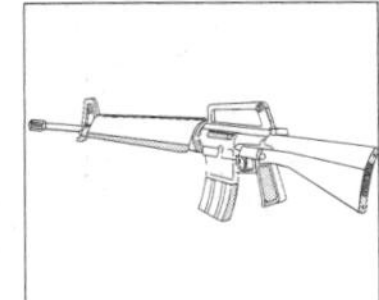
45A069

45A070

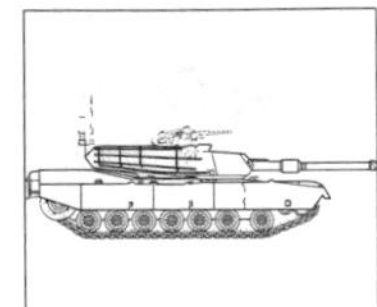
45A061

45A071

45A072

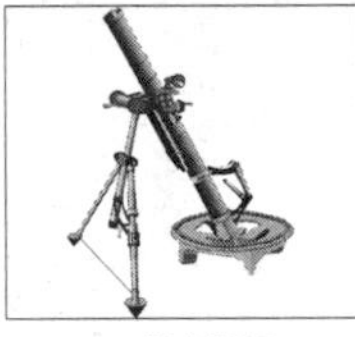
45A073

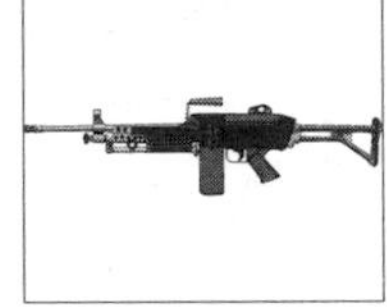
45A074

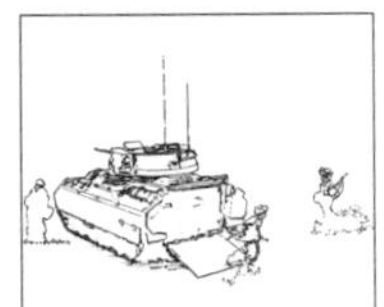
45A075

45A076

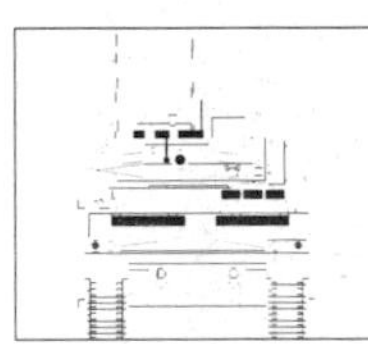
45A077

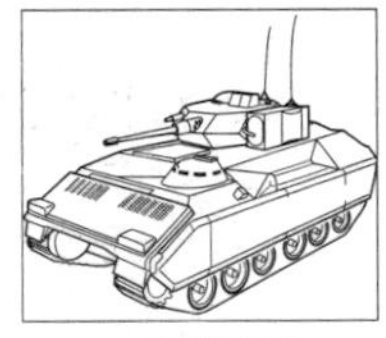
45A078

45A079

45A080

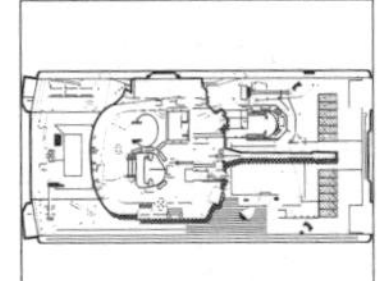
45A081

45A082

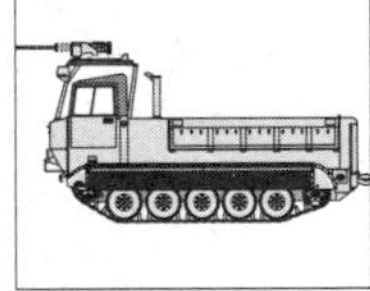
45A083

45A084

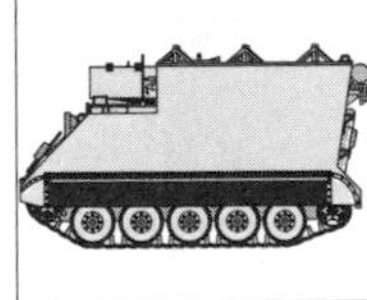
45A085

45A086

45A087

45A088

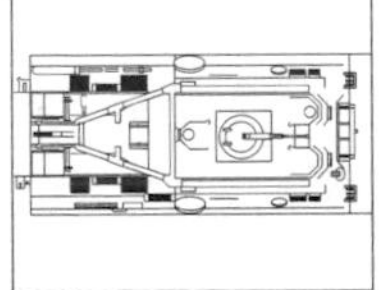
45A089

45A090

Weapon
Armes
Arma
Waffe

45A091 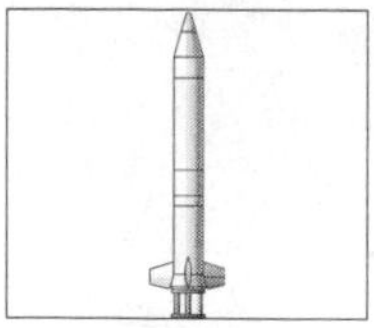 45A092 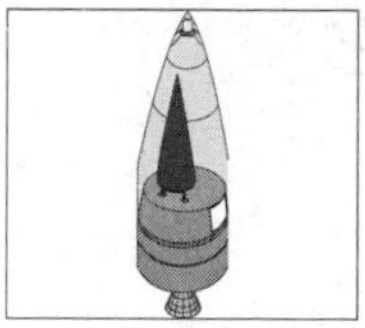 45A093 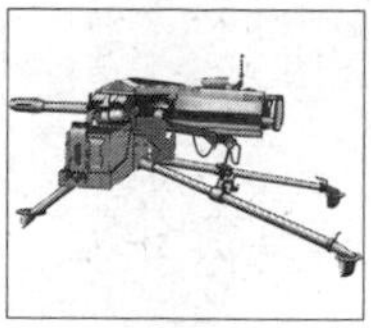 45A094 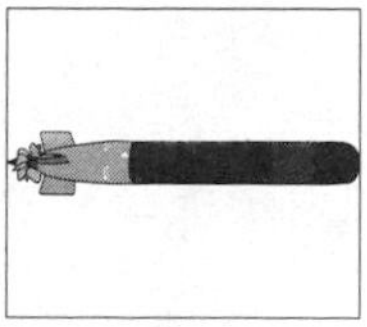 45A095

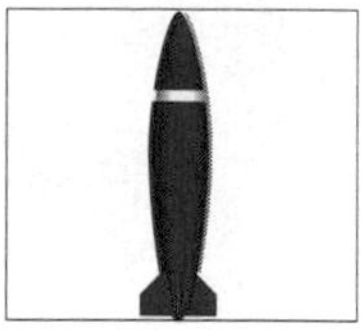

45A096  45A097  45A098  45A099  45A100

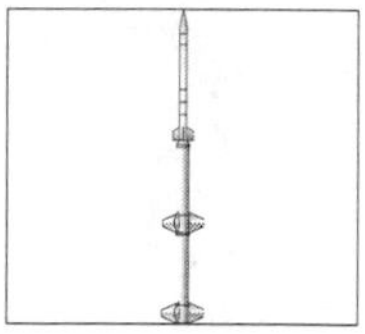

45A101 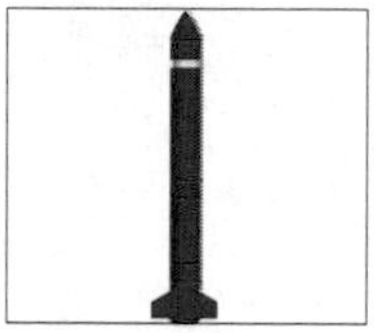 45A102  45A103 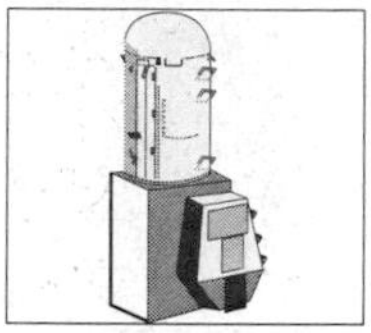 45A104  45A105

45A106 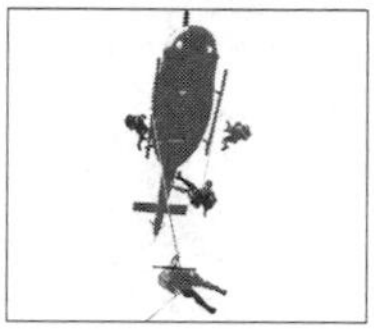 45A107 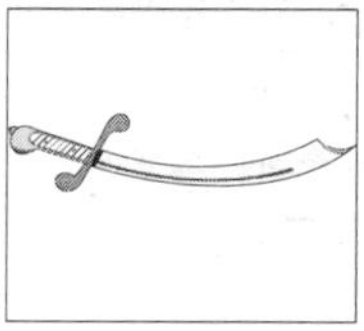 45A108  45A109 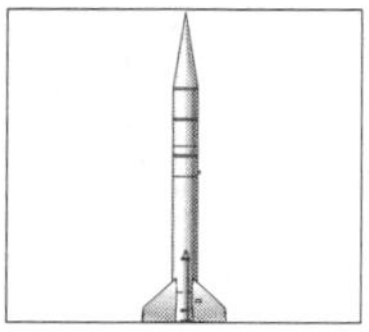 45A110

45A111 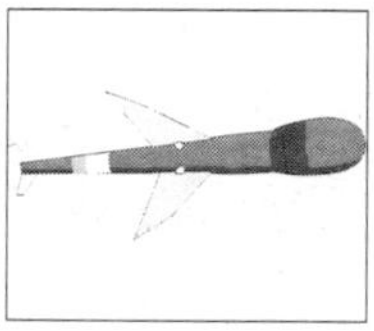 45A112 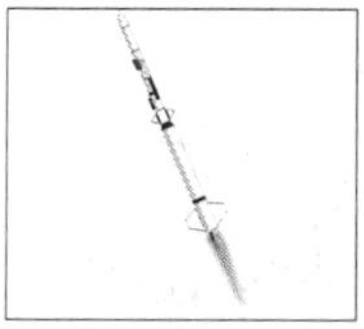 45A113  45A114  45A115

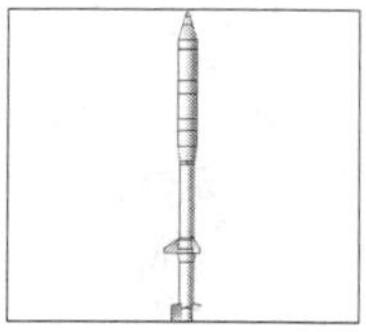

45A116  45A117 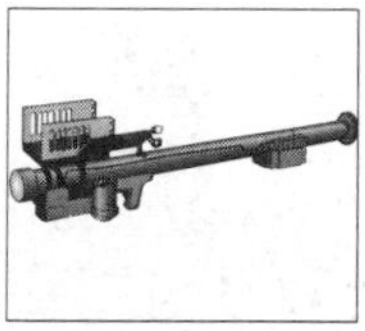 45A118  45A119 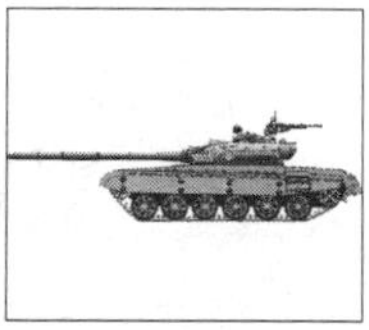 45A120

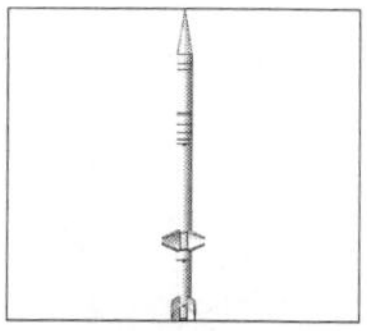

45A121 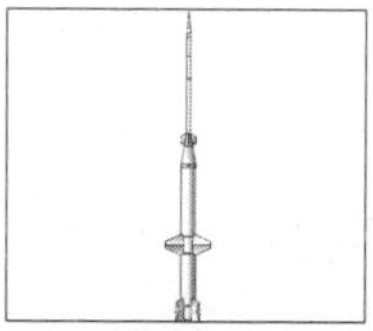 45A122  45A123 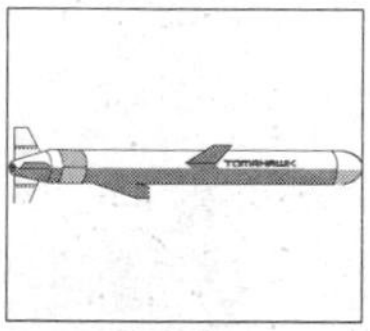 45A124 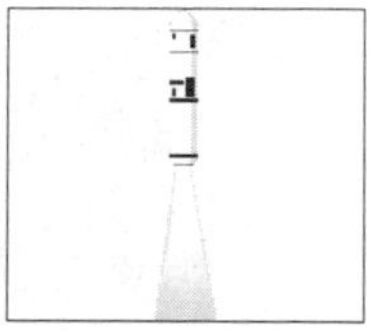 45A125

Weapon
Armes
Arma
Waffe

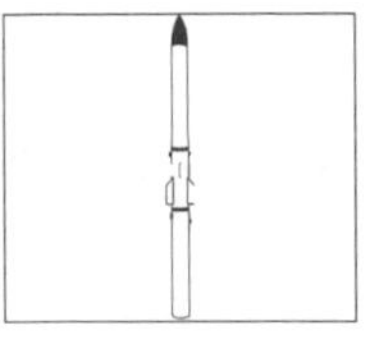
45A126

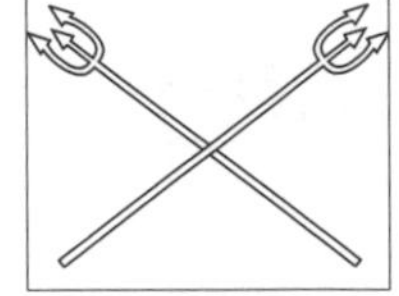
45A127

Weather
Météo
Tiempo
Wetter

46A001

46A002

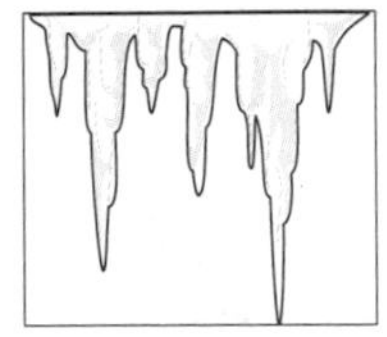
46A003

46A004

46A005

46A006

46A007

46A008

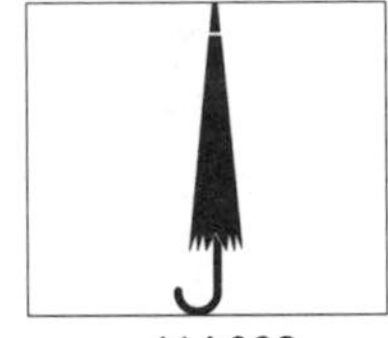
46A009

46A010

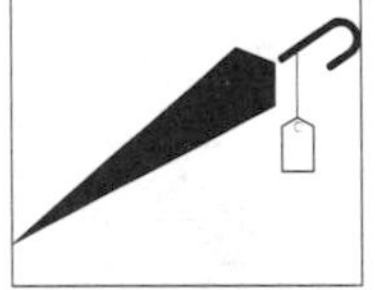
46A011

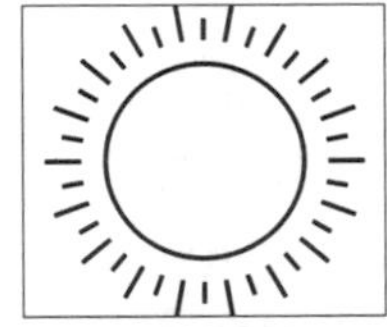
46A012

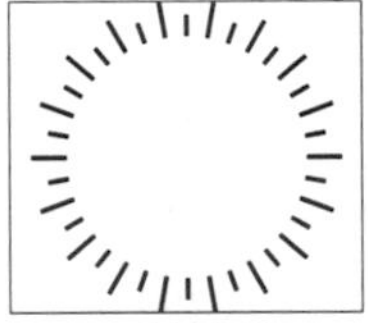
46A013

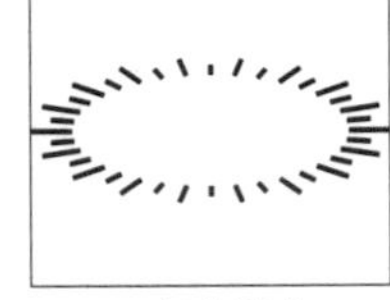
46A014

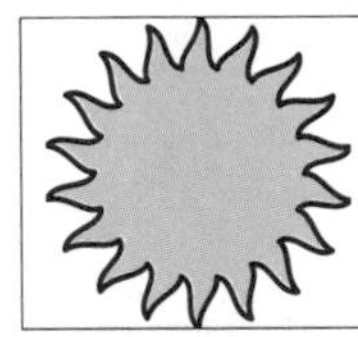
46A015

46A016

46A017

46A018

46A019

46A020

46A021

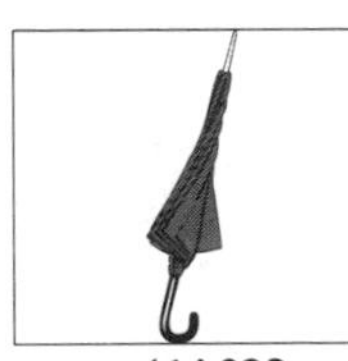
46A022

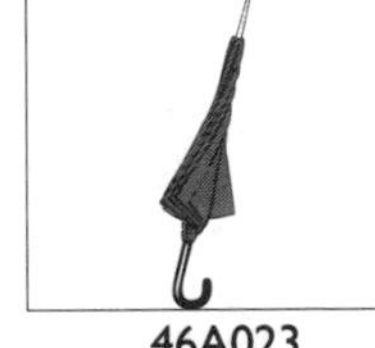
46A023

Woman
Femme
Muyer
Frau

Business
Affaires
Negocios
Wirtschaft

47A001

47A002

47A003

47A004

47A005

47A006

47A007

47A008

47A009

47A010

47A011

47A012

47A013

47A014

47A015

47A016

47A017

47A018

47A019

47A020

47A021

47A022

47A023

47A024

47A025

Woman
Femme
Muyer
Frau

Historical
Histoire
Histórico
Geschichte

47B001

47B003

47B006

47B007

47B010

47B011

Woman
Femme
Muyer
Frau

Humor
Humor
Humorismo
Humor

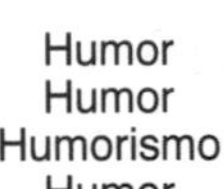

47C001

47C002

47C003

47C004

47C005

47C006

47C007

47C008

47C009

47C010

47C011

47C012

47C013

47C014

47C015

47C016

47C017

47C018

Woman
Femme
Muyer
Frau

Icon
Icônes
Icono
Sinnbilder

47D001

47D002

47D003

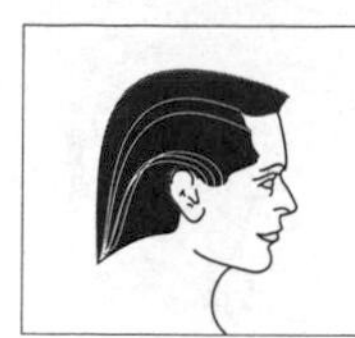
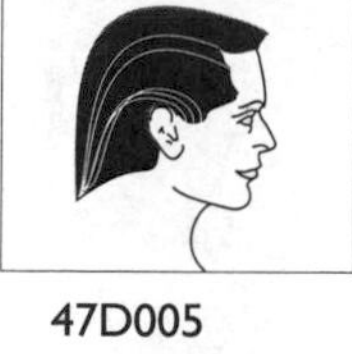
47D005

47D006

47D007

47D008

47D009

47D010

47D011

47D012

47D013

47D014

47D015

47D016

47D017

47D018

47D019

47D020

47D021

47D022

47D023

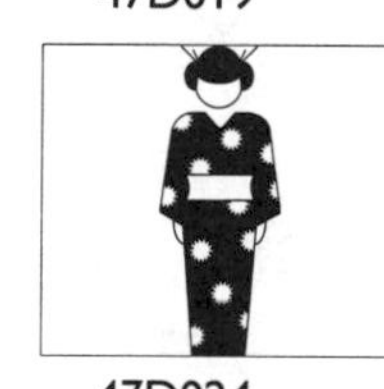
47D024

47D025

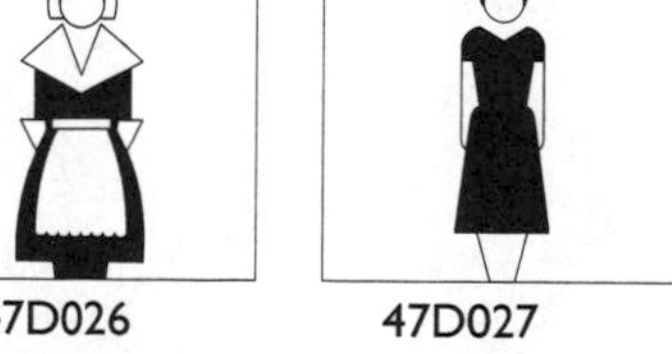
47D026

47D027

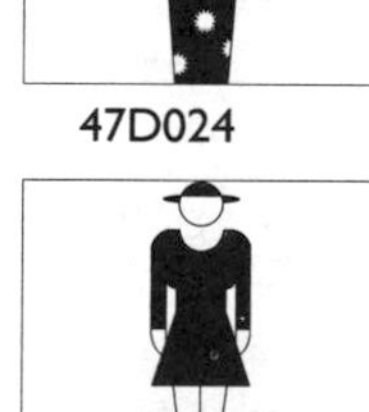

47D028

47D029

47D030

47D031

47D032

47D033

47D034

47D035

Woman
Femme
Muyer
Frau

Icon
Icônes
Icono
Sinnbilder

47D036

47D037

47D038

47D039

47D040

47D041

47D042

47D043

47D044

47D045

47D046

47D047

Woman
Femme
Muyer
Frau

Miscellaneous
Divers
Varios
Verschiedenes

47E001

47E002

47E003

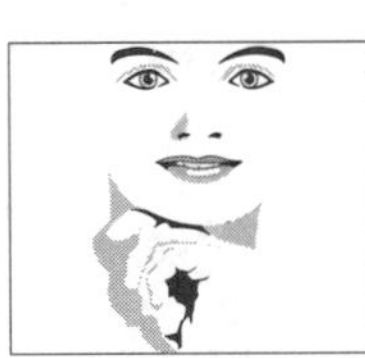
47E004

47E005

47E006

47E007

47E008

47E009

47E010

47E011

47E012

47E013

47E014

47E015

Woman
Femme
Muyer
Frau

Miscellaneous
Divers
Varios
Verschiedenes

47E016

47E017

47E018

47E019

47E020

47E021

47E022

47E023

47E024

47E025

47E026

47E027

47E028

47E029

47E030

47E031

47E032

47E033

47E034

47E035

47E036

47E037

47E038

47E039

47E040

47E041

47E042

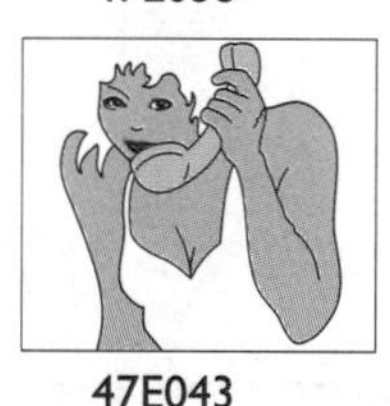
47E043

47E044

47E045

47E046

47E047

47E048

47E049

47E050

Woman
Femme
Muyer
Frau

Miscellaneous
Divers
Varios
Verschiedenes

47E051

47E052

47E053

47E054

47E055

47E056

47E057

47E058

47E059

47E060

47E061

47E062

47E063

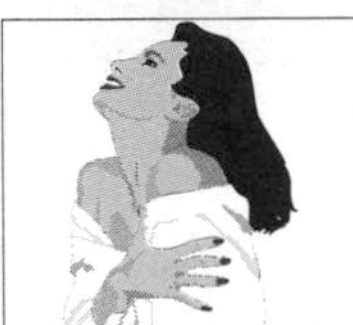
47E064

47E065

47E066

47E067

47E068

47E069

47E070

47E071

Woman
Femme
Muyer
Frau

Sports
Sports
Desportes
Sport

47F001

47F002

47F003

47F004

47F005

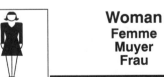

Woman
Femme
Muyer
Frau

Sports
Sports
Desportes
Sport

47F006

47F007

47F008

47F009

47F010

47F011

47F012

47F013

47F014

47F015

Woman
Femme
Muyer
Frau

Business
Affaires
Negocios
Wirtschaft

47G001

47G002

47G003

47G004

47G005

47G006

47G007

47G008

47G009

47G010

47G011

Woman
Femme
Muyer
Frau

Entertainment
Spectacles
Diversión
Underhaltung

47H001

47H002

47H003

47H004

47H005

47H006

47H007

Woman
Femme
Muyer
Frau

Humor
Humor
Humorismo
Humor

47I001

47I002

47I003

47I004

47I005

47I006

47I007

47I008

47I009

47I010

47I011

47I012

47I013

47I014

Woman
Femme
Muyer
Frau

Icon
Icônes
Icono
Sinnbilder

47J001

47J002

47J003

47J004

47J005

47J006

47J007

47J008

Woman
Femme
Muyer
Frau

Miscellaneous
Divers
Varios
Verschiedenes

47K001

47K002

47K003

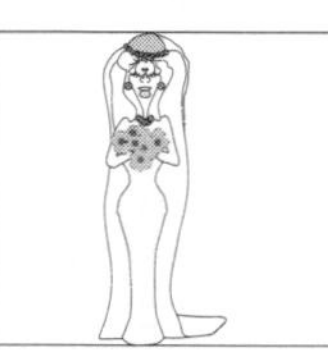
47K004

47K005

47K006

47K007

47K008

47K009

47K010

47K011

47K012

47K013

47K014

47K015

47K016

47K017

47K018

47K019

47K020

Woman
Femme
Muyer
Frau

Miscellaneous
Divers
Varios
Verschiedenes

47K021

47K022

47K023

47K024

47K025

47K026

47K027

47K028

47K029

47K030

47K031

47K032

47K033

47K034

47K035

47K036

Woman
Femme
Muyer
Frau

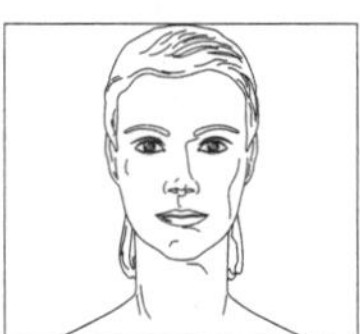
47M001

47M002

47M003

47L001

47M004

47M005

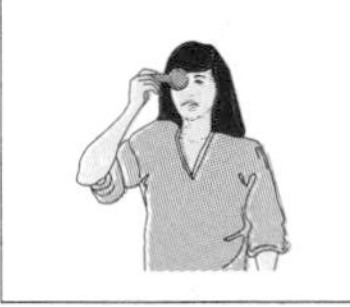
47M006

47M007

47L003

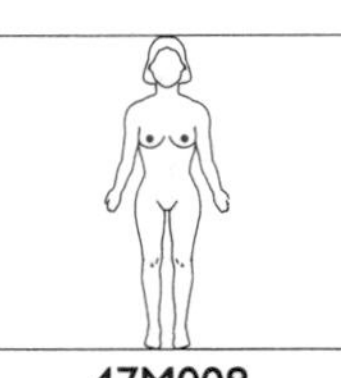
47M008

Woman
Femme
Muyer
Frau

47L004

47L005

47M009

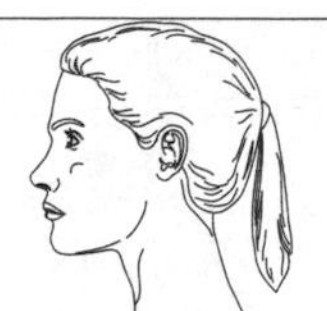
47M010

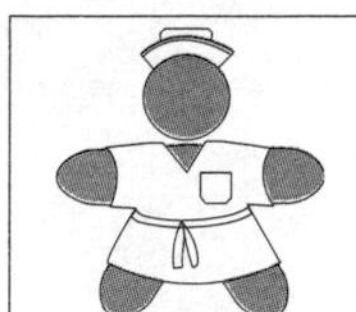
47L006

47L007

47M011

47L002

47L008

47M012

47M013

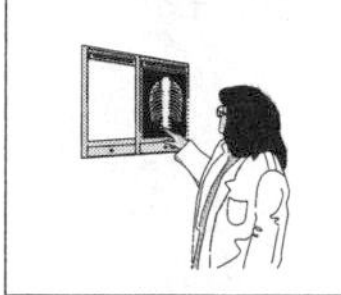
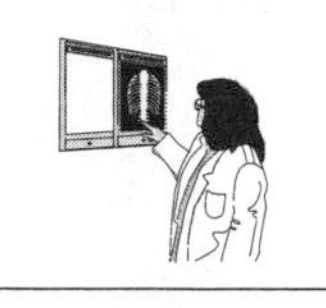
47L009

Woman
Femme
Muyer
Frau

Business
Affaires
Negocios
Wirtschaft

47N001

47N002

47N003

47N004

47N005

47N006

47N007

47N008

Woman
Femme
Muyer
Frau

Entertainment
Spectacles
Diversión
Underhaltung

47O001

47O002

47O003

47O004

47O005

47O006

47O007

47O008

47O009

47O010

47O011

47O012

47O013

47O014

47O015

Woman
Femme
Muyer
Frau

Miscellaneous
Divers
Varios
Verschiedenes

47P001

47P002

47P003

47P004

47P005

47P006

47P007

47P008

47P009

47P010

47P011

47P012

47P013

47P014

47P015

Woman
Femme
Muyer
Frau

Miscellaneous
Divers
Varios
Verschiedenes

47P016

47P017

47P018

47P019

47P020

47P021

47P022

47P023

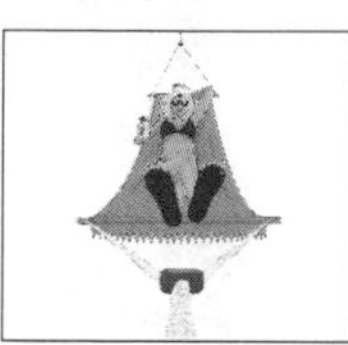
47P024

47P025

47P026

47P027

47P028

47P029

47P030

47P031

47P032

47P033

47P034

47P035

47P036

47P037

47P038

47P039

47P040

47P041

47P042

47P043

47P044

47P045

47P046

47P047

47P048

47P049

47P050

Woman
Femme
Muyer
Frau

Miscellaneous
Divers
Varios
Verschiedenes

47P051

47P052

47P053

47P054

47P055

47P056

47P057

47P058

47P059

47P060

47P061

47P062

47P063

47P064

47P065

47P066

47P067

47P068

47P069

47P070

47P071

47P072

47P073

Woman
Femme
Muyer
Frau

Sports
Sports
Desportes
Sport

47Q001

47Q002

47Q003

47Q004

47Q005

Woman
Femme
Muyer
Frau

Sports
Sports
Desportes
Sport

47Q006

47Q007

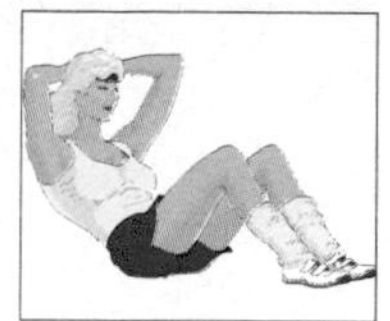
47Q008

47Q009

47Q010

47Q011